Romancero

Clásicos Taurus - 21

Clásicos Taurus

Directores:
Alberto Blecua, Guillermo Carnero y Pedro Cátedra

8. Juan Valera, *Pepita Jiménez*. Edición de Enrique Rubio Cremades.
9. Leopoldo Alas «Clarín», *Su único hijo*. Edición de José M.ª Martínez Cachero.
10. Gaspar Melchor de Jovellanos, *Poesía. Teatro. Prosa literaria*. Edición de John H. R. Polt.
11. *Poesía castellana de la Edad Media*. Edición de Francisco López Estrada y M.ª Teresa López.
12. Gabriel Miró, *Las cerezas del cementerio*. Edición de Miguel Ángel Lozano.
13. *Teatro castellano de la Edad Media*. Edición de Ronald E. Surtz.
14. Gerardo Diego, *Poesía española contemporánea*. Edición de Andrés Soria Olmedo.
15. José Zorrilla, *Don Juan Tenorio. El capitán Montoya*. Edición de Jean-Louis Picoche.
16. Emilia Pardo Bazán, *La madre Naturaleza*. Edición de Ignacio Javier López.
17. Miguel de Cervantes, *Los baños de Argel. Pedro de Urdemalas*. Edición de Jean Canavaggio.
18. San Juan de la Cruz, *Poesía y prosa*. Edición de Cristóbal Cuevas.
19. Calderón de la Barca, *La vida es sueño*. Edición de Enrique Rull.
20. *Antología de la novela corta erótica española de entreguerras*. Edición de Lily Litvak.
21. *El romancero*. Edición de Giuseppe Di Stefano.
22. Federico García Lorca, *Romancero gitano. Poeta en Nueva York. El público*. Edición de Derek Harris.
23. José Cadalso, *Noches lúgubres*. Edición de Russell P. Sebold.

ROMANCERO

EDICIÓN DE GIUSEPPE DI STEFANO

taurus

Una editorial del grupo
Santillana que edita en:

ESPAÑA
ARGENTINA
COLOMBIA
CHILE
EE. UU
MÉXICO
PERÚ
PORTUGAL
PUERTO RICO
VENEZUELA

TAURUS EDICIONES

Elfo, 32. 28027 Madrid

Aguilar, Altea, Taurus, Alfaguara, S. A.
Beazley, 3860. 1437 Buenos Aires.

Aguilar, Altea, Taurus, Alfaguara, S. A. de C. V.
Av. Universidad, 767, Col. del Valle
México, D.F. C.P. 03100

ISBN: 84-306-0124-4
Depósito legal: M. 30.473-1993
Printed in Spain

Diseño de cubierta: Zimmermann Asociados, S. L.

A
Blanca, Adriano y Elena

ÍNDICE

INTRODUCCIÓN

Se aproximaba la mitad del siglo, el XV, cuando el marqués de Santillana redactaba el *Prohemio e Carta* para encabezar una colección de poesías propias destinada al condestable de Portugal, y escribía esta frase sobre los *romances:* «Infimos son aquellos que sin ningund orden, regla nin cuento fazen estos romançes e cantares de que las gentes de baxa e servil condiçión se alegran»[1]. En los mismos años, aludiendo a tradiciones cantadas sobre la muerte de Fernando IV que quizá podamos referir a alguna forma del *Romance* del emplazamiento (Texto 65), también Juan de Mena relegaba entre 'rústicos' el consumo de tales productos poéticos. Poco más de medio siglo después matizaba esta opinión, para contrastarla en realidad, un alto funcionario de la administración de los Reyes Católicos, el jurisconsulto y archivero-glosador de memorias nacionales y familiares Lorenzo Galíndez de Carvajal, en una papeleta genealógica sobre los emplazadores de Fernando IV (cfr. notas al Texto 65). Movido por el orgullo del que consideraba su propio linaje, el doctor Galíndez precisaba:

---

[1] Ángel Gómez Moreno ed., *El Prohemio e carta del Marqués de Santillana y la teoría literaria del siglo XV*, Barcelona, PPU, 1990, págs. 56-57; en sus notas de págs. 115-125 se comentan las opiniones sobre el sentido del término *romance* en el texto de Santillana. Cfr. también *RH*, I, 87.

> Joan de Mena en sus Tresçientas dixo 'rústicos cantando' porque se cantó por todos los de los reinos largos tiempos asta tanto que vino a las aldeas, y 'rústicos' no embargante que aun en nuestros tiempos la reina doña Isabel de gloriosa memoria creía que no ofendía a su autoridad en lo oír con atençión.

Entre los dos extremos de corte y aldea se encierra la comunidad entera en la cual se expande la ola del canto; los 'rústicos' son la orilla última que esa ola va a tocar y en ella el texto poético remata su fortuna de *vox populi,* sin perder el prestigio de remotos antepasados y el poder de granjearse el aprecio de receptores encumbrados[2]. No hacía muchos años que Antonio de Nebrija había ilustrado normas de su *Gramática* con versos de *romances.* Y mientras Galíndez escribía sus notas, Hernando del Castillo estaba a punto de completar la recogida de materiales para el que fue el último grande depósito de poesía medieval y el primero en presentarse impreso, el *Cancionero general* publicado en Valencia en 1511: en él se reservaba una sección a una treintena de *romances.* Un siglo después de la frase de Santillana, el impresor flamenco Martín Nucio redactaba otros renglones prologales; no se dirigían a un lector solo y muy escogido, sino a la que se deseaba fuera una multitud de lectores, y presentaban el primer *Can-*

---

[2] La conciencia de una edad veneranda de los *romances* se va expresando, desde el siglo XV, mediante el que será un epíteto formular: *viejo* o *antiguo.* Son adjetivos que en la pluma de los cultos, desde la alta edad media latina hasta nuestros días, se suelen aplicar a textos y tradiciones para indicar, más que su edad, su peculiaridad de pertenecer a una cultura diversa. La indicación puede implicar cierto grado de aprecio: así a propósito de las primeras huellas de *chansons de toile* o *d'histoire* en el *Guillaume de Dôle* de Jean Renart (s. XIII), que evoca «el tiempo pasado / cuando damas y reinas / acostumbraban tejer sus telas / cantando las 'chansons d'histoire'» (vv. 1148-1151; tr. mía); o, al contrario, ironía por aficiones risibles, típicas del «buen anciano bevir»: son las que, en versos de Guevara de 1465 c., se atribuyen al caballero Barba, con su «amor en contar ystoria / de los Infantes de Lara / [...] amor de cantar al temple / 'De vos, el duque d'Arjona'» [nuestro Texto 74]: *RH,* II, 25, y Pedro M. Cátedra, *La historiografía en verso en la época de los Reyes Católicos. Juan Barba y su «Consolatoria de Castilla»,* Salamanca, Universidad, 1989, pág. 365.

cionero de romances. El sagaz Nucio manifestaba su convencimiento de «que cualquier persona para su recreación y pasatiempo holgaría de lo tener». Eran la intuición, y la esperanza, de un comerciante no desprovisto de sensibilidad cultural; y fueron premiadas. El mismo Nucio tuvo que sacar una segunda y más rica edición de su libro en 1550, y reimprimirla varias veces, mientras otros recopiladores-autores e impresores se lanzaron sobre el negocio: descuella la *Silva de romances* en tres Partes y tomos, reunida e impresa en Zaragoza por Esteban de Nájera de 1550 a 1552[3]. Era ésta una ola que no iba destinada a alcanzar las orillas de los rústicos de las aldeas; su público era la minoría alfabetizada, y dentro de ella la minoría más restringida con posibilidades y deseos de comprar un libro. Para quien poseía solamente los deseos circulaban desde comienzos del siglo, o quizá desde antes, *pliegos sueltos* de cuatro hojas con *romances* y algún que otro texto cancioneril; bastaban pocas *blancas* (un centenar escaso de pesetas actuales)[4] para comprarlos en la calle, en el mercado, en las ferias, vendidos en general por ciegos que solían exponerlos colgando de una cuerda: de aquí que se les llamara pliegos 'de cordel'[5]. Para los rústicos y analfabetos, cerca del 90 por 100 de los españoles entre el XV y el XVI, quedaba —amén de un uso indirecto del escrito trámite la asistencia a lecturas colectivas— esencialmente la transmisión oral, que era la más propia y universal del *romance,* poesía cantada o recitada con acompañamiento musical; por lo tanto, poesía destinada a una condición textual de movilidad y fluidez, que sólo muy pálidamente se trasluce a través de lo seleccionado

---

[3] Cfr. Siglas de las fuentes textuales y los trabajos de Rodríguez Moñino y de Piacentini en Bibliografía. En estas recopilaciones se inserta algún texto que no es *romance,* o como simple relleno o como adorno y *variatio,* reflejo mínimo de una modalidad combinatoria más marcada que perduraba todavía en muchos *pliegos sueltos.* Sobre *romances trovadorescos* en el *Cancionero* de Nucio cfr. Kish [1977].

[4] *Vid.* la nota 12.

[5] Cfr. Fuentes de los textos. Su historia y catálogo en *Dicc.;* también Romero de Lecea [1974] y estado de la cuestión en Infantes [1987].

y fijado por la imprenta. Así que solamente de la voz de los 'rústicos' de hoy, siempre menos, nos llegan las supervivencias orales directas del *romancero* antiguo[6]. Sin embargo, *pliegos* y libros son los testimonios excelentes de una faceta de los textos y de un momento de la vida del *romancero viejo* durante su época de expansión más compleja y brillante, ese centenar de años que simbólicamente hemos enmarcado entre la censura de Santillana y las recopilaciones de Martín Nucio y de sus imitadores[7].

Sintetizar la historia en fases o frases simbólicas puede ser cómodo e incluso sugestivo, pero casi siempre es insuficiente y hasta equívoco. Conviene, por lo tanto, integrar y así matizar. Lo cual no quiere decir que se reduzca el valor emblemático de la iniciativa de Martín Nucio, cuando el *romance* llega a dominar por sí solo un libro entero; ni el de la de Hernando

---

[6] La investigación científica de las tradiciones orales empieza en la segunda mitad del siglo XIX, impulsada por el entusiasmo y los primeros estudios que el movimiento romántico dedicó a las culturas populares nacionales y comarcales. El *romancero* tuvo la suerte de entrar en el campo de interés de tres maestros de los estudios filológicos en la península Ibérica: Manuel Milà y Fontanals, Ramón Menéndez Pidal y José Leite de Vasconcellos. Menéndez Pidal, sus colaboradores y su escuela han construido el patrimonio de textos recuperados, estudios y teoría indispensables —incluso en confrontación dialéctica— para toda investigación seria, que además puede aventajarse de la ampliación y consolidación de las bases bibliográficas, para la época antigua, realizadas por Rodríguez-Moñino. Sobre el *romancero* 'moderno' y su estudio cfr. *RH,* II, 276-452, Sánchez Romeralo [1979], Catalán [1992] y Bibliografía; una valiosa sistematización, actualizada, de las coordenadas de método y críticas en *CGR;* en esta dirección una rápida ojeada fuera de la península permiten Laforte, Long y Wilgus en *Ballad Research,* 1986, en particular el primero, que tratan también los problemas de clasificación de los textos: estado de la cuestión y propuestas, en nuestro campo, en Goldberg [1992b].

[7] Con *romancero viejo* o *antiguo,* a veces *primitivo,* se delimita el núcleo supuestamente originario del género; es también el que se ha tradicionalizado. No tuvo suerte idéntica, por razones obvias y con rarísimas excepciones, el *romancero* artístico que salió de las escuelas cultas: de las líricas, como el *trovadoresco* entre los siglos XV y XVI y el *nuevo* entre los siglos XVI y XVII, y de las narrativas, como el *cronístico* o *erudito* y variadamente histórico-épico. Sobre dos ejemplos de esas raras excepciones cfr. Catalán [1970], 13-55 *(El enamorado y la muerte* de Juan del Encina), y Armistead [1990] (*Romance de la pérdida del rey don Sebastián:* 1578).

del Castillo, cuando el *romancero* se abre paso como género en una *summa* de medio siglo de poesía culta; ni el de la frase interesada del doctor Galíndez, que se ofrece como testigo de un episodio que bien encaja en el apogeo cortesano del *romance;* ni el de las citas de Nebrija, que inauguran el uso del *romancero* en tratados normativos[8]; ni, en fin, el de la repulsa de Santillana, frente a la cual podemos apreciar adecuadamente peso y medida de los hitos sucesivos en la historia de la recepción del *romance.*

Precisamente el aserto del marqués requiere las primeras aclaraciones. Es una censura de la forma de los textos, dentro de un tratado y de una concepción general de la poesía, propia de la época, que cifraba en «orden, regla y cuento» algunos de los elementos esenciales de identificación valorativa del arte en el género poético. Sea cual sea el sentido históricamente exacto de esos tres términos, parece indudable que definen aspectos de la confección del texto centrados en el molde métrico y en la medida silábica, acaso también en algo que podríamos pensar como 'forma del contenido', aunque siempre en relación con un modelo métrico cerrado. No sabemos ni cuáles eran ni cómo eran los *romances* en la época de Santillana; mejor dicho, no tenemos de momento ninguna transcripción de un texto de *romance* que se remonte a los años del marqués, con la sola excepción de «Gentil dona, gentil dona» (Texto 8). Si tuviéramos que considerar esa transcripción como un espejo fiel de una de las condiciones textuales en que ese *Romance* circulaba alrededor de 1421, sin apelar a descuidos y mala memoria de Jaume de Olesa, Santillana se llevaría casi entera la razón con su censura; prescindiendo, naturalmente, de la gracia pícara del texto, que por cierto no habría dejado insensible al autor de las *serranillas*. Y si que-

[8] La alegación de *romances*, o cancioncillas o refranes, como prueba de usos lingüísticos, o de tradiciones culturales, toca su vértice en el *Tesoro* de Covarrubias (1611): cfr. Triwedi [1984] y Seco [1986], y en el *Vocabulario* de Correas (1630c.). Para ambas obras cfr. Abreviaturas y siglas empleadas en las notas.

remos atribuir a Rodríguez del Padrón alguna responsabilidad en las tres antiguas versiones de *Conde Arnaldos, Doncella que iba a Francia* y *Rosaflorida* (Textos 1, 4 y 12), y colocarlas, por lo tanto, más o menos en el decenio en que se pensaba y se redactaba el *Prohemio e Carta,* una vez más los renglones del pequeño tratado pueden parecer justificables. En efecto, el primero de los tres textos es confuso y parece remendado en su final, como «Gentil dona» lo estaba en su comienzo; el segundo empieza el relato en primera persona y lo continúa en discurso indirecto; y el tercero tiene todo el aspecto de ser incompleto. Además, su medida silábica no es impecable y resulta dudosa su eventual organización estrófica. Pero constatemos que tales 'lacras' nos están proponiendo, en realidad, rasgos de la poética y de la vida del *romancero:* el cambio de la primera a la tercera persona, el final inacabado[9], el texto centrado y concluido en el solo 'discurso' del protagonista y la contaminación, en fin, lastre o chispa creativa de la transmisión oral. No podemos excluir que todo esto halagara de alguna manera zonas de la sensibilidad de Santillana; lo cierto es que repelía a su teoría. El *romancero,* pues, en su página comparte sí —y esto no lo pasemos por alto— el estatuto de 'poesía' con los versos de los latinos y griegos, y con los de los poetas en lenguas vulgares; pero es tachado de poesía técnicamente rudimentaria, producida por indoctos y gustada solamente por incultos. Creo que en este último aspecto el marqués se eximía del deber de la sinceridad; y creo que

[9] Los principios de los *romances,* que casi no plantean problemas filológicos, han sido tan estudiados (cfr. la nota 30) como desatendidos los finales, aparte *RH,* I, 72-75. Conocido también en canciones francesas antiguas, un final 'inacabado' es el que no contiene indicadores lingüísticos o temáticos explícitos del cierre de la secuencia narrativa. Esa falta puede ser auténtica y se debe a accidentes como olvidos, interés práctico en apuntar tan sólo una parte del texto, gusto por repetir o transcribir sólo una sugerencia más que un relato; o puede ser ficticia, con estatuto de recurso poético. No es dificultoso imaginar las divergencias entre estudiosos sobre tal disyuntiva, si interviene además alguna supuesta versión 'completa' del texto, coetánea o en fuente muy posterior, y el 'corte' no tiene evidencia contundente. Ejemplos en las notas de algunos Textos.

más bien entendía afirmar que «romances e cantares» eran la única forma de poesía conocida y gozada por los rústicos.

Para dar un vigoroso mentís a la afirmación de Santillana, entendida como exclusión del *romancero* del horizonte de una persona que no fuera de condición «baja» y «servil», no es necesario tener la seguridad del vínculo de Rodríguez del Padrón con los textos de los tres *Romances* antes apuntados. Puede bastar aquel cuaderno de apuntes de un estudiante de derecho que, acogiendo el «Gentil dona», documenta un cuarto de siglo antes de la frase del marqués el deleite de un individuo culto por un texto que, por 'plebeyo' que fuera en su forma, no lo era en el espíritu que había sugerido y orquestado su invención. Tan es así que recientemente se han reunido argumentos para sostener la hipótesis de una difusión e incluso de una génesis de ese *Romance* y de algún otro en medios universitarios españoles de Bolonia (cfr. las notas a los Textos 8 y 37). Al otro lado de la península italiana, en Nápoles, y a los pocos años de haberse redactado el *Prohemio e Carta,* nada menos que un poeta cortesano, con amplia y refinada producción culta pero con algún interés hacia el universo poético parafolklórico, podía celebrar las gestas de su señor Alfonso V escribiendo un *Romance* (Texto 76) en la forma del lamento de soledad de la esposa y dentro de la antigua tradición de cantos femeninos de despedida, modalidad bien representada en el *romancero*. El tema áulico y la finalidad celebrativa del texto, así como el fingir su presentación al príncipe con una solemne carta en prosa de la reina, amparaban este *exploit* de un poeta con ribetes de vanguardista y propiciaban la tentativa de recuperar un género 'diverso' y neutralizar sus eventuales raíces 'plebeyas'. Cabe también la sospecha, que no limita sino que enriquece la intuición de nuestro poeta Carvajal, de que la elección de la forma *romance* se haya visto influida por la ficción de una responsabilidad de doña María en la génesis y en el destino del texto: debía ser una 'canción de mujer', en la forma llana y emocionada que debe caracterizar tal poesía de voz femenina, ya fuera auténtica o convencional. No contradice esta sospecha el segundo *Romance* conservado del mismo autor, el que empieza «Terrible duelo fazía»: es ahora la voz de un protagonista masculino, el poeta en persona, la que canta una vez más un lamento de soledad y de separación del ser amado. Era un modelo que permitía imponer, de una manera fácil y suave, la instancia lírica cancioneril a la marcha narrativa del género *romance*.

Treinta años después de la documentación de «Gentil dona», los *Romances* de Carvajal son la segunda atestiguación segura que el *romance* era una forma bien consolidada, en la primera mitad del siglo XV; sobre todo, atestiguan que a esa forma se miraba con interés dentro de la escuela poética cortesana, dispuesta a sujetarse a su «orden, regla y cuento». Porque el *romance* los tenía, aunque fueran ajenos al concepto que de tales categorías poseía Santillana. Esa escuela empezaba ya a ensayar formas de apropiación complejas y artificiosas, como eran las glosas, que florecieron plenamente en los decenios finales del siglo XV y en los primeros del XVI, época áurea del *romancero* llamado con razón 'trovadoresco' por temas y autoría. Ya el temprano *Cancionero de Herberay* (entre 1461 y 1464) acoge una «Glosa del romance de Por aquella sierra muy alta», atribuida a Diego de Sevilla. El contemporáneo *Cancionero de Estúñiga* contiene los *Romances* de Carvajal. En este mismo decenio, o en el que inmediatamente le precede, un gran novelista se inventaba una sensual emperatriz de Costantinopla, que en cierta ocasión canta con dulcísima voz a su amante el *Romance* del lamento de Tristán herido (Texto 55). Ocurre en el *Tirante el Blanco*, y no era un desacierto: nos cuenta Pero Tafur que, estando en la corte bizantina en 1437, le habían informado que el emperador gustaba de oír cantar *romances* castellanos al juglar Juan de Sevilla, que allí había ido a parar ejerciendo de intérprete. La misma afición tenía en Castilla Enrique IV.

Raramente la documentación antigua desmiente su peculiaridad obvia de producto de las clases dominantes y de testimonio casi exclusivamente de sus circunstancias. Así que no sorprende encontrar tantas desmentidas a la frase de Santillana, que ahora aparece como un testigo precioso, por excepcional, de las aficiones poéticas de las «gentes de baxa e servil condiçión». Asimismo, debemos reconocer lo acertado de la glosa de Galíndez sobre Mena, y acentuar en ella la referencia implícita a la circularidad en el recorrido del canto. Dicho sea de paso, el amor propio hace que nuestro doctor se adelante casi cuatro siglos a los que sostendrán la teoría de la poesía popular como producto culto en su origen y 'descendido' al vulgo, y precisamente con aquel divulgarse del centro hacia la periferia por él perfilado.

Sigamos matizando y distinguiendo. «Gentil dona» y los dos *Romances* de Carvajal pertenecen al mismo género poético sobre todo por coincidir en el uso del mismo metro; su lenguaje, en cambio, tiene marcas de escuelas distintas. Además, la incierta situación textual de «Gentil dona», parecida a la del *Infante Arnaldos* atribuido a Rodríguez del Padrón, delata una condición de vida que en general les es ajena a los poemitas de Carvajal, según los testimonios —sólo manuscritos— que conocemos de ellos. Y es ajena a casi todo el *romancero* llamado 'trovadoresco', el que hacia finales de siglo va saliendo, con moderación, de las plumas de Diego de San Pedro, Juan del Encina, Juan Manuel, Diego de Acuña, Torres Naharro y otros; el que campea en la sección romanceril del *Cancionero general.* Son textos que se cantan y divulgan con éxito en ámbitos esencialmente cortesanos, y que revisten de tenue apariencia narrativa las abstracciones usuales del poetizar cancioneril; son rarísimos los que gozan de aquella fortuna más extensa y vivaz que suele resolverse en una apropiación colectiva del texto y en una agresión a su letra, a veces feliz. Por cierto, el mismo *romancero* trovadoresco nace de la apropiación que una *élite,* en este caso, realiza del molde formal de un género que se había desarrollado fuera de su ámbito; con él se complace en estrenar y practicar durante algunos decenios modos variados de afectada complicidad. Dos de entre los más usados fueron la glosa, ya apuntada, que por lo común procedía por décimas cuyos ocho versos primeros amplificaban y preparaban la incrustación final de dos versos del *romance*, y la *contrahechura*, una re-escritura transparente del *romance* que mudaba su letra y sentido pero conservando marcas verbales y pautas del texto originario para su clara identificación[10]. A las glosas debemos las transcripciones más tempranas, en algún caso las únicas, de los textos —a veces retocados— de varios *romances viejos*, que sólo tardíamente se documentan de forma autónoma. Mediante las *contrahechuras* constatamos indicios de la existencia de ciertos *romances* decenios antes de su primera publicación conocida: por ejemplo, *Lanzarote y el ciervo del pie blanco* (citado también por Nebrija), *La querella de Lambra, La derrota del rey Marsín* (Textos 53, 115 y 138). Asoman las grandes tradiciones temáticas: la materia de Bretaña, ya atestiguada en la referencia del *Tirante* a las quejas romancísticas de Tristán, la épica castellana (hacia 1470 una Crónica acoge versos de un *Romance* de tema zamorano: Texto 127), así como la rolandiana y la carolingia.

Las quejas de Tristán reaparecen en un curioso e interesante texto poético que nos vuelve a introducir en las diversiones de Isabel y de su corte, como había hecho ya la papeleta del doctor Galíndez. Para la reina y su hijo, para las infantas y las damas de corte, poco antes del verano de 1495 Jerónimo Pinar redactó un *Juego de naipes* poético, como guión para un entretenimiento a base de cantos y danza, que no sabemos si llegó a realizarse. Cada estrofa representaba un naipe asignado a cada uno de los participantes, según una obvia jerarquía que empezaba por la reina; en los versos finales

---

[10] Cfr. en parte Catalán [1987] y Díaz Mas [1988]; en ámbito musical es ejemplar Katz [1988].

el jugador encontraba 'su' refrán y se le invitaba a cantar un texto poético muy conocido. Desde la estrofa 38, ya en los niveles «ínfimos» —diríamos con Santillana— de la jerarquía, estos textos sugeridos empiezan a ser *romances*. Pero los dos primeros, junto con el último, son trovadorescos, abriendo la serie el famosísimo «Gritando va el cavallero» del portugués, poeta y cortesano, Juan Manuel. Los demás son nuestros *Romances* 53, 55, 64, 21, 63 y 26: se indican aludiendo al protagonista —«el dela reyna Dido»— o dando el verso inicial —«Mal se quexa don Tristán»— o señalando el fragmento más conocido y el único que se proponía para cantar, como «Pésame de vos, el conde». Son *romances* novelescos y de raigambre cortesana o segmentos esencialmente líricos, de tonos angustiosos, casi todos centrados en la pena de amor o en sus aledaños, muy solidarios, por lo tanto, con la amplia mayoría de las demás canciones citadas en el *Juego* y con la cultura temático-poética alta; la cual, sin embargo, a finales del siglo XV todavía los sigue acotando en zonas marginales de su actividad artística, al igual que Pinar les reserva el margen último de su *Juego trobado*. Pero Pinar sabe que esos textos han interesado a las damas, que los conservan en su memoria junto con las composiciones cancioneriles; y sabe que de esa memoria pueden rebrotar fácilmente por la simple evocación de un exordio o de una palabra-clave: son patrimonio poético de uso corriente en la sociedad cortesana, aunque el poeta culto no puede y no debe cancelar distinciones y jerarquías. Es cierto que el *Juego* y el público al que se destina nos dicen que, a finales de siglo, las distinciones de Pinar no habrían llegado a manifestarse con una frase como la de Santillana. Al año siguiente, en 1496, Juan del Encina publica su *Arte poético:* sus palabras sobre el verso de *romance*, al registrar unas normas, daban por descontado el cambio.

Los cincuenta años que van de 1470 a 1520 (en números redondos) son un hervidero de iniciativas alrededor del *romancero*, que bien se documentan en tres importantísimos testimonios fraguados a lo largo de los dos decenios iniciales del siglo XVI: el *Cancionero musical,* llamado 'de Palacio' por custodiarse en la Biblioteca del Palacio Real de Madrid; el ya citado *Cancionero general,* reunido por Hernando del Castillo, y el *Cancionero* manuscrito llamado 'de Rennert', quien primero lo estudió en detalle, o también 'de Londres', en cuya British Library se guarda[11]. El número de *romances,* y de textos con ellos relacionados, no difiere mucho en los tres *Cancioneros:* oscila entre los treinta y cuarenta. Varios de estos *romances* coinciden en las tres colecciones; de manera particular están emparentados, y no sólo en el ámbito de los *romances,* el *Cancionero* de Castillo y el londinense. Por lo tanto, el número efectivo de textos distintos no es muy alto, y en el conjunto de la producción poética allí almacenada la relativa al *romancero* resulta mínima. Se ha seleccionado, y seguramente retocado o remodelado y acaso en parte reinventado, un pequeño corpus de composiciones que venían ya influidas o inspiradas por la cultura poética cortesana; abiertas, especialmente, a su problemática más típica y de sugestión más universal, la sentimental, reiterada en su vertiente menos abstracta y más individualizada, mediante un discurso narrativo cautivador que se inventa sus propias fábulas, o echa mano de las más recientes, o remotas, de la tradición novelística autóctona y forastera en prosa y verso. *El conde Claros* es el emblema perfecto de este *romancero* virtualmente cortesano y cancioneril, pero compuesto según una técnica y una poética 'llanas' que tienen su destinatario institucional fuera del palacio y de los círculos de la cultura de *élite,* aunque dentro de esos ámbitos sus versos resuenen y no podamos excluir que en algún caso allí se formaran. Un *romancero* de espíritus cortesanos, pero en versión calculadamente 'popular', diríamos, y a veces hasta 'plebeya', para el que es fácil imaginar el amplio abanico de destinatarios pero del que re-

[11] Cfr. Fuentes de los textos. Para el ms. de Londres es muy importante C. Alvar [1991].

sulta difícil establecer autorías. Respecto a este último punto el abanico se restringe y nos remite, en una consideración de conjunto, a aquellas áreas de actividad creativa que florecen en los márgenes heterogéneos de la sociedad literaria oficial y que pueden tener en sus cumbres versificadores y glosadores como un Alonso de Alcaudete o un Francisco de Lora o un Velázquez de Mondragón o un Luis de Peralta, muy presentes en *pliegos sueltos* de los primeros decenios del XVI; áreas que tienen en su cuerpo y base los muchos y anónimos romancistas y prosistas que dan a la imprenta la primera literatura de evasión que pueda empezar a definirse 'de masa'. Territorios insondables, donde —como en la Andalucía de la Reconquista— podían ir a 'hacer presa' magnates provenientes del otro lado de la frontera poética y donde pudieron fraguarse sorprendentes alianzas en términos imposibles ya de deslindar; donde tuvo sus raíces aquel Pedro de Riaño que algunos *pliegos* dan como autor del *Romance del conde Alarcos,* el poema narrativo de más altura poética en las letras castellanas del Medievo tardío. Con el *Claros* comparte el *Alarcos* ese valor de emblema de un *romancero* cortesano que vulgariza y escenifica genialmente núcleos de la convención temática cancioneril. Pero con el poema dramático del *Alarcos* salimos ya de la tipología de la selección romancística de los tres *Cancioneros* antes citados, que prefieren el texto breve o el fragmento de fuerte matiz lírico, traducibles con más inmediatez en declamación y canto, o amplificables en glosa. Glosas que a sus cultivadores y público les interesaban más que la —para nosotros— perla en ellas engastada.

Sin embargo, los tres *Cancioneros* presentan entre sí también diferenciaciones. El *Cancionero* londinense, que tiene visos de recopilación para uso personal, es el más unitario en cuanto al tema de fondo de los *romances,* con glosas y sin ellas, que acoge desordenadamente y sin excesiva preocupación por la condición del texto: no sabemos si víctima en ello de sus fuentes, escritas u orales que fueran, o de su probable función de borrador. Parece el fruto, acaso provisional, de un gusto individual, aún dentro de orientaciones de escuela, las mismas que produce su afín, el *Cancionero general.* Pero Hernando del Castillo, aparte sus propias inclinaciones, sentía la responsabilidad hacia un público, que podemos suponer bastante exigente por su formación y —por qué no— también por la suma notable que el elegante y denso volumen de gran tamaño debía de costarle: entre las quince y las veinte mil pesetas actuales[12]. El rigor y el orden que dominan todo el libro, así como la conciencia de la función 'monumental' de su recolección en cuanto *summa* y canon de la poesía de la época, con una atención especial a la del País Valenciano, se perciben también en la sección de *romances:* innovación y canonización se enlazan, y la entrada de la forma 'nueva' es muestra y al mismo tiempo fijación de sus realizaciones posibles en el laboratorio artístico cancioneril. En primer lugar la glosa: el *Cancionero general* abre su apartado dedicado al *romancero* con el arquetipo de *romance* glosado y de glosa de *romance,*

[12] En 1528, según un inventario del impresor Cromberger, un ejemplar de este *Cancionero* (acaso de la ed. toledana de 1527) se valoraba, sin encuadernar, ciento siete veces más que un *pliego suelto:* Clive Griffin, «Un curioso inventario de libros de 1528», en *El libro antiguo español.* Actas del I Coloquio Intern. (Madrid, 1986), Salamanca, Universidad-Bibl. Nac. de Madrid-Sociedad Esp. de Hist. del Libro, 1988, págs. 189-224 [194-196], núms. 44, 71, 74, 95 y 229. Con la encuadernación, el coste subía del cuarenta al sesenta por ciento: *ibíd.,* pág. 195. No muy diferente debía de ser el porcentaje agregado para la venta al público: Fernando Colón entre 1511 y 1527 compra a tres *blancas* cada uno —o sea, maravedí y medio— *pliegos sueltos* de cuatro hojas que en el inventario citado se valoran un maravedí. Un inventario análogo, de 1556, no presenta diferencias de relieve en los valores: Antonio Blanco Sánchez, «Inventario de Juan de Ayala, gran impresor toledano (1556)», en *BRAE,* LXVII (1987), págs. 207-250. El valor adquisitivo de un maravedí, hacia la mitad del siglo XVI, se ha calculado en dieciséis pesetas escasas de 1988; en la misma época un capitán de infantería ganaba cincuenta mil maravedís de sueldo anual y un jornalero cincuenta diarios (diecisiete en el primer decenio del siglo); poco menos de un kilo de pan costaba diez maravedís, y poco menos de medio kilo de queso catorce: Manuel Fernández Alvarez, *La sociedad española en el Siglo de Oro,* Madrid, Gredos, 1989, 2.ª ed., vol. I, págs. 112-115; también Bartolomé Bennassar, *La España del Siglo de Oro,* Barcelona, Ed. Crítica, 1983, págs. 194-201 y *passim.*

el fragmento del *Claros* «Pésame de vos, el conde», con glosa y contrahechura. Estas dos especies siguen llenando los folios, sin dejar —ahora la una, ahora la otra— nunca abandonado a sí mismo el *romance* que, de ser de los 'viejos', mal justificaría su desnuda presencia en una recopilación oficial ajena a las libertades de un borrador. Pero sí van solos los numerosos *romances* de autor, es decir, los trovadorescos; hay *romances* 'mudados' (un tipo de contrahechura) y ejemplos de *romances* 'añadidos' o 'continuados'. Tiene cabida un *Romance* de materia troyana, el lamento de Menelao por el rapto de Elena, y uno noticiero de marca juglaresca con el anuncio y lamento de la muerte del joven Manrique de Lara (1493): presencia ésta disonante, temática y estilísticamente, que podemos atribuir a alguna razón contingente, relacionada o con la familia del difunto o más bien con el autor del texto, Juan de Leiva; y contingente es el motivo de la presencia del *Romance* de Alonso de Proaza en loor de Valencia, ciudad donde se fragua y ve la luz el *Cancionero general*. Estos tres textos, unidos a un *Romance* de tema religioso, amplían la ejemplificación de la ductilidad temática y lingüística del género *romance*, peculiaridad determinante de su fortuna como se va perfilando precisamente en los años que el *Cancionero general* abarca[13].

El *Cancionero musical* no es ni un borrador personal ni una colección bien organizada con destino al público. Su manuscrito se fue formando durante un par de decenios escasos a caballo del siglo XV y del XVI, con el fin de apuntar y reunir para un uso interno textos y músicas que se ejecutaban en la corte. Desafortunadamente, ese 'apuntar' debemos entenderlo en su sentido más literal: muchos textos son sólo fragmentos iniciales, cuanto bastaba para dejar constancia más que nada del motivo musical, que cubría la extensión de cuatro octosílabos y solía repetirse idéntico en las sucesivas cuartetas, tales casi siempre en cuanto a la extensión del período musical y

[13] De los *romances* en el *Cancionero general* tratan Aubrun [(1984) 1986], págs. 81-98, y Orduna [1989].

no en relación con el desarrollo y pausas de la letra. La añoranza por lo que aleteó sobre el papel pero no se posó en él es parte de nuestra emoción de lectores del extraordinario volumen, uno de los más importantes de la época. Es la cara y la cruz de los libros de música, de éste como de los tratados y manuales que se imprimieron numerosos en el siglo XVI, y en general de la labor de los músicos alrededor de los textos[14]. Su cara es la documentación de notas y melodías nuevas o tradicionales, y de las muchas huellas de *romances* y cantarcillos que sólo por esa vía se han conservado. Su cruz es la cita fragmentaria; y también cierto destrozo que sobre los textos se permitían vihuelistas y guitarristas, para adaptarlos y a veces abreviarlos según las exigencias de su arte: la cuarteta forzada puede ser un ejemplo, aunque no de los más graves, teniendo en cuenta que los mismos romancistas en cierto modo preparaban el texto para tal segmentación.

Si el *Juego* de Pinar deja imaginar un posible espacio y modalidad de ejecución de *romances,* y de otros textos, en la corte, el *Cancionero musical* nos entrega parte de los materiales que allí fueron realmente ejecutados. Entre ellos están las primeras muestras de un *romancero* noticiero y celebrativo de tema militar, dedicado a episodios de la fase conclusiva de la guerra granadina. Momentos de la epopeya menor de las tierras del sur entran en moldes textuales y con fórmulas que la tradición ya había labrado; pero no se renuncia al matiz culto, porque es poesía celebrativa y cortesana la que se quiere componer y cantar, que sale incluso de la pluma de un Juan del Encina y sabe empeñarse en tiradas de propaganda propias del profetismo de una parte de la historiografía oficial[15]. Al cantar

[14] Sobre música y *romancero, RH,* I, 367-402, y II, 26-27 y 81-93; Querol [1954]; Dickerson [1972]; Katz [1974]; Sage [1976]; Alatorre [1977], 345-349; Devoto [1979a] y [1979b]. El primero y los dos últimos estudiosos dan énfasis al problema de la longitud del período musical en correspondencia con la medida de la unidad métrica básica del *romance,* si de ocho o de dieciséis sílabas con posible estructura en cuartetas, rozándose la cuestión del origen de la forma *romance.*

[15] Cfr. P. Cátedra, cit. en la nota 2.

el duro asedio de Baza por el rey Fernando, se le da la palabra al sitiado, que grita su inflexible voluntad de resistir; y por contraste, queda mejor exaltada la victoria del Católico (con buena paz del llamado 'punto de vista del enemigo'), que el texto no relata pero que todos conocen (Texto 100). Es una 'manera' que no desdice de las poéticas del gótico tardío; pero sus modelos inmediatos están en el *romancero:* Juan II frente a la dura resistencia de Alburquerque (Texto 75) o rechazado por Granada (Textos 89 y 90), Alfonso V extenuado por la conquista de Nápoles (Texto 77). La fórmula, con sus efectos poéticos, del monarca frustrado ante su objetivo prevalece sobre la posible función referencial del texto, tanto si se trata de Alburquerque como de Nápoles, de Granada o de Baza, tanto si coincide o no esa frustración con el dato histórico. La literatura se impone sobre el noticierismo, siempre que queramos suponer una contienda; esto es, suponer en la protohistoria del texto una finalidad escuetamente informativa que al fin se rinde a las supercherías del arte, sea la del poeta o la de los transmisores. Pero poetas y músicos de la capilla real no eran gaceteros; eran creadores y propagadores de emociones, como los autores de cualquier texto poético que arranque de una 'noticia'. No es casual, en el *romancero,* la ausencia casi completa del evento bélico; todo lo más, se apunta en pocos versos. Pero menudean las escenas que lo preparan o las situaciones que le siguen; y protagonista es la palabra, y con ella el individuo en sus proyectos o en sus derrotas, ya se trate del rey a quien se comunica la pérdida de Alhama (Texto 96) o de Alda que conoce la muerte de su esposo (Texto 140). El centro de interés de textos y de público no es tanto el evento en sí, sino más bien sus resonancias humanas. El *Cancionero musical,* por su naturaleza y función, se abre más que sus coetáneos a la variedad del *romancero;* pero como ellos, y con más motivos por su propia especialización, alista modelos de textos y actitudes de personajes que nos mantienen dentro de los gustos formales predominantes: el lamento, el grito, la alocución, el apóstrofe, introducidos o no en discurso indirecto. Son el registro y el momento en que mejor queda exaltada la emoción de la voz, privilegiados en un género destinado a un uso oral, y que amoldan la instancia narrativa a un discurso íntimamente lírico[16]. Así, este *Cancionero,* mientras nos pone en contacto con *romances* 'noticieros', nos invita a sopesar peculiaridad y límites de la faceta ocasional e informativa de ese sector del *romancero.*

Pablo y Jacobillo deben la inmortalidad a la saeta mora que dio muerte en Álora al adelantado de la frontera andaluza, y los obligó a sacarlo piadosamente del campo trayéndolo «de rienda» el uno y «de mano» el otro. Un *Romance* cantó el suceso (Texto 91), sin olvidar a «estos dos que avía criado / en su casa desde chicos» el malogrado señor: quiso ofrecer un emblema de devoción, en un texto trabajado con esmero sobre los efectos de detalle y enmarcado en la eterna parábola de la fragilidad de los destinos humanos. Pero junto a esos dos nombres y a esos actos llegan a nosotros en su viveza entera, cuando un relámpago de la historia los iluminó, la desazón y la piedad de dos pajes que un texto poético ha rescatado de la oscuridad, allí donde suele estar amontonada aquella «gente menuda» a la que el rey Alfonso destina una parte de su dolor (cfr. el Texto 77). Los familiares y descendientes de Juan Delgadillo debieron de apreciar, como la mejor herencia dejada por su deudo, el pervivir de ese nombre incrustado en aquel *Romance* (Texto 87) que, en el final, informa de su muerte frente a Ronda «con hartos buenos cristianos»: otros emble-

[16] La vertiente lírica del 'noticierismo' del *romancero viejo* se observa bien al trasluz de los textos de tipo análogo reunidos en *CALP:* 882, 885-888, 892-894, 897-907 y 909. Más en general, los lazos de lenguaje, de temas y de motivos entre *romancero* y lírica merecerían exploraciones ulteriores, sirviendo de base Díaz Roig [1976a] y aprovechando notas y sugerencias de Asensio [(1954) 1970], Sánchez Romeralo [1972], Frenk [1984], Devoto [1989], 173-184, Rico [1990], además de Samuel G. Armistead y Joseph H. Silverman, «Villancicos antiguos en romances del siglo XX», en *Josep María Solà-Solé: Homage* [1984] (cfr. Bibliografía, *sub* Montgomery), vol. I, páginas 111-119.

mas y otro destino entregados a la conmoción poética. «Ruy Fernández va delante» de un grupo de audaces que sale de una Baeza a punto de rendirse y desbarata a los moros sitiadores (Texto 83): nombre y apellido de un anónimo más para nosotros hoy, pero de alguien que en su momento fue un héroe y en la época debió de ser un ejemplo, cantado y rememorado en plazas y campamentos. Como el Martín Galindo «que primero echó el escala» contra el muro de Alhama sitiada por Rodrigo Ponce de León, marqués de Cádiz: lo cita el *Romance* (Texto 96) pero lo ignora, junto con otros audaces adalides de escaladas, la casi contemporánea Crónica del prócer. Sucesos particulares, historias de patrias chicas con un fuerte efecto de realidad, fragmentos de vicisitudes donde lo público y lo privado se entremezclan y las razones del individuo conmueven más que las de la comunidad: así en el contraste entre el obispo don Gonzalo y don Diego de Haro (Texto 92) o en el lamento del alcaide de Alhama (Texto 97). La difuminación de la historia en *exemplum* se puede acentuar a lo largo de la transmisión del texto, pero su germen está ya en la forma que el *romance* recibe y en las vías que se indican al énfasis de la voz. Fuera cual fuera el perfil primitivo de sus respectivos *Romances,* figuras como la del alcaide de Alhama o la del rey aragonés frente a Nápoles han sido concebidas como representación de lo individual humano —y por eso mismo universal— que desplaza al margen los eventos de la historia pública, caducos respecto a la vitalidad infinita del sentimiento de *pietas* que esas figuras pretenden. El acierto de Carvajal en su *Romance* con el lamento de la reina de Aragón fue el haber hecho poesía apologética de corte, sí, pero desde la perspectiva bien resaltada de la pasión absolutamente personal de una esposa. No le faltaban modelos temático-formales en las tradiciones poéticas medievales (cfr. la nota 1 del Texto 76); sin embargo, el que consideramos el inaugurador de la forma *romance* en el taller poético cortesano supo intuir, y adoptar, una peculiaridad esencial del género al mismo tiempo que el rasgo más típico de estos poemitas de inspiración histórica.

Inspiración histórica puede significar que no es necesaria una proximidad acentuada entre tiempo del evento y tiempo de formación del texto. Pero es costumbre fechar los *romances* históricos dándolos por contemporáneos de los sucesos que narran. El resurgir de temas de historia medieval castellana en multitud de *romances* a lo largo del siglo XVI, el auge tardío de figuras como la de Pedro el Cruel, el formarse de un *romancero* sobre don Álvaro de Luna entre el XVI y el XVII, son fenómenos que atestiguan ampliamente la tendencia, común a cualquier época y cultura, a resucitar episodios y protagonistas del pasado para exigencias del gusto o pasiones de la política del presente. Todo esto es cierto. Pero sabemos también, incluso por experiencia directa, de cantos narrativos que nacen al calor de eventos impresionantes para la comunidad; algunos hemos llegado a oírlos en las plazas, cuando tal práctica gozaba todavía de cierta vigencia, mientras que para épocas remotas no son escasas, aunque muy genéricas, las referencias indirectas. Hay quien ve en esa práctica el origen de las epopeyas de fondo histórico, de las antiguas y de las que pululan en los siglos iniciales de nuestras literaturas modernas; de esos siglos nos llega algún testimonio directo: por ejemplo, los fragmentos anglosajones. Para el *romancero* contamos con referencias indirectas (por ejemplo, Enrique IV, que encarga un *Romance* para celebrar una empresa fronteriza del condestable Iranzo, o Fernando el Católico, que escucha un *Romance* sobre la batalla de Toro de 1476: ambos perdidos) y poseemos textos: por ejemplo, varios de los 'fronterizos' transcritos en el *Cancionero musical*, fuente muy próxima a las fechas de los sucesos cantados. ¿Y cuando entre el suceso y el primer testimonio conocido del canto relativo median dos siglos? Es el caso del *Romance* citado sobre el cerco de Baeza (¿1368?: Texto 83), que se nos revela en la *Nobleza del Andalucía* de Argote de Molina; y con él se revela también el cerco, que ninguna otra fuente histórica refiere. Fantasías locales recogidas por un crédulo Argote, diríamos. Pero interviene el detalle: Ruy Fernández y la torre de Calonge, Avdalla Mir y el traidor Pero Gil tienen todo el sabor de pruebas de autenticidad. Así como lo tienen los recordados Juan Delgadillo, o Pablo y Jacobillo, figuras que difícilmente habrían podido ser recuperadas por la memoria para entrar en *romances* compuestos decenios, o siglos, después de los eventos[17]. A no ser que promocionara esa composición algún vástago de los protagonistas, aprovechando e idealizando memorias familiares pormenorizadas; alguien impulsado por razones que sobraban a la pequeña y media nobleza, nunca del todo segura de títulos y privilegios, y afanada por acumular pruebas públicas de altos servicios al rey y a la comunidad. Es una eventualidad que no conviene olvidar y que ha recibido más de una confirmación, sobre todo en casos de retoque de textos preexistentes[18]. Las vicisitudes del *Romance* sobre el emplazamiento y la muerte de Fernando IV y la aparición, tal vez tardía, del apellido Carvajal para sus acusadores pueden ser un ejemplo (cfr. el Texto 65 y sus notas).

A este *Romance* podemos referirnos también para hacer otra consideración. El evento que relata no era de los menores en los anales de la nación: el emplazamiento había endosado un apodo indeleble al rey Fernando entre cultos e incultos, y para erigirlo a tema de *romance* no era necesario ni haber sido contemporáneo del evento ni, años después, consultar Crónicas o escudriñar memorias de familia o de patrias chicas. El carácter sobrenatural y emblemático le había asegurado a aquella fábula larguísima vida en la memoria colectiva. Así como entró en el *Valerio de las historias* de Rodríguez de Al-

[17] Por el método y los resultados, y por la lista de *romances* 'noticieros' del s. XV (con exclusión de los *fronterizos*), es importante Catalán [1988], que subraya presencia y persistencia de una figura menor en el relato romancístico de la ejecución de don Álvaro de Luna (1453).

[18] Duggan [1986] trata el tema con referencia a la poesía épica, la francesa en especial, como magno y mudable archivo histórico de la comunidad.

mela, en la segunda mitad del siglo XV, para ilustrar la censura de una administración de la justicia superficial y cruel, bien habría podido seleccionarse para aquel florilegio de casos de vejación regia, en particular contra la nobleza, que es buena parte del *romancero* histórico y épico. Además no percibimos en el *Romance* el sabor a crónica poetizada que otros guardan, como eco de una conmoción reciente ante los sucesos narrados. Pero a esto último se opone una objeción plausible, en teoría: el texto que leemos del *Romance* no es seguramente el que se compuso a raíz del evento; ese texto perdido, o evolucionado, debía de contener aquellos rasgos cronísticos y aquel sabor y calor que un largo rodar por la tradición oral han ido limando y disolviendo, mientras se iban introduciendo o reforzando rasgos genéricos, con el resultado de dar relieve a la esencialidad emblemática del asunto. La objeción encuentra fundamento innegable dentro de la historia del mismo *romancero,* en las modificaciones que *romances* antiguos conocidos muestran haber experimentado en la tradición oral, a la luz de sus supervivencias actuales. Por analogía, proceso igual puede y debe suponerse durante el período que corre entre el texto transcrito a finales del siglo XV o en el XVI y el texto originario del *romance,* creado en la inmediatez del evento. Como ejemplo de la rapidez y energía que la tradición oral a veces despliega al reducir a lo esencial un enfático poemita culto, suele citarse el texto que se considera versión popular y tradicional, de finales del siglo XV, del *Romance* consolatorio compuesto por fray Ambrosio Montesino a la muerte del príncipe Alfonso de Portugal (1491; cfr. Texto 79 y notas). Huelga recordar que el caso es controvertido, como otros.

El tipo de controversia, donde se contrastan el principio de la contemporaneidad entre *romance* y suceso y el de la recuperación poética tardía de la memoria y tradición de un suceso, no admite solución que no sea sobre la base de documentos concretos, casi siempre inexistentes, o —más propiamente— sobre la base de la adhesión a uno de los dos principios citados. Como es natural, suele seguirse el segundo camino; y el principio que reúne más adeptos es el de la contemporaneidad. Cuenta en su favor con otro principio, el de la verosimilitud, que en más de un caso se impone gracias a documentación indirecta; siempre que ésta no se trate con escasa voluntad crítica y excesivo énfasis, vicios a los que tienden muchos partidarios del principio de la contemporaneidad. En efecto, la cuestión tiene un alcance que va bastante más allá del asignar una fecha a un texto o a un grupo de textos. La historicidad efectiva del *romancero* 'histórico' es parte del problema y debate de la historicidad de las épicas nacionales, y de la española en nuestro caso particular; y a este más amplio problema se puede aportar, con el caso de los *romances* 'noticieros', la contribución de una experiencia más cercana a nosotros y mejor conocida, y hasta documentada: una épica que casi vemos nacer al calor de los eventos, y unos textos que rápidamente se divulgan y evolucionan hasta parecer fruto de tardías recuperaciones poéticas. Interviene así un principio más: el de la analogía. Y como los anteriores, tiene su razón de ser. Lo esencial es que tales principios, a solas o juntos, no arrollen a los textos, y que la historia de cada texto no se investigue con la finalidad predominante de mantener la firmeza del principio. Éste no es un riesgo que atañe solamente a la investigación de los *romances* 'noticieros'; sus territorios se extienden incluso más allá de las llamadas ciencias humanas, para abarcar las llamadas ciencias exactas.

Dar fechas a los *romances* 'históricos' puede implicar una datación incluso del *romancero* como género, ya que en su ámbito tales *romances* son los únicos que —por así decirlo— exhibirían la fecha de su origen. Dentro de los textos conocidos esa fecha puede llevarnos bastante hacia atrás, nada menos que a la mitad del siglo XIII. Necesitamos volver al *Romance* sobre Fernando IV. El texto que presento en esta antología empieza con un amplio segmento que mal se conecta, incluso en la asonancia, con el resto del poemita; se supone originario de un *Romance* dedicado a las costumbres piadosas de un Fernando anterior, el rey Santo, que reinó en la primera mitad del siglo XIII. Nuestro segmento sería, por lo tanto, una supervivencia de ese antiguo texto perdido. En realidad, el tema del hipotético *Romance,* si podemos fundarnos en el supuesto residuo, no debía de ser cronístico en sentido estricto; podría pertenecer a aquel patrimonio de tradiciones ejemplares que en cualquier momento dan materia a un poema. Pero ahora no interesan los problemas de ese *Romance,* sino que se considere posible colocar un *romance* en la mitad del siglo XIII: la forma *romance* estaría plenamente realizada (como muestra el fragmento en cuestión) en los decenios que ven asomar a la literatura castellana múltiples obras y géneros, y que ven sobre todo el renovarse de los *cantares de gesta* en pleno vigor. Es verdad que lo sorprendente de esa fecha se reduce, si tenemos en cuenta que el *Romance* sobre Fernando IV debería remontarse a 1312 y el *Romance* sobre el Prior de san Juan (Texto 66) a 1328: la 'existencia' del *romancero* quedaría adelantada, con el pretendido *Romance* sobre Fernando el Santo, solamente de algunos decenios. Pero cuando los partidarios de la contemporaneidad invitan a los escépticos a no fundarse en los textos conocidos de esos *Romances,* porque seguramente no son los originarios sino los tramitados y transmutados por una activa comunicación oral a lo largo de varias generaciones, provocan una pregunta inevitable: ¿los perdidos textos de los albores se diferenciaban de los que poseemos solamente por sus contenidos más amplios y detallados y por una lengua —digamos— más prosaica? La respuesta tiene que ser afirmativa; sobre todo, tiene que excluir de la actividad de reelaboración el molde formal. Si no lo hiciera, tendríamos que renunciar a hablar de fechas de *romances* y reconocer que se discuten y conjeturan fechas de textos no sabemos con qué forma, que fueron remodelados en forma de *romances* no sabemos en qué fechas. Con la consecuencia que el principio de la contemporaneidad entre suceso y poema resultaría aplicable, o no, en época tan remota, sólo a esos textos con forma incógnita, mientras que nada se opondría a que colocáramos la fecha de su remodelación en forma de *romance* en un momento cualquiera: no demasiado próximo a la época del suceso, naturalmente, y, en cambio, incluso muy cercano a los años de la primera documentación del *romance*. Esta última eventualidad tiene sus adeptos, aunque no creo que goce de una verosimilitud merecedora de favores inmediatos[19].

La historia del *romancero* como historia y descripción de la forma *romance* no puede empezar, de momento, por fechas anteriores a 1421, cuando Olesa depositó sobre el papel las letras de «Gentil dona». Ese acto fue casual, y la casualidad nos ha guardado el cuaderno de apuntes del mallorquín; es el azar, por lo tanto, quien asigna esa fecha al comienzo de nuestra historia. ¿Nos quedaríamos más conformes si pudiéramos dar por igualmente seguro el testimonio del fragmento sobre Fernando el Santo y trasladar a la segunda mitad del siglo XIII aquel comienzo? Una vez más nos habría guiado el azar, que quiso conservarnos el fragmento pegado a otro texto. Entre los dos azares, siento más gratitud hacia el que fue más generoso, el tardío: porque proporciona un dato, y el otro sólo una añoranza. A quien observara que el lapso de tiempo que va de 1421 hacia atrás al siglo XIII cubre una época densa de *romances* que se quedaría excluida por la fecha tardía, es fácil contestar que —de momento— esos decenios son densos exclusivamente en temas y sucesos que han entrado en *romances*, y no en textos; y, a la vista tanto de antiguas como de muy recientes inquietudes y propuestas críticas, podríamos contestar que incluso la fecha de la segunda mitad del siglo XIII provocaría tal vez exclusiones: parece que va creciendo el número de quienes detectan indicios de *romances* en papeles de dece-

---

[19] Remito solamente a algunos ensayos de Aubrun [1986], que contienen también muchas intuiciones.

nios antes[20]. La hipótesis es la sal de la investigación, que fertiliza en vez de mortificar, y más en un campo como el nuestro, donde es normal que condiciones de vida latente afecten a fenómenos culturales y a textos durante largo tiempo antes de que emerjan. Pero es esencial que estén bien separados los datos de las hipótesis, y que éstas se delimiten según las clases de problemas y los ámbitos a que se aplican. Antes de 1421 no hay ni datos ni hipótesis que puedan considerarse pertinentes a la forma *romance*. Ésta no es una entidad abstracta que se intenta captar saltando de un siglo a otro y de un pergamino a otro; es una forma definida e histórica, que da una identidad definida e histórica a una serie de textos. La que se despacha por prehistoria o protohistoria suya no sabemos todavía a qué forma se refiere; es más que oportuno investigarla, e incluso fantasear sobre ella posiblemente con el estímulo de algún documento, acumulando las fichas que servirán para dar cuerpo a un género poético de momento por definir[21]. Una aclaración: estos renglones no abrigan, ni menos aún promocionan, fetichismo alguno. La fecha de 1421 es un regalo de la suerte, que nos brinda un texto; pero ese texto nos exhibe una madu-

[20] Cfr. las notas 21 y 24.

[21] Con esas fichas irán las páginas recientes, dispares entre sí en cuanto a marco teórico y método pero generosas en sugerencias, de Díaz de Viana [1986] y, sobre todo, Wright [1986] y [1989-90]; de los dos artículos de Wright, el primero provocó a Armistead [1986], y el segundo le contesta. Debería agregarse, como antídoto contra reiteraciones o estímulo a darles motivaciones nuevas, la relectura crítica desapasionada de varios apuntes sueltos y observaciones incidentales rastreables en casi toda la investigación sobre el *romancero* y la épica; y, en primer lugar, de las indicaciones y reflexiones de Menéndez Pidal también acerca de los poemas épicos cortos (por ejemplo, *RH,* I, 155-156), evaluadas como propuestas más que como asertos a rechazar o confirmar, y teniendo bien presente que siempre las asiste una sensibilidad encomiable en lo tocante a la vertiente formal de los textos, a veces desatendida tanto por detractores como por apologetas.

La palabra *romance* como definición de nuestros textos, aunque no se aplicara sólo a ellos, empieza a documentarse claramente en la segunda mitad del siglo XV, en paralelo con la frecuencia de las atestiguaciones del género: Garci-Gómez [1974], C. y M. Alvar [1985], Livermore [1986] con cautela.

rez formal que es evidentemente un punto de llegada: es muy probable que el viaje se emprendiera bastante antes, por lo menos en la centuria anterior.

Acerquémonos a esa forma. El verso consta de ocho sílabas, según algunos a partir de Juan del Encina; de dieciséis, divisible en dos hemistiquios, según otros, que se apoyan en transcripciones de Nebrija o, cien años después, del músico Salinas. Los unos miran con interés hacia el octosílabo rastreable en la tradición lírica, como posible pariente del nuestro; los otros indican el modelo originario en el verso largo e irregular del *cantar de gesta* juglaresco, que en su platillo de esta báscula ideal añade el peso de varios otros títulos seguros de parentesco con el *romancero.* Se subraya que la rima asonante es la típica y única del *cantar de gesta* y es la sola del *romance viejo* y juglaresco, mientras el *romance* de los literatos coquetea con la más rebuscada consonancia; observan otros, por el contrario, que la asonancia está presente, aunque no domine, también en la tradición lírica. A quien agrega que la irregularidad de la medida silábica es característica muy relevante de los *cantares de gesta* y no es rara en los *romances,* se les recuerda que en éstos no tiene ni la continuidad ni el relieve con que se presenta en los *cantares:* sólo raramente llega a dos sílabas de más o de menos, fácilmente corregibles, mientras que lo más común es una sílaba en exceso o —menos— en defecto, como ocurre en el octosílabo lírico. Significativo es el caso de Carvajal: en sus dos *romances* los eneasílabos son tan frecuentes como en su producción lírica. En cuanto a la llamada *-e* paragógica, en el *romancero* es escasa quizá por infidelidad de las transcripciones, cuando no se sentía aún aquel gusto por una lengua arcaizante que plagó de falsedades tanto *romancero* culto a partir de la mitad del siglo XVI. Pero cuando se presenta tiene rasgos que la enlazan más bien con la paragoge de los *cantares de gesta,* donde se resiente de arcaísmos etimológicos que a veces acarrean ultracorrecciones, que a la de la lírica, donde es rara y nunca antietimológica[22]. Se sostiene que el cambio de asonante de algunos *romances* proviene del derivarse éstos de la fusión y compresión de dos o más tiradas épicas, cada una con su asonancia: puede parecer evidente en el Texto 116 y suponerse para los Textos 114 y 138. Pero en otros textos la variación de asonancia parece concebida con el fin de marcar una segmentación semántica del relato: Textos 41 y 53 y, probables, 109 y 111.

A propósito de segmentaciones textuales, sigue siendo incierto si a la forma *romance* correspondió el uso de la cuarteta; prescindimos del fenómeno relacionado con la música, ya aludido, y del estrofismo que se introdujo en época literaria tardía. Quien propone vínculos estrechos y determinantes con la forma de los *cantares* no puede admitir un estrofismo del *romancero*, que en verdad no tiene un apoyo textual evidente y fiable. Sin embargo, cuando en su manuscrito de 1421 Jaume de Olesa divide el texto de «Gentil dona» con rayas horizontales en cuatro segmentos, éstos resultan formados por una cuarteta cada uno el primero y el último, y por dos cada uno los intermedios; la partición es casi impecable bajo el perfil tanto métrico como semántico. Esas rayas pueden reflejar una situación tradicional del texto y de su uso, o pueden haber sido la señal de un reajuste individual o de escuela; en un caso o en otro, su interés no varía mucho, porque la segunda eventualidad supone cierta disponibilidad del texto y del género a someterse al estrofismo. Indicios análogos hallamos en algún manuscrito de *Cancionero*. Se trata del 'movimiento' del *romance* hacia la cuarteta, así llamado por quien, en años anteriores al descubrimiento del cuaderno de Olesa, lo había observado en textos de la época en que ya florece la documentación del género y de sus moldes musicales. Las cuarte-

[22] El tratado histórico-crítico-descriptivo más completo sobre métrica de los *romances*, y el mejor matizado por la aguda percepción de sus problemas, sigue siendo el cap. IV de *RH*. Acerca de la *-e* las páginas más recientes están en Armistead [1988]; Cunha [(1967) 1984] no comparte el perfil arqueológico de este rasgo y documenta más bien su función de recurso métrico-rítmico. A tal propósito Sánchez Romeralo [1974].

tas de «Gentil dona» retroceden ese 'movimiento' y lo sustraen a la alegada acción de música y músicos de los tiempos de los Reyes Católicos; acaso nos llevan hacia prácticas de estrofismo como las indígenas de la lírica y las ultrapirenaicas de la canción folklórica francesa, a la que deben mucho algunos *romances,* y algo también el género *romancero*[23]. Los temas, ya se sabe, viajan y sugestionan desde dentro de textos y de moldes formales. Y el *romancero* debió experimentar varios: textos de comprobada antigüedad, pero conservados solamente en la tradición oral moderna, atestiguan *romances* en estrofillas paralelísticas pluriasonantadas (por ejemplo, versiones del Texto 57) o de hexasílabos con estribillo: Textos 149 y 150.

El estudio de tipologías y preferencias en el uso de la asonancia, según las clases temáticas de los *romances,* le confirmaba a Menéndez Pidal la oportunidad de distinguir tres 'escuelas': una «novelesca», que supone abierta, en su época primitiva, a la polimetría y en contacto con la canción folklórica extranjera, sensible además a influencias y cultivos literarios; una «épica», en relación muy estrecha con los *cantares de gesta;* y una «noticiera». La pujanza del *romancero* épico, respaldado por la larga y bien arraigada tradición de los *cantares de gesta,* habría acabado imponiendo a todo el género el abandono progresivo de una segmentación estrófica y de una polimetría de elaboración y memorización más complicadas,

---

[23] Describir y discutir la cuarteta en los *romances* y apelar a modelos de la lírica ha sido uno de los caminos para explorar los orígenes del género fuera de la hipoteca épica: clásico, Rajna [1915]. La cuarteta en los *romances* aparecía como muy improbable a Morley [1916]; también a Cirot [1919], que, sin embargo, la indicó como un modelo latente de disposición segmentada del discurso narrativo. En efecto, Alatorre [1977], 345-349 y 359, invita a distinguir entre configuración escrita de los textos y ritmo interno. Levi [1933], 71-73, dio el relieve oportuno al estrofismo de «Gentil dona» y lo tocó *RH,* I, 89-90, pero atrayéndolo más bien hacia aspectos y problemas de la cuarteta en el *Cancionero musical de Palacio.* No sería improductivo un reexamen de toda la cuestión sobre una base textual más rigurosa, tanto en el aspecto filológico como en el de la cronología de la documentación. Para ámbitos de la tradición oral moderna, Crivillé [1987].

en favor de la soltura de las tiradas épicas monorrimas. A su vez, la «escuela épica» habría recibido de la «novelesca», entre otros influjos, uno determinante para fijar la peculiaridad del verso de *romance* frente al del *cantar de gesta:* la sustancial regularidad silábica, que era típica tanto del octosílabo lírico como de las varias formas métricas de la balada europea. En efecto, la documentación asequible, antigua y moderna, muestra que las huellas de variedades o inestabilidades métricas se localizan sobre todo en los textos de las dos «escuelas» en cuestión[24]. La «escuela noticiera» aparece bastante al margen de tales fenómenos, como si hubiera gozado de una situación que se le presentaba suficientemente estabilizada ya en la época a la cual podrían apuntar sus textos más antiguos; o como si esos textos hubieran recibido una revisión regularizadora: cosa improbable pero no imposible, si pensamos en la 're-escritura' rimada de *chansons de geste*. El supuesto fragmento del más antiguo *Romance,* el de Fernando el Santo, es regular en su asonancia y su octosilabismo, y muestra un ritmo del discurso por cuartetas. Rasgos análogos hemos observado ya en el primer *Romance* conocido, el «Gentil dona». Los tres *Romances* atribuidos a Rodríguez del Padrón no presentan anomalías de relieve a este respecto, y la escansión por cuartetas se capta fácilmente. Igual juicio merecen tres de los textos más antiguos que se conozcan de *romances* épicos, en manuscritos de comienzos del siglo XVI: «Castellanos y leoneses», «Rey que non fase justiçia» y «En santa Águeda de Bur-

---

[24] Mendoza Díaz-Maroto [1989], 135-141, distingue en sus materiales más de cincuenta variedades de verso de *romance;* una reseña menos detenida de metros diversos del octosílabo monoasonantado en *RH,* I, 126-134, y II, 409-412. Szertics [1980] elabora cuadros muy útiles de las varias asonancias y de su frecuencia. Como suele ocurrir, la lucha por la existencia premió al más fuerte, y el muy manejable octosílabo con asonancia única y sin estrofas se impuso sobre sus 'rivales': así llama a las posibles formas arcaicas de metros y de *romances,* señalando una, Clark [1984], que ha dedicado atención asidua al octosílabo y poco convencida a la matriz épica: cfr. BIBLIOGRAFÍA. Estructuras métricas paleorromancísticas señalan también Jones [1975] y Bolaños [1989]; cfr. *RH,* I, 99-108.

gos» (111, 118 y 133). Hemos tocado así las tres «escuelas» y en testimonios de cierto arcaísmo, que denuncian una sustancial uniformidad de los rasgos métricos apuntados. Con una particularidad muy interesante: y es que encontramos la *-e* paragógica tanto en un texto de la «escuela lírica», el *Arnaldos*, como en dos de la «épica», el «Castellanos y leoneses» y «Rey que non fase justiçia»; pero presentan *-e* por ultracorrección o antietimológica los tres textos: *estáe* el primero y *sone, none, pasove, salpicobe, bolverane, farave* los otros dos, siendo además *sone* y *none* frecuentes en el canto lírico tradicional, y las otras idénticas tipológicamente a la del *Arnaldos*. Idénticas sí, pero con ese pequeño agregado de la *v/b* antihiática que, según estamos avisados, en un rasgo como la *-e,* ya de por sí típico de los *cantares de gesta,* sería el sello definitivo de la indiscutible raíz épica de los dos textos, de su métrica… y del género entero.

Fascinadora por prestigio y resonancias, la teoría de un origen épico del género *romance* se afirma esencialmente como síntesis simplificada de las investigaciones e hipótesis de Menéndez Pidal sobre ambos géneros, al calor de páginas vivaces del Maestro y de su apasionado interés por los materiales épicos. Pero la obra concebida y ofrecida como punto de referencia definitivo sobre la materia tal como él la reconstruyó e interpretó en sus textos y en su historia, es el *Romancero hispánico*. Aquí los problemas de los orígenes se empiezan a tratar con una frase tajante en su realismo, para que no se conciban esperanzas vanas: «Cómo nace el romancero no lo podemos saber.» Se continúa con cautela y riqueza asombrosa de documentación, en párrafos densos a la par de asertos y de matices, de principios teóricos y de distinciones: por ejemplo, todo lo relativo a las tres «escuelas», ya comentadas. En las divulgaciones, y en alguna polémica, se ha perdido mucho de tanta complejidad y se ha creído captar su sentido último en el énfasis que acompaña, en aquellas páginas, la individuación y puesta en relieve de toda conexión cierta o hipotética entre *romancero* y épica. Es posible que se haya dado voz, así, a humores latentes. En realidad, se ajustan más al estado de la documentación las ideas formuladas de manera explícita, como ésta: «no es posible averiguar si los romances heroicos son más antiguos que los de asunto novelesco» (*RH,* I, 170 y 236); o ésta: «a pesar de tan estrecha relación entre los romances heroicos y las gestas, a pesar de tantas afinidades entre el estilo de los romances en general y los cantares de gesta [...], las disparidades de forma llegan todavía a ser muy grandes. Ellas puede decirse que separan dos géneros de poemas diferentes» (*RH,* I, 193).

Los *romances* épicos nacerían de la preferencia creciente por escuchar, y por lo tanto recitar y memorizar, más bien fragmentos[25] que textos enteros de las gestas, «cuando éstas empiezan a decaer, aflojando en su influencia sobre las Crónicas, hacia 1380» (*RH,* I, 162). Es una fecha que Menéndez Pidal reitera más de una vez, con algunas matizaciones de poco relieve, y que nos sugiere una consideración. Si conjugamos esa fecha con las de varios *romances* 'históricos' garantizadas por el principio de la contemporaneidad, que tiene en las páginas de Menéndez Pidal las formulaciones más convencidas, debemos constatar que en esos decenios finales del siglo XIV el *romancero* era ya un género centenario que había producido —sin salirnos de lo conservado— los *Romances* sobre los dos Fernando, el *Romance* sobre Alfonso XI, los relativos al rey Pedro y el más antiguo de los 'fronterizos", el del asedio de Baeza. De esto surge una hipótesis tan legítima que se podría formular como otra constatación: el cambio de uso de los largos *cantares de gesta* pudo ser fenómeno autónomo, pero es más que verosímil que acusara alguna influencia del

[25] La recitación de un poema por fragmentos se documenta en la Francia del s. XII, si creemos a Chretien de Troyes cuando escribe en *Erec et Enide,* vv. 19-22: «d'Erec, le fils Lac, est li contes, / que devant rois et devant contes / depecier et corronpre suelent / cil que de conter vivre veulent» [«de Erec, el hijo de Lac, trata el relato, / que ante reyes y condes / suelen trocear y corromper / los que contando se ganan la vida»].

nuevo género; y éste tuvo ciertamente un papel determinante en ofrecer un cauce formal a los 'fragmentos' de los *cantares,* tanto para que consolidaran su independencia como para promoverla. La cuestión de las influencias entre las «escuelas» está bien presente en las reflexiones de Menéndez Pidal, que, sin embargo, opta por dejar en vago el punto. Si habla de «una acción lenta y difusa de los modelos líricos» (I: 107), usa un plural genérico que no parece referido a una forma *romance* de la «escuela lírico-novelesca». Si afirma que «el romance nace influido de una parte por la gran irregularidad del monorrimo épico, y muy atraído de otra parte por la regularidad del octosílabo docto», adopta un singular —*romance*— que parece apuntar más bien al género que a su sección de la «escuela épica», y remite a un «octosílabo docto» que por cierto no piensa identificar con el de la «escuela novelesca». Son ejemplos mínimos de la pluralidad de facetas que sustraen la página menendezpidaliana a una síntesis divulgadora. Pero es una pluralidad que, al salir de la pluma que más y mejor ha escrito sobre *romancero,* delata lo complejo e incierto, y resbaladizo, que es el terreno de formación del género según la documentación asequible en la actualidad. Cerremos, por lo tanto, estos renglones sobre orígenes con la frase del Maestro que los había abierto: «Cómo nace el romancero no lo podemos saber.»

Sí podemos saber de dónde provienen elementos del contenido de algunos *romances,* incluso formalizados ya en discurso poético que se extiende más allá de la fórmula y abarca una o más frases[26]. Lugar modélico para una tal observación es la leyenda de los Infantes de Lara, gracias a los estudios que Menéndez Pidal dedicó a la tradición poética que sobre ella se había formado. El caso de *Los Infantes de Lara* es

[26] Una amplia reseña comentada de tales *romances* en *RH,* cap. VI; una sintética en Armistead [1981], quien agrupa los textos según que se conozcan sólo en fuentes antiguas, o que sobrevivan también en la tradición oral moderna, o que sólo gracias a ésta se documenten.

único tanto en la historia de la poesía épica juglaresca como en la del *romancero* de derivación épica: por un lado, tenemos una amplísima parte del texto del *Cantar,* reconstruido a través de la prosa cronística que lo aprovechó, y, por otro, hay algunos *Romances* (aquí los Textos 114 y 116) que muestran en su letra una vinculación chocante con fórmulas, versos, segmentos del *Cantar* recuperado. Que ellos sean auténticos fragmentos del *Cantar,* 'casi sin evolucionar', como se nos suele decir, es punto discutible y muy discutido. Indiscutible es que, dentro del panorama conocido del *romancero* épico, estos textos —que además no gozan de una documentación particularmente temprana— constituyen un caso único de emocionante fidelidad a la matriz antigua y al mismo tiempo de intencionada conformidad con una distinta norma. Como se ha dicho con acierto, en ellos se asiste a «los dos géneros que se vienen al encuentro»: un espectáculo que no se repite con la misma evidencia en otros sectores y textos, y que puede encender entusiasmos especulativos más comprensibles que compartibles[27]. Compartimos, por ejemplo, la feliz expre-

[27] El problema crítico de las relaciones textuales y culturales entre epopeya y balada es esencial desde la época romántica, cuando la balada se colocó en el alba de la actividad poética de las comunidades nacionales y se vio como germen de los poemas épicos, siendo así los *romances* más antiguos los ladrillos del edificio de los *cantares.* Con esta concepción se escribieron los primeros estudios sobre el *romancero* y se organizaron las primeras colecciones de textos: entre ellas la de Durán y la de Wolf y Hofmann, todavía imprescindibles (cfr. Bibliografía). La relación inversa entre los dos géneros fue indicada de manera orgánica y analítica por Milà y Fontanals [1874], atribuyendo a las Crónicas alfonsíes la función de intermediarios entre los *cantares* y los autores de los *romances,* que trabajaban no antes del s. XV. Menéndez Pidal [1896] hizo caer la idea de las Crónicas como intermediarias y empezó su poderosa labor de ilustración del vínculo directo y de datación más temprana de muchos *romances,* no en sus textos conocidos, sino en los que iba suponiendo en relación más estrecha con versiones conjeturables de *cantares.* El énfasis puesto en una responsabilidad más colectiva que individual en el perfil del género, e incluso de la *facies* conocida de tantos textos; el atribuir a éstos y a los *cantares* orígenes cada vez más remotos y, según los casos, coincidentes con las fechas de los eventos, y el papel preponderante de la conjetura en tales concepciones, junto con otros elementos, todo ha contribuido a determinar recelos hacia ellas y a ponerles la tacha de neo-románti-

sión menendezpidaliana que se acaba de citar, si la entendemos como alusiva al confluir, en un mismo espacio textual, de dos registros poéticos que coexistían separados. El «encuentro», con su implícita dialéctica del ocaso de un género y del alba de otro género, es fenómeno que se inscribe dentro de las vicisitudes de los textos concretos: éstos son, en primer lugar, testigos de su propia historia, que es parte —y no espejo de la totalidad— de la historia del *romancero*.

La singularidad de los materiales poéticos sobre los Infantes de Lara tenderíamos a atribuirla a la afortunada conservación de testimonios; o sea, al azar, más o menos. Pero sabemos que tal vez hay casualidades que se dan por alguna razón, ya que se presentan en circunstancias que poco las favorecerían. Las Crónicas con el *'cantar'* de los Infantes son las mismas que dejan captar temas e intuir a veces partes de textos de los demás *cantares;* pero solamente de *Los Infantes de Lara* prosifican el texto de casi todo el poema y casi al pie de la letra. Los *romances* sobre los Infantes asoman en los mismos años en que aparecen los demás y en los mismos impresos; pero sólo entre ellos encontramos perfiles textuales marcadamente distintivos, con señas articuladas y tangibles de la matriz preexistente y aun cercana. Es evidente que el cronista y el romancista son un instrumento de tan particular pervivencia; su móvil más auténtico les trasciende. Podríamos verlo en la peculiaridad, o 'anomalía', de la historia de los In-

---

cas. Como respuesta, se ha censurado en cuanto exceso de positivismo la escasa inclinación a separarse demasiado, y con demasiada frecuencia, de los textos conservados; y se ha tildado de individualismo el razonar, sobre la base de los textos documentados, preferentemente en términos de autor individual, evocando incluso influencias —y hasta impulsos determinantes en la creación— de corrientes o centros de la cultura alta, con escasa o nula tendencia a considerar estados latentes de las obras y de momentos de su elaboración; cosa grave cuando se investiga en el ámbito de una tradición de cultura y técnicas poéticas donde crear es esencial y literalmente re-crear. El punto sobre la cuestión en Faulhaber [1976], más atento a la épica; por los *romances* se interesa Armistead, en part. [1979a], [1981] y [1992]: en este ensayo busca en culturas extra-peninsulares confirmaciones a la perspectiva tradicionalista sobre epopeya y balada; en general Bowra, 1952, cap. XV.

fantes dentro del contexto de la épica castellana: no pone en escena conflictos en torno al trono ni trata el destino de comunidades, no es historia política que se documenta o expone o corrige sobre la base de fuentes más autorizadas que un *cantar de gesta,* o que se manipula; no enfrenta monarcas contra vasallos más o menos rebeldes ni es la tragedia del abuso de poder; no es la suma de episodios emblemáticos de donde se aíslan momentos que la simbolizan entera, o que contribuyen a cultivar fantasmas de afirmación individual o de casta: no es la historia de un individuo excepcional que vive situaciones ejemplares, en el bien o en el mal. Los cortos *Romances* con las quejas de doña Lambra o con el encuentro de Ruy Velázquez con Mudarra son lugares significativos y a su manera emblemáticos de destinos de individuos, pero no de los 'héroes' de la historia. Éstos son siete, víctimas todos en una sola ocasión de una tragedia única, que es personal y entrañablemente familiar; y la pasión ejemplar de esta indivisible comunidad, mínima y privada, se teje en una red de situaciones e incidentes y reacciones donde tiene su espacio —¡y con qué consecuencias!— la palabra, que, sin embargo, nunca llega a dar forma a enfáticos *récits de paroles* como son tantos *romances* de Bernardo, Fernán González, Rodrigo, etc. El lamento de Gonzalo Gustios es un poema funerario y no una declamación. En esto podríamos entrever ya una de las razones de la persistencia textual, relativamente compacta, de un poema y de un tema difíciles de segmentar y, por tanto, menos expuestos a aquella reinvención selectiva que es el *romancero* épico. Para el tema de los Infantes tal reinvención, en efecto, ha funcionado —que sepamos— allí donde había cuajado un episodio emblemático que en dos individuos sintetizaba la historia y la concluía: el encuentro del traidor con el vengador. No es casual que sólo en el *romancero* de los Infantes se localicen formas genuinas de ensamblaje que podrían asimilarse a las de auténticos poemitas cíclicos. Es éste un punto que requiere averiguaciones, pero que de alguna manera nos encamina hacia una posible característica de fondo de la historia de los Infantes, y acaso hacia el motivo más íntimo de las peculiaridades que vamos comentando: sin rebajar en nada la severidad trágica y solemne de su invención —casi un arquetipo de aquella 'poesía de malogrados' tan del gusto del *romancero*[28]—, diría que nuestra historia abriga cierta esencia folletinesca, es una aventura compleja que vale como emblema solamente en la totalidad del asunto y de la letra de su morbosa maraña. Juglares, cronistas y romancistas, cada uno según los principios y las técnicas de su menester, trabajaron en un organismo que generaciones de destinatarios percibían y apreciaban como apasionante desarrollo unitario, no como consecuencia de eventos yuxtapuestos y escenario virtual de un desfile de 'empresas' y destinos individuales.

El *romancero* épico es propiamente ese escenario virtual, con su inevitable didascalismo que llega a ser explícito sólo rarísimas veces y con parsimonia ejemplar. Valga como modelo el *Romance* ya citado del encuentro de Rodrigo de Lara con Mudarra, muestra excelente de reinvención, en el género breve, de materiales temático-textuales de la gesta. Que dos extremos en la formalización romancística —la cercanía máxima a un *cantar* y la mínima— provengan de la tradición poética de los *Infantes* no es la singularidad menor de esa tradición.

El otro breve fragmento de la gesta, el de las 'quejas de doña Lambra', en su autonomía de *romance* ejemplifica bien un perfil temático y formal frecuente en el nuevo género. Es el caracterizado por el *yo* lírico en el exordio: una voz femenina que denuncia ultrajes y pide auxilio, un relato de violencias masculinas, un posible destino de víctima. Dentro del *romancero* Lambra se coloca al lado de la Jimena de «Rey que non fase justiçia» (Textos 118 y 119), de la Urraca de «Morir os queredes, padre» y «Afuera, afuera, Rodrigo» (Textos 123

---

[28] La definición es de Manuel Alvar, aplicada a las *Endechas judeo-españolas*, Madrid, CSIC, 1969, págs. 41-42.

y 124), de la duquesa de «Quéxome de vos, el rey» (Texto 78) y también de la morilla de «Yo m'era mora Moraima» (Texto 29) o de la Polisena de «¡Oh cruel hijo de Archiles!» (Texto 61). Está claro que prescindimos del papel de Lambra en la leyenda y nos ceñimos a la tipología temático-formal del texto. No sabemos si esa tipología estaba ya en el *Cantar,* con los rasgos que presenta en el *Romance:* las Crónicas resumen y refieren en discurso indirecto las quejas de Lambra, que en buena parte coinciden con las del *Romance*. Formalmente, éste concuerda con una modalidad muy del *romancero,* que se extiende más allá de los ejemplos citados[29] y abarca, por un lado, el frecuente discurso en persona *yo* y, por otro, el no menos frecuente diálogo-debate, con su comienzo *ex-abrupto* y su final aparentemente trunco. El *Romance* de Lambra participa así de una semántica poética que no cancela la matriz originaria, pero puede orientar hacia rumbos insospechables al rodar del texto en la tradición, que lo va separando cada vez más de su propio contexto temático, en la memoria y en la conciencia de nuevos destinatarios. Es inevitable que Lambra, en la parcela textual de su 'queja' como poemita autónomo, entre a formar parte auténtica de la concurrida galería romanceril de víctimas. La seña inmediata, y fuerte, de esa identidad acarreada por la forma del texto llega al oyente o lector ya en la fórmula que abre el primer verso: es el «Yo me estaba...», que en el códice poético del *romancero* anuncia un tipo definido de personaje y de destino. Si se confirmara la sospecha que ese exordio, aunque viejo, es un agregado al originario del hipotético fragmento y del *Romance,* que sería el verso «mal me quieren en Castilla» (cfr. la nota 2 del Texto 115), tendríamos una buena prueba de los derroteros semánticos hacia los cuales se encaminaban el texto y su prota-

[29] Y es típica de géneros de difusión oral. Pienso en la llamada «role-play ballad», monólogo generalmente en boca de una mujer afligida: Würzbach [(1981) 1990], 163, 187 y 224-225.

gonista[30]. Un indicio seguro es el préstamo, del segmento de las ofensas padecidas, que el *Romance* de Lambra le hace nada menos que al de Jimena: cfr. la nota 9 del Texto 119.

Definir el *romancero* un desfile de figuras de la malandanza podría aparecer como una fórmula crítica un tanto efectista. Nuestro género bien conoce figurillas con suertes felices, como la niña que de una vez alcanzó guirnalda de rosas y buen amigo (Texto 25) o el cautivo que gozó de ama buena (Texto 102), y magnas figuras con fortunas magníficas, como un conde Ayuelos o un conde Claros que casan con infantas (Textos 14 y 21); después de haber pasado, tanto las unas como las otras, por vías muy estrechas, según se conviene a todo buen relato. Además en el *romancero* no falta el *humour,* que inspira textos enteros o salpica a otros muchos. Es un aspecto poco atendido, quizá por lo delicado que es investigar una faceta tan sensible al mudar de las mentalidades y de los contextos culturales; ese mudar que nos sustrae claves de desciframiento o, lo que es peor, puede estimular claves completamente falaces. En las notas a algunos *Romances* el lector encontrará indicaciones, y tal vez alguna provocación, sobre este aspecto. Sin embargo, al público del *romancero* le atraen decididamente más las desgracias que las buenas venturas[31]; lo percibimos dominado por aquella morbosidad que es uno de

[30] Es normal una fuerte codificación del exordio, y además en textos de difusión oral. Cfr. Webber [1979] y [1985]: en éste se apunta como peculiar del *romancero* el muy bajo porcentaje de comienzos de tipo corriente en tercera persona, normal en la balada europea; *CGR,* I, 114 y sigs.; González [1984]. Para los exordios en forma de apóstrofe, Di Stefano [1979], que establece una distinción en 'prenarrativos' y 'paranarrativos' según el tipo de vínculos de su contenido con el relato. Foley [1985], 195-199 y 206, discute de la dialéctica entre semántica del relato y semántica que es propia de algunos rasgos formales muy marcados, tanto en el contexto de la tradición poética como en el de las estrategias y culturas del receptor.

[31] Aspecto bien analizado por Wilson [(1958) 1977] y Rodríguez Puértolas [(1972) 1976] y [1989]; cfr. también Ruiz Fernández [1990]. Contraria la orientación de la lírica tradicional, donde predominarían tonos de gozo y descaro: C. Alvar [1982] y Frenk [1991a]. De alcance más general es el incisivo ensayo de Smith [1972].

los rasgos típicos de toda estética de masas. En ella hunde sus raíces una buena parte del *romancero,* que en sus microsecuencias reinventa tipos y motivos extraídos del variado cosmos literario medieval o de la contingencia histórica; que populariza así, o incluso lanza a la vida, un patrimonio de mitos mínimos y de grandes parábolas en el que la común imaginación pueda recrearse y exorcizar angustias del presente e inquietudes ancestrales. Es un universo que a sus temas de fondo esenciales no regatea colores y humores del tiempo histórico en que se forma y robustece[32]; un tiempo que puede ir de la época áurea de los *cantares de gesta* a la de los brillos postreros de la poética cancioneril, del siglo XIII (o si se quiere XII o...) a los albores del XVI. Pero el tiempo histórico del *romancero* que leemos es esencialmente el que asiste a su progresivo revelarse al lado de la 'grande' literatura del siglo XV: la de los furores y languideces de la novela caballeresca, la de las Crónicas individuales y de las 'semblanzas', de los masoquismos de la novela sentimental, de la emblematización pícara o atormentada del cancionero, la que registra un irrefrenable exaltarse de la voz que relata, lamenta, implora, debate, alterca.

Épica castellana y carolingia, temas artúricos y bretones, materia griega y romana y de Francia, sucesos peninsulares, invenciones caballerescas, fábulas folklóricas: en el *romancero,* como en otros géneros, todo es historia y novela al mismo tiempo. Es novela por su organizarse en un texto finalizado a dar placer y estimular emociones, con la maestría de sus efec-

---

[32] La relación entre mitos y temas de fondo atemporales y la historicidad de los textos que incesantemente los proponen en formas variadísimas es nudo crítico que —en realidad— atañe a toda clase de creación. En el caso del *romancero,* donde la larga supervivencia se afirma a expensas de marcas muy definidas del tiempo histórico, resultan provechosas las aplicaciones dúctiles de narratología y semiología, según un modelo descrito en *CGR* y ejemplificable en Mariscal [1984-1985]. Cfr. también Benmayor [1979a], Catalán [1986] y Alonso Hernández [1990]; muy acertado Rodríguez Puértolas [(1972) 1976] y [1989], en la vertiente de la individuación de temas dominantes en el *romancero.*

tos de sonido, de la llaneza de su lengua, de un uso de los tiempos verbales tan fascinador como inclasificable; y es 'historia' porque ese texto y esos materiales ilustran y sugieren una conducta, abrigan una ejemplaridad. Aunque laico y ajeno a fraseología didascálica[33], el *romancero* quiere ser un universo también de *exempla,* prolongando en el tiempo su medievalismo intrínseco. Baste el remite a *La dama y el pastor,* o a su análogo *La bella en misa* (Textos 8, 9 y 10), donde la misoginia se reviste de sus disfraces más espléndidos y ambiguos. Mito e íncubo de la realidad y de la imaginación colectivas, la mujer y el eros señorean el *romancero.* Amantes, esposas, madres[34], hijas, tías también (Texto 15), reinas e infantas, condesas y plebeyas, casadas fieles y malmaridadas, vírgenes y pluriparidas, se entusiasman o atormentan o perecen al soplo de amor. Soplo emponzoñado la mayoría de las veces. No sorprende que la fatalidad de un encuentro se materialice en el cuerpo femenino, malicioso o inocente pero siempre con el tradicional privilegio de hacerse percibir como responsable de la aventura, o mejor dicho de la desventura: en él

[33] En las fuentes antiguas son casi inexistentes los *romances viejos* de tema religioso; abundan en la tradición oral moderna: cfr., por ejemplo, Trapero [1990]. Un *romancero* religioso culto floreció ya a finales del XV, con fray Ambrosio Montesino, y proliferó sin mesura a lo largo del siglo sucesivo, incluso con las vueltas a lo divino de textos profanos: Aubrun [1986], 65-79; Catalán [1987] y W. González [1989]. Una reseña muy útil de temas y motivos del *romancero* en Seay [1957], que concluye observando cómo en su mayoría no coinciden con los de la balada europea, por lo menos según el cotejo de los catálogos actuales; también Bonamore Graves [(1982) 1986] y el final de mi nota 6 para las cuestiones de clasificación implicadas. La definición del 'motivo' y de sus contenidos es materia escurridiza: González [1989] y [1990].

[34] La madre es figura muy frecuente en literatura tradicional. No es rara en los *romances,* aunque no tan presente como en las baladas inglesas, escocesas y danesas: Borregaard [(1933) 1973], 126. No sorprende encontrarla asociada casi siempre al dolor: cfr. la maternidad trágica en doña Sancha de *Infantes de Lara* o en *Bueso* o en *Mainés,* y en la condesa de *Alarcos,* la frustrada en María de Aragón, la imposible en la reina de *Isabel de Liar,* la infausta en *Espinelo,* la patética en *Gaiferos libertador de Melisendra,* la premiada en *Gaiferos vengador,* la madre cómplice en *Guirnalda de rosas* y la rival en *Conde Alemán* y tal vez en *Infante Arnaldos.*

se hunden una nación y su rey Rodrigo, o se malogra la adolescencia jactanciosa de Florencios (Textos 104-106 y 17-18)[35]. Espejos de virtud luminosa relucen allí donde arden también fuegos de maldad que los agrietan y quiebran: la condesa de Alarcos víctima de la infanta, Blanca de Borbón de María de Padilla (Textos 49 y 72). La virtud a solas padece de endeblez estética; sólo del haz y del envés de la criatura femenina promana un poderoso, único encanto. Nunca conseguiremos averiguar si ha sido una concepción distorsionada de la ética femenina o una orientación perversa de la estética del público la responsable primaria del prevalecer, en ámbitos ya más generales, de historias y figuras de mujeres nefastas respecto a las de mujeres virtuosas.

Se puede (¿o se debe?) invertir la perspectiva. La Cava es víctima de la incontinencia de Rodrigo, Florencios perece por su inmadurez, por encima de Blanca y de María se yergue el furor criminal de Pedro, la infelicidad de la infanta y la tragedia de la condesa arrancan de la ligereza y mediocridad de Alarcos. Es el varón, con su poder y sus caprichos, o con su torpeza, quien provoca la ruina. El problema es si pudo ser ésta la perspectiva dominante en la época de los textos, por lo menos de los textos que conocemos. Yo lo dudaría. No faltan *romances* donde las responsabilidades parecen bien definidas: ejemplo son los dos sobre la infanta Urraca, víctima de poder y arbitrios masculinos en su patrimonio, y, por lo tanto, en su identidad social (Texto 123), y en sus amores, o sea, en su intimidad de mujer (Texto 124). Sin embargo, *ubi foemina ibi scelus:* uno de los citados *Romances* de Urraca (Texto 123) recalca huellas de antiguas hostilidades; del *Romance* de Moraima se puede hacer una lectura que adolece por la misma la-

[35] El amante de Galiarda es víctima de su indiscreción, vicio gravísimo en amor; con la inconstancia y la imprudencia —bien retratada en el *romancero*—, es uno de los defectos de la juventud más censurados en la cultura medieval. En general Erich Köhler, «Sens et fonction du terme 'jeunesse' dans la poésie des troubadours», en *Mélanges offerts à René Crozet*, Poitiers, Société d'Etudes Médiévales, 1966, vol. I, págs. 569-583.

dera (cfr. la nota 11 del Texto 29). Incluso dos siluetas femeninas sin ambigüedades en su heroísmo pueden periclitar: son las que vengan a sus familiares matando a los asesinos y agresores de su propio honor, y dan así ejemplo de valentía física; pero lo dan, sobre todo, de fría rapidez en el uso de un arte de la astucia ante el que los dos energúmenos caen como novatos (Textos 30 y 38).

Será ya superfluo subrayar que en el *romancero* el protagonismo femenino es el más desarrollado y mejor labrado, para bien y para mal. Recoge y potencia legados de diverso origen y constituye un universo imaginario, con indudables funciones de sugestión e incluso compensatorias, grandiosa parábola del poder variadamente inquietante de la feminidad[36]. Explicar este perfil, como se ha hecho para otros géneros, remitiendo a la preponderancia del 'sexo débil' entre el público, es viable, si pensamos además en el predominio de las mujeres entre quienes mantienen viva la tradición del *romancero* oral en la actualidad[37]. Para la época antigua puede ser significativa —entre otras— la actitud de un sastre de Gil

[36] Temática compleja y ambigua, que recorre la mentalidad y la cultura medievales en múltiples ríos, y que por variadísimas vías llega al *romancero.* Referencias mínimas para las áreas más próximas: Lucy A. Sponsler, *Women in the Medieval Spanish Epic and Lyric Traditions,* Lexington, University Press of Kentucky, 1975; Juan Victorio, *El amor y el erotismo en la literatura medieval,* Madrid, Ed. Nacional, 1983; Alan Deyermond, «La sexualidad en la épica medieval española», en *NRFH,* XXXVI (1988), págs. 767-786; para el *romancero:* Anahory-Librowicz [1989], Rodríguez Baltanás [1989], Rodríguez Puértolas [1989], Catarella [1990] y Grieve [1990], y para medir distancias en el tratamiento de tal tema cfr. Dollfus [1894]. Emblema trágico del poder destructivo de la feminidad frustrada que desintegra la célula familiar es la infanta del *Alarcos,* donde el «retraída» del exordio apunta no solamente a humores individuales, sino también a una condición de marginada respecto a un contexto doméstico normal. La versión burlesca nos la da «Gentil dona». Un *exemplum* de solución preliminar del problema, frente a una virtual candidata a plantearlo, se ofrece en el final de la aventura de Melisenda con Ayuelos. Es la vía romanceril al 'deleitar aprovechando'. En general, sobre el personaje en el *romancero,* Romero [1979], Ruiz Fernández [1991] y Webber [1989] y [1992].

[37] Alude a este punto Catalán [1986] para la tradición moderna del *romancero.*

Vicente en el *Auto da Lusitânia,* cuando deja para las mujeres las cancioncillas de amor y se exalta con las amenazas del rey moro contra Valencia (Texto 136). Pero el mismo Gil Vicente en la farsa *Inês Pereira* presenta a un joven que rechaza canciones de amor y entona «Mal me quieren en Castilla», que es precisamente el *Romance* antes citado de las quejas de Lambra. Ambos *Romances,* el del moro y el de Lambra, son definidos cantos *guayados,* término entonces corriente (con matices implícitos de arcaísmo y rudeza) para indicar un texto y un tono exclamativos, de invocación, querella y amenaza a la vez, que diera lugar a un despliegue acentuadamente enfático de la voz, una forma como otras de compensación, más allá de los contenidos específicos de los textos o de sus eventuales funciones alusivas en el contexto. Es un aspecto del uso del *romancero* que se debe tener en cuenta; un elemento importante, entre otros, para evitar que del argumento de los textos se deduzcan indicaciones apresuradas sobre el tipo de público. Aquí podría abrirse el interesante capítulo del canto de *romances* durante las faenas del campo o de otros ambientes del trabajo colectivo, o en juegos infantiles, con sus frecuentes incongruencias; materiales y estudios se encontrarán en las Actas de los Coloquios Internacionales sobre *Romancero.*

El énfasis de la voz preside la poética de un género de comunicación oral. Cantar o recitar, para un público o incluso para sí mismo, es completar el texto, incluso en colaboración con las reacciones íntimas o explícitas de los receptores, dentro de los límites de una sesión de 'espectáculo', de *performance,* según terminología de la crítica anglosajona; ya en la ejecución sucesiva, y en otras más, el texto y su *mise en forme* —conjunto de letra, voz, música, gestos, recepción— serán distintos en alguna de sus partes. Este 'contorno' es esencial en la estética de la letra, y puede serlo también en su semántica; pero lo hemos perdido, o si en raras circunstancias parece sobrevivir, es difícil que se sustraiga a alguna artificiosidad[38].

[38] Oralidad y *performance* son ámbitos de estudio de gran actualidad, sin

Los rasgos lingüísticos y estilísticos que dan actuación a la poética del *romancero,* o apuntan al momento teatral o visual del texto, han sido reseñados repetidas veces[39]; el lector

límites de época ni fronteras de cultura: cantores de Serbia y Homero, las calles del Londres del s. XVI y una cabaña de Camerún, la ruta de Santiago y la estepa Kirguisia, un *romance* de Castilla y un *spiritual* de Louisiana; por doquiera, se exalta y teatraliza la voz. Son voces vivas; o pueden ser intuiciones de voces que ya callaron y que nos llegan sólo a través de la imagen, muda y engañosa, de señales gráficas fijadas en un pergamino por una pluma mortificadora, o —peor aún— multiplicadas en su mensaje sin vida por la aplastante 'galaxia Gutenberg'. Un mínimo de ironía es inevitable frente a tantas páginas sobre el tema, que parecen reflejar un sentimiento inconsciente de culpabilidad en quien es morador bien integrado de esa 'galaxia' tipográfica y se entrega a añoranzas de purezas perdidas. Pero la ironía es también saludable para soportar la lectura hasta sacar el fruto, minúsculo o grande, que casi todas esas páginas contienen. Es innegable que les debemos un cambio enriquecedor en nuestra manera de acercarnos a textos de transmisión normalmente oral, y no solamente a ellos. Si tales textos también se compusieron oralmente, para el pasado se puede afirmar sólo sobre la base de analogías con el presente y gracias a una especie de acto de fe: cfr. la nota siguiente. No reúno aquí referencias que el lector localizará en la Bibliografía. De ella aíslo, sin embargo, las reflexiones áureas de Bénichou [1990], que son el destilado de medio siglo de ejercicio crítico muy agudo con los *romances,* fuera de toda afiliación de escuela: después de haber perfilado una tipología de los lenguajes poéticos del *romancero,* aquilatando las distinciones corrientes y sin desechar la lección de Menéndez Pidal sobre tradicionalidad, afirma el carácter del 'estilo oral' en los *romances* como producto de una 'escuela' poética popular, más que de un largo proceso de reelaboración lingüística colectiva; por tanto, contempla la posibilidad de una creación primaria dentro de esa 'escuela', mediante un uso programado de los recursos de su estilo.

[39] *RH,* cap. III. Sobre el lenguaje formular, *CGR,* I, 170-195. La fórmula, elemento esencial y caracterizador del lenguaje del *romancero* y de cualquier texto relacionado con la oralidad, es el punto de partida muy conflictivo de una importante tradición de estudios sobre técnicas de la creación oral. Tal modalidad de creación se suele dar por segura o muy verosímil para textos donde la presencia de fórmulas alcanza cierto porcentaje, según métodos y conclusiones elaborados en el análisis de la épica yugoslava moderna y aplicados a la épica homérica, y que abrieron un campo de investigación fertilísimo y controvertido. Webber [1951] fue la primera en conducir hacia ese campo el estudio del *romancero;* de la misma también [1980] y [1986]; además, Beatie [1964]. Más interesado por problemas generales y teóricos, pero centrándose con frecuencia sobre el *romancero,* Miletich [1976a], [1976b], [1986] y [1988]; también Lord [1986]. Provechosa reseña de la problemática, con vistas al *romancero,* en Valenciano [1992]. Bäuml [1985], en part. páginas 36 y sigs., propone que, para los textos conocidos solamente a través de la escritura, se atienda más a los procesos de recepción que a los mecanismos de

los detecta fácilmente en los textos. La visualización es el estímulo a traducir en imágenes mentales zonas del texto, a 'ver' figuras y escenas, mediante resortes verbales en primer lugar; los coadyuvaban sin duda gestos del recitador, y en algunos casos incluso carteles con ilustraciones: el teatrico de maese Pedro en el *Quijote* es un ejemplo. De él se deduce también que teatralización pudo ser en alguna ocasión la efectiva puesta en escena de un largo *romance*, o de su tema; o acaso también una recitación del texto a cargo de más de una voz[40]. Pero es 'teatral', esencialmente, la modalidad de organización de los textos más recurrida y singular: el monólogo, con o sin preámbulo y remate, y el diálogo, dentro de los límites de una o dos escenas —raramente tres o más— yuxtapuestas[41]. El espacio de la narración indirecta, y el del narra-

---

composición: conviene leer las señales de esos textos como reveladoras de una oralidad de transmisión más que de creación; a través del lenguaje, la oralidad entra a formar parte de los elementos de la ficción poética y en ella se refleja. Sobre las fórmulas más típicas de *romances* juglarescos *RH*, I, 265-272, y Ochrymowicz [1975]. De morfología de la lengua se han ocupado Spitzer [1911]; Alvar [(1972) 1974], 311-336; García Martín [1989]. Del verbo y del uso de los tiempos verbales trata Szertics [1967] y [1980]: en éste documenta la influencia de la rima, ya apuntada por Estelle [1969] en una investigación documentada y bien razonada; también Sandmann [1974] y Mirrer-Singer [1987]. Sobre modelos expresivos, Lapesa [1964], que acentúa la raíz épica, y Webber [1980], que la reduce; más general, Gilman [1972]. Los estudios sobre lengua requieren en primer lugar una base documental fiable, o sea, buenas ediciones de los textos, con registro de variantes; sin embargo, la sola que hasta ahora lo contiene, parcial aunque para el conjunto del *romancero viejo*, es la *Primavera* de Wolf y Hofmann. De cuestiones editoriales discute Débax [1990a]; propuestas avanza Di Stefano [1990, pero 1984], con aplicaciones en [1988b], [1988c], [1989a] y [1992b]; en relación con problemas del texto oral, Sánchez Romeralo [1990]. Otro requisito, de método, para un serio estudio sincrónico de la lengua es la homogeneidad cronológica de los materiales: un buen ejemplo son Fowler [1968] y Kekäläinen [1983] para la balada anglo-escocesa.

[40] El canto polifónico de *romances* lo atestigua bien el ms. Madrid BP1: cfr. Siglas de las fuentes textuales. La notación musical más antigua que se conoce de un *romance* es la de «Lealtad, o lealtad» para cuatro voces: está en dos hojas inseridas en el ms. de la *Crónica del condestable Miguel Lucas de Iranzo*, escrita poco después de 1471. Una recitación a dos o más voces se documenta mejor en época moderna: cfr., por ejemplo, Beutler [1977], 231.

[41] El libro de Teresa Ferrer, *La práctica escénica cortesana*, cit. en la

dor, es muy inferior al de la voz de los protagonistas. Los modos de ejecución y la transmisión oral habrán jugado un papel decisivo en tal tipo de formalización de los textos según los conocemos. Pero una responsabilidad 'colectiva' debe entenderse más bien como horizonte formal de espera que condicionaba a los autores y los coadyuvaba en las maneras antes apuntadas, y en el ámbito del cual algunos itinerarios formales consagrados habían llegado a semantizarse; la forma 'crea' el significado: podría ser el caso del *Romance* de las quejas de Lambra. Las «escuelas» citadas en páginas anteriores se definen gracias a quien actúa —emisor y receptor— según las ritualidades que les son propias. Los *romances* que denominamos 'juglarescos' (por ejemplo, los Textos 49 y 144) tienen una trabazón narrativa y un lenguaje que, dentro del género, los distingue como salidos de un gremio con una conciencia de escuela más profesionalizada, que lleva consigo mayores ambiciones y también vínculos a temas, a motivos y a expresiones formulares. De esa escuela han salido productos adocenados; pero ha dado también un fruto tan excelente como el *Gaiferos libertador de Melisendra,* y no ha impedido el vuelo a un auténtico genio creativo como el autor de *El conde Alarcos:* éste puede cerrar su poema con una fórmula de las más estereotipadas del *romancero* 'vulgar' de ciegos, pero sabe abrirlo con su propia elaboración de una fórmula romancística tradicional, impregnándola de encanto evocador y sensibilidad psicológica. Al tono medio de esa escuela nos acercan textos como el 141 o el 145, con todos los requisitos de una literatura

---

nota 14 del Texto 7, no tiene referencias al *romancero,* pero más de un estímulo se saca de él. Constatamos, por ejemplo, que figuras, situaciones, lugares y decorado más recurridos en las fiestas escénicas cortesanas coinciden frecuentemente con los de nuestros textos: mensajeros, embajadas, desafíos, castillos, rocas, fuentes, cazas, asedios, etc. En esta dirección hay intuiciones, genéricas, en Aubrun [1986]. Cosa distinta es el uso directo de *romances* en el teatro (vv. cantados o citados o intercalados en diálogos) o indirecto, cuando las *comedias* aprovechan sus temas, motivos, personajes. La bibliografía es muy amplia; alguna referencia en las notas de los Textos; cfr. *RH,* II, 103-109, y el cap. XV.

rutinaria, fundada en los efectos de memoria: son las variaciones sobre el tema, para regustar lo familiar a través del rito de disfraces siempre nuevos y del arte combinatorio de macro o microfórmulas temáticas y lingüísticas[42]. Fue grande el favor de sus destinatarios. De veintisiete pliegos sueltos anteriores al 1520 que presentan *romances*[43], diecinueve publican textos juglarescos: cuatro con el *Alarcos,* uno con una síntesis de *La Celestina,* uno con una escena del *Amadís,* uno con el comienzo de la *Historia del rey Canamor* y los demás con temas para-carolingios como dos *Calaynos,* dos *Guarinos,* el *Conde Dirlos,* el *Marqués de Mantua,* tres *Gayferos libertador de Melisendra,* etc. Está casi ausente el *romancero* histórico y no aparece el épico castellano; están presentes algunos *romances* 'novelescos', los trovadorescos desde luego, y un *Reina Dido* con un *Reina Elena.* Epítomes auténticos o invenciones miniaturizadas de relatos caballerescos anclados en la 'historia' —o mejor dicho en el mito— de la constelación carolingia, que no incluye la vertiente de lo fantástico y maravilloso típica de los grandes relatos en prosa impresos en los mismos talleres tipográficos, estos *romances* densamente narrativos, de consumo veloz en folletos de precio mínimo, parecen dominar el estreno de nuestro género en la imprenta[44]. Pero un público que cultivaba también aficiones por un *romancero* de temas menos emparentados con la literatura 'alta' según larga tradición, toca a la puerta de las imprentas. Por esos años el trovadoresco glosador Francisco de Lora accede a una transgresión, justificándose en una larga Dedicatoria en prosa: para

[42] Bénichou [1990], 48, individua siete 'estilos': «tradicional (u oral) viejo» [la gran mayoría de los Textos de este libro], «juglaresco viejo» [*Alarcos, Gaiferos,* etc.], «prosaico», «erudito» [*Nacimiento de Bernardo*], «prosaico noticioso» [«Allá en Granada la rica»], «culto antiguo» ['trovadoresco', 'nuevo'], «vulgar» [*romances* 'de ciego'] y «tradicional moderno».

[43] Todos los conservados son 83: los describen Norton y Wilson [1969], 13-30.

[44] Y perviven hasta el ocaso de los folletos, en la primera mitad de nuestro siglo XX. Cfr. Caro Baroja [(1969) 1990], García de Enterría [1973] y Marco [1977].

hacer cosa grata a los gustos de su hermano compone e imprime una glosa sobre el *Romance del rey moro contra Valencia* (Texto 136); y Valencia parece ser la patria de los dos hermanos, así que el homenaje tiene motivación y destinatario dobles[45]. Aprieto idéntico, pero por parte de su tío, conoce Cristóbal Velázquez de Mondragón, que, sin embargo, no abdica del todo a los deberes de una profesionalidad artística superior, como deja en claro ya lo remilgado del título del *pliego:* «El Romance muy antiguo y viejo del moro alcayde de Antequera [Texto 85]: nueuamente enmendado de todas las variaciones y letras que comunmente se le suelen dar: con una glosa muy conforme de [...] que hizo a complacencia de un caualllero su tio llamado Gutierre Velazquez de Cuellar»[46]. En este caso la afición superaba los lindes de la patria chica y alcanzaba otras tierras andaluzas, donde la historia local era todavía crónica reciente pero iba esfumándose ya en fábula exótica. A una curiosidad localista de este tipo, acaso con matices de nostalgia, responden por los años sesenta y setenta del mismo siglo XVI los *pliegos* con mayoría de *romances* 'fronte-

[45] Que el amor patriótico se considerara razón suficiente para excusar una transgresión estética, aunque atenuada por la glosa ennoblecedora, lo prueba el haberse podido publicar en un *pliego* la misma glosa de Lora atribuida ni más ni menos que a un poeta decididamente 'alto' como Garrido de Villena, cultivador de la poesía épica erudita y clasicista, y valenciano.

[46] Un «licenciado Gutierre Valazquez» se cita en los años 1484-1486 como padre de aquel Juan Velázquez de Cuéllar que desde 1496 fue «contador mayor de Castilla» y antes había sido maestresala del príncipe don Juan, hijo de los Reyes Católicos, de quien era «copero» un Cristóbal de Cuéllar, tal vez de la misma familia. En casa de Juan Velázquez, que gustó de componer versos, fueron a parar —por voluntad de Isabel— libros y quizá también instrumentos de música que habían servido para la educación del malogrado príncipe. Cfr. *Cuentas de Gonzalo de Baeza tesorero de Isabel la Católica,* ed. por Antonio y E. A. de la Torre, Madrid, CSIC, 1955, vol. I, págs. 89, 281 y *passim;* Gonzalo Fernández de Oviedo, *Libro de la camara real del principe don Juan e offiçios de su casa e seruiçio ordinario,* Madrid, Bibliófilos Españoles, 1870, págs. 11, 15 y 86; Camón Aznar (cit. en la nota 2 del Texto 151), págs. 73 y 79-80. Podríamos tener aquí un enlace más entre Corte y *romancero*. Si el tiempo fuera más generoso en conservarnos documentos del pasado y en concederse a quien escudriñara todos los que han sobrevivido, sería posible recuperar una tercera dimensión para muchos fantasmas.

rizos' que saca a luz en Granada el impresor Hugo de Mena, si es buena muestra el manojo de sus cuadernillos que guarda una biblioteca de Cracovia. En otros niveles, esa corriente de interés se afina y complica en 'maurofilia literaria', la que culmina a finales de siglo en la prosa novelesca, tan salpicada de *romances*, de *Las Guerras Civiles de Granada* de Ginés Pérez de Hita[47]. Una vez más, en el *romancero* se alimentan los extremos: arrebatos de fantasías comarcales y rebuscadas galas que reinventan el 'tiempo perdido'. Persiguiendo mitos y emblemas, unas y otras ofician los rituales de la imaginación que evade gracias a una voz hecha canto o a una letra cargada de oropeles, que repiten idéntico mensaje en múltiples tonadas: el individuo frente a la prueba, su desazón o caída, alguna que otra vez su victoria.

Microemblema de la condición de toda literatura de mayorías (¿sólo de ella?), el *romancero* es, en efecto, una almoneda, sublime con frecuencia y fascinante siempre, de lugares comunes y de fórmulas, de pocas y reiteradas propuestas. En una lengua centelleante de luz familiar e inasible a la vez como la de las estrellas, es un desfile de siluetas que prestan máscaras distintas a un número muy reducido de figuras y problemas de fondo. Sin embargo, a estos títeres del *romancero* seguimos negándoles el abandono de la escena y brindándoles aplausos: demasiado se nos parecen, y demasiado añoramos a través de ellos dimensiones perdidas e infancias de la vida y del gusto repudiadas con harta presura.

---

[47] Sobre maurofilia y concepción caballeresca del moro en el *romancero* y en la literatura en general, cfr. en la Bibliografía los recientes trabajos de García Valdecasas, además del libro clásico de Carrasco Urgoiti [(1956) 1989] y su artículo [1989].

CRITERIOS DE EDICIÓN

Las fuentes de los Textos han sido utilizadas casi todas en sus originales, tanto impresos como mss., directamente o a través de microfilmes o reimpresiones en facsímil. La grafía se ha modernizado con moderación, allí donde lo requería la comprensión inmediata de la palabra o la oportunidad de evitar confusiones o la molestia de usos como el de *u* por *v* o el de *y* por *i:* estas antiguallas se han eliminado. Acentos y mayúsculas siguen el uso actual. En cuanto a puntuación, en muchos casos he preferido confiar la pausa al ritmo normal del verso más que a la presencia del signo gráfico; me he permitido retocarla también en las pocas ediciones modernas de fuentes, que he utilizado.

La numeración de los vv. de cuatro en cuatro no tiene relación alguna con ideas y teorías sobre la métrica de los *rr.*, como no la tiene tampoco el uso del verso largo, adoptado exclusivamente en función del aprovechamiento de espacio en la página. En los poquísimos Textos que lo tienen, el estribillo se ha excluido de la numeración de los vv.

Dos palabras sobre la repartición de los Textos sacados de fuentes anteriores a 1605, fecha del *pliego suelto* de Juan de Ribera y tope más bien simbólico. No requiere comentarios la adopción de tres grandes categorías solamente: Novelescos,

Históricos y Épicos. Está ausente la categoría de los Carolingios. Se debe en parte al no haberse podido acoger en esta antología muchos de sus largos *rr.* juglarescos. Pero se debe también al hecho de que algunos de sus *rr.* entran decididamente en la categoría de los Épicos y, por tanto, allí se colocan; otros están ya, con igual evidencia, desligados de sus eventuales matrices antiguas y se adhieren a los itinerarios temáticos que convergen en la categoría de los Novelescos. Aquí, pues, tienen su asiento más adecuado Textos como los números 12, 13, 14, 21, 22 o los 40, 41, 47, 48, etc.; y también *rr.* que en apariencia remiten a 'materias' de Roma o de Bretaña, como el *Virgilios* o el *Doña Ginebra,* pero que realmente fueron generados dentro de la fantasmagórica orquestación 'novelesca' del eros romancístico.

La distribución de los *rr.* en el interior del sector Novelesco se ha orientado por el coagular espontáneo de algunas áreas de atracción, que podemos definir: 'eros como provocación y juego', 'seducción y conquista', 'eros como violencia', 'malmaridadas y adulterio', 'amor fiel', etc. Una de las funciones de las notas a los Textos es la de empezar a trazar propiamente el entramado de conexiones que aúna textos por encima de las categorías de los críticos, según tradiciones temáticas y de motivos que se han constituido como internas al género, aunque tengan fuera de él sus raíces. Estas raíces y lazos externos varios quedan siempre por lo menos registrados, y a veces comentados, en las notas, donde permanece esencial el acercamiento a la individualidad del texto romancístico, aun teniendo conciencia de los límites y cautelas que nuestro género impone, así como de los riesgos inevitables. En esta dirección se ofrecen materiales y se proponen —o arriesgan— lecturas, con la finalidad de estimular un interés más variado por el *romancero* y sondeos más articulados de los múltiples intereses que el *romancero* atesora en su interior.

En las notas se utilizan las siglas que se relacionan a continuación.

ABREVIATURAS Y SIGLAS UTILIZADAS EN LAS NOTAS

Apéndices	Menéndez Pelayo [1944].
Aut.	Real Academia Española, *Diccionario de Autoridades* (Madrid, 1726-1739), reimpr. facs. Madrid, Gredos, 1963, 3 vols.
CALP	Frenk [1987]. El núm. es del texto.
CGR	Catalán [1982-1984].
Correas	Gonzalo Correas, *Vocabulario de refranes y frases proverbiales,* ed. por Louis Combet, Bordeaux, Institut d'Etudes Ibériques, 1967.
Covarrubias	Sebastián de Covarrubias Horozco, *Tesoro de la lengua castellana o española* (Madrid, 1611), ed. por Martín de Riquer, Barcelona, Horta, 1943.
DCECH	*Diccionario crítico etimológico castellano e hispánico.* Por Joan Corominas, con la colaboración de José Antonio Pascual, Madrid, Gredos, 1980-1991, 6 vols.
Dicc.	Rodríguez Moñino [1970]. El núm. es de la ficha.
DRAE	Real Academia Española, *Diccionario de la lengua española,* Madrid, Real Acad. Esp., 1970, 19.ª ed.
Durán	Durán [(1849-1851) 1945].
Dutton	Dutton [1990-1992].
Ensayo	Piacentini [1981-1986]. El núm. es de la ficha.
Flor Nueva	Menéndez Pidal [(1928) 1959].
Florilegio	Anahory Librowicz [1980].
Gili Gaya	Samuel Gili y Gaya, *Tesoro lexicográfico (1492-1726),* Madrid, CSIC, 1960, vol. I (A-E).

JSB	Armistead y Silverman [1986].
Nahón	Armistead y Silverman [1977].
Primav.	Wolf y Hofmann [1856]. El núm. es del texto.
RH	Menéndez Pidal [1953].
RJEM	Bénichou [(1944) 1968].
RJEO	Benmayor [1979b].
RT	*Romancero Tradicional* [1957-1985].
RV	Michaëlis [(1934) 1980].
Tratado	Menéndez Pelayo [1944].
Yoná	Armistead y Silverman [1971a].

OTRAS ABREVIATURAS

cfr.	confróntese
f. ff.	folio folios
ms. mss.	manuscrito manuscritos
núm. núms.	número números
pág. págs.	página páginas
R. RR.	*Romance Romances,* referido a textos particulares
r. rr.	*romance romances,* referencia genérica
s. ss.	siglo siglos
sig. sigs.	siguiente siguientes
v. vv.	verso versos
vol. vols.	volumen volúmenes

FUENTES DE LOS TEXTOS

ABREVIATURAS Y SIGLAS EMPLEADAS EN LA RELACIÓN DE FUENTES

I. FUENTES ANTERIORES A 1605

a) *Manuscritos*

Elvas BPH: Biblioteca Pública Hortênsia, ms. 11973. La «Segunda Parte» es del último cuarto del s. XVI. Ed. y estudio de Manuel Joaquím, *O Cancioneiro musical e poético da B.P.H.*, Coimbra, Universidade, 1940. Dutton, I, 58.
Texto núm. 135.

Firenze BN: Biblioteca Nazionale, ms. Conv. Soppr. G, 4, 313. De la primera mitad del s. XV. Ed. y estudio de Ezio Levi: v. Bibliografía.
Texto núm. 8.

Londres BL1: British Library, ms. Add. 10431. ¿1510-1520? Dutton I: LB1, con edición.
Textos núms. 1, 4, 12 y 45.

Londres BL2: British Library, ms. Eg. 1875. Finales del s. XV-inicios del s. XVI.
Texto núm. 133.

Madrid BN1: Biblioteca Nacional, ms. 1317. Del s. XVI. Ed. Adolfo Bonilla y San Martín, «Romances antiguos», *Anales de la Literatura Española*, Madrid, Viuda e Hijos de Tello, 1904, págs. 29-46.
Textos núms. 40, 54, 69 y 75.

Madrid BP1: Biblioteca del Palacio Real, ms. 1335. Inicios del s. XVI. Dutton II: MP4, con edición. Ed. y estudio de José Romeu y

Figueras, *Cancionero Musical de Palacio,* tomos 3 A y 3 B del vol. IV de *La música en la corte de los Reyes Católicos,* Barcelona, CSIC, 1965 (las transcripciones musicales en los vols. II y III, por Higinio Anglés, *ibídem,* 1947 y 1951). Uso este ms. por la ed. de Romeu; la fecha entre corchetes es la conjeturada por el editor para la transcripción del texto.
Textos núms. 64 y 100.

Madrid BP2: Biblioteca del Palacio Real, ms. II-1520. Inicios del s. XVI. Cfr. Charles B. Faulhaber, «*Celestina* de Palacio: Madrid, Biblioteca de Palacio, Ms. 1520», en *Celestinesca,* 14, 1990, 3-39, y «*Celestina* de Palacio: Rojas's Holograph Manuscript?», en *Celestinesca,* 15, 1991, 3-52; Ian Michael, «*La Celestina* de Palacio: el redescubrimiento del Ms. II-1520 (sign. ant. 2.A.4) y su procedencia segoviana», en *RLM,* III, 1991, 149-161.
Texto núm. 118.

Madrid BP3: Biblioteca del Palacio Real, ms. 1581 (sign. ant. 2-B-10), *Poesías varias,* vol. V. Del s. XVII.
Texto núm. 108.

París BN: Bibliothèque Nationale, ms. Frç. 12744. Finales del s. XV. Ed. y estudio de Gaston Paris, *Chansons du XV siècle,* París, Didot, 1875. Dutton III: PN14. Cfr. también Bibliografía, s. v. Paris.
Texto núm. 79.

París BE: Bibliothèque de l'Ecole Nationale Supérieure des Beaux-Arts, ms. Jean Masson 56. Segunda mitad del s. XVI. Ed. parcial en *Portugaliae Musica.* Vilancetes, Cantigas e Romances do século XVI. Transcriçao e estudo de Manuel Morais, Lisboa, Fundaçao Calouste Gulbenkian, 1986, págs. X-XIV sobre el ms., págs. CCXII-CCXVII los *romances,* págs. 111-113 la música. Dutton III: PS1, con edición de los textos españoles.
Textos núms. 67 y 130.

Wolfenbüttel *CP:* Herzog August Bibliothek, ms. Cod. Guelf. 75.1. Aug. 8: *Cancionero de Juan de Peraza.* Último tercio del s. XVI. A la generosa amistad de doña María Brey debo una copia de las fotografías de este ms., custodiadas en su biblioteca. Cfr. Alan Soons, «The *Romances* of the *Cancionero de Wolfenbüttel*», en *BHS,* LXVIII, 1991, 305-309, con bibliografía anterior y una transcripción de los textos incorrecta.
Textos núms. 110, 125 y 128.

b) *Impresos*

Pliegos sueltos

Cambridge: cfr. Norton-Wilson en Bibliografía.
Texto núm. 138.

El Escorial: Biblioteca del Monasterio: *pl. s.* núm. 1071 del *Dicc.*
Textos núms. 66, 71 y 134.

Londres: British Library: *Nueue Romances [...] por Iuan de Ribera [...]*, 1605. Sign.: 0 11451 e. 21.
Textos núms. 39, 40 y 55.

París: Bibliothèque Nationale: *pll. ss.* núms. 653, 689 y 1026 del *Dicc.*
Textos núms. 14, 102 y 141.

Pliegos Cataluña: Pliegos poéticos del s. XVI *de la Biblioteca de Cataluña.* Ed. facsímil. Introducción por José Manuel Blecua, Madrid, Joyas Bibliográficas, 1976.
Texto núm. 88.

Pliegos Cracovia: Pliegos poéticos españoles de la Biblioteca Universitaria de Cracovia. Ed. facsímil. Estudio por María Cruz García de Enterría, Madrid, Joyas Bibliográficas, 1975.
Texto núm. 42.

Pliegos Lisboa: Pliegos poéticos españoles de la Biblioteca Nacional de Lisboa. Ed. facsímil. Estudio por María Cruz García de Enterría, Madrid, Joyas Bibliográficas, 1975.
Textos núms. 58 y 61.

Pliegos Londres: Pliegos poéticos españoles de la British Library, Londres. (Impresos antes de 1601). Ed. facsímil. Estudio por Arthur Lee-Francis Askins, 3 vols., Madrid, Joyas Bibliográficas, 1989-1991.
Textos núms. 9, 26, 49, 56 y 80.

Pliegos Madrid: Pliegos poéticos de la Biblioteca Nacional. Ed. facsímil, 6 vols., Madrid, Joyas Bibliográficas, 1957.
Textos núms. 6, 10, 22, 48, 57, 62, 131, 142 y 143.

Pliegos Madrid-Morbecq: Los pliegos poéticos de la colección del marqués de Morbecq (siglo XVI*).* Ed. facsímil. Estudio de Antonio Rodríguez Moñino, Madrid, Estudios Bibliográficos, 1962.
Texto núm. 137.

Pliegos Praga: Pliegos poéticos españoles en la Universidad de Praga. Ed. facsímil, 2 vols., Madrid, Joyas Bibliográficas, 1960.

Textos núms. 17, 18, 21, 24, 25, 34, 35, 38, 60, 65, 81, 87, 91, 95, 98, 99, 103, 104, 105, 114 y 121.

Pliegos Viena: Pliegos poéticos españoles de la Biblioteca Nacional de Viena. Ed. facsímil. Estudio por María Cruz García de Enterría, Madrid, Joyas Bibliográficas, 1975.
Textos núms. 37 y 51.

Santander: Biblioteca Menéndez Pelayo: *pll. ss.* núms. 994 y 1042 del *Dicc.*
Textos núms. 11 y 144.

Cancioneros y Romanceros

CG11: Cancionero general de muchos y diuersos autores [...], por Hernando del Castillo, Valencia, Kofman, 1511. Ed. facsímil y estudio de Antonio Rodríguez-Moñino, Madrid, Real Acad. Esp., 1958.
Textos núms. 27 y 29.

CR[47]: Cancionero de Romances. Envers, Martin Nucio, s. a. Ed. facsímil y estudio de Ramón Menéndez Pidal, Madrid, CSIC, 1945, 2.ª ed. [1.ª ed., Madrid, Junta para la Ampl. de Estudios, 1914].
Textos núms. 2, 3, 5, 13, 16, 23, 28, 43, 44, 46, 47, 73, 84, 85, 89, 92, 93, 101, 106, 115, 117, 120, 136 y 145.

CR50A: Cancionero de Romances. Envers, Martin Nucio, 1550. Ed. y estudio por Antonio Rodríguez-Moñino, Madrid, Castalia, 1967. Utilizo el original de la Bayerische Staatsbibliothek de Münich.
Textos núms. 7, 30, 32, 36, 41, 52, 53, 59, 68, 70, 72, 74, 78, 97, 107, 109, 111, 112, 113, 119, 122, 123, 124, 127, 129, 132, 139 y 140.

FE62: Cancionero llamado Flor de enamorados. Barcelona, Claudi Bornat, 1562. Kracow, Biblioteka Jagiellonska. Ed. y estudio por Antonio Rodríguez-Moñino y Daniel Devoto, Valencia, Castalia, 1954. Utilizo el original.
Textos núms. 33, 50 y 82.

RG73: Rosa Gentil. Tercera parte de Romances de Joan Timoneda. Valencia, Joan Nauarro, 1573. Ed. y estudio por Antonio Rodríguez-Moñino y Daniel Devoto: *Rosas de Romances,* Valencia,

Castalia, 1963. Utilizo el original de la Oesterreichische Nationalbibliothek de Viena.
Texto núm. 20.

2S50: *Segunda parte de la Silua de Varios Romances*. Zaragoça, Steuan G. de Nagera, 1550. Ed. y estudio de Antonio Rodríguez-Moñino: *Silva de Romances (Zaragoza 1550-1551)*, Zaragoza, Cátedra Zaragoza-Ayuntamiento, 1970. Utilizo el original de la Bayerische Staatsbibliothek de Münich.
Textos núms. 77, 86, 116 y 126.

3S51: *Tercera parte de la Silua de Varios Romances*. Zaragoça, Steuan G. de Nagera, 1551. Ed. y estudio cit. en *2S50*. Utilizo el original de la Library of Hispanic Society of America de New York.
Textos núms. 15, 19 y 63.

S51: *Romances nueuamente sacados de historias antiguas [...]*, por Lorenzo de Sepúlveda. Anuers, Iuan Steelsio, 1551. Madrid, Biblioteca Nacional.
Texto núm. 31*.

Obras varias

Argote de Molina, Gonzalo, *Nobleza del Andaluzia*, Seuilla, Fernando Diaz, 1588.
Texto núm. 83.

Carvajal, *Poesie*, ed. y estudio por Emma Scoles, Roma, Edizioni dell'Ateneo, 1967.
Texto núm. 76.

Pérez de Hita, Ginés, *Historia de los Vandos de los Zegríes y Abencerrages*, Zaragoça, Miguel Ximeno Sanchez, 1595. Ed. y estudio de Paula Blanchard-Demouge, Madrid, Centro de Est. Hist., 1913-15, que utilizo.
Textos núms. 90, 94 y 96.

---

* Agradezco a los responsables de las Bibliotecas citadas su amable disponibilidad en permitirme consultas cómodas y concederme los microfilmes. Especial gratitud reitero a doña María Brey, que me concedió sacar copia de sus fotografías de Wolfenbütell *CP*. Solamente los mss. Madrid BP1 y los dos parisienses han sido utilizados a través de ediciones.

II. FUENTES POSTERIORES A 1605

Amsterdam: Samuel G. Armistead-Joseph H. Silverman, «Three Hispano-Jewish romances from Amsterdam», *Medieval, Renaissance and Folklore Studies in Honor of John Esten Keller*, Newark, Juan de la Cuesta, 1986, págs. 243-254.
Texto núm. 147.

Attias: *Romancero sefardí.* Romanzas y cantes populares en judeoespañol. Recogidos de boca del pueblo y en parte copiados de manuscritos. [...] por Moshe Attias, Jerusalem, Ed. «Kiryat-Sefer», 1956.
Texto núm. 146.

Cid: cfr. Jesús Antonio Cid [1979].
Texto núm. 153.

Díaz Roig: cfr. Mercedes Díaz Roig [1990].
Texto núm. 148.

Goyri: cfr. María Goyri.
Texto núm. 151.

Israel: Samuel G. Armistead-Joseph H. Silverman, «Field Notes on a Ballad Expedition to Israel», *Shevet Va'am* (The Council of the Sephardi Community, Jerusalem), 2.ª serie, vol. IV (ix), 1980, págs. 7-27.
Texto núm. 154.

León: Romancero general de León. Antología 1899-1989, preparada por Diego Catalán y colaboradores, Madrid, Seminario Menéndez Pidal-Diputación Provincial de León, 1991, 2 vols.
Texto núm. 155.

Menéndez Pelayo: cfr. Marcelino Menéndez Pelayo, *Apéndices*.
Texto núm. 152.

J. Menéndez Pidal: Juan Menéndez Pidal, *Poesía popular*. Colección de los viejos romances que se cantan por los Asturianos [...], Madrid, Hijos de J. A. García, 1885. Segunda ed., ampliada y cotejada con los originales por Cid-Calvo-Enríquez de Salamanca, Madrid-Gijón, Seminario Menéndez Pidal-Gredos-GH, 1986, con el título *Romancero asturiano (1881-1910)*.
Texto núm. 157.

RJEM: cfr. Paul Bénichou [1968].
Textos núms. 149, 150, 158 y 159.

RP: Romanceiro português [...], por José Leite de Vasconcelos, 2 vols., Coimbra, Universidade, 1958-1960.
Textos núms. 156 y 160.

RT: cfr. *Romancero Tradicional.*
Texto núm. 161.

FUENTES DE LOS TEXTOS

Advertencia

Las referencias a *CGR* y a *CRJE* son una ayuda mínima para localizar supervivencias actuales de los textos. Su ausencia al lado de varios *romances* se debe a la publicación todavía incompleta de *CGR* o a no conocerse algunos textos en la tradición judeo-española, la sola pertinente a *CRJE*.

Una lista completa de las fuentes impresas y manuscritas de cada texto, en los ss. XV y XVI, cotejadas entre sí, se encuentra en Piacentini [1981 sigs.].

El número que sigue a abreviaturas y siglas se refiere a la página, a no ser que se especifique lo contrario en las listas de Abreviaturas y Siglas. El núm. de pág. entre paréntesis es de la ed. moderna de la fuente antigua.

1. «¡Quién tuviese atal ventura»: ms. Londres BL1, f. 29v (Dutton, I, 164).
2. «¡Quién uviesse tal ventura»: *CR[47]*, 193r.
3. «Yo me levantara, madre»: *CR[47]*, 228r.
4. «Yo me iva para Francia»: ms. Londres BL1, f. 31r (Dutton, I, 166).
5. «De Francia partió la niña»: *CR[47]*, 259r.
6. «De Francia partió la niña»: *Pliegos Madrid,* IV, pl. CXXXIII [1547c.], 18. *Dicc.* 669. *CRJE,* II, 220-223.

7. «A caçar va el cavallero»: *CR50A,* 203r (pág. 254). *CRJE,* II, 256-260.
8. «Gentil dona, gentil dona»: ms. Firenze BN, f. 48r.
9. «Estase la gentil dama»: *Pliegos Londres,* III, pl. LII [Burgos, 1516-19], 968. *Dicc.* 668. *CRJE,* II, 151-153.
10. «En Sevilla está una ermita»: *Pliegos Madrid,* II, pl. XLIX, 28. *Dicc.* 499. *CRJE,* II, 192-197.
11. «De la luna tengo quexa»: Pliego Santander: *Dicc.* 1042 [Sevilla, 1513].
12. «Allá en aquella ribera»: ms. Londres BL1, f. 29r (Dutton, I, 164).
13. «En Castilla está un castillo»: *CR[47],* 190v. *CRJE,* I, 136-139.
14. «Todas las gentes dormían»: Pliego París: *Dicc.* 653 [Burgos, 1515-18]. *CRJE,* I, 125-131.
15. «Cavalga doña Ginebra»: *3S51,* f. XXr (pág. 427).
16. «Mandó el rey prender Virgilios»: *CR[47],* 189v. *CRJE,* I, 247-254.
17. «—Galiarda, Galiarda»: *Pliegos Praga,* II, pl. LV, 119. *Dicc.* 711. *CRJE,* II, 159-160.
18. «—Esta noche, cavalleros»: *Pliegos Praga,* II, pl. LV, 117. *CRJE,* II, 159-160.
19. «Alabóse el conde Vélez»: *3S51,* f. XLV (pág. 443). *CRJE,* I, 142-146.
20. «Alterada está Castilla»: *RG73,* f. 52v. *CGR,* II, 187-192. *CRJE,* I, 146-148.
21. «Media noche era por filo»: *Pliegos Praga,* I, pl. V, 33. *Dicc.* 1017. *CRJE,* I, 115-118.
22. «Levantóse Girineldos»: *Pliegos Madrid,* IV, pl. CXXXII ([Burgos], 1537), 16. *Dicc.* 836. *CRJE,* II, 142-146.
23. «Bien se pensava la reina»: *CR[47],* 227r. *CRJE,* II, 162-165.
24. «—Tiempo es, el cavallero»: *Pliegos Praga,* II, pl. LXXVI, 281. *Dicc.* 318. *CRJE,* II, 160-161.
25. «—Essa guirnalda de rosas»: *Pliegos Praga,* II, pl. LXXVI, 248. *Dicc.* 318. *CRJE,* II, 170-172.
26. «—Rosa fresca, rosa fresca»: *Pliegos Londres,* III, pl. LII [Burgos, 1515-19], 968. *Dicc.* 668.
27. «—Durandarte, Durandarte»: *CG11,* f. CXXXVIIr.
28. «Yo me adamé un amiga»: *CR[47],* 252v. *CRJE,* II, 179-181.
29. «Yo m'era mora Moraima»: *CG11,* f. CXXXVv.

30. «A caça ivan, a caça»: *CR50A,* f. 202r (pág. 253). *CRJE,* II, 112-118.
31. «—La bella malmaridada»: *S51,* 258r.
32. «—Blanca sois, señora mía»: *CR50A,* 288v (pág. 317).
33. «—¡Ay cuán linda que eres, Alba»: *FE62,* 48v.
34. «Bodas se hazen en Francia»: *Pliegos Lisboa,* pl. XIV *(Espejo de enamorados),* 219. *Dicc.* 870. *CRJE,* II, 85-90.
35. «Para ir el rey a caça»: *Pliegos Praga,* I, pl. XXXVIII [Medina del Campo o Valladolid, 1550c.], 331. *Dicc.* 655. *CRJE,* II, 64-73.
36. «Atán alta va la luna»: *CR50A,* 205v (pág. 256). *CRJE,* II, 83-85.
37. «Fonte frida, fonte frida»: *Pliegos Viena,* pl. XI, 152. *Dicc.* 1038.
38. «¡Cuán traidor eres, Marquillos»: *Pliegos Praga,* I, pl. XXXII [¿Toledo, 1555-60?], 265. *Dicc.* 880.
39. «—Cavallero de lexas tierras»: Pliego Londres: *Nueue Romances,* 1605. *CRJE,* I, 319-330.
40. «Por los caños de Carmona»: ms. Madrid BN1, f. 442r (los vv. 1-8); Pliego Londres: *Nueue Romances,* 1605 (los vv. 9-17).
41. «—Nuño Vero, Nuño Vero»: *CR50A,* 196v (pág. 250).
42. «Moriana en un castillo»: *Pliegos Cracovia,* pl. XIV (Granada, 1570), 111. *Dicc.* 721. *CRJE,* I, 139-142.
43. «Mis arreos son las armas»: *CR[47],* 252r.
44. «Arriba canes, arriba»: *CR[47],* f. 227r.
45. «Yo me partiera de Francia»: ms. Londres BL1, f. 119v (Dutton, I, 274).
46. «Ya piensa don Bernaldino»: *CR[47],* 258r.
47. «—¡Oh Belerma, oh Belerma»: *CR[47],* 254v. *CGR,* I, 40-43.
48. «Muerto yaze Durandarte»: *Pliegos Madrid,* II, pl. 86, 333. *Dicc.* 660.
49. «Retraída está la infanta»: *Pliegos Londres,* II, pl. XXXVII [Zaragoza, 1520 c.], 753. *Dicc.* 483. *CRJE,* II, 7-12.
50. «Muy malo estava Espinelo»: *FE62,* f. 51v. *CRJE,* I, 255-257.
51. «Por el mes era de mayo»: *Pliegos Viena,* pl. V [Sevilla, 1511-15], 99. *Dicc.* 47. *CRJE,* I, 302-303.
52. «Por el mes era de mayo»: *CR50A,* 265r (pág. 300).
53. «Tres hijuelos avía el rey»: *CR50A,* 242r (pág. 282).
54. «Nunca fuera cavallero»: ms. Madrid BN1, f. 452r.

55. «Mal se quexa don Tristán»: Pliego Londres: *Nueue Romances,* 1605.
56. «Ferido está don Tristán»: *Pliegos Londres,* III, pl. LII [Burgos, 1515-19], 966. *Dicc.* 668.
57. «Aquel rey de los romanos»: *Pliegos Madrid,* I, pl. XVIII, 133. *Dicc.* 725.
58. «Mira Nero de Tarpeya»: *Pliegos Lisboa,* pl. XIV *(Espejo de enamorados),* 228. *Dicc.* 870.
59. «Por una linda espesura»: *CR50A,* 206v (pág. 257). *CRJE,* I, 234-238.
60. «—Reina Elena, reina Elena»: *Pliegos Praga,* I, pl. XVIII [Burgos, 1550c.], 155. *Dicc.* 883. *CRJE,* I, 238-243.
61. «—Oh cruel hijo de Archiles»: *Pliegos Lisboa,* pl. XIV *(Espejo de enamorados),* 219. *Dicc.* 870.
62. «Triste estava e muy penosa»: *Pliegos Madrid,* II, pl. LIV, 65. *Dicc.* 506.
63. «Por los bosques de Cartago»: *3S51,* 52r (pág. 447).
64. «Morir se quiere Alixandre»: ms. Madrid BP1: vol. 3B, núm. 111 [mano de 1505], págs. 300-301. *CRJE,* I, 243-244.
65. «Válame Nuestra Señora»: *Pliegos Praga,* I, pl. XXXIX, 343. *Dicc.* 710.
66. «Don García de Padilla»: Pliego El Escorial: *Dicc.* 1071 [1550c.].
67. «Yo m'estando en Coimbra»: ms. París BE: ed. del Texto en Asensio [1989], 37. Dutton, III, 506. *CGR,* II, 201-202.
68. «Yo me estando en Giromena»: *CR50A,* 177v (pág. 235). *CGR,* II, 203-219.
69. «Entre las gentes se dize»: ms. Madrid BN1, f. 452r.
70. «Yo me estava allá en Coimbra»: *CR50A,* 173v (pág. 233). *CGR,* II, 221-233. *CRJE,* I, 150-151.
71. «Por los campos de Jerez»: Pliego El Escorial: *Dicc.* 1071 [1550 c.].
72. «—Doña María de Padilla»: *CR50A,* 175v (pág. 234).
73. «Yo me estando en Tordesillas»: *CR[47],* 169r. *CGR,* II, 201-202. *CRJE,* I, 154-156.
74. «En Arjona estava el duque»: *CR50A,* 287v (pág. 317).
75. «—Alburquerque, Alburquerque»: ms. Madrid BN1, f. 444r.
76. «Retraída estava la reina»: Carvajal, *Poesie,* pág. 101.
77. «Mirava de Campoviejo»: *2S50,* 78r (pág. 321). *CGR,* II, 255.

78. «—Quéxome de vos, el rey»: *CR50A*, 184v (pág. 241).
79. «¡Ay ay ay ay qué fuertes penas»: ms. París BN, f. 95v: ed. Paris [1872], 374, y Dutton, III, 485. Grafía de un amanuense francófono, que había oído o estaba escuchando el *R*. castellano de la voz de un portugués. Esta doble distinta alteración se intenta eliminar en el texto aquí presentado, que se diferencia de las propuestas anteriores por un mayor apego al ms., tal como lo conozco a través de la transcripción de G. Paris [1872], 374, confirmada sustancialmente por Dutton. G. Paris dio también una restauración suya propia de la lengua del posible original; la sustituyó por la de Milà y Fontanals en el volumen de 1875, 139, donde del ms. da sólo los dos vv. iniciales enmarcados por el estribillo con la música, en la pág. 75 de las transcripciones musicales y al final en reproducción heliográfica. La reconstrucción de Menéndez Pidal se deja guiar, ella también como las anteriores, por el *R*. de fray Ambrosio Montesino: *RH*, II, 37; cfr. mi nota 10 del Texto.
80. «Emperatrizes y reinas»: *Pliegos Londres,* III, pl. LXX [Sevilla, 1511-15], 1125. *Dicc*. 837.
81. «Los aires andan contrarios»: *Pliegos Praga,* II, pl. XLV, 39. *Dicc*. 1174.
82. «Lunes se dezía, lunes»: *FE62,* 50v.
83. «Cercada tiene a Baeza»: Argote, *Nobleza,* 237v.
84. «—Moricos, los mis moricos»: *CR[47],* 185v.
85. «De Antequera partió el moro»: *CR[47],* 180v. *CGR,* II, 249-255. *CRJE,* I, 157-158.
86. «La mañana de san Juan»: *2S50,* 76r (pág. 319). *CGR,* II, 253-254. *CRJE,* I, 191-192.
87. «Buen alcaide de Cañete»: *Pliegos Praga,* II, pl. LV, 119. *Dicc*. 711.
88. «Cavalleros de Moclín»: *Pliegos Cataluña:* pl. XXIX [¿Burgos, 1550 c.?], 229. *Dicc*. 728.
89. «—Abenámar, Abenámar»: *CR[47],* 182v. *CGR,* II, 259-261. *CRJE,* I, 158-159.
90. «—Abenámar, Abenámar»: Pérez de Hita, *Historia,* ed. Blanchard, 17.
91. «Alora, la bien cercada»: *Pliegos Praga,* II, pl. LIV, 105. *Dicc*. 21.
92. «Un día de sant Antón»: *CR[47],* 175v.

93. «Río Verde, río Verde»: *CR[47]*, 174v. *CGR*, II, 263-264. *CRJE*, I, 159-160.
94. «Allá en Granada la rica»: Pérez de Hita, *Historia*, ed. Blanchard, 13.
95. «Jugando estava el rey moro»: *Pliegos Praga*, I, pl. XXI, 177. *Dicc.* 435.
96. «Passeávase el rey moro»: Pérez de Hita, *Historia*, ed. Blanchard, 252. *CGR*, II, 277-279.
97. «—Moro alcaide, moro alcaide»: *CR50A*, 194v (pág. 248). *CGR*, II, 281-285. *CRJE*, I, 160-162.
98. «¡Ay Dios, qué buen cavallero»: *Pliegos Praga*, II, pl. LXVIII, 218. *Dicc.* 683.
99. «De Granada parte el moro»: *Pliegos Praga*, II, pl. LXVIII, 220. *Dicc.* 683. *CGR*, III, 327-329.
100. «Sobre Baça estava el rey»: ms. Madrid BP1: vol. 3B, núm. 135 [mano de 1505], pág. 312.
101. «Atal anda don García»: *CR[47]*, 251r.
102. «Mi padre era de Aragón»: Pliego París: *Dicc.* 689 [Sevilla, 1520 c.].
103. «Don Rodrigo, rey de España»: *Pliegos Praga*, I, pl. XL, 345. *Dicc.* 673.
104. «Amores trata Rodrigo»: *Pliegos Praga*, II, pl. LV [1550 c.], 117. *Dicc.* 711.
105. «Los vientos eran contrarios»: *Pliegos Praga*, I, pl. XXXIX, 337. *Dicc.* 710.
106. «Después qu'el rey don Rodrigo»: *CR[47]*, f. 129r. *CGR*, II, 7-19.
107. «En los reinos de León»: *CR50A*, f. 135r (pág. 205). *CGR*, II, 21-24.
108. «Por las riberas de Arlanza»: ms. Madrid BP3, vol. V, f. 71v.
109. «Con cartas y mensajeros»: *CR50A*, 137r (pág. 206). *CGR*, II, 25-31.
110. «En Castilla no avié rey»: ms. Wolfenbüttel *CP*, f. 137v. Sólo en parte acojo las enmiendas de Rodríguez-Moñino [1963], 5.
111. «Castellanos y leoneses»: *CR50A*, 165v (pág. 227).
112. «—Buen conde Fernán González»: *CR50A*, 167r (pág. 228). *CGR*, II, 45-47.

113. «Preso está Fernán González»: *CR50A*, 168r (pág. 229). *CGR*, II, 45-47.
114. «Ya se salen de Castilla»: *Pliegos Praga*, I, pl. IX, 65. *Dicc.* 1075. *CGR*, II, 51-52.
115. «—Yo me estava en Barvadillo»: *CR[47]*, 163v.
116. «Pártese el moro Alicante»: *2S50*, 64r (pág. 311).
117. «A caçar va don Rodrigo»: *CR[47]*, 165r (léase 164).
118. «—Rey que non fase justiçia»: ms. Madrid BP2, f. 93r. Letra de comienzos del siglo XVI: de Fernando de Rojas (Faulhaber [1991], 6) o de un coetáneo suyo, Sebastián de Peralta, que pudo tenerle afición al *R.* por corresponder a sus propios humores de víctima en un pleito fallado (1507) por Fernando el Católico (Michael [1991], 159). En vista de la segunda hipótesis, y dado que el *R.* aparece glosado, ¿podría suponerse alguna relación entre este Sebastián y el Luis de Peralta glosador de *rr.* (*Dicc.* 433, 434 y 435) por los mismos años?
119. «Día era de los Reyes»: *CR50A*, 162r (pág. 224). *CGR*, II, 105-109. *CRJE*, I, 81-83.
120. «Cavalga Diego Laínez»: *CR[47]*, 155v. *CGR*, II, 91-93.
121. «Rey don Sancho, rey don Sancho»: *Pliegos Praga*, I, pl. IX, 70. *Dicc.* 1075. *CRJE*, I, 84.
122. «Doliente se siente el rey»: *CR50A*, 146r (pág. 213).
123. «—Morir vos queredes, padre»: *CR50A*, 146v (pág. 213). *CGR*, II, 111-120.
124. «—Afuera, afuera, Rodrigo»: *CR50A*, 147v (pág. 214). *CGR*, II, 133-136.
125. «Enojado está don Sancho»: ms. Wolfenbüttel *CP*, f. 114v.
126. «Rey don Sancho, rey don Sancho»: *2S50*, 48r [léase 47] (pág. 299). *CGR*, II, 127-131. *CRJE*, I, 84-88.
127. «—Guarte, guarte, rey don Sancho»: *CR50A*, 148r (pág. 214).
128. «En el cerco de Zamora»: ms. Wolfenbüttel *CP*, f. 116r.
129. «Ya cavalga Diego Ordóñez»: *CR50A*, 150r (pág. 216).
130. «Riberas del Duero arriba»: ms. París BE: ed. Dutton, III, 506. En la grafía adopto los criterios de Asensio para el Texto núm. 67.
131. «Riberas de Duero arriba»: *Pliegos Madrid*, IV, pl. CLXIX, 357. *Dicc.* 663.
132. «Por aquel postigo viejo»: *CR50A*, 156r (pág. 220). *CGR*, II, 137-140. *CRJE*, I, 91-92.

133. «En santa Águeda de Burgos»: ms. Londres BL2, f. 59r. *CGR,* II, 141-143. *CRJE,* I, 93.
134. «En las almenas de Toro»: Pliego El Escorial: *Dicc.* 1071 [1550 c.]. *CGR,* II, 121-126. *CRJE,* I, 88-91 y 93-96.
135. «Por el Val de las Estacas»: ms. Elvas BPH, «Segunda Parte», f. 2. *CGR,* II, 147-148.
136. «Helo, helo por do viene»: *CR[47],* 179r. *CGR,* II, 149-169. *CRJE,* I, 96-99.
137. «Tres cortes armara el rey»: *Pliegos Madrid-Morbecq,* pl. VII [1535-39], 183. *Dicc.* 11.
138. «Ya comienzan los franceses»: Pliego Cambridge: *Dicc.* 990 [Burgos, 1515-19]. Norton-Wilson [1969], 75. *CRJE,* I, 103.
139. «En los campos de Alventosa»: *CR50A,* 198r (pág. 251). *CRJE,* I, 104.
140. «En París está doña Alda»: *CR50A,* 102v (pág. 182). *CRJE,* I, 106-110.
141. «Mal ovistes, los franceses»: Pliego París: *Dicc.* 1026 [¿Sevilla, 1511-15?]. *CRJE,* I, 104-106.
142. «Estávase la condessa»: *Pliegos Madrid,* II, pl. LIV, 69. *Dicc.* 506. *CRJE,* I, 120-121.
143. «—Vámonos —dixo—, mi tío»: *Pliegos Madrid,* II, pl. LIV 70. *Dicc.* 506.
144. «Assentado está Gaiferos»: Pliego Santander: *Dicc.* 994 [Sevilla, 1510-16]. *CRJE,* I, 122-124.
145. «De Mérida sale el palmero»: *CR[47],* 172r.
146. «Meliselda, Meliselda»: Attias, núm. 13a, pág. 83. *CRJE,* I, 131-133.
147. «A cazar vay cavallero»: *Amsterdam,* 247; cambio levemente grafía y puntuación. Proviene de *Relações, cantigas, adeuinhações, e outras corisidades, trasladadas de papeis velhos e juntados neste caderno,* Amsterdam, 1683, f. 10v: ms. II-93 de la Bibl. Royale de Bruselas. En el ms. el texto se distribuye en 12 estrofas de medida irregular, como irregular es también la transcripción de los octosílabos en las estr. 5 y 10. *CRJE,* II, 256-260.
148. «Paseaba el conde Olinos»: Díaz Roig [1990], 334; versión de la autora, «aprendida cuando era niña y recreada a través de los años». La acojo en recuerdo de una fina lectora de *rr.,* que supo escudriñar la duradera infancia de

nuestras emociones con madura agudeza crítica. *CRJE,* I, 344-351.

149. «Criaba la reina»: *RJEM,* 195; el texto que doy acepta las propuestas de reconstrucción de Bénichou, pero reitero el estribillo como pasa en el canto. En el segundo v. del estribillo corrijo en *dueñas* el *dueños* de *RJEM*. Los cuatro Textos que provienen de esta fuente fueron recogidos en Buenos Aires entre 1942 y 1943, entre sefarditas originarios del norte de África. *CRJE,* I, 375-376.

150. «Levantóse Bueso»: *RJEM,* 187. Intervengo como en el Texto núm. 149. *CRJE,* II, 240-245.

151. «Voces corren, voces corren»: Goyri, 32; recogido en La Sequera (Burgos) en 1900. *CGR,* III, 367-433. *CRJE,* I, 175-179.

152. «Gian Lorenzo, Gian Lorenzo»: Menéndez Pelayo, IX, 396; originario de la comunidad sefardí de Salónica y remitido desde Constantinopla en 1885. *CGR,* II, 237-246. *CRJE,* I, 151-156.

153. «El traidor era Marquitos»: Cid, 300; recogido en Val de san Lorenzo (León) en 1975. En dos puntos restablezco la lección de la recitadora, que el editor ha sustituido con 'correcciones' de otra voz.

154. «—Rosa blanca, rosa blanca»: *Israel,* 25; originario de Tánger, recogido en 1978. *CRJE,* II, 48-53.

155. «Mientras el conde va a misa»: *León,* I, 55; recogido en San Martín de Agostedo en 1985. *CRJE,* II, 78-81.

156. «—Bateram-m'a minha porta»: *RP,* I, 413; recogido en Trancoso en 1909. *CRJE,* II, 74-76.

157. «—Vengo brindado, Mariana»: J. Menéndez Pidal, 164. *CRJE,* II, 92-97.

158. «¡Quién tuviera tal fortuna»: *RJEM,* 207. *CRJE,* I, 294-297.

159. «Preñada estaba la reina»: *RJEM,* 200. *CRJE,* I, 258-259.

160. «—O vento, ó cruel vento»: *RP,* I, 43; recogido en Parada d'Infanções, a finales del siglo XIX.

161. «Las Cabrillas ya van altas»: *RT,* IX, 130; recogido en la provincia de Segovia en 1905.

BIBLIOGRAFÍA

SIGLAS EMPLEADAS EN LA BIBLIOGRAFÍA

AEM	*Anuario de Estudios Medievales.*
ALM	*Anuario de Letras [México].*
AnM	*Anuario Musical.*
BBMP	*Boletín de la Biblioteca Menéndez Pelayo.*
BHi	*Bulletin Hispanique.*
BHR	*Bibliothèque d'Humanisme et Renaissance.*
BHS	*Bulletin of Hispanic Studies.*
BRABLB	*Boletín de la Real Academia de Buenas Letras de Barcelona.*
BRAE	*Boletín de la Real Academia Española.*
CLHM	*Cahiers de Linguistique Hispanique Médiévale.*
CN	*Cultura Neolatina.*
CuH	*Cuadernos Hispano-americanos.*
ETL	*Explicación de Textos Literarios.*
Fil	*Filología.*
FMLS	*Forum for Modern Language Studies.*
H	*Hispania* [California].
HR	*Hispanic Review.*
I	*Iberorromania.*
JFI	*Journal of Folklore Institute.*
JHPh	*Journal of Hispanic Philology.*
JMRS	*Journal of Medieval and Renaissance Studies.*
KRQ	*Kentucky Romance Quarterly.*
LCo	*La Corónica.*
LR	*Les Lettres Romanes.*

LT	*La Torre.*
MLN	*Modern Language Notes.*
MLR	*Modern Language Review.*
MPh	*Modern Philology.*
MR	*Marche Romane.*
MSI	*Miscellanea di Studi Ispanici.*
NRFH	*Nueva Revista de Filología Hispánica.*
OT	*Oral Tradition.*
PhQ	*Philological Quarterly.*
QP	*Quaderni Portoghesi.*
R	*Romania.*
RCEH	*Revista Canadiense de Estudios Hispánicos.*
RDTP	*Revista de Dialectología y Tradiciones Populares.*
REH-PR	*Revista de Estudios Hispánicos [Puerto Rico].*
RFE	*Revista de Filología Española.*
RFH	*Revista de Filología Hispánica.*
RFilR	*Revista de Filología Románica.*
RHi	*Revue Hispanique.*
RJ	*Romanistisches Jahrbuch.*
RLit	*Revista de Literatura.*
RLu	*Revista Lusitana.*
RNo	*Romance Notes.*
ROcc	*Revista de Occidente.*
RPh	*Romance Philology.*
RR	*Romanic Review.*
RUCo	*Revista de la Universidad Complutense.*
S	*Symposium.*
Seg	*Segismundo.*
VR	*Vox Romanica.*
ZRPh	*Zeitschrift für Romanische Philologie.*

* * *

Actas del Congreso Romancero-Cancionero (Los Ángeles, 1984), Madrid, Porrúa Turanzas, 1990, 2 vols.

ACUTIS, Cesare, «Romancero ambiguo (Prenotorietà e frammentarismo nei romances dei secoli XV e XVI)», en *MSI*, 1974, vol. I, págs. 43-80.

AGUIRRE, José María, «Moraima y el prisionero: ensayo de interpretación», en *Studies,* 1972, cit., págs. 53-72.

ALATORRE, Antonio, «Avatares barrocos del romance (De Góngora a sor Juana Inés de la Cruz)», en *NRFH,* XXVI (1977), págs. 341-459.

ALÍN, José María, ed., *El Cancionero español de tipo tradicional,* Madrid, Taurus, 1968.

— «Nuevas supervivencias de la poesía tradicional», en *Estudios,* 1992, cit., págs. 403-465.

ALONSO HERNÁNDEZ, José Luis, «Análisis psicocrítico del *Romance de Gerineldo*», en *Actas del IX Congreso de la Asociación Internacional de Hispanistas,* Frankfurt am Maine, Vervuert, 1989, págs. 291-300.

— «El mitema en el romancero (Una estructura de conservación de romances)», en *Epos. Revista de filología,* VI (1990), págs. 199-224.

ALVAR, Carlos, «El amor en la poesía española de tipo tradicional y en el romancero», en *ROcc,* núms. 15-16 (1982a), págs. 133-146.

— «Floresvento», en *QP* [Pisa], núms. 11-12 (1982b), págs. 241-251.

— «LB1 y otros cancioneros castellanos», en *Lyrique romane médiévale: la tradition des chansonniers,* Actes du Colloque de Liège (1989), Liège, Université, 1991, págs. 469-500.

ALVAR, Manuel, «Los romances de "La bella en misa" y de "Vergilios" en Marruecos», en *Archivum,* IV (1954), págs. 264-276.

— *El romancero. Tradicionalidad y pervivencia,* Barcelona, Planeta, 1970; 2.ª ed., 1974.

— y ALVAR, Carlos, «La palabra *romance* en español», en *Estudios Románicos* dedicados al Prof. Andrés Soria Ortega, Granada, Universidad, 1985, vol. I, págs. 17-25.

ÁLVAREZ SANAGUSTÍN, Alberto, «La composición artística: el Romance de Abenámar», en *Homenaje a Álvaro Galmés de Fuentes,* Madrid, Gredos, 1987, vol. III, págs. 293-302.

ANAHORY-LIBROWICZ, Oro, ed., *Florilegio de romances sefardíes de la diáspora* (Una colección malagueña), Madrid, Cátedra-Seminario Menéndez Pidal, 1980.

— «Las mujeres no-castas en el romancero: un caso de honra», en *Actas del IX Congreso de la AIH,* 1989 (cit. *sub* Alonso Hernández), págs. 321-330.

— «La sensualidad femenina en el romancero judeo-marroquí», en

Literatura hispánica, Reyes Católicos y descubrimiento, Actas del Congreso Internacional sobre Literatura hispánica, Reyes Católicos y descubrimiento, Barcelona, PPU, 1989, págs. 177-184.
ARMISTEAD, Samuel G., «The Importance of Hispanic Balladry to International Ballad Research», en *3. Arbeitstagung über Fragen des Typenindex der europäischen Volksballaden,* Berlín, Institut für Musikforschung, 1970, págs. 48-52.
— «The Portuguese *Romanceiro* in its European Context», en *Portuguese,* 1976, cit., págs. 179-202.
— *El Romancero Judeo-español en el Archivo Menéndez Pidal* (Catálogo-índice de romances y canciones), Madrid, Cátedra-Seminario Menéndez Pidal, 1978a, 3 vols.
— «¿Existió un romancero de tradición oral entre los moriscos?», en *Actas del Coloquio Internacional sobre literatura aljamiada y morisca,* Madrid, Gredos, 1978b, págs. 211-236.
— «The Mocedades de Rodrigo and Neo-Individualist Theory», en *HR,* XLVI (1978c), págs. 313-327.
— «Neo Individualism and the *Romancero*», en *RPh,* XXXIII (1979a), págs. 172-181.
— «A critical Bibliography of the Hispanic Ballad in oral Tradition (1971-1979)», en *El Romancero hoy,* 1979b, cit., III, págs. 199-310.
— «Epic and Ballad: A Traditionalist Perspective», en *Olifant,* 8 (1981), págs. 376-388.
— «*Encore les cantlènes!:* Prof. Roger Wright's *Proto-Romances»,* *LCo,* XV (1986), págs. 52-66.
— «From Epic to Chronicle: An Individualist Appraisal», en *RPh,* XL (1987a), págs. 338-359.
— «Schoolmen or Minstrels?: Rhetorical Questions in Epic and Balladry», *LCo,* 16 (1987b), págs. 43-54.
— «The 'Paragogic' *-d-* in Judeo-Spanish *Romances*», en *Hispanic Studies in Honor of Joseph H. Silverman,* Newark, Juan de la Cuesta, 1988, págs. 57-75.
— «Bibliografía del romancero (1985-1987)», en *El Romancero. Tradición,* 1989, cit., págs. 749-789.
— «Bibliografía crítica del romancero (1984)», en *Actas,* 1990a, cit., II, págs. 447-554.
— «Modern Ballads and Medieval Epics: *Gaiferos and Melisenda*», en *LCo,* 18:2 (1990b), págs. 39-49.

— «Gaiferos'Game of Chance: A Formulaic Theme in the *Romancero*», en *LCo,* 19 (1991), págs. 132-144.
— «Los orígenes épicos del Romancero en una perspectiva multicultural», en *Estudios,* 1992, cit., págs. 3-15.
— «Bibliografía crítica del romancero (1979-1983)», en *Balada y lírica,* Actas del 3.° Coloquio Internacional Romancero (en prensa).
— y SILVERMAN, Joseph H., «*La dama de Aragón:* its Greek and Romance Congeners», en *KRQ,* XIV (1967), págs. 227-238.
— *The Judeo-Spanish Ballad Chapbooks of Yacob Abraham Yoná,* Berkeley, University of California Press, 1971a.
— eds., *Judeo-Spanish Ballads from Bosnia,* Philadelphia, University of Pennsylvania Press, 1971b.
— eds., *Romances judeo-españoles de Tánger* recogidos por Zarita Nahón, Madrid, Cátedra-Seminario Menéndez Pidal, 1977.
— «Una variación antigua del romance de *Tarquino y Lucrecia*», en *Thesaurus,* XXXIII (1978), págs. 122-126.
— *Tres calas en el romancero sefardí* (Rodas, Jerusalén, Estados Unidos), Valencia, Castalia, 1979.
— «El antiguo romancero sefardí: citas de romances en himnarios hebreos (siglos XVI-XIX)», en *NRFH,* XXX (1981), págs. 453-512.
— *En torno al romancero sefardí (Hispanismo y balcanismo de la tradición judeo-española),* con un estudio etnomusicológico por Israel Katz, Madrid, Seminario Menéndez Pidal, 1982.
— *Judeo-Spanish Ballads from Oral Tradition: I. Epic Ballads,* Berkeley, University of California Press, 1986.
— «El romance del Cautiverio de Guarinos y la épica francesa», en *LT,* 1 (1987), págs. 389-398.
— «Gaiferos y Waltharius: Paralelismos adicionales», en *Homenaje al profesor Antonio Vilanova,* Barcelona, Universidad, 1989, vol. I, págs. 31-43.
ASENSIO, Eugenio, «*Fonte frida* o encuentro del romance con la canción de mayo», en *NRFH,* VIII (1954), págs. 365-388; recogido en *Poética y realidad en el cancionero peninsular de la Edad Media,* Madrid, Gredos, 1957; 2.ª ed., 1970, págs. 230-262.
— *Cancionero musical luso-español del siglo XVI antiguo e inédito,* Salamanca, Universidad, 1989.
ATKINSON, William C., «The Chronology of Spanish Ballad Origins», en *MLR,* XXXII (1937), págs. 44-61.

AUBRUN, Charles V., «Les trois romances de Juan Rodríguez del Padrón», en *Études de Philologie Romane et d'Histoire Littéraire, offerts* à Jules Horrent, Liége, 1980, págs. 15-26; recogido en *Les Vieux romances,* cit., págs. 29-39.

— «Le romance "Gentil dona gentil dona". Une énigme littéraire», en *I,* 18 (1983), págs. 1-8; recogido en *Les vieux romances,* cit., págs. 41-47.

— *Les vieux romances espagnoles (1440-1550),* París, Editions Hispaniques [1986]. [Algunos estudios se presentan en versión reducida respecto a la original.]

AVALLE-ARCE, Juan Bautista, «Bernal Francés y su romance», en *AEM,* III (1966), págs. 327-391; recogido en *Temas hispánicos medievales,* Madrid, Gredos, 1974, págs. 135-232.

— «Los romances de la muerte de don Beltrán», en *Temas hispánicos,* 1974, cit., págs. 124-134.

— «El romance "Río Verde, río Verde"», en *Homenaje a A. Galmés de Fuentes,* 1985 (cit. *sub* Álvarez), vol. I, págs. 359-370; recogido en su libro *Lecturas (Del temprano Renacimiento a Valle Inclán),* Potomac, Scripta Humanistica, 1987, págs. 19-33.

Ballad Research. The Stranger in Ballad Narrative and other Topics, Dublín, Folk Music Society of Ireland, 1986.

BARRIO ALONSO, María Begoña, «Pervivencia del romancero viejo en otros géneros», en *El Romancero. Tradición,* 1989, cit., páginas 243-278.

BATAILLON, Marcel, «La tortolica de *Fontefrida* y del *Cántico espiritual*», en *NRFH,* VII (1953), págs. 291-306; recogido en su libro *Varia lección de clásicos españoles,* Madrid, Gredos, 1964, páginas 144-166.

BATTESTI, Jeanne, «El romance ¿modelo de escritura? Análisis del "Romance de Alora la bien cercada"», en *Prohemio* [Madrid], VI (1975), págs. 21-44.

BATTESTI PELEGRÍN, Jeanne, «Du nom de "La Cava": ou comment l'habit fait le moine et le surnom la diablesse», en *Cahiers d'Etudes Romanes,* 8 (1983a), págs. 7-16.

— «*La penitencia del rey Rodrigo:* rituel chrétien, rituel initiatique», en *Cahiers d'Etudes Romanes,* 8 (1983b), págs. 17-40.

— «Astre/Désastre dans le "Romancero Viejo"», en *Le Soleil, la Lune et les Étoiles au Moyen Âge,* Aix-en-Provence, Université-Ed. Laffitte, 1983c, págs. 25-37.

— «Eaux douces, eaux amères dans la lyrique hispanique médiévale traditionnelle», en *L'eau au Moyen Âge,* Marseille, Université de Provence, 1985, págs. 45-60.

— «Le rituel de la plainte en justice dans le *Romancero viejo*», en *La Justice au Moyen Age (Sanction ou Impunité?),* Aix-en-Provence, Université, 1986, págs. 64-78.

BÄUML, Franz H., «The Theory of Oral-Formulaic Composition and the Written Medieval Text», en *Comparative Research,* 1985, cit., págs. 29-45.

BEATIE, Bruce A., «Oral-Traditional Composition in the Spanish *Romancero* of the Sixteenth Century», en *JFI,* I (1964), págs. 92-113.

— «*Romances tradicionales* and Spanish Traditional Ballads: Menéndez Pidal *vs* Vladimir Propp», *JFI,* XIII (1976), págs. 37-55.

BEC, Pierre, «Le type lyrique des *chansons de femme* dans la poésie du Moyen Âge», en *Études de civilisation médiévale (IX-XII siècles),* Mélanges offerts à Edmond-René Labande, Poitiers, CESCM, 1974, págs. 13-23.

BÉNICHOU, Paul, «Romances judeo-españoles de Marruecos», en *RFH,* VI (1944), págs. 36-76, 105-138, 255-279 y 313-381; reimpreso con ampliaciones y apéndices: *Romancero judeo-español de Marruecos,* Madrid, Castalia, 1968.

— «El casamiento del Cid», en *NRFH,* VII (1953), págs. 316-336, y VIII (1954), pág. 79.

— «Variantes modernas en el romancero tradicional: sobre la *Muerte del Príncipe D. Juan*», en *RPh,* XVII (1963-64), págs. 235-252.

— *Creación poética en el romancero tradicional,* Madrid, Gredos, 1969.

— «El romance de "La muerte del príncipe de Portugal" en la tradición moderna», en *NRFH,* XXIV (1975), págs. 113-124.

— «Sobre una colección de romances de Tánger (artículo-reseña)», en *HR,* 51 (1983), págs. 175-188.

— «Romancero español y romanticismo francés», en *Hispanic Studies,* 1988, cit., págs. 77-106.

— «Problemas del estilo oral», en *Actas,* 1990, cit., vol. I, págs. 47-58.

— «*Fontefrida* en Francia en el año 1942», en *Hispanic Medieval Studies,* 1992, cit., págs. 63-75.

BENMAYOR, Rina, «Social Determinants in Poetic Transmission or A Wide-Angle Lens for Romancero Scholarship», en *El Romancero hoy,* 1979a, cit., vol. III, págs. 153-165.

— ed., *Romances judeo-españoles de Oriente,* nueva recolección, Madrid, Cátedra-Seminario Menéndez Pidal, 1979b.

BERNDT KELLEY, Erna, «Popularidad del romance *Mira Nero de Tarpeya*», en *Estudios dedicados a James Homer Herriot,* Madison, University of Wisconsin, 1966, págs. 117-126.

BEUTLER, Gisela, *Estudios sobre el Romancero español en Colombia, en su tradición escrita y oral, desde la época de la Conquista hasta la actualidad,* Bogotá, Instituto Caro y Cuervo, 1977 [1.ª ed. en alemán, Heidelberg, 1969].

Bibliografía del romancero oral: 1, Madrid, Cátedra-Seminario Menéndez Pidal, 1980.

BLUESTINE, Carolyn, «The Power of Blood in the *Siete Infantes de Lara*», en *HR,* 50 (1982), págs. 201-217.

— «Fareshadows of the *Doppelgänger* in the *Siete Infantes de Lara* and the *Romanz del Infant García*», en *RPh,* XXXVIII (1985), págs. 463-474.

BODMER, Daniel, *Die granadinischen Romanzen in der europäischer Literatur.* Untersuchung und Texte, Zürich, Juris, 1955.

BOLAÑOS, Alvar Félix, «Cantiga 308 de Alfonso X: ¿El romance más antiguo?», en *H,* 95 (1989), págs. 1-11.

BONAMORE GRAVES, Alessandra, *Italo-Hispanic Ballad Relationships: the Common Poetic Heritage,* Londres, Tamesis Book, 1986.

BONILLA Y SAN MARTÍN, Adolfo, «El romance de don Tristán», en su ed. del *Libro del esforçado cauallero Don Tristán de Leonís y de sus grandes fechos en armas* (Valladolid, 1501), Madrid, Sociedad de Bibliófilos Madrileños, 1912, págs. 393-401.

BORREGAARD, Meta Catherine, *The Epithet in English and Scottish, Spanish and Danish popular Ballads,* Norwood, Norwood ed., 1973 (1.ª ed., Amsterdam, 1933).

BOTTA, Patrizia, «Una tomba emblematica per una morta incoronata. Lettura del romance "Gritando va el caballero"», en *CN,* XLV (1985), págs. 201-295.

BOWRA, Cecil Maurice, *Heroic Poetry,* Londres, Macmillan, 1952.

BRONZINI, Giovanni B., «"Las señas del marido" e "La prova", con versioni inedite dell'Italia meridionale», en *CN,* XVIII (1958), págs. 217-247.

— «*Bernal Francés* e *Il Marito giustiziere*», en *Studi in onore di Angelo Monteverdi,* Modena, Società Tipografico-Editrice Modenese, 1959, vol. I, págs. 109-137.

BRYANT, Shasta M., *The Spanish Ballad in English,* Lexington, University of Kentucky Press, 1973.

BURT, John R., «The motif of the fall of man in the *Romancero del rey Rodrigo*», en *H,* 61 (1978), págs. 435-442; recogido en *Selected Themes,* cit., págs. 70-84.

— «The Bloody Cucumber and related Matters in the *Siete Infantes de Lara*», en *HR,* 50 (1982a), págs. 345-352; recogido en *Selected Themes,* cit., págs. 85-95.

— «The Caballero Doubly Deceived: Leprosy as an Icon in the *Romance* "De Francia partió la niña"», en *Selected Themes and Icons from Medieval Spanish Literature: of Beards, Shoes, Cucumbers and Leprosy,* Madrid, José Porrúa Turanzas, 1982b, págs. 96-105.

CABANI, Maria Cristina, *Le forme del cantare epico-cavalleresco,* Lucca, Pacini Fazzi, 1988.

CALVERT, Laura, «Widowed Turtledove and Amorous Dove of Spanish Lyric Poetry: A Symbolic Interpretation», en *JMRS,* 3 (1973), págs. 273-301.

CAMACHO GUIZADO, Eduardo, *La elegía funeral en la poesía española,* Madrid, Gredos, 1969.

CAMPA, Pedro F., «The Spanish Tristan Ballads», en *Tristania,* VII (1981-82), págs. 60-69.

CANO GONZÁLEZ, Ana María, «Nueva aportación al romancero asturiano», en *Homenaje a A. Galmés de Fuentes,* 1987 (cit., *sub* Álvarez), vol. III, págs. 313-335.

CAPDEBOSCQ, Anne-Marie, «La trame juridique de la légende des Infantes de Lara: incidents des noces et de Barbadillo», en *CLHM,* 9 (1984), págs. 189-205.

CARAVACA, Francisco, «El *Romance del Conde Arnaldos* en el *Cancionero* Manuscrito de Londres», en *LT,* XVI (1968), págs. 69-102.

— «El *Romance del Conde Arnaldos* en el *Cancionero de Romances* de Amberes s.a.», en *BBMP,* XLV (1969), págs. 47-89.

— «El *Romance del Conde Arnaldos* en textos posteriores al del *Cancionero de Romances* de Amberes s.a.», en *BBMP,* XLVI (1970), págs. 3-70.

— «Hermenéutica del *Romance del Conde Arnaldos.* Ensayo de interpretación», en *BBMP,* XLVII (1971), págs. 191-319.

— «Tres apéndices al estudio del *Romance del Conde Arnaldos*», en *BBMP,* XLVIII (1972), págs. 143-200.

— «Tres nuevas aportaciones al estudio del *Romance del Conde Arnaldos*», en *BBMP*, XLIX (1973), págs. 183-228.

CARO BAROJA, Julio, *Ensayo sobre literatura de cordel*, Madrid, Revista de Occidente, 1969; 2.ª ed., 1990.

CARRASCO URGOITI, María Soledad, *El moro de Granada en la literatura (del siglo XV al XIX)*, Madrid, Revista de Occidente, 1956. Reimpresión facsímil con estudio preliminar de José Martínez Ruiz, Granada, Universidad, 1989.

— «Vituperio y parodia del romance morisco en el romancero nuevo», en *Culturas populares*, 1986, cit., págs. 115-138.

CARREÑO, Antonio, «Del "romancero nuevo" a la "comedia nueva" de Lope de Vega: constantes e interpolaciones», en *HR*, 50 (1982), págs. 33-52.

CASO GONZÁLEZ, José, «Tradicionalidad e individualismo en la estructura de un romance», en *CuH*, núms. 238-240 (1969), páginas 217-226.

CATALÁN, Diego, *Siete siglos de romancero* (Historia y poesía), Madrid, Gredos, 1969.

— *Por campos del romancero. Estudios sobre la tradición oral moderna*, Madrid, Gredos, 1970.

— «Memoria e invención en el Romancero de tradición oral», en *RPh*, XXIV (1970-1971), págs. 1-25 y 441-463.

— «El romancero tradicional un sistema abierto», en *El Romancero*, 1973, cit., págs. 181-205.

— «Análisis electrónico del mecanismo reproductivo en un sistema abierto: el modelo "romancero"», en *RUCo*, XXV (1976), páginas 55-77.

— «Los modos de producción y "reproducción" del texto literario y la noción de apertura», en *Homenaje a Julio Caro Baroja*, Madrid, Centro de Investigaciones Sociológicas, 1978, págs. 245-270.

— «El romancero de tradición oral en el último cuarto de siglo XX», en *El romancero hoy*, 1979a, cit., I, págs. 217-256.

— «Análisis semiótico de estructuras abiertas: el modelo "Romancero"», en *El Romancero hoy*, 1979b, cit., vol. II, págs. 231-249

— «Hacia una poética del romancero oral moderno», en *Actas del IV Congreso de la Asociación Internacional de Hispanistas* (Salamanca, 1971), Salamanca, Universidad, 1982, vol. I, págs. 283-295.

— y colab., *Catálogo General del Romancero:* 1.A, *Teoría general y metodología del romancero pan-hispánico;* 2 y 3, *El romancero pan-hispánico. Catálogo general descriptivo,* Madrid, Seminario Menéndez Pidal, 1982-1984.
— «El romancero medieval», en *El comentario de textos. La poesía medieval,* Madrid, Castalia, 1984, págs. 451-489.
— «La conflictiva descodificación de las fábulas romancísticas», en *Culturas populares,* 1986, cit., págs. 93-113.
— «El romancero espiritual en la tradición oral», en *Schwerpunkt Siglo de Oro,* Akten des Deutschen Hispanistentages Wolfenbüttel (1985), Hamburg, Buske, 1987, págs. 39-68.
— «Don Álvaro de Luna y su paje Moralicos (1453) en el romancero sefardí», en *Hispanic Studies,* 1988, cit., págs. 109-135.
— y otros, *Romancero e historiografía medieval. Dos campos de investigación del Seminario «Menéndez Pidal»,* Madrid, Fundaciones Menéndez Pidal y Areces, 1989a.
— «El campo del Romancero. Presente y futuro», en *El Romancero. Tradición,* 1989b, cit., págs. 29-47, y en *Actas,* 1990, cit., vol. I, págs. 1-27, con retoques.
— «Hallazgo de una poesía marginada», en *Estudios,* 1992, cit., págs. 53-94.
CATARELLA, Teresa, «Feminine Historicizing in the *romancero novelesco*», en *BHS,* LXVII (1990), págs. 331-343.
CAZAL, Françoise, «L'idéologie du compilateur de *romances:* remodelage du personnage du Cid dans le *Romancero e historia del Cid* de Juan de Escobar», en *L'idéologique dans le texte (Textes hispaniques),* Actes du 2ème Colloque du Séminaire d'Études Littéraires de l'Université de Toulouse-Le Mirail (1978), Toulouse-Le Mirail, Université, 1978, págs. 197-209.
CID, Jesús Antonio, «Recolección moderna y teoría de la transmisión oral: el traidor Marquillos, cuatro siglos de vida latente», en *El Romancero hoy,* 1979, cit., vol. I, págs. 281-359.
— «Semiótica y diacronía del "discurso" en el Romancero tradicional: "Belardos y Valdovinos" y "El Cid pide parias al moro"», en *RDTP,* XXXVII (1982), págs. 57-92.
CIROT, George, «Le mouvement quaternaire dans les romances», en *BHi,* XXI (1919), págs. 103-142.
— «Sur les romances "del Maestre de Calatrava"», en *BHi,* XXXIV (1932), págs. 5-26.

CLARKE, Dorothy C., «Remarks on the Early *Romances* and *Cantares*», en *HR*, XVII (1949), págs. 89-123.
— «Metric Problems in the *Cancionero de romances*», en *HR*, XXIII (1955), págs. 188-199.
— «The Marqués de Santillana and the Spanish Ballad Problem», en *MPh*, 59 (1961-1962), págs. 13-24.
— «Juan Ruiz: A *romance viejo* in the *Libro de buen amor* (la mora)?», en *KRQ*, 31 (1984), págs. 391-402.
Comparative Research on Oral Traditions: a Memorial for Milman Parry, Columbus (Ohio), Slavica Publishers, 1985.
COSTA FONTES, Manuel da, «The Ballad of *Floresvento* and its Epic Antecedents», en *KRQ*, 32 (1985), págs. 309-319.
CRIVILLÉ I BARGALLÓ, Josep, «Tipologías formales de tradición oral aplicadas al romance "Gerineldo: el Paje y la Infanta"», en *AnM*, 42 (1987), págs. 59-69.
CRUZ, Anne J., «The Princess and the Page. Social Transgression and Marriage in the Spanish Ballad Gerineldos», en *ARV. Scandinavian Yearbook of Folklore*, 46 (1990), págs. 33-46.
Culturas populares. Diferencias, divergencias, conflictos. Actas del Coloquio celebrado en la Casa de Velázquez (1983), Madrid, Casa de Velázquez-Universidad Complutense, 1986, págs. 115-138.
CUMMINS, John G., «The Creative Process in the Ballad *Pártese el moro Alicante*», en *FMLS*, VI (1970), págs. 368-381.
CUNHA, Celso, «Sobre o *-e* paragógico na épica e na lírica», en *Estudos filológicos. Homenagem a Serafim da Silva Neto*, Río de Janeiro, 1967, págs. 291-319; ampliado en su libro *Língua e Verso*, Lisboa, Sá da Costa, 1984, 3.ª ed., págs. 25-65.
CHALON, Louis, «La *Jura de Santa Gadea* dans l'épopée castillane et la littérature espagnole», en *La chanson de geste et le mythe carolingien*, Mélanges René Louis, Saint-Père-sous-Vézelay, 1982, vol. II, págs. 1217-1223.
CHASCA, Edmund de, «*Alora la bien cercada:* un romance modelo», en *ETL*, I (1972a), págs. 29-37.
— «Pluralidades anafóricas en la estructura de *Cabalga Diego Laínez* y resumen de las técnicas enumerativas en el romancero del Cid», en *REH-PR* [Puerto Rico], núms. 1-4 (1972), págs. 21-32.
— «Algunos aspectos de la ordenación con números correlativos en el estilo del Romancero del Cid», en *Studia hispanica in honorem R. Lapesa*, Madrid, Gredos, 1974, vol. II, págs. 189-202.

CHEVALIER, Jean-Claude, «Architecture temporelle du "Romancero traditionnel"», en *BHi,* LXXIII (1971), págs. 50-103.
CHEVALIER, Maxime, «La fortune du Romancero ancien (fin du XVe.s.-début du XVIIe.)», en *BHi,* LXXX (1988), págs. 187-195.
— «Cervantes frente a los romances viejos», en *Voz y Letra.* Revista de Filología [Málaga], I (1990), págs. 191-196.
CHICOTE, Gloria, «El romance del Palmero: cinco siglos de supervivencia a través de sus fijaciones textuales», en *Incipit,* VI (1986), págs. 49-69.
DÉBAX, Michelle, «La problematique du narrateur dans le "romancero tradicional"», en *Sujet et sujet parlant dans le texte* (Textes hispaniques), Toulouse-Le Mirail, Université, 1977, págs. 43-62.
— «Problèmes idéologiques dans le *romancero* traditionnel», en *L'idéologique dans le texte (*cit., *sub* Cazal), 1978, págs. 141-163.
— (ed.), *Romancero,* Madrid, Alhambra, 1982.
— «Relectura del romance del "Infante Arnaldos" atribuido a Juan Rodríguez del Padrón: intratextualidad e intertextualidad», en *Literatura y folklore: Problemas de intertextualidad,* Actas del 2.° Symposium Intern. del Dep. de Español de la Universidad de Gröningen (1981), Salamanca, Universidad, 1983, págs. 201-216.
— «Yo no digo esta canción / sino a quien conmigo va», en *Mélanges offerts à M. Molho,* París, Editions Hispaniques, 1988, vol. I, págs. 55-68.
— «En torno a la edición de romances», en *La edición de textos,* Actas del I Congreso Internacional de Hispanistas del Siglo de Oro (1987), Londres, Tamesis Books, 1990a, págs. 43-59.
— «Cómo el Rey Rodrigo entró en la Casa de Hércules (Análisis comparado de tres romances antiguos)», en *Actas,* 1990b, cit., vol. I, págs. 179-204.
DELPECH, François, «*Como puerca en cenagal:* remarques sur quelques naissances insolites dans les légendes généalogiques ibériques», en *La condición de la mujer en la Edad Media,* Actas del Coloquio en la Casa de Velázquez (1984), Madrid, Casa de Velázquez-Universidad Complutense, 1986, págs. 343-370.
DEVOTO, Daniel, «Un ejemplo de la labor tradicional en el romancero viejo», en *NRFH,* VII (1953), págs. 383-394.
— «Sobre el estudio folklórico del romancero español. Proposiciones para un método de estudio de la transmisión tradicional», en *BHi,* LVII (1955), págs. 233-291.

— «Entre las siete y las ocho», en *Fil,* V (1959), págs. 65-80.
— «El mal cazador», en *Studia Philologica: Homenaje ofrecido a Dámaso Alonso,* Madrid, Gredos, 1960, vol. I, págs. 481-491.
— «Mudo como un pescado», en su libro *Textos y contextos,* estudios sobre la tradición, Madrid, Gredos, 1974, págs. 170-187.
— «Humanisme, Musicologie et Histoire littéraire: Nebrija (1492) et Salinas (1577)», en *L'Humanisme dans les lettres espagnoles,* XIXe. Colloque International d'Études Humanistes, París, Librairie Philosophique J. Vrin, 1979a, págs. 177-191.
— «Sobre la métrica de los romances según el Romancero hispánico», *CLHM,* 4 (1979b), págs. 5-50.
— «Leves o aleves consideraciones sobre lo que es el verso», en *CLHM,* 5 (1980), págs. 67-100, y 7 (1982), págs. 6-60.
— «Notomías», en *BHi,* 91 (1989), págs. 169-229.
— «Calandrias y ruiseñores (sobre los versos siempre nuevos de los romances viejos)», en *Hommage a Maxime Chevalier: BHi,* 92 (1990), págs. 259-307.
DEYERMOND, Alan D., *Epic Poetry and the Clergy: Studies on the «Mocedades de Rodrigo»,* Londres, Tamesis Books, 1969.
— «La sexualidad en la épica medieval española», en *NRFH,* XXXVI (1988), págs. 767-786.
— «Sexual Initiation in the Woman's-Voice Court Lyric», en *Courtly Literature. Culture and Context.* Selected Papers from the Congress Dalfsen (1986), 1990, págs. 125-158.
— «"Alora la bien cercada": Structure, Image, and Point of Wiew in a Frontier ballad», en *Hispanic Medieval Studies,* 1992, cit., págs. 97-109.
DÍAZ MAS, Paloma, «Sobre la fortuna del romance "Mira Nero de Tarpeya"», en *Symbolae Ludovico Mitxelena Septuagenario Oblatae,* Vitoria, Universidad, 1985, vol. I, págs. 795-798.
— «Sobre un romance citado en una comedia del siglo XVI», en *RDTP,* XLI (1986), págs. 241-242.
— «Dos versos enigmáticos en un "contrafactum" romancístico de Castillejo», en *RDTP,* XLIII (1988), págs. 211-217.
DÍAZ Y DE OVANDO, Clementina, «Agua, viento, fuego y tierra en el romancero español», en *Anales del Instituto de Investigaciones Estéticas* [México, UNAM], III (1944), págs. 59-83.
DÍAZ QUIÑONES, Arcadio, «Literatura y casta triunfante: el Romancero fronterizo», en *Sin Nombre* [ya *Asomante*], III (1973), págs. 8-25.

DÍAZ ROIG, Mercedes, *El romancero y la lírica popular moderna,* México, El Colegio de México, 1976a.
— (ed.), *El romancero viejo,* Madrid, Cátedra, 1976b.
— «Palabra y contexto en la recreación del romancero tradicional», en *NRFH,* XXVI (1977), págs. 460-467.
— «Sobre una estructura narrativa minoritaria y sus consecuencias diacrónicas: el caso del romance "Las señas del esposo"», en *El Romancero hoy,* 1979, cit., vol. II, págs. 121-131.
— *Estudios y notas sobre el Romancero,* México, El Colegio de México, 1986.
— «La expresividad poética», en *Actas,* 1990, cit., vol. II, páginas 333-342.
DÍAZ DE VIANA, Luis, «Evolución tradicional de un romance carolingio: *El Conde Claros*», en *Cuadernos de Investigación Filológica* [Logroño, Colegio Universitario de La Rioja], IV (1978), págs. 57-72.
— «Romances, cantares y fablas en la juglaría medieval», en *La Juglaresca,* Actas del I Congreso Internacional sobre la Juglaresca, Madrid, Edi 6, 1986, págs. 41-58.
DICKERSON, William Robert, *The "Romances viejos" of the Spanish Renaissance instrumental Prints,* Phil. Diss., University of Iowa, 1972.
DI STEFANO, Giuseppe, *Sincronia e diacronia nel Romanzero,* Pisa, Università, 1967.
— «Marginalia sul Romanzero», en *MSI,* 1968, págs. 139-178.
— «Marginalia sul Romanzero (2.ª serie)», en *MSI,* 1969-70, páginas 91-122.
— «Il *pliego suelto* cinquecentesco e il *romancero*», en *Studi di Filologia Romanza offerti a Silvio Pellegrini,* Padova, Liviana, 1971, págs. 111-143.
— (ed.), *El romancero,* Madrid, Narcea, 1973; 6.ª ed., 1988.
— «Series valencianas del romancero nuevo y pliegos de cordel: una hipótesis», en *Pliegos poéticos españoles de la Universidad de Pisa,* ed. facsímil, Madrid, Joyas Bibliográficas, 1974, 16 págs.
— «Discorso retrospettivo e schemi narrativi nel *romancero*», en *Linguistica e Letteratura* [Pisa], I (1976), págs. 35-55.
— «La difusión impresa del romancero antiguo en el siglo XVI», en *RDTP,* XXXIII (1977): *Homenaje a Vicente García de Diego,* vol. II, págs. 373-411.

— «Un exordio de romances», en *El Romancero hoy,* 1979, cit., vol. II, págs. 41-54.
— «Il *romancero viejo* in Portogallo nei secoli XV-XVII (Rileggendo C. Michaëlis de Vasconcellos)», en *QP,* núms. 11-12 (1982a), págs. 27-37.
— «La tradizione orale e scritta dei *romances.* Situazioni e problemi», en *Oralità e scrittura nel sistema letterario.* Atti del Convegno di Cagliari, Roma, Bulzoni, 1982b, págs. 205-225.
— «Gaiferos o los avatares de un héroe», en *Estudios románicos* dedicados a A. Soria Ortega, 1985 (cit. *sub* Alvar), I, págs. 301-311.
— «Siluetas cidianas en los *romances viejos* (Unas notas)», en *Philologica Hispaniensia in honorem M. Alvar,* Madrid, Gredos, 1986, vol. III, págs. 553-562.
— «Los versos finales del *romance* "En santa Águeda de Burgos" (versión manuscrita)», en *Homenaje a Eugenio Asensio,* Madrid, Gredos, 1988a, págs. 141-158.
— «El *Romance de don Tristán.* Edición "crítica" y comentarios», en *Studia in honorem prof. M. de Riquer,* Barcelona, Quaderns Crema, 1988b, vol. III, págs. 271-303.
— «Emplazamiento y muerte de Fernando IV entre prosas históricas y romancero. Una aproximación», en *NRFH,* XXXVI (1988c), págs. 879-933.
— «Il *Romance del conde Alarcos.* Edizione critica», en *Symbolae pisanae.* Studi in onore di Guido Mancini, Pisa, Giardini, 1989a, vol. I, págs. 179-197.
— «El *Romance de Dido y Eneas* en el siglo XVI», en *El Romancero. Tradición,* 1989b, cit., págs. 207-234.
— «Edición "crítica" del *romancero* antiguo: algunas consideraciones», en *Actas,* 1990, cit., vol. I, págs. 29-46.
— «Estado actual de los estudios sobre el *romancero*», en *Actas del II Congreso Internacional de la Asociación Hispánica de Literatura Medieval* (1987), Alcalá de Henares, Universidad, 1992a, vol. I, págs. 33-52.
— «Los textos del *Romance del rey moro que perdió Alhama* en las fuentes del siglo XVI», en *Estudios,* 1992b, cit., págs. 41-51.
— «El *Romance del conde Alarcos* en sus ediciones del siglo XVI», en *Hispanic Medieval Studies,* 1992c, cit., págs. 111-129.
DOLLFUS, Lucien, «Les femmes du romancero», en su libro *Études sur le Moyen Âge espagnol,* París, Leroux, 1894, págs. 87-146.

DRONKE, Peter, «Learned Lyric and popular Ballad in the early Middle Ages», en *Studi Medievali,* 3.ª serie, XVII (1976), páginas 1-40; recogido en su libro *The MedievalPoet and his World,* Roma, ed. di Storia e Letteratura, 1984, págs. 167-207.
— «Waltharius-Gaiferos», cap. II del libro, en colaboración con Ursula Dronke, *Barbara et antiquissima carmina,* Bellaterra-Barcelona, Universidad Autónoma, 1977.
DUGGAN, Joseph J., «Social Functions of the Medieval Epic in the Romance Literature», en *OT,* I (1986), págs. 728-766.
DURÁN, Agustín (ed.), *Romancero general o Colección de romances castellanos anteriores al siglo XVIII,* Madrid, Rivadeneyra, 1849-1851, 2 vols.; reimpreso en los vols. X y XVI de la «Biblioteca de Autores Españoles», Madrid, Atlas, 1945.
DUTTON, Brian, *El Cancionero del siglo XV. c. 1360-1520,* Salamanca, Diputación Provincial, 1990-1992, 7 vols.
— y WALKER, Roger M., «El *Libro del cauallero Zifar* y la lírica castellana», en *Fil,* IX (1963), págs. 53-67.
EISENBERG, Daniel, «The *Romance* as seen by Cervantes», en *El Crotalón.* Anuario de Filología Española, I (1984), págs. 177-192; versión española en su libro *Estudios cervantinos,* Barcelona, Sirmio, 1991, págs. 57-82.
EMPAYTAZ DE CROOME, Dionisia, *Albor: Medieval and Renaissance Dawn-Songs in the Iberian Peninsula,* Ann Arbor, University Microfilms, 1980.
ENTWISTLE, William J., *The Arthurian Legend in the Literatures of the Spanish Peninsula,* Londres-Toronto, Dent, 1925. Reprint: Nueva York, Kraus, 1975. Trad. portuguesa, Lisboa, Imprensa Nacional, 1942.
— «The *Romancero del Rey D. Pedro* in Ayala and the *Cuarta Crónica General*», en *MLR,* XXV (1930), págs. 306-326.
— «Concerning certain Spanish Ballads in the French Epic Cycles of *Aymeri, Aïol* (Montesinos), and *Ogier de Dinamarche*», en *A Miscellany of Studies in Romance Languages and Literatures.* Presented to Leon E. Kastner, Cambridge, University Press, 1932, págs. 207-216.
— «La dama de Aragón», en *HR,* VI (1938), págs. 185-192, y VIII (1940), págs. 156-159.
— «Blancaniña», en *RFH,* I (1939), págs. 159-164.

— *European Balladry,* Oxford, University Press, 1939; reimpresión 1969, con lista de los importantes estudios del autor.
— «El Conde Olinos», en *RFE,* XXXV (1951), págs. 237-248.
— «Second Thoughts Concerning *El Conde Olinos*», en *RPh,* VII (1953), págs. 10-18.
ESTELLE, Robert Francis, *The Interrelationship of Assonance, Verb forms and Syntax in the «Romances viejos»,* Phil. Diss., Univ. of Minnesota, 1969.
Estudios de Folklore y Literatura dedicados a Mercedes Díaz Roig, México, El Colegio de México, 1992.
European Medieval Ballad (The). A Symposium, Odense, Odense University Press, 1978.
FALK, Janet L., «The Birth of the Hero in the *Romancero*», en *LCo,* 14 (1986), págs. 220-229.
FAULHABER, Charles B., «Neo-traditionalism, Formulism, Individualism, and Recent Studies on the Spanish Epic», en *RPh,* XXX (1976), págs. 83-101.
FERRÉ, Pere, «El romancero tradicional y la historiografía: algunos apuntes sobre el "Romance a la muerte de la duquesa de Bragança"», en *Literatura y Folklore,* 1983 (cit. *sub* Débax), páginas 131-147.
— «Estrategias dramáticas al servicio de un punto de vista político: el romance *Quéxome de vos, el rey*», en *El Romancero. Tradición,* 1989a, cit., págs. 295-302.
— «Autour du *Romanceiro* portugais (1828-1988)», en *La Recherche en Histoire du Portugal,* I (1989b), págs. 73-84.
— «Algumas notas sobre a dramaticidade do Romanceiro Tradicional Português», en *Estudos Portugueses.* Homenagem a Luciana Stegagno Picchio, Lisboa, DIFEL, 1991, págs. 957-967.
FOLEY, John Miles, «Reading the Oral Traditional Text: Aesthetics of Creation and Response», en *Comparative Research,* 1985, cit., págs. 185-212.
— *The Theory of Oral Composition,* Bloomington and Indianapolis, Indiana University Press, 1988.
FOSTER, David William, *The Early Spanish Ballad,* Nueva York, Twayne, 1971.
— «A Note on the Rhetorical Structure of the Ballad *Alora la bien cercada*», en *RNo,* XV (1973), págs. 392-396.

FOWLER, David C., *A literary History of the popular Ballad,* Durham, Duke University Press, 1968.

FRAKER, Charles F., «Sancho II: Epic and Chronicle», en *R,* 95 (1974), págs. 467-507.

— «The Beginning of the Cantar de Sancho», en *LCo,* 19 (1990-91), págs. 5-21.

FRENK, Margit, «"Lectores y Oidores". La difusión oral de la literatura en el Siglo de Oro», en *Actas del VII Congreso de la Asociación Intern. de Hispanistas* (1980), Roma, Bulzoni, 1982a, vol. I, págs. 101-123.

— «Margit Frenk risponde a tre domande sul "romancero" e sull'antica lirica popolare ispanica», en *QP,* núms. 11-12 (1982b), páginas 281-289.

— «Los romances-villancico», en *De los romances-villancico a la poesía de Claudio Rodríguez. 22 ensayos sobre las literaturas española e hispanoamericana en homenaje a Gustav Siebenmann,* Madrid, José Esteban, 1984, págs. 141-156.

— «Un romance rústico en el siglo XVI», en *Philologica Hispaniensia,* 1986 (cit. *sub* Di Stefano), vol. III, págs. 161-171.

— (ed.), *Corpus de la antigua lírica popular hispánica* (siglos XV al XVII), Madrid, Castalia, 1987.

— «Amores tristes y amores gozosos en la antigua lírica popular», en *RCEH,* XV (1991a), págs. 377-384.

— «La poesía oralizada y sus mil variantes», en *ALM,* XXIX (1991b), págs. 133-144.

GARCI-GÓMEZ, Miguel, «*Romance* según los textos españoles del Medievo y Prerrenacimiento», en *JMRS,* 4 (1974), págs. 35-62.

GARCÍA DE ENTERRÍA, María Cruz, *Sociedad y poesía de cordel en el Barroco,* Madrid, Taurus, 1973.

— «Libros de caballerías y romancero», en *JHPh,* X (1986a), páginas 103-115.

— «Literatura tradicional y subliteratura. Romancero oral y romancero de pliego», en *Etnología y folklore en Castilla y León* [Valladolid], Junta de Castilla y León, 1986b, págs. 203-226.

— (ed.), *Romancero viejo,* Madrid, Castalia, 1987.

— «Romancero: ¿cantado-recitado-leído?», en *Edad de Oro,* VII (1988), págs. 89-104.

GARCÍA MARTÍN, José María, «Algunos aspectos formales del vocativo en el romancero viejo», en *El Romancero. Tradición,* 1989, cit., págs. 279-293.

GARCÍA VALDECASAS, Amelia (ed.), *Romancero,* Barcelona, Plaza & Janés, 1986.

— *El género morisco en las fuentes del «Romancero general»,* Valencia, UNED-Diputación, 1987a.

— «La retórica del romancero morisco», en *RLit,* XLIX (1987b), págs. 23-71.

— «La maurofilia como ideal caballeresco en la literatura cronística del XIV y XV», en *Epos.* Revista de Filología, V (1989), páginas 115-140.

GARIANO, Carmelo, «Estructura y lirismo en el *Romance de Rosaflorida*», en *ETL,* 5 (1976), págs. 133-138.

GARRIDO, Rosa M., «El "Cantar del rey Fernando el Magno"», en *BRABLB,* XXXII (1967-68), págs. 67-95.

GAZDARU, Demetrio, «Antecedentes latinos del tema literario de *Fontefrida*», en *Anales de Filología Clásica,* VI (1953-1954), págs. 81-90.

— «Itinerario iberoamericano del tema literario de *Fonte Frida*», en *Fil,* XVII-XVIII (1976-1977), págs. 337-347 (con bibl. del autor sobre el tema).

GERICKE, Philip O., «The Turtledove in Four Sixteenth-Century Versions of *Fontefrida*», en *El Romancero hoy,* 1979, cit., vol. III, págs. 37-45.

GERLI, Michael E., *«El caballero de Olmedo* and *En París está doña Alda»,* en *Perspectivas de la Comedia,* Valencia, Hispanófila, 1978, págs. 89-97.

GILMAN, Stephen, «On *Romancero* as a poetic Language», en *Crítica y poesía.* Homenaje a Casalduero, ofrecido por sus amigos y discípulos, Madrid, Gredos, 1972, págs. 151-160.

GOLDBERG, Harriet, «A Reappraisal of Colour Symbolism in the Courtly Prose Fiction of Late-Medieval Castile», en *BHS,* LXIX (1992a), págs. 221-237.

— «Another Look at Folk Narrative Classification: The Judeo-Spanish *Romancero*», en *Hispanic Studies,* 1992b, cit., págs. 153-162.

GÓMEZ REDONDO, Fernando, «"Roman", "romanz", "romance": cuestión de géneros», en *Homenaje a José Fradejas Lebrero,* Madrid, UNED, vol. I (en prensa).

GONZÁLEZ, Aurelio, *Formas y funciones de los principios en el Romancero viejo,* México, Universidad Autónoma Metropolitana Iztapalapa, 1984.

— «El motivo del entierro en la balada románica», en *Anuario de letras modernas* [México, UNAM], 3 (1985-1987), págs. 91-105.

— «El motivo como unidad narrativa mínima en el Romancero», en *El Romancero. Tradición,* 1989, cit., págs. 51-55.

— *El motivo como unidad narrativa a la luz del romancero tradicional,* tesis doctoral, El Colegio de México, 1990.

— «Una lectura heterodoxa del romance de *Rosaflorida*», en *Heterodoxia y hortodoxia medieval,* México, UNAM, 1992, páginas 73-81.

GONZÁLEZ, William H., «El romancero sacro y la literatura apócrifa», en *El Romancero. Tradición,* 1989, cit., págs. 371-379.

GONZÁLEZ CUENCA, Joaquín (ed.), *El romance «Ya se salen de Castilla»,* Ciudad Real, Museo, 1982.

GORNALL, John F. G., «El rey moro que perdió Alhama: The Origin of the famous Version», en *RNo,* XXII (1982), págs. 324-328.

— «Conde Arnaldos: Another Look at its History», en *KRQ,* 30 (1983), págs. 141-147.

— y SMITH, Colin, «Góngora, Cervantes, and the *Romancero:* Some Interactions», en *MLR,* 80 (1985), págs. 351-361.

GOTOR, Luis, «De bellas, bien y malmaridadas, italo-españolas (Apuntes para la historia de una glosa)», en *Dialogo.* Studi in onore di Lore Terracini, Roma, Bulzoni, 1990, vol. I, págs. 243-268.

GOYRI DE MENÉNDEZ PIDAL, María, «Romance de la muerte del príncipe don Juan (1497)», en *BHi,* VI (1904), págs. 29-37.

GRIEVE, Patricia E., «Mothers and Daughters in Fifteenth-century Spanish Sentimental Romances: Implications for *Celestina*», en *BHS,* LXVII (1990), págs. 345-355.

GRIFFITHS, John, «La música renacentista para instrumentos solistas y el gusto musical español», en *Actas del Congreso Internacional «La música española del Renacimiento»* (1986), en *Nasarre. Revista Aragonesa de Musicología,* IV (1988), págs. 59-78.

GUTIÉRREZ ESTEVE, Manuel, «Sobre el sentido de cuatro romances de incesto», en *Homenaje a Julio Caro Baroja,* 1978 (cit. *sub* Catalán), págs. 551-579.

HART, Thomas R., jr., «"El Conde Arnaldos" and the Medieval Scriptural Tradition», en *MLN,* LXXII (1957), págs. 281-285.

HAUF, Albert, y AGUIRRE, José María, «El simbolismo mágico-erótico de "El Infante Arnaldos"», en *Romanische Forschungen*, LXXXI (1969), págs. 89-118.

HEUR, Jean-Marie d', «Le défilé de Roncevaux. Remarques sur la genèse et les développements d'un romance hispanique du cycle carolingien à travers ses versions castillanes (XVIe s.), portugaises (XIXe-XXe s.), et italienne (Carducci, 1881)», en *Actes du VIe Congrès Intern.: Société Roncesvals* (1973), Aix-en-Provence, Université, 1974, págs. 697-715.

Hispanic Balladry Today [número monográfico de] *OT*, 2 (1987); ed. revisada, Nueva York-Londres, Garland, 1989.

Hispanic Medieval Studies in Honor of Samuel G. Armistead, Madison, Hispanic Seminary of Medieval Studies, 1992.

Hispanic Studies in Honor of Joseph H. Silverman, Newark-Delaware, Juan de la Cuesta, 1988.

HORRENT, Jules, *La Chanson de Roland dans les littératures française et espagnole au moyen âge*, París, «Les Belles Lettres», 1951a, págs. 503-528.

— *Roncesvalles. Étude sur le fragment de cantar de gesta à l'Archive de Navarra (Pampelune)*, París, «Les Belles Lettres», 1951b, págs. 217-226.

— «Sur les romances carolingiens de Roncevaux», en *LR*, IX (1955), págs. 161-176.

— «Comment vit un romance», en *LR*, XI (1957), págs. 379-394.

— «La jura de Santa Gadea», en *Studia Philologica*. Homenaje a Dámaso Alonso, Madrid, Gredos, 1961, vol. II, págs. 241-265; recogido en su libro *Historia y poesía en torno al «Cantar de Mio Cid»*, Barcelona, Ariel, 1973, págs. 159-193.

— «Traits distinctifs du romancero espagnol», en *Hommage des Romanistes Liégeois à la memoire de R. Menéndez Pidal*, en *MR*, 20 (1970), págs. 29-38.

— «Sur deux romances cidiens», en *Hommage au Professeur Maurice Delbouille*, en *MR*, 23 (1973), págs. 79-88.

HUBER, Konrad, «Romance del Conde Arnaldos», en *VR*, XXVII (1968), págs. 138-160.

INFANTES, Victor, «Balance bibliográfico y perspectivas críticas de los pliegos sueltos poéticos del siglo XVI», en *Varia Bibliographica*. Homenaje a José Simón Díaz, Kassel, Ed. Reichenberger, 1987, págs. 375-385.

JACOBS, Charles, «The Spanish Frontier Ballad: historical, literary, and musical associations», en *The Musical Quarterly,* 58 (1972), págs. 605-621.

JAEN, Didier T., «El "Romance del Conde Arnaldos": ¿Balada mística?», en *H,* 59 (1976), págs. 435-441.

JANDOVÁ, Jarmila, «El ritmo de los romances españoles», en *Iberoamericana Pragensia,* III (1969), págs. 43-65.

JONES, Harold G. III, «The Epitaph of Fernán Gudiel: an anomaly of thirteenth Century castillian metrics», en *HR,* 43 (1975), páginas 169-180.

— «The *romance* "Atal anda don García / por una sierra adelante"», en *LCo,* X (1981), págs. 95-98.

Juglaresca (La). Actas del I Congreso Intern. sobre la Juglaresca, Madrid, Edi-6, 1986.

KATZ, Israel J., «The Traditional Folk Music of Spain: Explorations and Perspectives», en *Yearbook of the International Folk Music Council,* 6 (1974), págs. 64-85.

— «Contrafacta and the judeo-spanish *Romancero:* A Musicological View», en *Hispanic Studies,* 1988, cit., págs. 169-187.

KEKÄLÄINEN, Kirsti, *Aspects of Style and Language in Child's Collection of English and Scottish Popular Ballads,* Helsinki, Suomalainen Tiedeakatemia, 1983.

KENYON, Herbert A., «Color Symbolism in early Spanish Ballads», en *RR,* VI (1915), págs. 327-340.

KISH, Kathleen, «Los romances trovadorescos del Cancionero sin año», en *Actas del Sexto Congreso de la Asoc. Intern. de Hispanistas,* Toronto, University, 1980, págs. 427-430.

LACARRA, María Eugenia, «La mujer ejemplar en tres textos épicos castellanos», en *Cuadernos de Investigación Filológica,* XIV (1988), págs. 5-20.

— «Representación de la feminidad en el **Cantar de los siete infantes de Lara*», comunicación en Twelfth Intern. Congress of the Société Roncesvals (1991), resumida en *Olifant,* 16 (1991), págs. 164-166.

— «Ruy Velázquez: itinerario de un traidor», comunicación en XXVII Intern. Congress on Medieval Studies, Kalamazoo (1992).

LAFORTE, Conrad, «Le catalogue de la chanson folklorique française comme instrument de recherche et d'analyse», en *Ballad Research,* 1986, cit., págs. 231-238.

LAIGLESIA, Eduardo, «"Tres hijuelos había el rey". Orígenes de un romance popular castellano», en *Revista Crítica Hispano-Americana,* III (1917), págs. 5-36.

LANGER, María, y FERNÁNDEZ, Tristán, «Notas para el romance de doña Alda», en *Revista de Psicoanálisis* [Buenos Aires], III (1945-46), págs. 720-730.

LAPESA, Rafael, «La lengua de la poesía épica en los cantares de gesta y en el romancero viejo», en *ALM,* IV (1964), págs. 5-24; recogido en su libro *De la Edad Media a nuestros días. Estudios de historia literaria,* Madrid, Gredos, 1967, págs. 9-28.

LEVI, Ezio, «El romance florentino de Jaume de Olesa», en *RFE,* XIV (1927), págs. 134-160; recogido en su libro *Motivos hispánicos,* Firenze, Sansoni, 1933, págs. 41-73 (con retoques).

LEWIS GALANES, Adriana, «Acerca de los romances de Julianesa / Moriana / Xuliana», en *La Juglaresca,* 1986, cit., págs. 385-400.

LIDA, María Rosa, «El romance de la misa de amor», en *RFH, III* (1941), págs. 24-42.

LIVERMORE, Harold V., «The 15th Century Evolution of the *Romance*», en *I,* 23 (1986), págs. 20-39.

LONG, Eleanor R., «Ballad Classification and the "Narrative Theme" Concept together with a tematic Index to Anglo-Irish-American Balladry», en *Ballad Research,* 1986, cit., págs. 197-213.

LÓPEZ DE COCA CASTAÑER, José Enrique, «De nuevo sobre el romance *Río Verde, río Verde* y su historicidad», en *Andalucía Medieval.* Actas del I Coloquio de Historia de Andalucía (1979), Córdoba, Caja de Ahorros, 1982, págs. 11-19.

LÓPEZ ESTRADA, Francisco, «La conquista de Antequera en el romancero y en la épica de los Siglos de Oro», en *Anales de la Universidad Hispalense,* XVI (1955), págs. 133-192.

— «El romance de "Don Bueso" y la canción de "La peregrinita" en el cancionero folklórico de Antequera», en *De los romances-villancico,* 1984 (cit. *sub* Frenk), págs. 253-261.

— «El romance de Inés de Castro en el cancionero folklórico de Antequera», en *Homenaje a A. Galmés de Fuentes,* 1985 (cit. *sub* Álvarez), vol. I, págs. 501-507.

LÓPEZ NIETO, Juan C., «El "Romance del rey de Aragón": Ensayo de un análisis histórico-literario», en *Nuevo Hispanismo* [Univ. Internacional «Menéndez Pelayo», Santander], 1 (1982), págs. 227-233.

LORD, Albert B., *The Singer of Tales,* Cambridge-Mass., Harvard University Press, 1960.
— «Perspectives on Recent Work on the Oral Traditional Formula», en *OT,* 1 (1986), págs. 467-503.
— «Characteristics of Orality», en *OT,* 2 (1987), págs. 54-72.
LUCERO DE PADRÓN, Dolly, «En torno al romance de "La bella malmaridada"», en *BBMP,* XLIII (1967), págs. 307-354.
MAC CURDY, G. Grant, «La visión simbólica del Conde Arnaldos», en *Estudios sobre el Siglo de Oro* en homenaje a Raymond R. Mac Curdy, Alburquerque, University of New México, 1983, págs. 301-312.
MAC CURDY, Raymond R., «On the uses of the rape of Lucrecia», en *Estudios literarios de hispanistas norteamericanos dedicados a Helmut Hatzfeld* con motivo de su 80 aniversario, Barcelona, Hispam, 1974, págs. 296-308.
MACKAY, Angus, «The ballad and the frontier in late medieval Spain», en *BHS,* LIII (1976), págs. 15-33.
MANCINI, Guido, *La romanza del conde Alarcos.* Note per una interpretazione, Pisa, Libreria Goliardica, 1959.
— «Proposta di lettura di un "Romance fronterizo"», en *Linguistica e Letteratura,* 1 (1976), págs. 57-73.
MARCILLY, Charles, «Romance de la muerte de don Beltrán», en *Introduction à l'étude critique. Textes espagnols,* París, A. Colin, 1972, págs. 77-87.
MARCO, Joaquín, *Literatura popular en España en los siglos XVIII y XIX* (Una aproximación a los pliegos de cordel), Madrid, Taurus, 1977, 2 vols.
MARCOS MARÍN, Francisco, «De la canción al libro: hacia una poética de la escritura», en *Incipit,* X (1990), págs. 127-137.
MARISCAL, Beatriz, «El Romance de la muerte ocultada. Una aproximación semiótica», en el vol. XII de *Romancero tradicional,* 1984-1985, cit., págs. 281-333.
— «De reyes y vasallos: el Cid en el romancero oral moderno», en *El Romancero. Tradición,* 1989, cit., págs. 101-110.
— «El motivo narrativo y la generación de un texto romancístico», en *Actas,* 1990, cit., vol. II, págs. 293-306.
MARTIN, George, «Idéologique chevauchée. Approche intertextuelle de la structure idéologique d'un romance historique traditionnel», en *L'idéologique dans le texte,* 1978 (cit. *sub* Cazal), págs. 165-195.

MARTÍNEZ-GIL, Fernando, «Las inversiones del orden de palabras en el *Romancero*», en *H*, 72 (1989), págs. 895-908.

MARTÍNEZ MATA, Emilio, «El *Romance del Conde Arnaldos* y el más allá», en *Actas del III Congreso de la Asociación Hispánica de Literatura Medieval* (1989), Salamanca [en prensa].

MARTÍNEZ TORNER, Eduardo, «Ensayo de clasificación de las melodías de romances», en *Homenaje ofrecido a Menéndez Pidal*. Miscelánea de estudios lingüísticos, literarios e históricos, Madrid, Hernando, [1925], II, págs. 391-402.

MARTÍNEZ YANES, Francisco, *El «Romance de la Blancaniña». Estudio comparativo de sus variantes,* Phil. Diss., University of Pennsylvania, 1976.

— «Los desenlaces en los romances de Blancaniña: tradición y originalidad», en *El Romancero hoy,* 1979, cit., págs. 132-153.

MASSOT, Josep, «El romancero tradicional español en Mallorca», en *RDTP,* XVII (1961), págs. 157-173.

MCGRADY, Donald, «The Hunter loses his Falcon: Notes on a Motif from *Cligés* to *La Celestina* and Lope de Vega», en *R,* 107 (1986), págs. 145-182.

— «Otra vez el mal cazador en el Romancero hispánico», en *Actas del IX Congr. de la AIH,* 1989 (cit. *sub* Alonso Hernández), páginas 543-551.

MC PHEETERS, D. W., «El Cid ante el Santo Padre», en *La Juglaresca,* 1986, cit., págs. 215-219.

MELÉNDEZ HAYES, Theresa, «Juan Rodríguez del Padrón and the *Romancero*», en *El romancero hoy,* 1979, cit., vol. III, págs. 15-36.

MÉNARD, Philippe, *Le rire et le sourire dans le roman courtois en France au Moyen Âge (1150-1250),* Genève, Droz, 1969.

MENDOZA DÍAZ-MAROTO, Francisco, *Introducción al romancero oral en la provincia de Albacete,* Albacete, Instituto de Est. Albacetenses-CSIC-Confed. Esp. de Centros de Est. Locales, 1989.

MENÉNDEZ PELAYO, Marcelino, *Tratado de romances viejos* [1903-1906], en *Antología de poetas líricos castellanos,* vols. VI y VII, en *Obras completas,* ed. Nacional, Santander, Aldus, 1944.

— *Apéndices y suplemento a la «Primavera y flor de romances» de Wolf y Hofmann,* en *Antología,* cit., vol. IX.

MENÉNDEZ PIDAL, Ramón, *La leyenda de los Infantes de Lara,* Madrid, Ducazcal, 1896; 3.ª ed., Madrid, Espasa-Calpe, 1971.

— «Notas para el romancero del conde Fernán González», en *Ho-*

menaje a Menéndez Pelayo. Estudios de erudición española, Madrid, Tello, 1899, vol. I, págs. 429-507.
— «Catálogo del romancero judío-español», en *Cultura Española,* IV (1906), págs. 1045-1077, y V (1907), págs. 161-199.
— *L'Epopée castillane à travers la littérature espagnole,* París, A. Colin, 1910; tr. esp. Buenos Aires, Espasa-Calpe, 1945; 2.ª ed., 1959.
— *El romancero español,* Conferencias en Columbia University, Nueva York, [de Vinne], 1910; recogido en sus *Estudios,* cit., págs. 7-84.
— «Poesía popular y romancero», en *RFE,* I (1914), págs. 357-377 ["En santa Gadea de Burgos"]; II (1915), págs. 1-20, 105-136 y 329-338 ["Morir vos queredes, padre", "Ya se salen de Jaén", "Un día de san Antón", "Río Verde, río Verde"]; III (1916), págs. 234-289; recogido en sus *Estudios,* cit., págs. 85-216.
— «"Roncesvalles". Un nuevo cantar de gesta español del siglo XIII», en *RFE,* IV (1917), págs. 105-204; recogido en su libro *Tres poetas primitivos,* Buenos Aires, Espasa-Calpe, 1948 («Austral»).
— «"Roncesvalles" y la crítica de los romances carolingios», en *RFE,* V (1918), págs. 396-398.
— «Sobre geografía folklórica. Ensayo de un método», en *RFE,* VII (1920), págs. 229-328; recogido en *Cómo vive un romance. Dos ensayos sobre tradicionalidad,* con «La vida de un romance en el espacio y en el tiempo» de Álvaro Galmés de Fuentes y Diego Catalán Menéndez Pidal, Madrid, CSIC, 1954; recogido en sus *Estudios,* cit., págs. 217-323.
— *Poesía popular y poesía tradicional en la literatura española,* Conferencia, Oxford, University Press, 1922; recogido en sus *Estudios,* cit., págs, 327-356.
— *Poesía juglaresca y juglares.* Aspectos de la historia literaria y cultural de España, Madrid, Centro de Estudios Históricos, 1924; 6.ª ed. corregida y aumentada: *Poesía juglaresca y orígenes de las literaturas románicas,* Madrid, Instituto de Estudios Políticos, 1957; reimpreso con el título *Poesía juglaresca y juglares. Orígenes de las literaturas románicas,* Madrid, Espasa-Calpe, 1991 («Austral»).
— (ed.), *Floresta de leyendas heroicas españolas. Rodrigo, el último godo,* Madrid, La Lectura, 1925-1928, 3 vols. («Clásicos Castellanos»).

— «Romances y baladas», en *Bulletin of the Modern Humanities Research Association,* I (1927), págs. 1-17; recogido en sus *Estudios,* cit., págs. 359-378.
— (ed.), *Flor nueva de romances viejos* que recogió de la tradición antigua y moderna, Madrid, La Lectura, 1928; 2.ª ed. aumentada, Madrid, 1933; reimpreso en Colección «Austral», 11.ª ed., 1959.
— *El romancero. Teorías e investigaciones,* Madrid, Páez, 1928. [Contiene, entre otros, los citados «Catálogo» y «Poesía popular».]
— *La España del Cid,* Madrid, Plutarco, 1929, 2 vols.; 4.ª ed. rev. y aumentada, Madrid, Espasa-Calpe, 1947, 2 vols.
— «Un episodio de la fama de Virgilio en España», en *Studi Medievali,* n. s., 5 (1932), págs. 332-341.
— «Supervivencias del Poema de Kudrun (Orígenes de la balada)», en *RFE,* XX (1933), págs. 1-59.
— *Los romances de América y otros estudios,* Buenos Aires, Espasa-Calpe, 1939 («Austral»); 6.ª ed., 1958. [Contiene, entre otros, los citados «Catálogo» y «Poesía popular».]
— «Poesía tradicional en el Romancero Hispano-Portugués», en *Boletim da Academia das Ciências de Lisboa,* XV (1943), páginas 5-31; recogido en su libro *Castilla, la tradición, el idioma,* Buenos Aires, Espasa-Calpe, 1945 («Austral»); 3.ª ed., 1955, págs. 41-73; recogido también en sus *Estudios,* cit., págs. 381-401.
— «Los romances de don Bueso», en *BHi,* L (1948a), págs. 307-312.
— «Un viejo romance cantado por Sabbatai Cevi», en *Medieval Studies in Honor of J. D. M. Ford,* Cambridge-Mass., Harvard University Press, 1948b, págs. 185-190.
— «La Chanson des Saisnes en España», en *Mélanges de Linguistique et de Littérature romanes* offerts à Mario Roques, París, Bade, 1950, vol. I, págs. 229-244.
— *Reliquias de la poesía épica española,* Madrid, Espasa-Calpe, 1951a; 2.ª ed., Madrid, Gredos, 1980, adicionada con una introducción crítica de Diego Catalán [y con los primeros pliegos impresos en 1936 de *Epopeya y Romancero I*].
— *De primitiva lírica española y antigua épica,* Buenos Aires, Espasa-Calpe, 1951b («Austral») [contiene, entre otros, los citados «Los romances de don Bueso» y «Un viejo romance»].
— *Romancero Hispánico (Hispano-portugués, Americano y Sefardí).* Teoría e historia, Madrid, Espasa-Calpe, 1953, 2 vols.

— *Los godos y la epopeya española*. «Chansons de geste» y baladas nórdicas, Madrid, Espasa-Calpe, 1956 («Austral») [contiene, entre otros, los citados «Supervivencias» y «La "Chanson des Saisnes"»].
— *La "Chanson de Roland" y el neotradicionalismo* (Orígenes de la épica románica), Madrid, Espasa-Calpe, 1959; 2.ª ed.: *La "Chanson de Roland" et la tradition épique des Francs,* revue et mise au jour par l'auteur avec le concours de René Louis, París, Picard, 1960.
— «L'épopée vivante en Espagne», en *La Table Ronde,* núm. 133, 1959, págs. 121-143.
— «El romance "Río Verde, río Verde". Sus versiones varias», en *Miscelánea en homenaje a Mons. Higinio Anglés,* Barcelona, CSIC, 1958-1961, vol. II, págs. 537-558; recogido en sus *Estudios,* cit., págs. 465-488.
— *Estudios sobre el romancero,* Madrid, Espasa-Calpe, 1973.
— *La épica medieval española* desde sus orígenes hasta su disolución en el romancero, ed. por Diego Catalán y María del Mar de Bustos, Madrid, Espasa-Calpe, 1992.
MICHÄELIS DE VASCONCELLOS, Carolina, «Estudos sobre o Romanceiro peninsular», en *RLu,* II (1890-1892), págs. 156-179 y 193-240.
— «Romanzenstudien», en *ZRPh,* XVI (1892), págs. 40-89 y 397-421.
— *Estudos sobre o Romanceiro Peninsular. Romances velhos em Portugal,* Coimbra, Universidade, 1934; reimpresión Porto, Lello & Irmão, 1980 [1.ª ed., 1907-1909, en *Cultura Española*].
MILÀ Y FONTANALS, Manuel, *Observaciones sobre la poesía popular, con muestras de romances catalanes inéditos,* Barcelona, Ramírez, 1853.
— *De la poesía heroico-popular castellana,* Barcelona, Verdaguer, 1874; reimpresión, Barcelona, CSIC, 1959.
MILETICH, John S., «Narrative Style in Spanish and Slavic Traditional Narrative Poetry: Implications for the Study of the Romance Epic», en *Olifant,* 2 (1974), págs. 109-128.
— «The South-Slavic *Bugarstica* and the Spanish *Romance:* a new approach to typology», en *International Journal of Slavic Linguistics and Poetics,* 21 (1975), págs. 51-69.
— «The Quest for the "Formula": A Comparative Reappraisal», en *MPh,* 74 (1976a), págs. 111-123.

— «The Poetics of Variation in oral-traditional Narrative», en *Forum at Iowa on Russian Literature,* 1 (1976b), págs. 57-69.
— «The Mermaid and Related Motifs in the *Romancero:* The Slavic Analogy and Fertility Myths», en *RPh,* XXXIX (1985), páginas 151-169.
— «Sobre "Los cantores épicos yugoeslavos y los occidentales"», en *La Juglaresca,* 1986, cit., págs. 23-39.
— «Oral Style / Written Style in ancient and medieval literature: Differentiation and Aesthetics», en *Oral and Written/Literate, en Literature and Culture,* Novi Sad, Colloquia Litteraria, 1988, págs. 99-108.
MILLET, Victor, *Waltharius-Gaiferos.* Uber den Ursprung der Walthersage und ihre Beziehung zur Romanze von Gaiferos und zur Ballade von Escriveta, Frankfurt/M., Lang, 1992.
MIRRER-SINGER, Louise, «Reevaluating the *fronterizo* ballad: the *Romance de la morilla burlada* as a pro-christian text», en *LCo,* XIII (1985), págs. 157-167.
— *The Language of Evaluation. A Sociolinguistic Approach to the Story of Pedro el Cruel in Ballad and Chronicle,* Amsterdam-Filadelfia, John Benjamin, 1986a.
— «Reinterpreting an Ancient Legend: The Judeo-Spanish Version of *The rape of Lucretia*», en *Prooftexts. A Journal of Jewish Literary History,* 6 (1986b), págs. 117-130.
— «The Characteristic Patterning of *Romancero* Language: some notes on Tense and Aspect in the *Romances Viejos*», en *HR,* LV (1987), págs. 441-461.
— «The Concept of "Speech Genres" and the Problem of Dialogue in the *romances viejos*», en *Anuario Medieval* [Nueva York: St. John's University], I (1989), págs. 147-155.
MITCHELL, Timothy J., «El patrón arquetípico del romance de *La infantina encantada*», en *RLit,* XLIX (1987), págs. 425-435.
MONROE, James T., «Prolegomena to the Study of Ibn Quzman: The Poet as Jongleur», en *El Romancero hoy,* 1979, cit., págs. 77-129.
MONTANER FRUTOS, Alberto, «El concepto de oralidad y su aplicación a la literatura española de los siglos XVI y XVII. En torno al vol. VII de *Edad de Oro*», en *Criticón,* 45 (1989), págs. 183-198.
— «Las quejas de doña Jimena: formación y desarrollo de un tema en la épica y el romancero», en *Actas del II Congr. Asoc. Hisp. Lit. Med.,* 1992 (cit. *sub* Di Stefano), págs. 475-507.

MONTEVERDI, Angelo, «Un episodio della battaglia di Roncisvalle nella poesia castigliana e portoghese», en *Studi di Filologia Moderna,* V (1912), págs. 63-83.
— «Alda la bella», en *Studi Medievali,* Nuova Serie, I (1928), páginas 362-379.
MONTGOMERY, Thomas, «Some singular Passages in the *Mocedades de Rodrigo*», en *JHPh,* VII (1983), págs. 121-134.
— «Las *Mocedades de Rodrigo* y los romances», en *Josep María Solà-Solé: Homage, Homenaje, Homenatge* (Miscelánea de estudios de amigos y discípulos), Barcelona, Puvill, 1984, vol. II, págs. 119-133.
— «The *Ferg* of Gonzalo González», en *LCo,* 20 (1991), págs. 1-17.
MORAIS ALÇADA, João Nuño, «Teatralidad e intertextualidad del tema de la muerte del Príncipe don Alfonso de Portugal en las literaturas culta y popular», en *Literatura y Folklore,* 1983 (cit. *sub* Débax), págs. 219-240; versión portuguesa en *RLu,* Nova Série, 3 (1982-83), págs. 69-101.
MORLEY, Sylvanus Griswold, «Are the Spanish *Romances* written in Quatrains? and other Questions», en *RR,* VII (1916), págs. 42-82.
— «El romance del "Palmero"», en *RFE,* IX (1922), págs. 298-310.
— *Spanish Ballad Problems,* Univ. of Calif. Publ. in Mod. Philol., vol. 13, núm. 2, págs. 207-228, Berkeley, Univ. of Calif. Press, 1925.
— (ed.), *Spanish Ballads* (Romances escogidos), Nueva York, Holt, 1938 (1.ª ed., 1911). Reprint: Westport, Greenwood Press, 1977.
— «Chronological List of Early Spanish Ballads», en *HR,* XIII (1945), págs. 273-283.
MURILLO, Luis A., «*Lanzarote* and *Don Quijote*», en *Folio.* Papers on Foreign Languages and Literatures, 10 (1977), págs. 55-68.
NASCIMENTO, Braulio do, «Processos de variação do romance», en *Revista Brasileira de Folclore,* IV (1964), págs. 59-125.
— «As seqüências temáticas no romance tradicional», en *Revista Brasileira de Folclore,* VI (1966), págs. 159-190.
— «Eufemismo e Criação Poética no Romanceiro Tradicional», en *El Romancero,* 1972, cit., págs. 233-275.
— «"Conde Claros" na tradição portuguesa», en *QP,* 11-12 (1982), págs. 139-187.
— «Bernal Francês no Brasil», en *Estudios,* 1992, cit., págs. 233-255.

NORTI GUALDANI, Enzo, «Sulla ballata del *Conde Alarcos*», en *Lavori Ispanistici*, V (1986), págs. 101-113.

NORTON, Frederick John, y WILSON, Edward Marion, *Two Spanish verse chapbooks. Romance de Amadís c. 1515-19. Juyzio hallado y trobado c. 1510*, Cambridge, University, 1969.

OCHRYMOWYCZ, Orest R., *Aspects of Oral Style in the Romances Juglarescos of the Carolingian Cycle*, Iowa City, University, 1975.

— «Some Observations on Formulaic Diction, Twinning and Enjambement in the Traditional Poetry of Spain», en *El Romancero hoy*, 1979, cit., vol. II, págs. 155-163.

ODD, Frank L., «Women of the *Romancero:* a Voice of Reconciliation», en *H*, LXVI (1983), págs. 360-368.

ORDUNA, Germán, «La sección de romances en el *Cancionero General* (Valencia, 1511): recepción cortesana del romancero tradicional», en *The Age of the Catholic Monarchs, 1474-1516: Literary Studies in Memory of Keith Whinnom*, Liverpool, *BHS* special Issue, 1989, págs. 113-122.

ORTIZ, Ramiro, «Il "Romance de Moriana"», en *ZRPh*, LI (1931), págs. 707-721; recogido en su libro *Varia Romanica*, Firenze, La Nuova Italia, 1932, págs. 317-335.

OTTO, Hans, «La tradition d'Eginhard et Emma dans la poésie romancesca de la péninsule Hispanique», en *MLN*, VII (1892), págs. 225-243.

PALUDAN, H. A., «La fille épouse le meurtrier de son père. Remarques sur quelques "romances" danois et espagnols», en *RFE*, XIII (1926), págs. 262-278.

PARIS, Gaston, «Une romance espagnole écrite en France au XVe siècle», en *R*, I (1872), págs. 373-378.

PELEGRÍN, Benito, «Flechazo y lanzada, Eros y Tanathos (Ensayo de aproximación al "Romance de don Tristán de Leonís y de la reina Iseo, que tanto amor se guardaron")», en *Prohemio*, VI (1975), págs. 83-115.

— «Histoire d' "Ho!" o Doña Lambra en el diván. Ensayo de explicación psicoanalítica», en *Mélanges à la memoire d'André Joucla-Ruau*, Aix-en-Provence, Université de Provence, 1978, vol. I, págs. 1001-1028.

PÉREZ VIDAL, José, «De folklore canario. Romances con estribillo y bailes romancescos», en *RDTP*, IV (1948), págs. 197-241.

— «Romancero tradicional canario», en *RDTP*, VII (1951), páginas 266-291.

PETERSEN, Suzanne, «Computer-generated Maps of narrative Affinity», en *El Romancero hoy*, 1979, cit., vol. II, págs. 167-228.

— «Procesamiento de datos romancísticos: nuevas aplicaciones de software para microcomputadoras», en *El Romancero. Tradición*, 1989, cit., págs. 129-136.

PIACENTINI, Giuliana, *Ensayo de una bibliografía analítica del romancero antiguo. Los Textos (siglos XV y XVI):* vol. I, *Pliegos sueltos*, Pisa, Giardini, 1981; Anejo, *ibíd.*, 1982; vol. II, *Cancioneros* y *Romanceros, ibíd.*, 1986; vol. III, *Manuscritos, ibíd.*, 1993.

— «Romances en *Ensaladas* y géneros afines», en *El Crotalón.* Anuario de Filología Española, I (1984), págs. 1135-1173.

— «Una lectura de las glosas del *Romance de Belerma*», en *Actas*, 1990, cit., págs. 153-164.

PINTO-CORREIA, João David, «Le Statut et la Structure de l'Actant-Sujet dans un "romance» (le sujet /Fille-Princesse/ dans le romance "Conde de Alemanha")», en *RLu*, Nova Série, 3 (1982-1983), págs. 37-54.

— (ed.), *Romanceiro tradicional português*, Lisboa, Editorial Comunicação, 1984.

— «Le cycle des romances du *Conde Claros:* proposition de systématisation», en *Littérature Orale Traditionnelle Populaire Colloque* (París, 1986), París, Centre Culturel Portugais, 1987, páginas 301-313.

PIÑERO, Pedro M., y ATERO, Virtudes (eds.), *Romancero de la tradición moderna*, Sevilla, Fundación Machado, 1987.

— «El romancero andaluz: a la búsqueda de sus rasgos diferenciales», en *El Romancero. Tradición*, 1989, cit., págs. 463-477.

— «La bella en misa gaditana: un revuelo erótico-festivo en el templo», en *Estudios*, 1992, cit., págs. 315-323.

POGAL, Patricia, «The Poetic Function of Light Imagery in the Romance», en *Essays in Honor of Jorge Guillén on the occasion of his 85th year*, Cambridge-Mass., Abedul, 1977, págs. 74-84.

POPE, Isabel, «Notas sobre la melodía del Conde Claros», en *NRFH*, VII (1953), págs. 395-402.

Portuguese and Brazilian Oral Traditions in Verse Form (Simposio 1975), Los Ángeles, University of Southern California, 1976.

PURCELL, Joanne B., *The "Cantar de la muerte del rey Fernando" in*

Modern Oral Tradition: Its Relationship to Sixteenth-Century "Romances" and Medieval Chronicle Prosifications, Phil. Diss., University of California-Los Angeles, 1976a.

— «Recently collected Ballad Fragments on the Death of Don Fernando I», en *Portuguese,* 1976b, cit., págs. 159-167.

— «Salient Characteristics of the Portuguese Romancero», en *Lore and Language,* 3 (1981), págs. 13-31.

QUEROL GAVALDÁ, Miguel, «Importance historique et nationale du romance», en *Musique et Poésie au XVIe siècle,* Colloques Internationaux du CNRS, París, 1954, págs. 299-327.

RAJNA, Pio, «Rosaflorida», en *Mélanges offertes à Emile Picot,* París, Morgand, 1913, vol. II, págs. 115-134.

— «Osservazioni e dubbi concernenti la storia delle romanze spagnuole», en *RR,* VI (1915), págs. 1-41.

RÉCOULES, Henri, «Romancero y Entremés», en *Seg,* XI, 21-22 (1975), págs. 9-48.

REDONDO, Agustín, «Gaiferos: de caballero a demonio (o del romance al conjuro de los años 1570)», en *NRFH,* XXXVI (1988), págs. 997-1009.

REIG, Carola, *El Cantar de Sancho II y Cerco de Zamora,* Madrid, CSIC, 1947.

RENOIR, Alain, «Repetition, Oral-Formulaic Style, and Affective Impact in Mediaeval Poetry: A Tentative Illustration», en *Comparative Research,* 1985, cit., págs. 533-548.

RICO, Francisco, «Las raíces del Romancero». [Introducción a] Lozano, Modesta (ed.), *Romancero,* Barcelona, Círculo de Lectores, 1990, págs. 9-23; recogido en su libro *Breve biblioteca de autores españoles,* Barcelona, Seix Barral, 1990, págs. 29-46.

— «Sobre los orígenes de *Fontefrida* y el primer romancero trovadoresco», en *Estudos Portugueses.* Homenagem a Luciana Stegagno Picchio, Lisboa, DIFEL, 1991, págs. 159-184; incluido previamente en su libro *Texto y contextos.* Estudios sobre la poesía española del siglo XV, Barcelona, Crítica, 1990b, páginas 1-32.

RIQUER, Martín de, «Sobre el romance "Ferido está don Tristán"», en *RFE,* XXXVII (1953), págs. 225-227.

— «El fragmento de "Roncesvalles" y el planto de Gonzalo Gústioz», en *Studi in onore di Angelo Monteverdi,* Modena, Mucchi, 1959, vol. II, págs. 623-628; recogido, y ampliado, en su libro *La*

leyenda del Graal y temas épicos medievales, Madrid, Prensa Española, 1968, págs. 205-213.
ROBERTSON, Sandra, «The Limits of Narrative Structure: One Aspect in the Study of "El prisionero"», en *El Romancero hoy,* 1979, cit., vol. II, págs. 313-318.
RODRÍGUEZ BALTANÁS, Enrique J., «El Romancero, ¿femenino o feminista? (Notas a propósito de *La doncella guerrera*)», en *Draco.* Revista de Literatura de la Universidad de Cádiz, I (1989), págs. 51-62.
— y PÉREZ CASTELLANO, Antonio, «Cómo vive el Romancero entre los gitanos de la provincia de Sevilla: las familias Peña y Fernández», en *El Romancero. Tradición,* 1989, cit., págs. 625-636.
RODRÍGUEZ MOÑINO, Antonio, «Tres romances de la *Ensalada* de Praga (siglo XVI)», en *HR,* XXXI (1963), págs. 1-7; recogido en su libro *La transmisión de la poesía española en el Siglo de Oro,* doce estudios con poesías inéditas o poco conocidas, Barcelona, Ariel, 1976, págs. 237-240.
— *La Silva de Romances de Barcelona, 1561,* contribución al estudio bibliográfico del romancero español en el siglo XVI, Salamanca, Universidad, 1969.
— *Diccionario de pliegos sueltos poéticos (siglo XVI),* Madrid, Castalia, 1970.
— *Manual bibliográfico de Cancioneros y Romanceros* (Impresos, s. XVI), 2 vols., Madrid, Castalia, 1973; (Impresos, s. XVII), 2 vols., Madrid, Castalia, 1977-78.
RODRÍGUEZ PUÉRTOLAS, Julio, «El romancero, historia de una frustración», en *Hispanic Studies in honor of Edmund de Chasca,* en *PhQ,* 51 (1972), págs. 85-104; recogido en *Literatura, historia, alienación,* Barcelona, Labor, 1976, págs. 105-146.
— «La mujer nueva en la literatura castellana del siglo XV», en *Literatura hispánica,* 1989 (cit. *sub* Anahory), págs. 38-56.
ROGERS, Edith Randam, «A New Genealogy for "Rico Franco"», en *Journal of American Folklore,* 82 (1969), págs. 369-373.
— «The Moral Standing of the Unkempt», en *Southern Folklore Quarterly,* XXXVI (1972a), págs. 144-159.
— «Games of Muscle, Mind and Chance in the "Romancero", en *H,* LV (1972b), págs. 419-427.
— «El conde Olinos: metempsychose or miracle», en *BHS,* L (1973), págs. 325-339.

— «The Hunt in the "Romancero" and Other Traditional Ballads», en *HR,* XLII (1974), págs. 133-171.
— «Magic Music: a self-centered ballad motif», en *KRQ,* 22 (1975a), págs. 263-292.
— «Clothing as a Multifarious ballad symbol», en *Western Folklore,* 34 (1975b), págs. 261-297.
— *The Perilous Hunt: Symbols in Hispanic and European Balladry,* Lexington, The University Press of Kentucky, 1980. [Reúne, retocados: «The Moral», «Games», «El conde», «The Hunt», «Magic», «Clothing».]
Romancero (El) en la tradición oral moderna, 1.° Coloquio Internacional (Madrid, 1971), Madrid, Cátedra-Seminario Menéndez Pidal, 1972.
Romancero (El) hoy: 1, *Nuevas fronteras;* 2, *Poética;* 3, *Historia, Comparatismo, Bibliografía crítica,* 2.° Coloquio Internacional, University of California, Davis (1977), Madrid, Gredos, 1979, 3 vols.
Romancero (El). Tradición y pervivencia a fines del siglo XX, Actas del 4.° Coloquio Internacional del Romancero (Sevilla-Puerto de Santa María-Cádiz, 1987), Cádiz, Fundación Machado-Universidad de Cádiz, 1989.
Romancero tradicional de las lenguas hispánicas (español-portugués-catalán-sefardí), Madrid, Seminario Menéndez Pidal-Gredos [edición de textos y estudios, por Diego Catalán y colaboradores]: I: *Romanceros del Rey Rodrigo y de Bernardo del Carpio,* 1957; II: *Romanceros de los Condes de Castilla y de los Infantes de Lara,* 1963; III-IV-V: *Romances de tema odiseico,* 1969-1972; VI-VII-VIII: *Gerineldo el paje y la infanta,* 1975-1976; IX: *Romancero rústico,* 1978; X-XI: *La dama y el pastor,* 1977-1978; XII: *La muerte ocultada,* 1985.
ROMERO, Francisco, «Hacia una tipología de los personajes del Romancero», en *El Romancero hoy,* 1979, cit., vol. II, págs. 251-273.
ROMERO DE LECEA, Carlos, *La imprenta y los pliegos poéticos,* Madrid, Joyas Bibliográficas, 1974.
ROSSI-ROSS, Elena, «Style and Pathos in the Spanish Epic *Planctus:* an Aesthetic Critique of *Roncesvalles*», en *RCEH,* XII (1988), págs. 429-445.
RUIZ FERNÁNDEZ, María Jesús, «Tipología de la esposa desdichada

en el Romancero tradicional bajoandaluz», en *Draco*. Revista de Literatura, Universidad de Cádiz, 2 (1990), págs. 93-119.
— *El romancero tradicional de Jerez: estado de la tradición y estudio de los personajes,* Jerez, Caja de Ahorros, 1991.
SAGE, Jack, «Early Spanish Ballad Music: tradition or metamorphosis?», en *Medieval Hispanic Studies presented to Rita Hamilton,* Londres, Thamesis Book, 1976, págs. 195-214.
SÁNCHEZ ROMERALO, Antonio, «Hacia una poética de la tradición oral. Romancero y lírica: apuntes para un estudio comparativo», en *El Romancero,* 1972, cit., págs. 207-231.
— «Mis amoresé», en *Studia hispanica in honorem R. Lapesa,* Madrid, Gredos, 1974, vol. II, págs. 577-591.
— (ed.), *Romancero rústico,* 1978; cfr., *supra, Romancero Tradicional,* vol. IX.
— «El romancero oral ayer y hoy: Breve historia de la recolección moderna (1782-1970)», en *El Romancero hoy,* 1979a, cit., vol. I, págs. 15-51.
— «Razón y sinrazón en la creación tradicional», en *El Romancero hoy,* 1979b, cit., vol. II, págs. 13-28.
— «Presencia de la voz en la poesía oral», en *El Romancero. Tradición,* 1989, cit., págs. 11-24.
— «La edición del texto oral», en *La edición,* 1990 (cit. *sub* Débax), págs. 69-77.
SANDMANN, Manfred, «La "mezcla de los tiempos narrativos" en el Romancero Viejo», en *RJ,* 25 (1974), págs. 278-293.
SAULNIER, V. L., «Mellin de Saint-Gelais, Pernette du Guillet et l'air "Conde Claros"», en *BHR,* 32 (1970), págs. 525-537.
SAUNAL, Damien, «Une conquête définitive du "romancero nuevo": le romance assonancé», en *Mélanges à la memoire de Jean Sarrailh,* París, Institut d'Etudes Hispaniques, 1966, vol. II, páginas 355-375, y en *Abaco.* Estudios sobre literatura española, 2 (1969), págs. 93-126.
SCHIAVO, Leda, «Apuntes para un estudio de las "transformaciones" en el romance de *Gerineldo*», en *El Romancero hoy,* 1979, cit., vol. III, págs. 183-195.
SEAY, Hugh Nelson jr., *A classification of Motifs in the traditional Ballads of Spain,* Phil. Diss., University of North Carolina, 1957.
SECO, Manuel, «Autoridades literarias en el *Tesoro* de Covarrubias»,

en *Homenaje a Pedro Sainz Rodríguez,* Madrid, Fundación Universitaria Española, 1986, vol. II, págs. 609-622.

SECO DE LUCENA PAREDES, Luis, «La historicidad del romance *Río Verde, río Verde*», en *Al-Andalus,* XXIII (1958), págs. 75-96; recogido en el opúsculo del autor *Investigaciones sobre el romancero. Estudio de tres romances fronterizos,* Madrid, 1958.

SEEGER, Judith, «The Curious Case of Conde Claros: A Ballad in Four Traditions», en *JHPh,* XII (1987-88), págs. 221-237.

— *Study of an Oral Romance Tradition: The «Conde Claros de Montalván»,* Nueva York, Garland, 1990.

SEGRE, Cesare, «Il sogno di Alda tra *chanson de geste, chanson de femme* e *romance*», en *Medioevo Romanzo,* VIII (1983), págs. 3-9.

SEVERIN, Dorothy S., «Gaiferos, Rescuer of his Wife Melisenda», en *Medieval Hispanic Studies,* 1976 (cit. *sub* Sage), págs. 227-239.

SHIELDS, Hugh, «A quand une édition critique de la chanson narrative française?», en *Ballad Research,* 1986, cit., págs. 241-250.

SILVERMAN, Joseph H., «La contaminación como arte en un romance sefardí de Tánger», en *El Romancero hoy,* 1979, cit., vol. II, páginas 29-37.

— «On Lope's art of citing ballads: *Peribáñez y el Comendador de Ocaña* once more», en *Studies in Honor of William C. Mc Crary,* Lincoln, Society of Spanish and Spanish American Studies, 1986, págs. 195-204.

SIMMONS, Merle Edwin, *A bibliography of the* Romance *and Related Forms in Spanish America,* Bloomington, Indiana University Press, 1963; reimpr. Westport/Conn., Greenwood Press, 1972.

SMITH, Colin C., «On the Ethos of the *Romancero viejo*», en *Studies,* 1972, cit., págs. 5-24.

— «The Cid in Epic and Ballad», en *European Writers.* The Middle Ages and the Renaissance, Nueva York, Scribner, 1983, vol. I, págs. 113-136.

— «Some Thoughts on the Application of Oralist Principles to Medieval Spanish Epic», en *Essays on Hispanic Themes for Gareth Alban Davies,* Leeds, 1987, págs. 9-26.

SOLÀ-SOLÉ, Josep María, «En torno al romance de la morilla burlada», en *HR,* XXXIII (1965), págs. 136-146.

SORIANO DEL CASTILLO, Catherine, «"Durandarte y Belerma" en el manuscrito II-2803 de la Biblioteca de Palacio», en *RFilR,* 7 (1990), págs. 197-217.

SPITZER, Leo, «Stilistisch-Syntaktisches aus den spanischen-portugiesischen Romanzen», en *ZRPH,* 35 (1911), págs. 192-230 y 257-308.
— «Notas sobre romances españoles. I: Observaciones sobre el romance florentino de Jaume de Olesa y del infante Arnaldos», en *RFE,* XXII (1935), págs. 153-174.
— «Los romances españoles: el *Romance de Abenámar*», en *Asomante,* I (1945), págs. 7-29; recogido en sus libros *Sobre antigua poesía española,* Buenos Aires, Universidad, 1962, págs. 61-84, y *Estilo y estructura en la literatura española,* Barcelona, Crítica, 1980, págs. 119-145.
— «The Folkloristic Pre-Stage of the Spanish Romance "Conde Arnaldos"», en *HR,* XXIII (1955), págs. 173-187, y XXIV (1956), págs. 64-66; recogido en *Sobre antigua poesía,* cit., págs. 87-103, y en *Estilo y estructura,* cit., págs. 146-164.
Studies of the Spanish and Portuguese Ballad, Londres, Tamesis Books, 1972.
SUÁREZ ÁVILA, Luis, «El romancero de los gitanos bajoandaluces. Del romancero a las tonás», en *Dos siglos de flamenco,* Actas de la conferencia internacional (Jerez, 1988), Jerez, Fundación Andaluza de Flamenco, 1989, págs. 29-129.
SUÁREZ PALLASÁ, Aquilino, «Romance del conde Arnaldos: interpretación de sus formas simbólicas», en *Románica* [La Plata], VIII (1975), págs. 135-180.
— «Doctrina metafísica tradicional del Romance de la Infantina Encantada», en *Letras* [Univ. Católica Argentina], VI-VII (1982-1983), págs. 192-207.
SWISLOCKI, Marsha, «Ballad Formation in the Plays of Lope de Vega», en *El Romancero hoy,* 1979, cit., vol. III, págs. 63-73.
— «On the *Romancero* in *Peribáñez:* la *Esposa fiel* and *La adúltera*», en *REH-PR,* IX (1982), págs. 233-240.
— «El romance de *La adúltera* en algunas obras dramáticas de Lope de Vega: pretextos, intertextos y contextos», en *BHS,* LXIII (1986), págs. 213-223.
— «Una aproximación al romance de "En las almenas de Toro"», en *Hispanic Studies,* 1988, cit., págs. 227-233.
SZERTICS, Joseph, *Tiempo y verbo en el romancero viejo,* Madrid, Gredos, 1967.
— «Observaciones sobre algunas funciones estilísticas del pretérito

indefinido en el romancero viejo», en *ETL,* II (1974), págs. 189-197.

— «Tiempo verbal y asonancia en el Romancero Viejo», en *Homenaje a don Agapito Rey,* Bloomington, Indiana University, 1980, págs. 179-194.

TÉLLEZ-HAMMONS, Beatriz, y BAGBY, Alberto jr., «La repetición como rasgo estilístico del romancero», en *LT,* IV (1990), págs. 397-418.

TORRES FONTES, Juan, «El Fajardo del "Romance del Juego del Ajedrez"», en *Revista Bibliográfica y Documental,* II (1948), páginas 305-314.

— «La historicidad del romance "Abenámar, Abenámar"», en *AEM,* 8 (1972-73), págs. 225-256.

TRAPERO, Maximiano, «En busca del romance perdido: "Río Verde, río Verde"», en *RDTP,* XLI (1986), págs. 59-86.

— «El romance "Río Verde, río Verde": cuatro siglos de tradición ignorada», en *Homenaje a Alonso Zamora Vicente,* Madrid, Castalia, 1989a, vol. II, págs. 431-450.

— «Estilo épico en el romancero oral moderno: *El Cid pide parias al rey moro* en la tradición canaria», en *El Romancero. Tradición,* 1989b, cit., págs. 669-691.

— *Los romances religiosos en la tradición oral de Canarias,* Madrid, Ediciones Nieva, 1990.

— «El romance "Río Verde": sus problemas históricos y literarios y su especial relación con Canarias», en *Anuario de Estudios Atlánticos,* 37 (1991), págs. 207-237.

— «Los estribillos romancescos de La Gomera: su naturaleza y funcionalidad», en *Estudios,* 1992, cit., págs. 127-145.

TREJO, Laura, «*La muerte de don Beltrán:* tópico y novedad», en *Medievalia* [México, UNAM], 8 (1991), págs. 13-26.

TRIWEDI, Mitchell D., «Las citas romancísticas de S. de Covarrubias», en *Thesaurus,* XXXIX (1984), págs. 321-329.

VALCÁRCEL, Carmen, «La realización musical de la poesía renacentista», en *Edad de Oro,* VII (1988), págs. 143-159.

VALENCIANO, Ana, «Los romances tradicionales: el "texto" y el "informante"», en *Congreso de Literatura (Hacia la literatura vasca),* Madrid, Castalia, 1989, págs. 425-438.

— «Memoria, innovación y censura colectiva en la tradición oral: épica yugoslava *versus* Romancero hispánico», en *Estudios,* 1992, cit., págs. 33-44.

VAQUERO, Mercedes, «The tradition of the Cantar de Sancho II in fifteenth-Century historiography», en *HR,* LVII (1989), páginas 137-154.
— «El rey don Alfonso, al que dixieron el Bravo e el de las partiçiones», en *BRAE,* LXX (1990a), págs. 265-288.
— «El Cantar de la Jura de Santa Gadea y la tradición del Cid como vasallo rebelde», en *Olifant,* 15 (1990b), págs. 47-84.
— «Relaciones feudo-vasalláticas y problemas territoriales en el Cantar de Bernardo del Carpio», Comunicación al Twelfth Intern. Congress of Société Roncesvals (1991), resumida en *Olifant,* 16 (1991), pág. 176.
— «Épica francesa y épica española en el *Romançe del Conde Dirlos*», en *Historias y ficciones:* Coloquio sobre la literatura del siglo XV, Valencia, Universidad, 1992, págs. 93-108.
VIAN HERRERO, Ana, «"La prisión de Francisco I de Francia" (CGR 0250): representaciones de la Monarquía en una balada tradicional del sur de Europa», en *El Romancero. Tradición,* 1989, cit., págs. 159-185.
VICTORIO, Juan, *El amor y el erotismo en la literatura medieval,* Madrid, Ed. Nacional, 1983.
— «La ciudad-mujer en los romances fronterizos», en *AEM,* 15 (1985), págs. 553-560.
VILLEGAS, Juan, «La brisa emotiva de un romance viejo: "Aviso de la fortuna y derrota de don Rodrigo"», en *H,* LVII (1974), páginas 13-22.
VOSSLER, Karl, «Carta española a Hugo von Hofmannsthal», en su libro *Algunos caracteres de la cultura española,* Buenos Aires, Espasa-Calpe, 1946, págs. 9-48 [1.ª ed. en *Eranos,* 1924].
Vox Feminae. Studies in Medieval Woman's Song, Kalamazoo, Western Michigan University, 1981.
WEBBER, Ruth House, *Formulistic Diction in the Spanish Ballad,* Berkeley-Los Angeles, University of California Press, 1951.
— «Ballad Openings: Narrative and Formal Function», en *El Romancero hoy,* 1979, cit., vol. II, págs. 55-64.
— «Lenguaje tradicional. Epopeya y romancero», en *Actas del Sexto Congr. Intern. de la AIH,* 1980 (cit. *sub* Kish), págs. 779-782.
— «Ballad Openings in the European Ballad», en *Comparative Research,* 1985, cit., págs. 582-597.

— «Hispanic Oral Literature: Accomplishments and Perspectives», en *OT*, 1 (1986), págs. 344-380.

— «Hacia un análisis de los personajes romancísticos», en *El Romancero. Tradición,* 1989, cit., págs. 57-64.

— «Observaciones sobre los personajes del romancero», en *Estudios,* 1992, cit., págs. 17-32.

WHETNALL, Jane, «Lírica femenina in the Early Manuscript Cancioneros», en *What's Past is Prologue.* A Collection of Essays in Honour of L. J. Woodward, Edinburg, Scottish Academic Press, 1984, págs. 138-151.

WHINNOM, Keith, «Desde las Coplas hasta el Romance de la reina de Nápoles», en *Aspetti e Problemi delle Letterature Iberiche.* Studi offerti a Franco Meregalli, Roma, Bulzoni, 1981, págs. 371-383.

WILGUS, D. K., «The Catalog of Irish Traditional Ballads in English», en *Ballad Research,* 1986, cit., págs. 215-227.

WILSON, Edward M., *Tragic Themes in Spanish Ballads,* Londres, The Hispanic and Luso-Brazilian Councils, 1958; reimpreso en 1965; recogido en su libro *Entre las jarchas y Cernuda. Constantes y variables en la poesía española,* Barcelona, Ariel, 1977, páginas 109-129.

— «On the *Romanze que dize mi padre era de Ronda*», en *Medieval Hispanic Studies,* 1976 (cit. *sub* Sage), págs. 267-276.

WOLF, Fernando José, y HOFMANN, Conrado (eds.), *Primavera y flor de romances,* Berlín, Asher, 1856, 2 vols.; reimpresión, con retoques, en MENÉNDEZ PELAYO, Marcelino, *Antología,* cit., vol. VIII, y en el vol. IX integraciones con apéndices de textos de la tradición oral moderna.

WRIGHT, Roger, «How old is the Ballad Genre?», en *LCo,* XIV (1986), págs. 251-257.

— (ed.), *Spanish Ballads,* Warminster, Aris & Phillips, 1987.

— «Several Ballads, One Epic and Two Chronicles (1100-1250)», en *LCo,* XVIII (1989-90), págs. 21-37.

— *Spanish Ballads,* Londres, Grant and Cutler, 1991 [«Critical Guides»].

WÜRZBACH, Natascha, *The rise of the English Street Ballad, 1550-1650,* Cambridge, University Press, 1990 [1.ª ed., en alemán: *Die englische Strassenballade 1550-1650,* Munich, Fink, 1981].

ZAYAS, Francisco J. de, *La estructura paralelístico-conceptual del romance Nuño Vero.* Phil. Diss., Universidad de Miami, 1970.

ZUMTHOR, Paul, *Introduction à la poésie orale,* París, Seuil, 1983.
— *La lettre et la voix. De la "littérature" mediévale,* París, Seuil, 1987 [trad. esp., *La letra y la voz de la "literatura" medieval,* Madrid, Cátedra, 1989].

Ver ADICIONES al final del volumen.

ROMANCERO

TEXTOS EN FUENTES ANTERIORES A 1605

ROMANCES NOVELESCOS

1

¡Quién tuviese atal ventura con sus amores folgare
commo el infante Arnaldos la mañana de san Juane!
Andando a matar la garça por riberas de la mare,
4 vido venir un navío navegando por la mare;
marinero que dentro viene diziendo viene este cantare:
—Galea, la mi galea, Dios te me guarde de male:
de los peligros del mundo, de las ondas de la mare,
8 del regolfo de Leone, del puerto de Gibraltare,
de tres castillos de moros que conbaten con la mare.—
Oídolo ha la prinçesa en los palaçios do estáe:

6-9 Contienen el canto del marinero, con variantes, también la versión del *R.* de *Pliegos Praga,* I, 268, *pl.* XXXII, y —amplificado— la de *CR50A,* (255); en lo demás ambas son afines al Texto 2, que sin embargo desconoce la canción del marinero. Caravaca [1968], [1969] y [1970].

8 *regolfo:* igual que 'golfo'; puede indicar también un movimiento del agua contrario a su curso normal.

10-16 Este segmento del texto es propio del *R. del conde Niño* u *Olinos* (Texto 148), uno de los más conocidos en la tradición oral moderna pero ausente en las fuentes antiguas. El motivo del canto misterioso y hechicero, asociado al mar, en un texto, y el motivo contiguo de la sirena, en el otro texto, ambos bien arraigados en el folklore (Miletich [1985]), hicieron inevitable la contaminación entre los dos *RR.* En nuestra fuente, LBl, el *R.,* con otros dos (Textos 4 y 12), se encuentra entre poesías de Juan Rodríguez del Padrón, de lo cual se ha deducido una posible atribución de autoría. En principio no hay motivo para rechazarla. La aceptaba María Rosa Lida, «Juan Rodríguez del Padrón. Vida y obras», en *NRFH,* VI (1952), 313-351 [320-321n], reimpreso en su libro *Estudios sobre la literatura española del siglo XV,* Madrid, Porrúa Turanzas, 1977, págs. 21-144 [31-33n]; la comparte Aubrun [1980], que da énfasis a la coherencia entre poética, orientaciones te-

—¡Si sallésedes, mi madre, sallésedes a mirare
12 y veredes cómo canta la serena de la mare!
Que no era la serena, la serena de la mare,
que non era sino Arnaldos, Arnaldos era, el infante,
que por mí muere de amores que se quería finare.
16 ¡Quién lo pudiese valere que tal pena no pasase!—

2

¡Quién uviesse tal ventura sobre las aguas de mar
como uvo el conde Arnaldos la mañana de san Juan!

---

mático-culturales, incluso experiencias de vida de Rodríguez del Padrón, y el motivo del 'amor frustrado' que es común a los tres textos y con una ironía de fondo rayana a veces en lo burlesco. Menos en este último punto, coincide en tal lectura de los tres *RR*. Meléndez Hayes [1979], que prefiere ver en Rodríguez del Padrón un reelaborador de textos preexistentes y detecta con finura sus posibles intervenciones. Idéntico el parecer de Débax [1983], que en la contaminación con *Olinos* capta una vena paródica e identifica al marinero como una proyección de Arnaldos. Es una propuesta ingeniosa para salvar cierto contraste entre las dos partes del texto, un 'descuido' realmente excesivo si asociamos de alguna manera el texto a la mano de un poeta como Rodríguez del Padrón; pero nos aparece menos grave, y hasta obvio, si lo endosamos a la fragua de la tradición oral: allí la coherencia, más de una vez, se confía a la asociación de imágenes y motivos afines, a expensas de la lógica narrativa.

11-16 En *Olinos* el contenido de nuestros vv. 11-12 se atribuye a la madre y lo que sigue a la voz de la hija. Dada la situación objetivamente confusa de esta zona del texto, más allá de la aparente inversión de papeles, en general se prefiere no intervenir, dejando a la hija el parlamento entero. Débax ve en ese punto la raíz del fracaso amoroso de Arnaldos, y —como Meléndez Hayes— atribuye los vv. 13-16 a la voz de la madre, recuperando así cierta transparencia para el final. Sin duda tenemos delante una situación textual muy delicada y que puede representar un momento efectivo de la vida del *R*. Mi opción de renunciar a intervenciones nace de una sospecha: que las inconexiones del texto deriven de un proceso —más o menos automático— de ocultación del tema de la rivalidad erótica entre madre e hija; un tema que puede ser chistoso en coplillas líricas pero que en el *romancero* se ve obligado a la vía estrecha de las ambigüedades y de los disfraces; cfr. el Texto 36 y su homología sustancial con el *Olinos* moderno bajo este aspecto; y, para la ladera masculina, el Texto 131. Ahora bien, repartiendo nuestro segmento entre hija y madre, se restituye claridad a una zona de sombra y se racionaliza; pero me temo que con ello se pierde la evidencia de una inquietud que en la sombra tenía su refugio y alivio.

12 *serena:* forma vulgar de *sirena*, corriente en lo antiguo.

Con un falcón en la mano la caça iva caçar;
4 vio venir una galera que a tierra quiere llegar:
las velas traía de seda, la exercia de un cendal;
marinero que la manda diziendo viene un cantar
que la mar fazía en calma, los vientos haze amainar,
8 los peces que andan 'n'el hondo arriba los haze andar,
las aves que andan bolando 'n'el mastel las faz posar.
Allí fabló el conde Arnaldos, bien oiréis lo que dirá:
—Por Dios te ruego, marinero, dígasme ora esse cantar.—
12 Respondióle el marinero, tal respuesta le fue a dar:
—Yo no digo esta canción sino a quien comigo va.—

---

5 *exercia:* 'jarcia'; *cendal:* 'tela de lino o seda, muy fina'.

13 Es el v. más famoso del *R.* más celebrado a partir de la época romántica, pero que en lo antiguo se documenta sólo en un *Cancionero* ms. (cfr. Texto 1, que desconoce este v.), en *CR[47]* con sus reimpresiones y en un *pliego suelto.* Se ha discutido mucho si tan sugestivo final 'inacabado' era originario del texto o si fue un infortunio en la transmisión oral, o si nació del corte de un músico o de un glosador o de un poeta. La contaminación que afecta al Texto 1 podría haber sido la respuesta de la tradición a una falta existente —o por lo menos advertida como tal— ya en el siglo XV. El texto que se supone completo se suele identificar con versiones del *R.* recogidas modernamente entre los hebreos de Marruecos: cfr. el Texto 158. Según sintetiza bien Rogers [1975a], 271, el *R.* «es un concentrado de lugares comunes. El día de San Juan, la caza, la orilla del mar, el barco maravilloso, los efectos del canto, incluso la llamada canción mágica, son motivos que cada uno de por sí no representan inequívocamente un factor sobrenatural; sin embargo, todos juntos, influenciándose y reforzándose mutuamente, emanan una atmósfera de misteriosas fuerzas capaces de alterar el destino del hombre» [tr. mía]. Y capaces de estimular una formidable actividad exegética, muy inclinada hacia lecturas simbólicas inevitablemente opuestas entre sí; un ejemplo: en el *R.* se representa el camino del Hombre-*Arnaldos* hacia la Iglesia-*galera,* que surca el *mar* del Mundo, respondiendo a la llamada del *marinero*-Pedro-Cristo: Hart [1957]; concuerda, sin saberlo, Suárez Pallasá [1975], con itinerario y blancos de más alto vuelo; al contrario: «Arnaldos, yendo en pos de su pasión erótica, es seducido por el canto mágico de la sirena-marinero, cediendo así a los encantos de la tentación carnal»: Hauf-Aguirre [1969], 111; cfr. además Huber [1968], Gornall [1983], Mac Curdy [1983] y Martínez Mata [1989]. Caravaca, que ha dedicado al *R.* prolongadas exégesis (cfr. Bibliografía), expone una lectura del texto 'completo', o sea, con la 'continuación' sefardita, como lugar poético de confluencia de tres motivos: el órfico del poder del canto, el odiseico de la aventura marítima y el folklórico del reconocimiento [1971]. Los dos vv. finales dan el título a unas reflexiones de Débax [1988] sobre la magia del lenguaje del *romancero.*

3

Yo me levantara, madre, mañanica de sant Juan.
Vide estar una donzella ribericas de la mar;
sola lava y sola tuerce, sola tiende en un rosal;
4 mientra los paños s'enxugan dize la niña un cantar:

---

1 Es el típico exordio romanceril en primera persona, de raigambre lírica; y en ámbito de lírica popular cito sólo: «Yo me levantara un lunes, / un lunes antes del día; / viera estar al ruiseñor»: *CALP*, 629 (del ms. Madrid BP1: vol. 3b, núm. 327 [1505], págs. 423-424), y también ms. Madrid BP1: vol. 3b, núm. 359 [1505], págs. 440-441. En el *R*. la voz parecería la de un narrador que ha sido testigo de la escena relatada, de la cual es protagonista la *donzella*, como lo es del *R*. ¿Quién es ese narrador? La tradición temático-formular que respalda el *R*. —con sus 'levantarse' 'mañana de san Juan' 'riberas del mar' 'madre' 'doncella' 'lavar' 'rosal' 'canción' 'ausencia del amado' 'peinar los cabellos' 'marinero' 'pregunta por el amado ausente'— es la de los cantarcillos y villancicos populares del siglo XV y del XVI, la que había asomado ya en las *jarchas* mozárabes y en las *cantigas de amigo* gallego-portuguesas: Alín [1968], 149-288 para una reseña de los temas y *CALP*, en particular el apartado 31 y, para la canción de la doncella, los núms. 519A y 519B. Situaciones tópicas, en tal contexto poético, son el despertar-levantarse y el apelar a la madre, lamentando las angustias de amor o celebrando los regocijos del eros. Quien apela a la madre suele ser la hija; pero se conocen casos no raros que presentan en ese papel a un varón: Fernando Cabo Aseguinolaza, «Sobre la perspectiva masculina en la lírica tradicional castellana», en *Actas del 1.º Congreso de la Asociación Hispánica de Literatura Medieval* (1985), Barcelona, PPU, 1988, págs. 225-230. No creo arriesgado suponer que en el *R*. es el hijo quien anuncia a la madre sus propios amores, en la forma indirecta —documentada— de la evocación de la doncella que busca al amado, o sea, a él. Se respetaría, así, el modelo de las situaciones tópicas al que aludía antes. En cambio, si atribuimos el exordio al narrador-testigo de una escena, debemos pensar que en el *R*. se pone en obra un juego de decepción del destinatario: se emite la señal de exordio codificada como anunciadora de la voz que relata de sí misma, y se descubre después que refiere amores ajenos. Cabe una hipótesis más: una voz femenina habla de sí en tercera persona, como a través de una figura ficticia. Puede ser una lectura —y sería una invención— ya un tanto rebuscada. Tengamos presente, en fin, que en el género lírico hay ejemplos para apoyar una u otra de las interpretaciones propuestas; y que en el *romancero* más abierto a sugestiones de la lírica, en el novelesco y también en el histórico, es frecuente la voz masculina protagonista.

2 Cfr. «Pela ribeyra do rio / cantando ia la dona-virgo / d'amor...», de Johan Zorro: Vicente Beltrán ed., *Canción de Mujer. Cantiga de Amigo*, Barcelona, PPU, [s.a.], pág. 65.

3 Cfr. «Ribericas del río / de Mançanares / tuerce y lava la niña / y enjuga al ayre»: *CALP*, 2278.

—¿Dó los mis amores, dólos? ¿Dónde los iré a buscar?—
Mar abaxo mar arriba diziendo iva un cantar,
peine de oro en las sus manos y sus cabellos peinar:
8 —Dígasme tú, el marinero, que Dios te guarde de mal,
si los viste a mis amores, si los viste allá passar.—

4

Yo me iva para Françia do padre y madre tenía.
Errado avía el camino, errado avía la vía;
arriméme a un castillo por atender compañía.
4 Por í viene un escudero cavalgando a la su g[u]isa.
—¿Qué fazes aí, donzella, tan sola y sin compañía?—
—Yo me iva para Françia do padre y madre tenía.
Errado avía el camino, errado avía la vía.
8 Si te plaze, el escudero, llévesme en tu compañía.—
—Plázeme —dixo—, señora, sí faré por cortesía.—
Y a las ancas del cavallo él tomado la avía.
Allá en los Montes Claros de amores la requería.

---

9 Cfr. «Ondas do mar de Vigo / se vistes meu amigo?» de Martin Codax: Beltrán, cit. pág. 83. Un buen sumario de tales lugares comunes, y de sus vertientes simbólicas, incluyendo 'agua fría' y 'agua turbia' (Texto 37), 'lavado', 'baños' (Textos 21 y 146), 'camisa' (Texto 25), etc., en Egla Morales Blouin, *El ciervo y la fuente. Mito y folklore del Agua en la lírica Tradicional,* Madrid, Porrúa Turanzas, 1981, y en Battesti-Pelegrín [1985], más interesada en los niveles simbólicos.

4 *Por í viene:* en los Textos 8 y 37 es idéntico o análogo el sintagma que anuncia la entrada en escena del protagonista masculino, según la tradición poética del encuentro erótico fortuito, en nuestros casos destinado al fiasco. El *R.*, como muestran mejor las dos versiones siguientes, reelabora una canción francesa: detalles en las notas del Texto 5.

4 *escudero:* en los Textos 5 y 6 *cavallero.* Según *RH,* II, 14-15, el cambio maduró en tiempos de Carlos V, al pasar la nobleza de militar a cortesana: *escudero,* que antes definía al hijo de aristócrata, bajó a indicar a la persona de rango inferior que estaba a su servicio.

9 *dixo:* la lectura del ms. es dudosa; podría ser *dilo.* Con el verso sucesivo la narración sigue en tercera persona, según una modalidad que volveremos a encontrar: cfr. la nota 1 del Texto 68.

11 *Montes Claros:* existen entre las dos Castillas y en el norte de África; en el *R.* son más bien una nota exótica: Devoto [1953], 392 y *passim* para una reseña de las fórmulas romanceriles en las versiones de este *R.*

12 —Tate, tate, el escudero, no fagáis descortesía.
Fija soy de un malato, lleno es de maletía,
y si vos a mí llegades luego se vos pegaría.—
Andando jornadas ciertas a Françia llegado avía.
16 Allí fabló la donzella, bien oirés lo que diría:
—¡Oh covarde el escudero, bien lleno de covardía!:
tuvo la niña en sus braços y él no supo servilla.—

5

De Francia partió la niña, de Francia la bien guarnida;
ívase para París dó padre y madre tenía.
Errado lleva el camino, errada lleva la guía;
4 arrimárase a un roble por esperar compañía.

---

12 *Tate:* 'quedo'. Vuelve en los *RR*. 8 y 111; sobre su uso Devoto [1953], 391-392.

13 *malato:* 'leproso', como *maletía* [así escribe el ms.] es 'lepra'. Cfr. la nota 4 del Texto 5.

18 El 'servicio' que la doncella lamenta no haber recibido, había sido propuesto por el escudero (v. 11) y rechazado por ella como acto de *descortesía* (v. 12). Lanzar al final un reproche de *covardía* frente a la enfermedad, que implícitamente se revela haber sido ficticia, es la maliciosa superchería de una criatura cruel, que primero frustra la virilidad del escudero y después la ridiculiza poniéndola en duda. Con tonos y algún motivo de la *chanson de femme*, como su exordio en persona *yo,* el *R*. es también un canto desde la ladera femenina, hoy diríamos feminista: desenmascara una 'cortesía' masculina impuesta solamente por el miedo, y exalta en la *niña* una seguridad graciosa y provocativa (cfr. la nota 21-26 del Texto 5). Sin embargo, al lindar con el descaro, esa seguridad femenina puede orientar la lectura del *R*. hacia la vertiente opuesta del antifeminismo, siempre al acecho, y no sólo en época antigua. Cfr. la nota 4 del Texto 5.

4 *roble:* corresponde al *castillo* del Texto 4 y es la primera espía de la mayor proximidad de este Texto con los Textos 6 y 7, en particular con el último en cuanto al perfil vagamente sobrenatural de la doncella. Revestido más o menos brillantemente de pícaras invenciones y suavizado con lindos oropeles, el tema de fondo del multifacético relato es el desasosiego del hombre en un momento decisivo de su destino: en escena las eternas figuras de la hembra diabólica, adornada de inocencia, y del varón prendido, e impotente, en la red de la seducción hasta perderse. Burt [1982b] subraya la asociación, corriente en la Edad Media, de la lepra con la lujuria en relación recíproca de causa y efecto; la doncella impondría así al caballero una frustración doble: al declararse leprosa, o sea, víctima de una enfermedad que podía nacer de la lujuria y la estimulaba, deja entrever un paraíso erótico y al mismo tiempo pone

Vio venir un cavallero que a París lleva la guía.
La niña desque lo vido d'esta suerte le dezía:
—Si te plaze, cavallero, llévesme en tu compañía.—
8 —Plázeme —dixo—, señora, plázeme —dixo—, mi vida.—
Apeósse del cavallo por hazelle cortesía;
puso la niña en las ancas y él subiérase en la silla.
En el medio del camino de amores la requería.
12 La niña desque lo oyera díxole con osadía:
—Tate, tate, cavallero, no hagáis tal villanía.
Hija soy de un malato y de una malatía:
el hombre que a mí llegasse malato se tornaría.—
16 El cavallero con temor palabra no respondía.
A la entrada de París la niña se sonreía.
—¿De qué vos reís, señora? ¿De qué vos reís, mi vida?—
—Ríome del cavallero y de su gran covardía:
20 tener la niña en el campo y catarle cortesía.—
Cavallero con vergüença estas palabras dezía:

---

en guardia contra él; al revelarse princesa de Francia, abre la perspectiva de un paraíso social y de bienestar y al mismo tiempo lo prohibe. Agreguemos que la lepra se consideraba enfermedad típica de individuos de clase social ínfima, más dados a los desenfrenos bestiales de la lujuria. Esto matiza y enriquece los efectos que la doncella confía a sus dos identidades y a la oposición entre ellas.

11 *requería:* «Quant elle fust au boys si beau, / D'aymer il l'a requise» [Cuando ella estuvo en el bosque tan hermoso, / De amor él la ha requerido]: así en una canción francesa, acaso anterior a 1450 y recogida en un ms. de h. 1520, que presenta nada más que una pícara ocasión abortada, en forma muy desnuda, pero vivaz; su moraleja es que palabras de mujer nunca merecen crédito (Françoise Ferrand, ed., *Chansons du XVe, e XVIe, siècles,* París, Union Générale d'Edition, 1986, n. LXXXII, pág. 139).

14 *malatía:* «Je suis la fille d'un meseau» [Yo soy la hija de un leproso], en la *chanson;* siguen unas maldiciones del caballero (aquí un simple «gentil gallant»), más bien groseras y algo estrambóticas.

17 *sonreía:* «Quant elle fust dehors du boys, / El ce print à soubzrire» [Cuando ella estuvo fuera del bosque, / Empezó a sonreír], en la *chanson.*

20 *catarle:* 'guardarle', 'asegurarle'.

21-26 Por su problemática y en vista de los otros Textos, este final podría parecer postizo; pero no hay elementos concretos para sostenerlo. El v. 22 confirma cierta mediocre ingenuidad del caballero, mientras la revelación de la *niña, discreta,* o sea, 'cuerda', evoca un tabú del orden social que podría atenuar la frustración del seductor. Ética y narrativamente, el final responde a una exigencia 'normalizadora', que se acentúa en el Texto 6 y persiste en la tradición oral moderna: *Nahón,* 164; *Florilegio,* 86; *CGR,* 1A, 151-

—Buelta, buelta, mi señora, que una cosa se me olvida.—
La niña como discreta dixo: —Yo no bolvería,
24 ni persona, aunque bolviesse, en mi cuerpo tocaría:
hija soy del rey de Francia y de la reina Constantina:
el hombre que a mí llegasse muy caro le costaría.—

6

De Francia partió la niña, de Francia la bien guarnida.
Perdido lleva el camino, perdida lleva la guía;
arrimárase a un roble por atender compañía.
4 Vio venir un cavallero dispuesto a maravilla.
Comiénçale de hablar, tales palabras dezía:
—¿Qué hazéis aquí, mi alma? ¿Qué hazéis aquí, mi [vida?—
Allí habló la donzella, bien oiréis lo que dezía:
8 —Espero compañía, señor, que a París llevo mi guía.—
Respondióle el cavallero, tales palabras dezía:
—Si te pluguiesse, señora, comigo te llevaría;
si querías por muger o si quieres por amiga.—
12 La niña qu'estava sola, estas palabras dezía:
—Plázeme —dixo—, señor, plázeme —dixo—, mi vida.
Si vos me dades la mano, yo luego cavalgaría.—
El cavallero le da la mano, la niña presto subía.
16 Andando por su camino, de amores la requería.
Aí habló la donzella, bien oiréis lo que dezía:
—Estad quedo, el cavallero, no hagáis tal villanía,

153, donde se señalan, en el mayor relieve y en el perfil enigmático de la *niña* y de su entorno, los rasgos distintivos de los *RR*. frente a la *chanson*. Una reseña sintética de la tradición oral y algún nuevo aporte en Cano González [1987], 313-321.

25 *Francia:* «Je suis la fille d'un bourgeoys» [Soy la hija de un ciudadano], en la *chanson,* que agrega «le plus grant de la ville» [el más importante de la villa]: provocación irresistible para sociologismos, con incursiones en la historia comparada de las mentalidades. En este cotejo me limito a señalar que se encumbra tanto a la niña solamente en esta versión del *R*., la única donde se localiza el mayor número de coincidencias con la *chanson,* que contiene también los motivos de la *villanía* y de la *cobardía* del varón.

1 *guarnida:* 'fortificada'.

que hija soy de un malato   que tiene la malatía,
20 que el hombre que a mí llegasse   luego se le pegaría;
que si vos a mí llegáredes,   la vida vos costaría.
Mucho vos ruego, señor,   que me catéis cortesía.—
E a la salida de un monte   e assomada de una ermita
24 el cavallero iva seguro,   la niña se sonreía.
Aí habló el cavallero,   bien oiréis lo que dezía:
—¿De qué vos reís, mi alma?   ¿De qué vos reís, mi vida?—
La niña que estava en salvo,   aquesto le respondía:
28 —Ríome del cavallero   e de su gran covardía:
que tiene la niña en el monte   e usava de cortesía.—
Desqu'esto oyó el cavallero,   él ahorcar se quería;
con gran enojo que tiene   estas palabras dezía:
32 —Cavallero que tal pierde   grande pena merecía;
él mesmo se es el alcalde,   él mesmo se es justicia:
que le corten pies y manos   e le cuelguen de una enzina.—
Y él en esto estando,   ya que hazer lo quería
36 si no fuera por una hada   que hablarle venía.

---

30 Tan extremosa reacción del caballero apenas la justificaría la pérdida del amor, y tal vez del matrimonio, con una princesa; caso que se da solamente en el Texto 5. La *niña* de esta versión no descuella por su categoría social, que podría ser incluso inferior a la del caballero (cfr. la veloz nota descriptiva del v. 4), según la convención de la *pastorela;* mientras en el Texto 7 la *gran cavallería*, que al final acompaña a la niña, motiva mejor la desesperación del caballero. De ese texto podría haber llegado al nuestro que, en realidad, muestra señas de la erosión de cierta pátina cortesana que exhiben sus 'hermanos', y de la presencia de una distinta poética: el violento autocastigo del caballero es una de esas señas (los vv. 33-34 son formulares; pero cfr. la parte final de la nota 14 del Texto 7); otras son las numerosas contaminaciones, el intensificarse del formulismo, los motivos y giros fraseológicos más bien prosaicos: por ejemplo, los vv. 8a, 14a, 15a (de diez sílabas), 35b y los vv. finales, para los cuales cfr. la nota siguiente.

36 *hada:* Es inevitable poner en relación con las *fadas* del Texto 7 a esta hada benigna, que parece brotada como revancha de lo maravilloso cristiano contra los resabios de paganismo que alimentaban a aquéllas. La 'normalización' de la aventura y de su final, apuntada ya en la nota 21-26 del Texto 5, alcanza aquí tonos piadosos que aluden claramente a la derrota del ser infernal: el caballero es recuperado a la vida (hay eco del final del Texto 45) y el eros se sublima en servicio de Dios y de una *santa María* que desplaza a la hembra terrenal. Como si no bastara tanta evidencia del texto, el *pliego suelto* le agrega una *Desecha del cavallero con enojo,* donde resuena la poética señalada en la nota anterior: «Plega a Dios que alguno amés / como yo amé a vos / porque rabiéis y penéis / sin ser conformes los dos, / y

Las palabras que le dize quienquiera se las sabía:
—No desesperes, cavallero, no desesperes de tu vida.
Dios te dará grande victoria en arte de cavallería,
40 que con los vivos le sirve e su madre santa María.—

7

A caçar va el cavallero, a caçar como solía.
Los perros lleva cansados, el falcón perdido avía.
Arrimárase a un roble, alto es a maravilla.
4 En una rama más alta vi[e]ra estar una infantina;
cabellos de su cabeça todo el roble cobrían.
—No te espantes, cavallero, no tengas tamaña grima.
Fija soy yo del buen rey y de la reina de Castilla;

él se goze e vos rabiéis; / él que diga: —Vos ¿qué avéis? —, / vos a él: — No me queréis, —; / responda: — No puedo veros. —». La normalización remata así su triunfo. ¿Acaso la mano que preparó el *pliego* entró también en los textos? En efecto, la *Desecha* parece la versión muy retocada de una breve canción presente en varios *Cancioneros* mss. y en uno de ellos atribuida al marqués de Astorga: ms. Madrid BP1: vol. 3b, núm. 58 [1505], págs. 275-276. *R.* y *Desecha* aparecen también en *Pliegos Madrid,* I, pl. XI, págs. 80-81, un cuaderno que se atribuye entero a Rodrigo de Reinosa.

2 El cazador que no dispone ya de los perros ni del azor está destinado al fracaso. La pérdida del azor, símbolo abusado de virilidad, tiene particular significado en vista de la 'caza de amor' inminente. Cfr. Devoto [1960] y McGrady [1986], 162-169 y [1989].

4 *vi[e]ra:* la fuente presenta *vira,* en el v. 8 *fadaren* y en los vv. 17 y 19 *montina.* Son rasgos que podrían apuntar a hablas del noroeste de la Península, área que atesora un folklore narrativo impregnado de elementos maravillosos, ajenos al *romancero* menos en este caso; y cfr. más abajo la nota 14.

4-5 La identidad sobrenatural de la protagonista, en un marco de selvas y montes, es peculiar de este Texto. El roble y los cabellos que lo cubren entero son figura del vigor de la naturaleza en su vertiente más irresistible, la del eros: Spitzer [1955]. Sublimación: el *R.* nos muestra que «visión y fe son condiciones para alcanzar la vida eterna»: Suárez Pallasá [1982-83], pág. 207. Otros casos de lecturas 'a lo divino' en la nota 13 del Texto 2 y en la nota 1 del Texto 13. Son ejemplos de 'contrahechuras' en prosa de nuestros días, sin duda ingeniosas y bien logradas, que siguen confirmando el luminoso hallazgo del *Cantar de los cantares:* el lenguaje del deseo es único, tanto que hable del deseo de un cuerpo como del deseo de Dios, no tan opuestos quizá.

6 *grima:* 'desazón' y hasta 'horror'.

8 siete fadas me fadaron en braços de una ama mía,
que andasse los siete años sola en esta montiña.
Oy se cumplían los siete años o mañana en aquel día.
Por Dios te ruego, cavallero, llévesme en tu compañía,
12 si quisieres por muger, si no sea por amiga.—
—Esperéisme vos, señora, fasta mañana aquel día;
iré yo tomar consejo de una madre qu tenía.—

---

8 La creencia en «fadas que fadan a los omnes o a las mugeres quando nasçen», solía atribuirse más bien a tradiciones de la cultura judía: *Contra las hadas,* tratado de fines del siglo XV en *Incipit,* X (1990), pág. 118. Un ejemplo en el poemita de Montoro cit. en la nota 3 del Texto 93, vv. 107-108. Pantasilea, en el *Planto* escrito por Rodríguez del Padrón, impreca: «¡Oh, maldita sea la fada, / cuitada, que me fadó» (vv. 93-94).

9 *montiña:* 'bosque', pero también 'montaña'. La niña en el monte es un topos lírico: cfr. *CALP*, 6, 313, 1002-1005B.

10 Los *siete años* son momento fatídico de cambio de condición; y fórmula corriente en el folklore y en el *romancero:* Devoto [1959].

12 La fórmula expresa bien lo incondicional de la oferta de la *infantina,* decidida a librarse de su mágica suspensión y renacer en unión del caballero, para quien llega así el momento de la emancipación. Una vez más se conjugan y representan, inconfundibles y conturbadores, los mitos del despertar primaveral y de la transición de la adolescencia a la madurez. Es la historia de *Blancanieves* o de *La bella durmiente,* sin su amanerado 'infantilismo'.

14 Evocando a la madre, o a la esposa en otros casos, el caballero se refugia en el área protectora de las relaciones familiares legítimas y consagradas. El aviso que de allí recibe quiere protegerle en su paso hacia lo incógnito. De esta sujeción nace el fracaso en la que era prueba de madurez: cfr. lo opuesto en el Texto 144 (nota 83-86), profundamente afín a éste. Motivo contiguo es el de la ineptitud en agarrar la ocasión favorable que la suerte de pronto depara, el *kairós* de los griegos. No olvidemos, también, el perfil de la mujer como perturbadora de un orden, latente en varios *rr.;* motivo siempre alerta para imponerse sobre los demás. Femenina fue la mano que en 1929, al lado de los vv. en cuestión, apuntó —como voz propia o del informante— el seco comentario «Mira qué burro»: *Nahón,* pág. 176. Para textos orales modernos cfr. el Texto 147 y sus notas. No podemos excluir, por último, ecos del tema melusiniano, el de la mujer maravillosa que ofrece al caballero su hermosura y riquezas para vivir con él una experiencia humana de esposa y de madre: Laurence Harf-Lancner, *Les fées au Moyen Age. Morgane et Mélusine. La naissance des fées,* París, Champion, 1984; y cfr. los Textos 12 y 13. Del carácter sobrenatural de la protagonista, del encuentro como prueba y de la inmadurez del cazador trata Mitchell [1987], quien recupera y comenta acertadamente —con un remite a Jung— un relato folklórico vasco, que ya habían aprovechado de paso Caro Baroja en *Algunos mitos españoles* de 1941 y Rogers [1974], 164-165; su afinidad con el *R.* es tal que no sería atrevido leer nuestro poemita como una deliberada y regustada racionalización de ese relato en ámbitos para-cortesanos. En esta ladera cultural, la

La niña le respondiera y estas palabras dezía:
16 —¡Oh, mal aya el cavallero que sola dexa la niña!—
El se va a tomar consejo y ella queda en la montiña.
Aconsejóle su madre que la tomasse por amiga.
Cuando bolvió el cavallero no hallárala [en la] montiña;
20 vídola que la llevavan con muy gran cavallería.
El cavallero desque la vido en el suelo se caía;
desque en sí uvo tornado, estas palabras dezía:
—Cavallero que tal pierde muy gran pena merescía.
24 Yo mesmo seré el alcalde, yo me seré la justicia:
que le corten pies y manos y lo arrastren por la villa.—

8

Gentil dona, gentil dona, dona de bell parasser,
los pes tingo en la verdura esperando este plaser.

'ocasión perdida' y el castigo correspondiente fueron tema recurrido (y cfr. el Texto 26). En 1599 llegó a ponerse en escena durante las fiestas valencianas por las bodas de Felipe III y Margarita: «Sobre un carro un caballero era conducido a ajusticiar por orden de la diosa Venus. Era castigado porque "tuviendo buena ocasión de gossar de su hermosa dama, a quien tanto amaba, no quisso gossar della por temor y amor que le tenia". Diversas figuras adornaban la carroza: Ocasión, Aviso, Entendimiento, Ánimo Valeroso, Buen Sufrimiento y Esfuerzo Valeroso, estos cuatro últimos vestidos de ermitaños. Otra figura representaba el Pesar. A caballo acompañaban a la carroza el Apetito, el Arrepentimiento y el Miedo. Detrás de todos seguía la figura de Venus» (Teresa Ferrer Valls, *La práctica escénica cortesana: de la época del Emperador a la de Felipe III*, Londres, Támesis, 1991, pág. 119 n.). Poco se diferencia esta máquina de una glosa, barroca, del *R*.

1 El primer v. podría atribuirse a la voz de un narrador, como en el Texto 37, que coincide con éste en más de un lugar; o a la voz de la misma dama, como una autoalabanza que prepara la oferta de sí. Adopto la segunda lectura, para un texto transcrito sin duda con poco cuidado y que resiente de un recuerdo imperfecto, o porque desgastado ya o porque era demasiado reciente. En efecto, frente a quien piensa que ese recuerdo remontaba a los años mallorquines de Olesa y que el texto ya entonces debía de estar tradicionalizado y contaminado de catalanismos (*RH*, II, 204), hay quien sostiene —al contrario— la posibilidad de que ese recuerdo fuera muy nuevo: Olesa pudo aprender el *R*. en Bolonia y en castellano, lengua que transcribió mal por serle poco familiar (Massot [1961], 160 y Rico [1990b], 6). Cfr. también Armistead [1990], 465-468.

2 *los pes:* como los cabellos, los pies gozan de relieve erótico y simbolizan, en el prado verde, la invitación sexual.

Por hí passa ll'escudero, mesurado e cortés;
4 les paraules que me dixo todes eren d'emorés.
—Tate, escudero: este coerpo, este corpo a tu plaser;
les titilles agudilles qu'el brial queran fender.—
Allí dixo l'escudero: —No es hora de tender:

3-4 Cfr. los vv. 4-5 del Texto 37. Sobre las afinidades con *Fonte frida* y *Rosa fresca* Levi [1933], 61-63; Atkinson [1937], 49-50; Rico [1990b], 4. La forma *emorés* se debe a oscilación fonética y al desplazamiento acentual impuesto por la asonancia, fenómeno éste ilustrado en *RT,* X, págs. 25-27.

5 *Tate:* 'quedo'; cfr. Textos 4 y 111. Aquí puede ser una simple interjección o apuntar el juego malicioso del negarse después de la provocación y antes de la entrega.

6 Nunca desatendidas en las anatomías literarias menos inhibidas, las *tetillas agudillas* asoman en más de un canto de pastora: «les mameletes me poignent» o «si me point la mamelete / que n'i puis durer»: Karl Bartsch, *Altfranzösische Romanzen und Pastourellen,* Leipzig, Vogel, 1870 [reimpresión Genève, Slatkine, 1973], págs. 169 y 191; *RH,* I, 340.

7 *tender:* 'alargar o extender' con valor de 'demorarse'; o bien 'echarse, tumbarse'; o bien 'abandonar la solicitud de un asunto por negligencia': son tres de las acepciones que ofrece el *DRAE,* s.v., apropiadas a nuestro contexto. El *escudero* galante de los vv. 3-4 nos sorprende con una actitud, y unos deberes, que a la *dona* justamente aparecen propios de *mal villano.* Mejor dicho: sorprende la convivencia, en la misma figura, de dos tipos literarios muy corrientes sí pero por separado; y además en oposición: el protagonista de la *Razón de amor* (s. XIII) nos cuenta de sí que, al oír el canto de la doncella, «yo non fiz aquí como villano, / levém'e pris la por la mano». En un texto que tiene ya algunas imperfecciones no es improbable una contaminación mecánica. Sin embargo, tampoco es inverosímil la mezcla intencionada: en la trama de una «pastorela vuelta del revés» (definición de *RH,* I, 339) se han insertado motivos y fórmulas de algún texto cómico sobre el villano requebrado por la dama, que es tema del folklore y del imaginario universal, y a veces motivo misógino: cfr. la nota 19 del Texto 9 y algún texto del tipo del *villancico* atestiguado desde el siglo XVI, estudiado en *RT,* X, 61 y sigs. y XI; cfr. también Débax [1982], págs. 399-400. Atisbos en la dirección de la modalidad burlesca se extraen de las páginas de Aubrun [1983], quien —entre otras cosas— da a la transcripción en el ms. la fecha tardía de hacia 1470. Según muestra también la más controlada versión del Texto 9, el *R.* entreteje modelos y contramodelos literarios, mezclando veras y bromas con el manejo hábil y divertido de lugares comunes. El tema del enfrentamiento entre la fatídica criatura natural, subvertidora del orden, y el hombre que se resiste y defiende valores de vago sabor 'burgués', se matiza sabrosamente de un moralismo a ras de tierra: Spitzer [1935]. Decidido es el moralismo de las versiones judeo-españolas, que *RH,* I, 341-343 considera portadoras de un texto más fiel que el de Olesa al posible original del *R.;* también *Yoná,* 340-351 y *RJEM,* 164-173. Quiero recordar los sueños 4 y 10 de *Piscología y alquimia* de Jung: en el primero, al individuo que sueña le rodean figuras femeninas in-

8 la muller tingo fermosa, figes he de mantener,
al ganado en la cierra que se me va a perder,
els perros en les cadenes que no tienen qué comer.—
—¡Allá vages, mal villano! ¡Dieus te quera mal feser!
12 Per un poco de mal ganado dexes coerpo de plaser.—

9

Estase la gentil dama paseando en su vergel,
los pies tenía descalços que era maravilla ver.
Hablávame desde lexos, no le quise responder;

---

descifrables, de las que consigue librarse alegando la necesidad de acudir al padre (cfr. el Texto 7); en el segundo, el que sueña está en la tierra de los ganados y una mujer desconocida le señala una dirección. En ambos casos, instintos que la conciencia controla y oculta por contrarios a las convenciones se han abierto un camino fantasmal, en figuras adecuadas. Precisemos, por último, que la relevante iniciativa femenina y el contexto parecerían enlazar nuestro *R.* con la tradición de las *serranillas* del Arcipreste de Hita, con las cuales comparte ciertos humores socarrones. Pero, al contrario que en Juan Ruiz, la iniciativa sigue proveniendo de un personaje socialmente elevado, según la tradición ortodoxa de las *pastourelles,* que comprende también los dos ejemplos franceses citados en *RH,* I, 339. Sostienen algunos que esa tradición se consolida como lugar de transgresión de las convenciones cortesanas, con una hembra 'salvaje' y espontánea opuesta a la dama espiritualizadora del palacio. En tal caso, el ser la nuestra una dama palaciega que invita a la naturalidad transgresiva al 'salvaje' nos dice mucho sobre los posibles significados complejos y las inversiones de un *R.* que, con la comicidad de su final, parece exhibirnos también una clásica autocensura. Cfr. la nota 20 del Texto 9.

9 *cierra:* mantengo esta forma o término, aunque no aparezca en los glosarios consultados; *RT,* X, 25 corrige en *sierra.*

3 *Hablávame:* como en el Texto anterior, el relato se abre en primera persona, claramente la del protagonista masculino. Ante la cumplida reseña que la dama le hace de los atractivos de su propio cuerpo, resalta más la indiferencia del *pastorcico;* y como si quisiera ofrecer un desquite a los tantos caballeros 'burlados' de otros *rr.,* el arisco sujeto se despide con el sarcasmo descortés del verso final. Realmente, ésta que bordea y rehúye los piélagos del cuerpo femenino, parece una misoginia más bien burlesca, ya que el *R.* no aparenta pretender que sus oyentes se sientan provocados a identificarse con el pastor; si acaso, todo lo contrario. Sin embargo, en la tradición oral moderna se encuentran identificaciones explícitas de la dama con el diablo, en comentarios al margen del texto; por ejemplo, una recitante revela: «me decían que eran los amores de san Antonio» (*RT,* X, 219, 224 y *passim*).

4 respondíle con gran saña: —¿Qué mandáis, gentil muger?—
Con una boz amorosa començó de responder:
—Ven aca tú, el pastorcico, si quieres tomar plazer;
siesta es de mediodía y ya es hora de comer;
8 si querrás tomar posada todo es a tu plazer.—
—No era tiempo, señora, que me aya de detener,
que tengo muger y hijos y casa de mantener,
y mi ganado en la cierra que se me iva a perder,
12 y aquellos que lo guardan no tenían qué comer.—
—Vete con Dios, pastorcillo, no te sabes entender.
Hermosuras de mi cuerpo yo te las hiziera ver:
delgadita en la cintura, blanca soy como el papel,
16 la color tengo mezclada como rosa en el rosel,
las teticas agudicas que el brial quieren hender,
el cuello tengo de garça, los ojos d'esparver;
pues lo que tengo encubierto maravilla es de lo ver.—
20 —Ni aunque más tengáis, señora, no me puedo detener.—

---

4 *Respondíle con gran saña:* probable fórmula, que leemos en un texto de Villasandino escrito en años de Enrique II: cfr. la nota 4 del Texto 37.

11 *cierra:* cfr. la nota 9 del Texto 8.

16 *rosel:* alteración de *rosal,* requerida por la asonancia.

19 *encubierto:* «si de lo oculto yo hablarte supiera», suspira Calisto a Sempronio cuando describe las hermosuras de Melibea echando mano de los tópicos al uso. Sin salirnos de la *Celestina* y de su Acto I, otro lugar común que atañe a nuestro *R.:* el de las perversas damas que gozaron con someterse «a los pechos y resollos de viles acemileros», menos recelosos que el *pastorcico*.

20 Es propio del juego literario de las inversiones no ocultar el modelo. Detrás de la negativa burlesca del pastor (también en los vv. 9-12) podríamos entrever afirmaciones serias como éstas, en boca de una pastora desde luego: «Franc chevalier, lessiez m'ester, / je n'ai cure de vos gaber; / vez si la nuit oscure, / lessiez moi mes aigniox garder, / de vostre gieu n'ai cure.» [«Noble caballero, dejadme estar, / no me importa vuestra lisonja; / la noche se hace oscura, / dejadme guardar mis corderos, / vuestro juego no me interesa»]: Bartsch, *Altfranzösische Romanzen (*cit. en la nota 6 del Texto 8), pág. 146. Inevitable aquí la cita de vv. de una famosa pastorela de Marcabrú: «[…] segon dreitura / cerca fols sa follatura, / cortes cortez'aventura, / e'l vilas ab la vilana; / en tal loc fai sens fraitura / on om non garda mezura, / so ditz la gens anciana» [«según razón, / busca el estúpido la estupidez, / el cortesano una cortés aventura / y el villano a la villana. / Allí falta cordura / donde no se guarda mesura, / como dicen los ancianos»]: Martín de Riquer, *Los trovadores,* Historia Literatura y Textos, Barcelona, Planeta, 1975, vol. I, pág. 184; la trad. es mía. Es la censura de la inmoralidad cortesana, idéntica a la que expresa el *R*. pero con la variante sabrosa, y esencial, de ponerla en términos

10

En Sevilla está una ermita cual dizen de san Simón,
adonde todas las damas ivan a hazer oración.
Allá va la mi señora, sobre todas la mejor:
4 saya lleva sobre saya, mantillo de un tornasol;

---

y boca de un ridículo pastor; modelo y negación burlesca se conjugan. Blanco de la burla tal vez pudieran ser también corrientes a su manera moralizadoras como, por ejemplo, aquella que a lo largo del s. XV fue sustituyendo el 'amigo' con el 'marido' en la canción francesa de doncella: Bec [1974], 19-20. A su vez, el pastor tiene su propia tradición, que bien ejemplifica la copla: «Dixo la niña al pastor: / — ¡Mira, pastor, qué tetas! — / Dixo el pastor a la niña: / — Más me querría dos setas, / mi çurrón, mi çamarrón, / mi cayada, mi almarada / y mi yesca y mi eslabón. —», del *Cancionero musical* de la Biblioteca Colombina de Sevilla, f. 97v = Dutton, IV, 30, cuya lección sigo, distinta en variantes mínimas de la de Querol Gavaldá, Barcelona 1971, pág. 65, y en pág. 94 reproducción parcial de la música y de una letra una vez más levemente distinta. En la copla asoma un tópico ulterior que confluye en estas fantasías, el de la insensibilidad sexual del pastor como una de las facetas de su estupidez; rezan otras estrofillas: «Estase el pastor / con el su ganado. / [...] Vínosele mientes / que era desposado / [...] Dexó las ovejas, / fuérase a poblado», donde le recibe la mujer enfurecida, tratándole de asno: ms. Madrid BP1: vol. 3b, núm. 346 [1505], pág. 434. Es motivo que invierte y neutraliza otro más escabroso, el de la sexualidad bestial de quien pasa sus días entre ovejas y cabras. Textualmente estamos tanto más lejos de nuestro *R.* cuanto más nos hemos aproximado a algunos elementos del contexto que activaba en sus destinatarios.

1 *ermita:* ignoro si en Sevilla hubo una ermita de san Simón; las hay en cantigas gallego-portuguesas: José Joaquim Nunes ed., *Cantigas d'Amigo dos trovadores galego-portugueses,* Coimbra, Universidade, 1926, vol. II, nos. CLXIX («San Simón de Val de Prados») y CCLII («San Simión»). ¿Una tradición?

3 Relata la voz del amante, como en el Texto 11. El episodio se centra en la descripción física de la dama; lo demás sirve de marco y realce, incluso la 'agudeza' final que, sin embargo, es también un punto de llegada de la tensión del texto. La figura femenina se ilumina en la notación pausada de rasgos, codificados, de la indumentaria y del cuerpo; la hermosura natural prima sobre el artificio, que interviene con discreción pero insistido mediante el reiterarse del sintagma *lleva un poco de*. De las fuentes probables del texto, a partir de una balada griega sobre la interrupción de una boda y pasando por una canción catalana, tratan Entwistle [1938] y [1940], y Armistead-Silverman [1967]. Estudian las supervivencias modernas, y la difusión de sus motivos, Lida [1941]; Alvar [1954]; *Yoná,* 319-334; Armistead-Silverman [1979], 25-28, 86-87 y 135-136, con una preciosa versión judeo-española del s. XVIII de la isla de Rodas; Piñero-Atero [1992].

4 *saya:* por su holgura, la saya permitía una serie de forros, que servían

en la su boca muy linda   lleva un poco de dulçor,
en la su cara muy blanca   lleva un poco de color
y en los sus ojuelos garços   lleva un poco de alcohol.
8 A la entrada de la ermita,   relumbrando como el sol,
el abad que dize la missa   no la puede dezir non;
monazillos que le ayudan   no aciertan responder non:
por dezir «Amén amén»   dezían «Amor amor».

11

De la luna tengo quexa   e del sol mayor pesar:
siempre lo ovieron por uso   de no dexarme folgar.
¡Maldita sea la Fortuna   que assí me fuera a tratar!:
4 nunca me da bien complido   ni menos mal sin affán,
por una ora de plazer   cien mil años de pesar.
Yo me amava una señora   que en el mundo no hay su par;
las faiciones que ella tiene   yo vos las quiero contar.
8 Tal tenía la su cara   como rosa del rosal;
las cejas puestas en arco,   color de un fino contray;
los ojos tenía garços,   parecen de un gavilán;

---

también para dar al cuerpo formas más atractivas; la acumulación aquí tal vez remite a este uso, además de connotar lujo.

4 *tornasol:* con reflejos cambiantes.

7 *garços:* 'de color azulado'; cfr. el Texto 11, v. 10.

7 *alcohol:* polvo para oscurecer los párpados, las pestañas y las cejas.

9 El esplendor profano que invade la ermita seduce la vista corporal y ciega la espiritual. La raíz diabólica de la dama está patente: Lida [1941], págs. 40-41, con abundantes referencias a una cultura popular impregnada de paganismo y a las intervenciones de la iglesia medieval contra tales profanaciones. Pero en el *R.* brilla también el gusto del juego con lo sagrado, muy robusto en la tradición literaria. Américo Castro da por seguro su aprovechamiento por Fernando de Rojas cuando la alcahueta relata su entrada en la iglesia: *«La Celestina» como contienda literaria (castas y casticismos),* Madrid, Revista de Occidente, 1965, pág. 95, con el cotejo de los textos.

1 El v. de exordio sintetiza magníficamente la «falta de armonía entre los amantes y la naturaleza», siendo ésta —y el sol en particular— «una fuerza reciamente antagónica, adversa a los amantes y enderezada a destruir su unión»: Jonathan Saville, *The medieval erotic alba. Structure and meaning,* Nueva York, Columbia Univ. Press, 1972, pág. 56 [trad. mía].

6 *Yo me amava:* cfr. el v. 1 del Texto 28.

9 *contray:* paño fino que se tejía en Courtrai (Flandes).

10 *garços:* 'de color azulado'.

la nariz afiladica, como hecha de metal;
12 los labrios de la su boca como un fino coral;
los dientes tenía blancos, menudos como la sal;
parece la su garganta cuello de garça real;
los pechos tenía tales qu'es maravilla mirar.
16 Y contemplando su cuerpo el día fuera asomar.

12

Allá en aquella ribera que se llamava de Ungría,
allí estava un castillo que se llamava Chapiva.

---

12 *labrios:* forma corriente en español medieval, va desapareciendo en el s. XVI: los otros dos *pliegos* con el *R.* presentan ya *labios.*

16 El verso reúne los dos motivos que han dado materia al *R.:* la contemplación del cuerpo de la dama y el alba que separa a los amantes, en una combinación muy equilibrada y no tan frecuente como podríamos suponer. Dentro del género de las 'albas' no llegan a cinco los ejemplos que he localizado, entre los más de quinientos textos de todas las culturas reunidos y comentados en *Eos. An Enquiry into the Theme of Lovers' Meetings and Partings at dawn in Poetry.* Ed. by Arthur T. Hatto, Mouton, The Hague, 1965. En el *R.* el motivo del alba funciona más bien como marco que impregna de la languidez propia de sus tonos la despedida de las hermosuras del cuerpo gozado. Recuérdense el soneto gongorino *Al sol porque salió estando con una dama, y le fue forçoso dexarla,* que empieza: «Ya besando unas manos cristalinas»; y de los mismos años de nuestro *pliego* el *capítolo* de Ariosto que se abre con: «O più che il giorno a me lucida e chiara, / Dolce, gioconda, avventurosa notte» y que, de esa noche, reseña todos los encantos eróticos, con la visión demorada del cuerpo de la dama y la imprecación final contra Aurora. Con acierto exquisito, nuestro texto ha sido colocado como broche conclusivo del *pliego suelto* que publica un brillante resumen de *La Celestina* en forma de *R.;* y bien sabemos el lugar que ocupan los dos motivos que vamos comentando en la tragicomedia (Wilson [1955], 102), para cuya problemática serían lema impecable nuestros vv. 3-5. Versos que, por su parte, tienen ecos de *cancionero:* cito «que por un solo plazer / he pessar toda mi vida», en el lamento de la reina de Navarra por la despedida de su esposo don Carlos (Villasandino, en *Baena,* ed. Azáceta, núm. 26).

2 *Chapiva:* ¿Es Kapuvar, cerca de Sopron, en el camino de Viena a Budapest?, se pregunta Livermore [1986], 37-38, quien desarrolla una alusión a Sigismundo de Hungría ya rastreada por Aubrun [1980], 17 en la obra de Rodríguez del Padrón. Recordando que el rey Sigismundo en 1415 se había encontrado en Perpignan con el rey de España y que entre 1426 y 1428 lo había visitado en Hungría el infante don Pedro de Portugal, concluye que Hungría debió de gozar de cierta popularidad en la Península en tiempos de Rodríguez

Dentro estava una donzella que se llama Rosaflorida.
4 Siete condes la demandan, tres reyes de Lunbardía:
todos los ha desdeñado, tanta es la su loçanía.
Enamoróse de Montesinos, de oídas que no de vista,
y faz a la media noche bozes da Rosaflorida.
8 Oído lo avié Blandinos, el su ayo que tenía;

---

del Padrón, que Livermore —sin embargo— no cree autor de los tres *RR*. del *Cancionero* de Londres. Hungría aparece en el *Siervo libre de amor*.

6 *Montesinos:* nos esperaríamos a Aïol, o Ayuelos en versión castellana (cfr. el Texto 14), dado que el *R*. remonta al poema francés *Aïol* del siglo XIII, a través de algún retoño tardío común con reelaboraciones italianas del siglo XV: Rajna [1913], que no ve improbable la autoría de Padrón en especial para este texto del *R.*, a su parecer el más próximo a la fuente respecto a otras versiones documentadas en el siglo XVI (cfr. el Texto 13); también *RH,* I, 259-260. Sobre la presencia del topos del 'amor de oídas' Gariano [1976], 135 y *Nahón,* 45. De los «tres grados de amar», «el segundo es dileción y el tercero es querençia»; es el primero —que se define propiamente «amor»— el que señorea a Rosaflorida, «que ama vn cauallero que nunca vió. Ella oya dezir deste cauallero tantas vondades e noblezas, que sin lo ver lo ama, e le desea uer, e haze mucho por lo ver»: ecos de las reflexiones medievales sobre el amor, en palabras del autor de *El Victorial. Crónica de don Pero Niño,* ed. Juan de Mata Carriazo, Madrid, Espasa-Calpe, 1940, pág. 91. El *Planto que fizo la Pantasilea* por la muerte de Héctor, de Rodríguez del Padrón, evoca el topos cuando la amazona relata: «Por fama fui enamorada / del que non vi en mi vida» (vv. 17-18). Fama y cálculo político impulsaron a la princesa mora Zaide a entregarse al nunca visto Alfonso VI, ofreciendo con su cuerpo un buen número de castillos, como declara y detalla al rey su mensajero: *Primera Crónica General,* ed. Ramón Menéndez Pidal, Madrid, Gredos, 1955, cap. 883, pág. 553a26-51, que amplía a Rodrigo Jiménez de Rada, *De rebus Hispaniæ* [1243], libro VI, cap. XXX. La coincidencia con puntos esenciales del asunto del *R*. es tal que puede llevarnos a pensar en un regreso a España, a través de nuestro poemita descendiente del *Aïol,* de un tema que en la Península se documenta más antiguamente, en un remanso de la historia real donde parecen conjugarse política y literatura. No olvidemos que en la tradición del *Aïol* nuestra protagonista, una princesa, es sarracina, que equivalía a decir de tierras de España.

7 *faz a:* forma arcaica de *hacia*.

8 *Blandinos:* el nombre Blandin circula en la narrativa medieval; Aubrun [1986], 32 cita el *Blandin de Cornualha* provenzal del siglo XIV y ve en la desinencia *-os* el típico rasgo de la onomástica 'carolingia' en España. Puede tener interés recordar que en el *Siervo libre de amor* Rodríguez del Padrón (supuesto 'autor' del *R.*) inserta un personaje de categoría análoga a la del nuestro: es el esclavo de la infanta Liessa y se llama *Bandyn;* hay quien lee B*audin,* que César Hernández Alonso informa ser topónimo en proximidad de Padrón: ed. de las *Obras completas* de J. R. del P., Madrid, Ed. Nacional, 1982, pág. 175. Ambas formas se encuentran en narraciones francesas.

levantárase corriendo de la cama do dormía.
—¿Qué avedes vos, la Rosa? ¿Qué avés, Rosaflorida?
Que en las bozes que dades parecés loca sandía.—
12 Aí fabló la donzella, bien oirés lo que l'diría:
—¡Ai! bien vengas tú, Blandinos, bien sea la tu venida.
Llévesme aquesta carta, de sangre la tengo escrita;
llévesmela a Montesinos a las tierras do bivía,
16 que me viniese a vere para la Pascua Florida.
Por dineros non lo dexe: yo pagaré la venida;
vestiré sus escuderos de un escarlata fina,
vestiré los sus rapazes de una seda broslida.
20 Si más quiere Montesinos, yo mucho más le daría:
dall'é yo trinta castillos, todos riberas de Ungría;
si más quiere Montesinos, yo mucho más le daría:
dall'é yo cien marcos d'oro otros tantos de plata fina;
24 si más quiere Montesinos, yo mucho más le daría:
dall'é yo este mi cuerpo siete años a la su g[u]isa,
que si d'él no se pagare que tome su mejoría.—

---

12 *que'l:* por *que le.*

16 *Pascua Florida:* se combinan aquí la sugestión rítmico-asonántica del nombre de la protagonista, la referencia al rebrote primaveral en uno con la explosión erótica, y el uso tradicional de tal término cronológico en acuerdos y contratos.

19 *broslida:* por *broslada,* 'bordada', es forma impuesta por la asonancia.

21 *trinta:* es forma arcaica de *treinta.*

26 En efecto, al cabo de los siete años tópicos, momento de inestabilidad y tibieza también según estudios modernos sobre ciclos eróticos en la pareja, Montesinos 'no se pagó' ya más y fue a 'tomar su mejoría' con la hermana de Rosaflorida: así lo lamenta la dama abandonada, en el final retrospectivo —¿y postizo?— de la versión del *R.* impresa en *3S51,* pág. 480 (en Débax [1982], 230). En el Texto 13 Rosaflorida alude rabiosamente a una hermana más atractiva que ella; y cfr. la nota 1 a ese Texto, sobre la oportunidad de una conclusión que el público debió de advertir. De inspiración trovadoresca, por ejemplo, es el remate anotado en el *Cancionero* de Londres, inmediatamente después del texto del *R.:* «yda la carta responde» (es de suponer Montesinos), y siguen tres cuartetas (¿de Padrón?) donde el requerido manifiesta una indecisión angustiosa. Las cuartetas fueron editadas por Hugo A. Rennert no muy correctamente y como texto autónomo, sin advertir de su conexión con el *R.:* «Lieder des Juan Rodríguez del Padrón nach der Handschrift des British Museum», en *ZRPh,* XVII (1893), págs 546-555 [548]; Meléndez Hayes [1979] y Aubrun [1980] parecen ignorarlas. La indecisión de Montesinos y la muy superior categoría de la dama pretendiente concuerdan

13

En Castilla está un castillo que se llama Roca Frida:
al castillo llaman Roca y a la fonte llaman Frida.
El pie tenía de oro y almenas de plata fina;
4 entre almena y almena está una piedra çafira:
tanto relumbra de noche como el sol a medio día.
Dentro estava una donzella que llaman Rosaflorida.
Siete condes la demandan, tres duques de Lombardía;
8 a todos les desdeñava, tanta es su loçanía.
Enamoróse de Montesinos de oídas que no de vista.
Una noche estando assí, gritos da Rosaflorida.
Oyérala un camarero que en su cámara dormía.
12 —¿Qu'es aquesto, mi señora? ¿Qu'es esto, Rosaflorida?
O tenedes mal de amores o estáis loca sandía.—

---

con el tema del comienzo del *Siervo libre de amor* y con la que se supuso —y alguien todavía acepta— como una circunstancia real de la vida de Rodríguez del Padrón: cfr. la ed. cit. de sus *Obras completas,* págs. 14-18. La problemática relación del *R*. con el poeta-novelista gallego, en apariencia nacida y crecida sin fundamento alguno ni en el mismo ms. de Londres, podría revelarse más compleja y seductora de lo que creemos.

1 *Roca Frida:* sobre la frecuencia de este topónimo en España *Tratado,* VII, 303-306, con extractos de las *Relaciones de los pueblos de España* ordenadas por Felipe II, que recogen también tradiciones locales. De una de ellas, vinculada con el relato del *R*., cito la conclusión, a propósito del interés por un final (cfr. la nota 26 del Texto 12): cuentan que la doncella Rosa Florida, que vivía en el castillo de Rochafrida, se enamoró de Montesinos, lo envió a buscar «y lo truxo, y se casó con él, y que era un hombre de notable estatura de grande, y que en aquel castillo vivieron juntos hasta que allí murieron» (pág. 304). Podría tratarse de un remate de tipo folklórico tal vez presente en alguna versión perdida del *R*., o de un remedo confeccionado por una cultura que no acepta lo indefinido. Gracias a ese final, el relato refuerza sus afinidades con el tema morganiano, el de la criatura sobrenatural —de la cual es una conocida racionalización la señora de un castillo— que atrae con sus riquezas y su hermosura a un caballero de gran prestigio y le tiene a su servicio en su maravillosa mansión: cfr. la nota 14 del Texto 7, con huellas del tema melusiniano, paralelo y opuesto. Una «lectura heterodoxa» elabora González [1992], viendo el *R*. tejido a la manera del *trobar clus:* la doncella hermosísima es la Iglesia cátara, mientras su despreciada hermana sería la Iglesia romana; Montesinos llevaría en su nombre una alusión a Montsegur (ciudadela del catarismo), y es invitado a presentarse en la Pascua, o sea, en «el momento del renacimiento del ser humano por la redención de la humanidad» (pág. 79). Cfr. la nota 4-5 del Texto 7.

—Ni yo tengo mal de amores   ni estoy loca sandía.
Mas llevásesme estas cartas   a Francia la bien guarnida;
16 diésseslas a Montesinos,   la cosa que yo más quería.
Dile que me venga a ver   para la Pascua Florida.
Darle he yo este mi cuerpo,   el más lindo que hay en Castilla,
si no es el de mi hermana,   que de fuego sea ardida.
20 Y si de mí más quisiere,   yo mucho más le daría:
darle he siete castillos,   los mejores que hay en Castilla.—

14

Todas las gentes dormían   en las que Dios havía parte;
no duerme la Melisenda,   la fija del emperante.

---

18 En el Texto 12 el don supremo del cuerpo era la oferta última, en una serie marcada por la iteración del sintagma *y si más quisiere*. El impulso erótico se ocultaba así como motivación primaria y al mismo tiempo se elevaba por encima de la materialidad mercantil de lo que precedía. Ahora la llamada de la doncella lanza en primer término el instinto al desnudo, con la violenta alusión a la hermana y la ausencia casi completa (¿caída casual?) de otros dones; aquellos dones que en la otra versión también iban construyendo la imagen de una Rosaflorida magnífica y munífica, y parecían envolver el deseado encuentro y a la figura misma de Montesinos en una esplendorosa atmósfera de fábula. Un análisis elegante de estos segmentos y de la tradición oral moderna en *RJEM,* 348-351. Cualquiera que sea el grado de vinculación de este episodio con la tradición del *Aïol*, el *R.* se abre más bien a los tonos de la canción femenina de amor, atrevida por cierto pero no tan peregrina en la manifestación de sus ardores. Beatriz, condesa de Dia, trovadora de Provenza, con acentos que no son menos osados por haber podido ser ficticio su autobiografismo, invocaba: «Ben volria mon cavallier / tener un ser en mos bratz nut / […] / Bels amics, avinens e bos, / quora'us tenrai en mon poder, / e que jagues ab vos un ser, / e que'us des un bais amoros» [«Bien quisiera tener una noche a mi caballero desnudo en mis brazos […] Hermoso amigo, bueno y cariñoso, ¿en qué momento os habré en mi poder, para yacerme con vos una noche y daros un beso amoroso?»] [trad. mía].

1 Aunque es fórmula muy común, la expresión aísla eficazmente a Melisenda como una de aquellas criaturas en las cuales «Dios NO havía parte». El exordio enfrenta así, con los que duermen porque están en paz con Dios, a la que no duerme por estar fuera de la gracia de Dios. Oposición idéntica, pero en términos —irónicos— de ética burguesa, en esta anotación: «en aquellas primeras noches de primavera, cuando los árboles al lado de las grandes casas londinenses, donde la gente respetable se iba serenamente a la cama, ofrecían a malas penas protección a sus amoríos […]» (V. Woolf, *The Waves [Las olas],* 1931 [tr. mía]; el personaje 'no respetable' aludido es Jinny).

Salto diera de la cama como la parió su madre:
4 —Si dormís, las mis donzellas, si dormís recordade;
las que havedes maridos tengádesme poridade,
las que sabedes de amores consejo me queráis dare,
que amores del conde Ayuelos no me dexan reposare.—
8 Allí fablara una vieja, vieja de antigua edad:
—Mientra sois moça, mi fija, plazer vos queráis dar,
que cuando seades vieja los rapazes n'os querrán;
que assí hize yo, mezquina, en casa de vuestro padre.—
12 Y con aqueste consejo empeçó de caminar.
Vase para los palacios donde el conde ha de hallar;
a sombra va de tejados que no la conosca nadie.
Encontró con Fernandinos, el alguazil de su padre;
16 desque la vido ir sola empeçóse a santiguare:
—¿A dó váis, la mi señora? Vos ¿qué vades a buscar?
O estáis loca sanguina o de amores queréis finar.—
Allí fabló Melisenda, tal respuesta le fue a dar:
20 —Yo no estó loca sanguina ni de amores quiero finar,
mas yo me iva a la iglesia aquesta noche velar.

---

4 *recordade:* 'despertad'. Cfr. «Si dormís, donzella, / despertad y abrit» (*CALP*, 1011, de Gil Vicente). La *-e* paragógica que hallamos en éste y en otros cuatro vv., puede que se extendiera primitivamente a todo el texto.

7 *Ayuelos:* cfr. la nota 6 del Texto 12. Junto con el *Aïol,* podrían ser antecedentes lejanos del *R.* los poemas franceses *Amis et Amile* y *Anséis de Carthage,* donde Belissent, hija del emperador, es protagonista de una empresa análoga a la de Melisenda, no rara en *cantares* franceses y en novelas caballerescas. Cfr. Menéndez Pidal [1973], 24-28 y *RH,* I, 261; *Yoná,* 101-102; Ménard [1969], 93-94.

11 *mezquina:* la autoconmiseración haría pensar que en sus tiempos mozos la señora brilló por una castidad de la que se arrepiente ahora. Pero la expresión es formular y este personaje, con matices de alcahueta, parece presentarse a sí misma más bien como modelo de *carpe diem* en la juventud pensando en las renuncias inevitables de la vejez, como reza más claramente la versión de *3S51* (491: Débax [1982], 228).

12-14 A esta Melisenda le pegaría bien la exclamación que Hyndla la hechicera dirige a la sensual Freyja (la Venus de los germanos): «Ya te veo en calor, noble amiga, y corriendo / fuera, en las noches»: *Hyndluljód* [*Lai de Hyndla*].

18 *sanguina:* 'furiosa', por exceso de humores.

21 Bien la ha concebido Melisenda esta excusa, la sola plausible en tales circunstancias; pero bien concebida asimismo por el romancista cuando, con ironía genial, la pone en boca de quien está fuera de la gracia de Dios, prendida de lujuria y a punto de cometer un homicidio.

Mas préstame, Fernandinos, préstame el tu puñal,
que miedo tengo a los perros que no me hiziessen mal.—
24 Y tomólo por la punta hasta los cabos se lo fue a echar.
Allí murió Fernandinos, el alguazil de su padre;
y ella tira su camino donde el conde ha de hallar.
Las puertas halló cerradas, no halla por donde entrar;
28 con palabras de encantamentos ábrelas de par en par;
siete antorchas que allí arden todas las fuera apagar.
Despertado se havía el conde con un temor atán grande:
—¡Ay válasme Dios del cielo y santa María su madre!,
32 si eran mis enemigos que me vienen a matar
o eran los mis pecados que me vienen a tentar
o era la Melisenda, la hija del emperante.—
—Yo no so tus enemigos que te vienen a matar,
36 ni era la Melisenda, la hija del emperante,
ni eran los tus peccados que te vienen a tentar;
mas era una morica, morica de allén la mare.
Mi cuerpo tengo tan blanco como un fino cristal;
40 mis dientes tan menudicos, menudos como la sal;
mi boca tan colorada como un fino coral.—
Allí fablara el buen conde, tal respuesta le fue a dar:
—Juramento tengo hecho y en un libro missal,
44 que muger que a mí demande nunca mi cuerpo negalle
sino era la Melisenda, la hija del emperante.—
Entonces la Melisenda començólo de besar

---

28 Conociendo la genealogía de Melisenda, no sorprenden sus atributos mágicos ni la ráfaga de sobrenatural que desprende y que bien percibe Ayuelos cuando, en la oscuridad de su dormitorio y aterrorizado, se imagina combatido por enemigos, *pecados* ('diablos') y Melisenda juntos. Recuérdese la *tamaña grima* del caballero en el Texto 7.

35-41 En su respuesta Melisenda va disipando los terrores nocturnos con la luminosidad de su propio cuerpo, descrito según un modelo que tiene ejemplos en el *romancero:* cfr. los Textos de 8 a 11.

43-45 Las juras son típicas del *romancero* juglaresco de temas carolingios. El contenido, en este caso, es un lugar común del mundo novelesco de la caballería: se proclama una disponibilidad limitada por una sola excepción, con carácter de tabú. Melisenda, naturaleza sin freno, arrasa el tabú. En la versión de *3S51,* sobre el instinto logra imponerse el control social: el alguacil Fernandillo, al igual que con una niña traviesa, a Melisenda «tomárala por la mano, / a casa la fue a tornar». *RJEM,* 71-72 y 75.

e llevóse sus vestidos y cab'él se fuera a echar.
48 Cuando vino la mañana que quería alvorear,
hizo abrir las sus ventanas por la morica mirar;
vido que era Melisenda y empeçóle de hablar:
—Señora, ¡cuán bueno fuera a esta noche yo me matar
52 antes que haver cometido aqueste tan grande mal!—
Fuérase al emperador por avérselo de contar.
Las rodillas por el suelo le comiença de hablar:
—Una nueva vos traía dolorosa de contar,
56 mas catad aquí mi espada, que en mí lo podréis vengar:
qu'esta noche Melisenda en mis palacios fue a entrar,
siete antorchas que allí ardían todas las fuera apagar;
díxome que era morica, morica de allén la mar,
60 y que venía comigo a dormir y a folgar;
entonces yo, desdichado, cabe mí la dexé echar.—
Allí fabló el emperador, tal respuesta le fue a dar:
—Tira, tira allá tu espada, que no te quiero fer mal,
64 que si a mí me viniera también hiziera otro tal.
Pues ella tiene la culpa, no te quiero hazer mal;
mas si tú la quieres, conde, por muger se te dará.—
—Plázeme —dixiera el conde—, plázeme de voluntad;
68 lo que vuestra alteza mande véisme aquí a vuestro man-
[dar.—
Hazen venir un arçobispo para [a]vellos de desposar.
Ricas fiestas se hizieron con mucha solenidad.

---

47 *llevóse:* habría que leer *levóse,* con el sentido arcaico de 'quitóse'. Otro arcaísmo es *fer* del v. 63.

49 La contemplación del cuerpo de la mujer a la luz del alba o de una antorcha es rito frecuente en la literatura cortesana y en la novela de caballerías.

56 Es indiscutible el sentido literal de esta oferta de la espada, en señal de reconocimiento de culpa y de disponibilidad al castigo. Pero, considerada la naturaleza de la infracción, y a pesar de que el mismo emperador la da por ineluctable, como buen campeón de la ética mundanal que rige en tales narraciones (y de la picardía erótica que el *romancero* no desdeña nunca: Texto 145, vv. 44-45), no estará de más agregar al sentido literal una alusión metafórica y entrever, en la intención de privarse de la espada, un asomo de autocastración. Vuelve la analogía con el caballero del Texto 7: el autolesionismo nacía allí de la ocasión perdida por el individuo, nace aquí del haberse perdido el individuo en esa ocasión.

63 *fer:* 'hacer'; es forma que en el siglo XV sobrevivía sólo como rasgo típico del lenguaje de los rústicos, según *DCECH,* s. v. *Hacer.*

69-70 El más trillado de los epílogos cierra una historia poco común por

15

Cavalga doña Ginebra y de Córdova la rica,
con trezientos cavalleros que van en su compañía.
El tiempo haze tempestuoso, el cielo se escurescía;
4 con la niebla que haze escura a todos perdido havía
sino fuera a su sobrino que de riendas la traía.
Como no viera a ninguno, d'esta suerte le dezía:

---

la naturaleza de la protagonista y de ciertos episodios. El desorden provocado por el instinto de Melisenda es reparado prontamente con el matrimonio, que el emperador sugiere como tutor supremo de la norma, pero con una inmediatez que parece delatar más bien el alivio del padre al poder pasarle al esposo la responsabilidad ardua del control de Melisenda (vv. 63-66). La versión que deducimos de la glosa de Francisco de Lora, probablemente abreviada y retocada, ignora los escrúpulos de Ayuelos; éste se concede a sabiendas a la hija de su señor «a la sombra de un laurel», encontrando la historia su equilibrio final en el eros aplacado (*Pliegos Praga,* I, pl. XXXIV, pág. 281).

1 Tan extravagante localización en Córdoba parecería buen preludio a una no menos anómala aventura de la esposa de Artú y fiel amante de Lanzarote en figura de lujuriosa amazona, según un *R*. que exhibiría así sus señas de radical originalidad. Pero la toponomástica del *romancero* obedece con frecuencia a leyes propias, a asociaciones fantásticas o incluso fónicas; no es indicio firme para detectar estrategias inventivas de amplio alcance. El tipo de encuentro de Ginebra con su sobrino, por otra parte, no goza de una novedad absoluta. Recordemos, en primer lugar, que por lo menos dos famosas parejas de amantes de la novelística cortesana, Tristán con Isolda y Cligés con Fénice, estaban formadas por tías y sobrinos. En segundo lugar, no desatendamos las voces, recogidas y abultadas por Wace en el *Roman de Brut* (acabado en 1155), de la relación que la reina Ginebra tuvo —o se vio forzada a tener— con su sobrino Mordret; sin olvidar que son peculiares del mundo narrativo artúrico las 'transformaciones' y 'transposiciones' de personajes y motivos: Yllera, cit. en la nota 32 del Texto 142. El pecado propio del *R*. que la filología no alcanza a absolver, es su licenciosidad tan franca que nos aparece casi inocente. Pensó ponerle reparo un lector pudibundo y mal poeta, que confeccionó una versión moralizante: el sobrino se resiste y apela a Jesús, y no se deja ablandar por el perdón del Padre Santo que la ardorosa tía le garantiza. Puede leerse en ms. Wolfenbüttel *CP*, f. 11r y Catalán [1970], 85-86. El anónimo censor, quizá sin saberlo, ponía al descubierto la auténtica afiliación de esta Ginebra romanceril, una versión más de la atractiva e inquietante criatura que recorre varios *rr*.

3-4 Señales que suelen ser funestas en el lenguaje del *romancero*, preludian ahora a un suceso más que agradable. Creo que se debe a la *Eneida:* se reproducen aquí las circunstancias que crearon la ocasión en que Eneas pudo 'cumplir su voluntad' y Dido se vio por fin obligada a aligerarse de sus escrúpulos: cfr. el Texto 63.

—Toquedes vos, mi sobrino, vuestra dorada vozina
8 porque lo oyessen los míos qu'estavan en la montiña.—
—De tocalla, mi señora, de tocar sí tocaría;
mas el frío haze grande, las manos se me helarían;
y ellos están tan lexos que nada aprovecharía.—
12 —Meteldas vos, mi sobrino, so faldas de mi camisa.—
—Esso tal no haré, señora, que haría descortesía,
porque vengo yo muy frío y a vuestra merced helaría.—
—D'esso no curéis, señor, que yo me lo sufriría;
16 qu'en callentar tales manos cualquier cosa se sufría.—
El de que vio el aparejo, las sus manos le metía;
pellizcárale en el muslo y ella reído se havía.
Apeáronse en un valle que allí cerca parescía.
20 Solos estavan los dos, no tienen más compañía;
como veen el aparejo, mucho holgado se havían.

---

7 *vozina:* la bocina del sobrino nos llama a la memoria el cuerno de Roldán en Roncesvalles; pero no excluyamos que el ruego de esta Ginebra —en tal circunstancia y con tales ánimos— pudiera provocar automáticamente, en la mayoría de los receptores, interferencias con abusadas metáforas sexuales.

8 *montiña:* es término que nos traslada al v. 9 del Texto 7. La coincidencia no es casual. En su núcleo temático y en su ambientación el *R*. es una versión más, en positivo por cierto, de la problemática de fondo de Textos como 6 y 7. Ginebra, que acaso lleva ya la raíz del escándalo en el étimo de su nombre ('hada hechicera', recuerda Rachel Bromwich, «Celtic Elements in Arthurian Romance: A General Survey», en *The Legend of Arthur in the Middle Ages:* Studies Presented to A. H. Diverres, Cambridge, Brewer, 1983, págs. 41-55 [42]), es la hembra encantadora que perturba el orden ético-social. No menos encantador es el *R*., que en la niebla y en la soledad del valle suspende el tiempo y las convenciones, para dar campo libre al eros que se va declarando e imponiendo con los modales alusivos de un juego de sociedad, donde también el descaro y el detalle picante tienen su solera poética. Suspiraba tres siglos antes el trovador Guillermo de Aquitania: «Enquer me lais Dieus viure tan / qu'aia mas mans soz son mantel» [«¡Ojalá me deje Dios vivir tanto aun, / que meta mis manos bajo su manto!»] [tr. mía]: Riquer (cit. en la nota 20 del Texto 9), vol. I, pág. 119. Con su frivolidad, el *R*. exorciza inquietudes ancestrales que impregnan el folklore y son patentes en otros *rr*. ya aludidos y comentados. No sobra saber, en fin, que en la cultura tradicional de la región inglesa del Gales, cuna de la materia artúrica, seguía tan arraigada la repulsión por la conducta de la reina que, hasta finales del siglo pasado, era un insulto a la moralidad de una doncella llamarla Ginebra, o mejor «Guenevere»: *The Arthurian Encyclopedia,* Nueva York-Londres, Garland, 1986, s. v., pág. 262.

12 *faldas:* 'pliegues'.

17 *aparejo:* 'ocasión propicia'.

16

Mandó el rey prender Virgilios y a buen recaudo poner
por una traición que hizo en los palacios del rey,
porque forçó una donzella llamada doña Isabel.
4 Siete años lo tuvo preso sin que se acordasse d'él;
y un domingo, estando en missa, mientes se le vino d'él:
—Mis cavalleros, Virgilios ¿qué se avía hecho d'él?—
Allí habló un cavallero que a Virgilios quiere bien:
8 —Preso lo tiene tu alteza y en tus cárceles lo tien.—
—¡Vía, comer, mis cavalleros! ¡Cavalleros, vía, comer!
Después que ayamos comido a Virgilios vamos a ver.—
Allí hablara la reina: —Yo no comeré sin él.—
12 A las cárceles se van, adonde Virgilios es.
—¿Qué hazéis aquí, Virgilios? Virgilios, aquí ¿qué ha-[zéis?—
—Señor, peino mis cabellos y las mis barvas también:

1-3 Cuenta Servio, su antiguo biógrafo, que al recatado poeta de la *Eneida* los habitantes de la actual Nápoles le apodaban 'el virgencito', aunque parece que no brillara por casto. El *R.* tiene el aspecto de una inversión burlesca, y casi brutal (cfr. el v. 3), de esa tradición escolar, como un producto de goliardos, del tipo: «Catonis iam rigiditas / convertitur ad ganeas / et castitas Lucretie / turpi servit lascivie» [«el severo Catón / ya se entrega a la taberna / y a Lucrecia la casta / la señorea infame lascivia»] [tr. mía]: Alfred Hilka-Otto Schumann edd., *Carmina Burana,* Heidelberg, Winter, 1930-1970, vol. I.1, núm. 6, pág. 7: «Florebat olim studium», vv. 33-36. Humores chistosos se captan en todo el texto, pero se perdieron en la tradición oral moderna: *RJEM,* 99-102; Alvar [1954]; *Nahón,* 71-73, en particular sobre supervivencias de rasgos antiguos. La invención de una historieta sobre Virgilio pudo estimularla una tradición antigua de empresas fabulosas atribuidas al poeta, transformado en mago y aventurero, y que dio materia a relatos y libros cultos y populares. Sólo en uno de ellos se han captado huellas muy vagas del tema del *R.;* es *Les faicts merveilleux de Virgille,* libro muy difundido a comienzos del siglo XVI: cfr. *Tratado,* VII, 369-372 (y antes Domenico Comparetti, *Virgilio nel Medio Evo,* Florencia, La Nuova Italia, 1937 [1.ª ed. 1872], vol. II, págs. 160-161) y *RH,* I, 346-348. Ver Adiciones.

1 *recaudo:* 'custodia'.

9 *¡Vía!:* '¡Ea!'.

14-19 Tal respuesta de Virgilios aparecería como una burla insolente, disfrazada de simpleza, si no tuviéramos en cuenta que los cabellos y el peinarlos están de lleno dentro de la esfera del simbolismo erótico: en general Rogers [1972a]. Por consiguiente no va tan descaminado el rey al confirmarle, o aumentarle, a su irreducible súbdito la condena a diez años, salvo anularla ante la sumisa declaración de paciencia.

aquí me fueron nacidas, aquí me han de encanecer,
16 que oy se cumplen siete años que me mandaste prender.—
—Calles, calles tú, Virgilios, que tres faltan para diez.—
—Señor, si manda tu alteza, toda mi vida estaré.—
—Virgilios, por tu paciencia comigo irás a comer.—
20 —Rotos tengo mis vestidos, no estoy para parecer.—
—Que yo te los daré, Virgilios, yo dártelos mandaré.—
Plugo a los cavalleros y a las donzellas también;
mucho más plugo a una dueña llamada doña Isabel.
24 Ya llaman un arçobispo, ya la desposan con él.
Tomárala por la mano y llévasela a un vergel.

17

—Galiarda, Galiarda, ¡oh quién contigo holgasse
y otro día de mañana con los cien moros peleasse!:
si a todos no los venciesse luego matar me mandasses,
4 porque con tan gran favor grande esfuerço tomaría.—
—De dormir —dize—, Florencios, de dormir sí dormiréis;

---

25 No menos delicado por ser convencional, este alusivo epílogo nos ofrece un Virgilios que, si ha seguido cuidando su pelo en los siete años de celda, sin embargo ha perdido el vicio de la fogosidad exhibido en el exordio.

1-4 El motivo de la 'bravata' que une empresa erótica y guerrera volvemos a encontrarlo en el Texto 21 (cfr. su nota 27), que coincide mejor con una versión del *R.* que empieza: «Ya se salía Aliarda / de los vaños de vañar: / le vi sacar su rostro / como la leche y la sangre. / Topara al conde Florencio / y començo de hablar» (glosada en *Pliegos Praga,* I, pl. XXXVIII, pág. 333; cfr. *Primav.,* núm. 138 n.). El motivo del baño de por sí tiene una tradicional alusividad al eros, por remitir también a lavacros rituales prenupciales. Alín [1968], 206-209 comenta la metáfora y el motivo, y recuerda un refrán citado y explicado por Correas: «La que del baño viene, bien sabe lo que quiere: "Juntarse con el varón"». Cfr también el Texto 146. En *3S51,* f. 55r [449] y *Apéndices,* IX, 64, el exordio es distinto y abre un compacto *R.* con una Galiarda más explícita en su papel de tentadora diabólica: es ella quien, estando en misa, galantea y atrae al doncel Florencios que va de la mano del conde de Lemos.

4 *tomaría:* el cambio de asonancia, que se repetirá más adelante, podría delatar un originario estrofismo del texto: *RH,* I, 134-135.

5 Tal respuesta, y la petición de Florencios, componen una fórmula que localizamos, por ejemplo, en el Texto 32 («¿Si la dormiré esta noche... — Dormidla...») o en el Texto 31 («¿Si yo os tuviesse esta noche...»). Dice

mas sois niño y mochacho, luego vos alabaréis.—
Miró hazia al cielo Florencios y la su espada sacó.
8 —A esta muera yo, señora, si de tal me alabe yo.—
Aquella noche Florencios con Galiarda dormió.
Otro día de mañana en las cortes se alabó.

18

—Esta noche, cavalleros, dormí con una donzella
que en los días de mi vida yo no vi cosa más bella.—
Todos dizen a una boca: —Cierto, Galiarda es éssa.—
4 Oídolo avía un su hermano, un su hermano que era d'ella:
—Por Dios te ruego, Florencios, que te casasses con [ella.—
—No quiero hazer, cavalleros, para mí cosa tan fea
en tomar yo por muger la que tuve por manceba.—
8 Aún bien no acabó Florencios de dezir aquella nueva,
cuando todos a una voz dizen luego: —¡Muera, muera!
Muera el que ha deshonrado a Galiarda la bella.—

---

un villancico del s. XVI: «— Si a ti pluguiese / una noche sola / contigo durmiese, / [...] — Una noche sola / yo bien dormiría. / Mas tengo miedo / que m'empreñaría», donde la mujer recela —igual que Galiarda (cfr. la nota sig.)— de la inmadurez del varón, aunque en relación con otro riesgo de la unión sexual: *Cancionero de Upsala*. Introd., notas y coment. de Rafael Mitjana, con un estudio de Isabel Pope, México, El Colegio de México, 1944, núm. XXXVI, pág. 55.

6 *niño y mochacho:* en la fórmula está la clave del sentido del episodio: la fogosidad juvenil perjudica al individuo y a quien le rodea; cfr. el Fernandarias del Texto 87 o el Sancho del Texto 126 o Celinos «el infante» del *Conde Dirlos* (*Primav.*, 164), definido «niño y muchacho» él también; y Texto 70, nota 16. Aquí el contraste inmediato entre lo que Florencios afirma en el v. 8 y lo que hace en el v. 10 resalta la ligereza irresponsable del adolescente, que además se manifiesta con un defecto típicamente femenino como es la incapacidad de guardar el secreto, uno de los lugares comunes de las sátiras misóginas. Téngase en cuenta este aspecto al considerar los rasgos de la figura de Galiarda (y cfr. la nota 12-14 del Texto 18).

7 Con este pilar de una cultura varonil de muy prolongado ocaso, que domina —por ejemplo— en las versiones meridionales modernas del Texto 22, Florencios ostenta su hombría, o sea, una faceta más de aquella mentalidad que ya había estimulado la jactancia. Pero el *niño y mochacho* cae víctima de otro topos: la exhibición del triunfo suele ser fatal en amor.

Desque Galiarda lo supo grande enojo recibiera.
12 —Pésame, mis cavalleros, hagáis cosa tan mal hecha.
Lo que aquel loco dezía no era cosa creedera;
hasta saberlo de cierto no le avíades de dar tal pena.—

19

Alabóse el conde Vélez en las cortes de León
que no ay dueña ni donzella que le negasse su amor
sino fuera el de la infanta que no se le demandó,
4 que si se le demandara no le dixera de no.
Mucho pesó a los hidalgos, cuantos en la corte son;
mucho más pesó a don Bueso que adamava nuevo amor:
—Una amiga tengo, el conde, de quinze años que más [non,
8 que si me la engañasses sacássesme el coraçón,
y si no me la engañasses quedarías por traidor.—

12-14 Doncella sabia, Galiarda censura en los caballeros otro aspecto de la impulsividad juvenil, reprochándoles un exceso de credulidad; y tachando de falsas las afirmaciones de Florencios, salva su propia buena fama. Por sensatez y agudeza, domina su entorno masculino. Sabia, por cierto, y perversa: con su belleza atrae a Florencios y no se le niega, aunque percibe el riesgo; el adolescente se pierde y ella se salva, con la misma elegancia y desenvuelta madurez con la que ha entrado en el reto. Cfr. los Textos de 4 a 7. Sobre textos antiguos y modernos *RJEM,* 151-155; *Nahón,* 147-148. En el ms. Madrid BN1 se sugiere una lectura unificada de los dos *R.* al escribirse «y prosigue» en el espacio en blanco entre el 17 y el 18: cfr. *Apéndices,* 456, que los imprime unificados.

1 Jactancia de antiguo abolengo la del conde Vélez, pariente cercano del conde Claros: los *RR.* de ambos a veces se contaminan, en versiones más amplias que circulan en la tradición oral moderna.

6 *don Bueso:* la historicidad de este *R.* y del 20 fue tomada tan en serio por Menéndez Pelayo que propuso identificar a nuestro protagonista con el «merino de Saldaña (*Dominus Bueso* o *Boyso Mayorinus in Saldaña*) precisamente en el reinado de Sancho III, y fundó cerca de la villa de Ureña el monasterio de Bueso, a donde se retiró en sus últimos días y donde fue enterrado»: *Tratado,* VII, 12-13. Cfr. las notas al Texto 20. Es obvio que mi amplia cita implica un mínimo de simpatía hacia la tesis del crítico santanderino.

9 *traidor:* 'falso', en sus afirmaciones. Los términos del desafío son evidentes: si la jactancia del conde en el v. 2 corresponde a la realidad y no es una baladronada, él tiene que conseguir también el amor de la amiga de Bueso; pero si lo consigue y demuestra así lo bien fundado de su afirmación,

Todos fían a don Bueso y al conde ninguno non
sino fuera un infante qu'es hijo de un gran traidor:
12 éste fio al conde Vélez en dos cuentos que más no.

20

Alterada está Castilla por un caso desastrado:
que el conde don Pero Vélez en palacio fue hallado
con una prima carnal del rey Sancho el desseado,
4 las calças a la rodilla y el jubón desabrochado;

---

es como si atentara a la vida misma de Bueso, con las consecuencias imaginables. Escenas palaciegas análogas sobre temática erótico-sentimental en los Textos 17, 18 y 49.

10-12 La hostilidad del ambiente cortesano contra la desmesura del conde es evidente e inspira desprecio hacia el único individuo que le manifiesta apoyo, un *infante* —donde parece resonar, con intención crítica, el matiz etimológico de 'adolescente', y por lo tanto inmaduro— de ascendencia vil. Además su apoyo no es ilimitado, como se supone que es el acordado por los demás a Bueso: no supera los *dos cuentos,* o sea, los 'dos millones'. En vista de este último v., aparece claro que sobre el caso la pandilla ha montado un juego de apuestas, en divertida simbiosis de plaza y corte.

3 *Sancho el Deseado:* es Sancho III, que reinó de 1157 a 1158. La analogía de estos amores con los de los padres de Bernardo del Carpio fue aprovechada ya por Vélez de Guevara en una comedia que Catalán [1970], 167-185 estudia en sus influjos sobre la tradición oral moderna del *R.;* la antigua le aparece de origen erudito, según denuncia la lengua de los textos. En efecto, este *R.,* con su aventura 'a lo conde Claros' sin la buena ventura del modelo y trasladándola a tierras hispanas, barnizada de historia local, sabe más bien a invención burlesca. Eran abundantes las prosas y versos —a veces glosando *rr.* en términos disparatados— que se divulgaban a cargo y con la complacencia de títulos grandes y medios de la aristocracia y en sus círculos. Son buen ejemplo páginas y páginas de la *Crónica burlesca* de don Francesillo de Zúñiga, el bufón de Carlos V. En hipótesis de Catalán, una reelaboración del *R.* marcadamente jocosa, del siglo XVII, pudo tener como blanco circunstancias y altos personajes del tiempo.

4 *calças... jubón:* sabiendo que el jubón era una prenda semiinterior que «se ataca con las calças» (Covarrubias, pág. 719a45), y éstas «una prenda interior que cubría las piernas y el cuerpo hasta la cintura» (Alicia Puigvert Ocal, «El léxico de la indumentaria en el *Cancionero de Baena*», en *BRAE,* LXVII (1987), págs. 171-206 [189]), nos hacemos fácilmente una idea del grado de exposición íntima del cuerpo del conde. En efecto, Covarrubias glosa: «En calças y en jubón sin cobertura y medio desnudo, porque sobre las calças y el jubón se pone otra ropa.»

la infanta estava en camisa, echada sobre un estrado,
casi medio destocada, con el rostro desmayado.
De modo que estava el rey suspenso y muy alterado;
8 en fin por darle castigo, a muerte le ha condenado.
Los grandes dizen que cesse el juizio acelerado:
el caso pide castigo, no lo permite el estado
porque era el conde en Castilla gran señor y emparentado.
12 De suerte que por el rey fue el juizio conmutado,
de darle perpetua cárcel; para lo cual fue llevado
en el castillo de Ureña, adonde fuera entregado
a Peranzules Osorio, merino mayor llamado,
16 y con gran solennidad juramento le han tomado
que no le muestre a persona sino al rey o a su mandado,
no le den cosa ninguna donde pueda estar echado
y de cuatro en cuatro meses le sea un miembro quitado,
20 hasta que con el dolor su bivir fuese acabado.

21

Media noche era por filo, los gallos quieren cantar.
Conde Claros con amores no podía reposar;

---

6 *casi medio destocada:* la doble atenuación parece francamente excesiva y sólo se justificaría por exigencias de medida del verso. Frente al trastorno indumentario del conde anotar que la infanta, *en camisa,* o sea, 'en paños menores', llevaba descubierta una parte de la cabeza (era la *toca* «una pieza de tela fina, lienzo o seda, cortada de forma muy sencilla, que cubría la cabeza o se envolvía a ella»: Puigvert, cit., pág. 200), podría aparecernos como un detalle extravagante. Pero si consideramos que el tal ornamento era «predilecto de las mujeres que por su edad y condición querían vestir discretamente» (Bernis, citada por Puigvert), captaremos en el detalle cierta 'indiscreta' malicia al indicarnos lo *casi medio* atropellada que el frenesí iba dejando, en la cabeza de la infanta, esa insignia de mujeril discreción. Y en efecto el lexicógrafo Franciosini (1620) traducía «destocada mujer» con 'donna scapigliata e sconcia', donde el segundo adjetivo contiene ya un matiz de censura moral: *apud* Gili Gaya, s.v. «destocar».

14 *castillo de Ureña:* cfr. la nota 6 del Texto 19.

19 Sobre tales tormentos cfr. la nota 65 del Texto 60.

2 *Claros:* es el hijo de Reinaldos de Montalbán: cfr. vv. 97-98. Dentro de un marco carolingio convencional, una historieta convencional —pero contada brillantemente— nos traería ecos de los amores novelescos de Emma, la hija de Carlomagno, con Eginardo, secretario del emperador: *Tra-*

grandes sospiros va dando   que amor le haze penar,
4 que el amor de Claraniña   no le dexa sossegar.
Cuando vino la mañana   que quería alborear,
salto diera de la cama,   empeçara de llamar:
—Levantad, mi camarero,   dadme vestir y calçar.—
8 Presto estava el camarero   para avérselo de dar.
Diérale calças de grana,   borzeguís de cordován;
diérale jubón de seda,   aforrado en zarzahán;
diérale un manto rico   que no se puede apreciar:
12 trezientas piedras preciosas   alderedor del collar.
Tráele un rico cavallo   que en la corte no hay su par,
que la silla con el freno   bien valía una ciudad,
con trezientos cascaveles   alderedor del petral:
16 los ciento eran de oro   y los ciento de metal
y los ciento son de plata   por los sones concordar.
Ívase para el palacio,   para el palacio real.
A la infanta Claraniña   allá la fuera a hallar,
20 trezientas damas con ella   que la van acompañar.
Tan linda va Claraniña   que a todos haze penar.
Conde Claros que la vido   luego va descavalgar;
las rodillas por el suelo,   le començó de hablar:
24 —Mantenga Dios a tu alteza.—   —Conde Claros, bien [vengáis.—
Las palabras que prosigue   eran para enamorar:
—Conde Claros, conde Claros,   el señor de Montalván,

---

tado, VII, 293-296 y la nota 1 del Texto 22. La aventura de Claros se contó en otros *rr.:* Seeger [1987-88] y [1990] analiza su progresiva diversificación de fondo en la tradición oral moderna.

6 El insomnio de amor se contempla ya en la fenomenología comentada por Ovidio y es tema de poesía modélica con la Dido virgiliana; junto con el violento levantarse de la cama, acerca el exordio del *R.* a los de los Textos 12, 13 y 14, y al protagonista a Rosaflorida y a Melisenda. Con una diferencia significativa. Frente a la agitación descompuesta de las dos doncellas, que en plena noche gritan su deseo irrefrenable, Claros —héroe solar— se levanta al amanecer y oficia un ritual de vestición, que se extiende al caballo, con indumentos y adornos a cuyo llamativo esplendor se traslada la manifestación agresiva del mensaje del eros, encauzado en las convenciones estilizadas de la sociedad cortesana.

9 *grana:* 'paño fino'; *cordován:* cuero trabajado en Córdoba.

10 *zarzahán:* 'tela de seda, con listas de distintos colores'.

¡cómo avéis hermoso cuerpo para con moros lidiar!—
28 Respondiera el conde Claros, tal respuesta le fue a dar:
—Mejor le tengo, señora, para con damas holgar.
Si yo os tuviesse esta noche, señora, a mi mandar,
otro día en la mañana con cien moros pelear,
32 si a todos no los venciesse me mandássedes matar.—
—Calléis, conde, calléis, conde, y no os queráis alabar.
Los que quieren servir damas assí lo suelen hablar
y al entrar en las batallas bien se saben escusar.—
36 —Si no lo creéis, señora, por las obras se verá.
Siete años son passados que os empecé a amar,
que de noche yo no duermo ni de día puedo holgar.—
—Siempre tuvistes, el conde, de las damas os burlar.
40 Mas dexadme ir, el conde, a los baños a bañar;
cuando yo sea bañada estoy a vuestro mandar.—
Allí respondiera el conde, tal respuesta le fue a dar:
—Bien sabéis vos, mi señora, que soy caçador real:
44 caça que tengo en la mano nunca la puedo dexar.—
Tomárala por la mano y para un vergel se van.
A la sombra de un ciprés, debaxo de un rosal,
de la cintura arriba tan dulces besos se dan,
48 de la cintura abaxo como hombre y muger se han.
Mas Fortuna que es adversa, que a plazeres da pesar,
por aí passó un caçador que no deviera passar,

---

27 Claraniña ha captado las señales de Claros y encamina maliciosamente el diálogo por derroteros en los que el *cazador real* se lanza sin demora con la respuesta más apropiada: es el *gab* o bravata, topos de raigambre literaria francesa, cuya función de fanfarronesco señuelo la experta doncella pone pronto al descubierto (vv. 33-35). 'Cuerpo hermoso de varón' igual a 'cuerpo valeroso en armas' es otro topos que va de Chretien de Troyes a la novela de caballerías; detrás de él se escuda Claraniña para su provocativo piropo. Héroe palaciego, Claros antepone a las virtudes marciales, implícitas e impuestas por la belleza de su cuerpo, el ejercicio de otras habilidades.

50 En el mundo convencional del amor cortés la presencia del delator es casi tan obligada como la de los mismos amantes. Fuera de la convención, el derecho (cfr. *Siete Partidas,* II, xiv, 2) obligaba al súbdito a denunciar escándalos a cargo de las mujeres de la familia y casa del rey, siendo deber de la comunidad vigilar y proteger la honra del monarca. En el *R.* éste reacciona de manera no codificada en los fueros pero bien conocida entre los desafueros. Mc Grady [1986], 157-161 y [1989], 548 cita como posibles fuentes del incidente el *Cligès* de Chretien de Troyes y el *Poema de Fernán González.*

detrás de una podenca que ravia deviera matar.
52 Vido estar al conde Claros con la infanta a bel holgar.
El conde cuando lo vido empeçóle de llamar:
—Ven acá tú, el caçador, assí Dios te guarde de mal;
de todo lo que has visto tú nos tengas poridad.
56 Darte he yo mil marcos de oro y si más quisieres más;
casarte he con una donzella que era mi prima carnal:
darte he en arras y en dote la villa de Montalván;
de otra parte la infanta mucho más te puede dar.—
60 El caçador sin ventura no les quiso escuchar.
Vase para los palacios adonde el buen rey está.
—Manténgate Dios, el rey, y a tu corona real.
Una nueva yo te traigo dolorosa y de pesar,
64 que no te cumple traer corona ni en cavallo cavalgar,
corona de la cabeça bien te la puedes quitar
si tal deshonra como ésta la huviesses de comportar:
que he hallado a la infanta y a Claros de Montalván
68 besándola y abraçándola en vuestro huerto real:
de la cintura abaxo como hombre y muger se han.—
El rey con grande enojo al caçador mandó matar
porque avía sido osado de tales nuevas llevar.
72 Mandó llamar alguaziles a priessa y no de vagar;
mandó armar quinientos hombres para los acompañar,
para que prendan al conde y le ayan de tomar;
mandara cerrar las puertas, las puertas de la ciudad.
76 A las puertas del palacio allá le fueron a hallar.
Preso llevan al buen conde con mucha seguridad,
unos grillos a los pies que bien pesan un quintal,

---

52 *bel:* forma apocopada arcaica de *bello,* usada sólo ante substantivo.
55 *poridad:* 'secreto'.
56-58 Giros formulares frecuentes en *romances* carolingios.
78-80 El segmento es formular (cfr. el Texto 60); lo que no quiere decir que su contenido era solamente literatura. Dictaba para su *Memorial* doña Leonor López de Córdoba: «y estubimos los demás que quedamos presos nueve años [1370-1379] hasta que el Señor Rey Don Henrrique falleció; y nuestros maridos tenían sesenta libras de hierro cada uno en los pies, y mi hermano Don Lope López tenía una cadena encima de los hierros en que havía setenta eslabones; él era niño de treze años, la más hermosa criatura que havía en el mundo»: cito por la ed. reciente, y erudita, de Lia Vozzo Mendia, Parma, Pratiche, 1992, pág. 50.

las esposas a las manos que era dolor de mirar,
80 una cadena a su cuello que de hierro es el collar;
caválganle en una mula por más deshonra le dar.
Metiéronle en una torre de muy grande escuridad;
las llaves de la prisión el rey las quiso llevar,
84 porque sin licencia suya nadie le pueda hablar.
Por él rogavan los grandes, cuantos en la corte están;
por él rogava Oliveros, por él rogava Roldán
y ruegan los doze Pares de Francia la natural;
88 y los monjes de sant Ana con los de la Trinidad
llevavan un crucifixo para mejor le rogar;
con ellos va un arçobispo y un perlado cardenal.
Mas el rey con gran enojo a nadie quiso escuchar;
92 antes, de muy enojado, sus grandes mandó llamar.
Cuando ya los tuvo juntos empeçóles de hablar:
—Amigos y hijos míos, a lo que os hize llamar:
ya sabéis del conde Claros, el señor de Montalván,
96 de cómo le he criado hasta ponelle en edad
y le he guardado su tierra que su padre le fue a dar,
el que morir no devía, Reinaldos de Montalván;
y por hazerle más grande de lo mío le quise dar:
100 hízele governador de mi reino natural.
El por darme galardón, mirad en qué fue a tocar:
que quiso forçar la infanta, hija mía natural.
Hombre que lo tal comete ¿qué sentencia le han de dar?—
104 Todos dizen a una voz que lo ayan de degollar.
Y assí la sentencia dada, el buen rey la fue a firmar.
El arçobispo que esto viera al buen rey fuera a hablar,
pidiéndole por merced licencia le quiera dar
108 para ir a ver el conde su muerte le denunciar.
—Plázeme —dixo el buen rey—, plázeme de voluntad,
mas con esta condición: que sólo avéis de andar
con aqueste pagezico de quien puedo bien fiar.—
112 Ya se parte el arçobispo y a las cárceles se va.
Las guardas desque lo vieron luego le dexan entrar;

---

102 Es una calumnia manifiesta, para el lector u oyente del texto; no lo es para el emperador, que ha sido informado por el cazador con un relato que acentúa, en la escena bajo el rosal, el papel de Claros: cfr. los vv. 68-69 respecto a los vv. 47-48, más adheridos a la 'realidad' imaginable.

con él iva el pagezico   que le va acompañar.
Cuando vido estar al conde   en tal prisión y pesar,
116 las palabras que le dize   dolor es de le escuchar:
—Pésame de vos, el conde,   cuanto me puede pesar,
que los yerros con amores   dignos son de perdonar.
De vos me pesa, el buen conde,   porque assí os quieren [tratar,
120 que los yerros que hezistes   dignos son de perdonar.
Por vos he rogado al rey;   nunca me quiso escuchar,
antes ha dado sentencia   que os ayan de degollar.
Yo os lo dixe, sobrino,   que os dexéssedes de amar,
124 que el que las mugeres ama   atal galardón le dan:
que aya de morir por ellas   y en cárceles penar.—
Respondiera el buen conde   con esfuerço singular:

117-129 Desde finales del siglo XV este segmento, y las palabras sucesivas del paje, gozaron de una difusión amplísima, solos o en glosas, muy superior a la de cualquier v. o grupo de vv. de *rr.*, inspirando un sinnúmero de variaciones musicales; tanto, que en Francia cualquier melodía de *r.* acabó siendo llamada «conde Claros»: Pope [1953]; ms. Madrid BP1: vol. 3b, número 131 [1505], págs. 309-310; Saulnier [1970]. Sobre aspectos y fortuna del *R.* cfr. *RH, passim* y *RV,* 107-114. Para la tradición oral moderna *CGR,* 1A, 44-51; *Yoná,* 81; *Florilegio,* 23; Díaz [1978]; Do Nascimento [1982]; Seeger [1990].

118 A este v. en el *pliego suelto* le siguen ocho octosílabos que no transcribo por pertenecer a una glosa; lo mismo ocurre después del v. 119. *Yerros por amores* es la lección corriente del sintagma. Los dos octosílabos son entre los más populares del *romancero* y compendian la moral de esta historia, confiada a la crítica comprensiva del arzobispo y poco más adelante expuesta en detalle por el exaltado pajecito, pero afirmada ya por el conde cuando declaraba su fidelidad hasta los extremos al servicio de amor (vv. 128-129); bien la podría glosar la estrofilla coeva «Más vale trocar / plazer por dolores / qu'estar sin amores»: ms. Madrid BP1: vol. 3b, núm. 298, pág. 401. A propósito de estrofillas, y como ejemplo entre muchos de la precariedad semántica de un *r.* en consecuencia de su inestabilidad textual, quiero citar la que anota Correas como antepuesta a nuestro v. 133: «Si es así como se canta que dormistes con la infanta: Más envidia…»; con lo cual el énfasis abstracto del pajecico se ha derrumbado en un chistoso realismo. Es de esperar que tal superchería quedara al margen del texto, como deja suponer la rima.

123 En forma muy blanda se presenta la tópica oposición entre anciano sabio y joven imprudente. El *romancero* le muestra cierta afición y en el carolingio reviste la forma de la relación tío-sobrino, típica de las estructuras familiares reflejadas en la épica y en la narrativa ultrapirenaicas, que son la raíz última y muy indirecta ya de estas tardías invenciones.

—Calléis por Dios, el mi tío, no me queráis enojar.
128 Quien no ama las mugeres no se puede hombre llamar;
mas la vida que yo tengo por ellas quiero gastar.—
Respondía el pagezico, tal respuesta le fue a dar:
—Conde bienaventurado siempre os deven llamar,
132 porque muerte tan honrada por vos aya de passar.
Más embidia he de vos, conde, que manzilla ni pesar;
más querría ser vos, conde, que el rey que os manda matar,
porque muerte tan honrada por mí huviesse de passar.
136 Llama yerro a la Fortuna quien no la sabe gozar.
La priessa del cadahalso vos, conde, la devéis dar;
si no es dada la sentencia, vos la devéis de firmar.—
El conde que esto oyera tal respuesta le fue a dar:
140 —Por Dios te ruego, el paje, en amor de caridad,
que vayas a la princesa de mi parte a le rogar
que suplico a su alteza que ella me salga a mirar,
que en la hora de mi muerte yo la pueda contemplar,
144 que si mis ojos la veen la muerte no me penará.—
Ya se parte el pagezico, ya se parte, ya se va,
llorando de los sus ojos que quisiera rebentar.
Topara con la princesa, bien oiréis lo que dirá:
148 —Ahora es tiempo, señora, que ayáis de remediar,
que vuestro querido, el conde, lo llevan a degollar.—
La infanta que esto oyera, en la tierra muerta cae.
Damas, dueñas y donzellas no la pueden retornar
152 hasta que llegó su aya, la que la fue a criar:
—¿Qué es aquesto, la infanta? Aquesto ¿qué puede [estar?—
—¡Ay triste de mí, mezquina, que no sé qué remedio [dar!
Que si al conde me matan avré de desesperar.—
156 —Saliéssedes vos, mi hija, saliéssedeslo a quitar.—
Ya se parte la infanta, ya se parte, ya se va.
Fuese para el mercado donde lo han de sacar;
vido estar el cadahalso en que lo han de justiciar,
160 damas, dueñas y donzellas que lo salen a mirar;

143-144 Es núcleo conceptual de marca cancioneril. El *R.* entero es una brillante escenificación de temas y lenguaje de la poesía trovadoresca hispánica del s. XV. Cfr. Texto 55 y sus notas.

vio venir la gente d'armas que lo traen a matar,
los pregoneros delante por su yerro publicar.
Con el poder de la gente ella no podía passar.
164 —Apartadvos, gente d'armas, todos me hazed lugar,
si no por vida del rey a todos mande matar.—
La gente que la conosce luego le hazen lugar
hasta que llegó al conde y empeçara de hablar:
168 —Esforçá, esforçá, el buen conde, y no queráis des- [mayar,
que aunque yo pierda la vida la vuestra se ha de salvar.—
El alguazil que esto oyera començó de caminar;
vase para los palacios adonde el buen rey está.
172 —Cavalgue vuestra alteza apriessa y no de vagar,
que salida es la infanta para el conde nos quitar.
Los unos manda que maten y a los otros ahorcar.
Si tu alteza no socorre, no lo puedo remediar.—
176 El rey cuando esto oyera començó de caminar
y fuese para el mercado, adonde el buen conde está.
—¿Qué es aquesto, la infanta? Aquesto ¿qué puede [estar?
La sentencia que yo he dado ¿vos la queréis revocar?
180 Yo juro por mi corona, por mi corona real,
que si heredero tuviesse que me huviesse de heredar,
que a vos y al conde Claros vivos os haría quemar.—
—Que vos me matéis, mi padre, muy bien me podéis [matar.
184 Mas suplico a vuestra alteza que se quiera acordar
de los servicios passados de Reinaldos de Montalván,
que murió en las batallas por su corona ensalçar:
por los servicios passados el hijo es de galardonar;
188 por mal querer de traidores vos no lo devéis matar,
que su muerte será causa que me aya de disfamar.
Más suplico a vuestra alteza que se quiera aconsejar,

---

170 *alguazil:* junto con el aya que da consejos a la infanta, es otro de los elementos, y lugares comunes, que conectan este *R.* con el Texto 14.

183-195 Claraniña desarrolla una sagaz argumentación más política que sentimental, acertando en la vía para ganarse la voluntad del emperador. Su temperamento la hermana con otras heroínas dentro y fuera del *romancero*, en el mundo de la literatura, la del s. XV en particular.

que los reyes con furor no deven sentencia dar,
192 porque el conde es de linaje del reino muy principal,
porque él era de los Doze que a tu mesa comen pan:
sus amigos y parientes todos te querrían mal,
rebolverte han cruda guerra, tus reinos se perderán.—
196 El rey que aquesto oyera començara a demandar:
—Consejo os pido, los míos, que me queráis aconsejar.—
Luego todos se apartaron por su consejo tomar.
El consejo que le dieron que lo aya de perdonar
200 por quitar males y bregas y por la princesa affamar.
Todos firman el perdón y el rey lo fue a firmar.
También le aconsejaron, consejo le fueron a dar,
pues la infanta quería al conde con ella aya de casar.
204 Ya perdonavan al conde, ya lo mandan perdonar.
Descavalga de una mula el arçobispo a los desposar;
él tomólos de las manos y así los huvo a juntar.
Los enojos y pesares en plazer van a tornar.

22

Levantóse Girineldos, qu'el rey dexava dormido.
Fuesse para la infanta donde estava en el castillo.

---

200 *affamar:* 'proteger en la buena fama'.

1 *Girineldos:* con sus variantes *Gerineldos* o *Gerineldo,* derivaría de un originario *Eginardo,* nombre del secretario de Carlomagno que se vio atribuidos amoríos con la princesa Emma en relatos fabulosos, de los que serían retoños tardíos *rr.* como éste y como el Texto 21. La obviedad del tema hace dudar de una tal ascendencia; pero en este *R.* los indicios son menos genéricos: el nombre del protagonista, por ejemplo, y algún detalle conservado incluso por textos recogidos en época reciente: Otto [1892], que comenta también la primera huella del relato en el *Chronicon Laureshamense* (1095).

1-2 Es un exordio ya codificado y reúne con éste los *rr.* de Claros, Rosaflorida, Melisenda. En el *Romancero* de Durán, I, núm. 321 (y cfr. *Primav.,* 161a), encontramos un texto del *R.* según un *pliego suelto* que creo tardío; su exordio, con la princesa que invita al paje a la cita nocturna, nos traslada a otra convención, la de los Textos 8, 9, 12, 13, 14 y 15, que vuelve más plausibles la desenvoltura del paje al introducirse en el cuarto de la infanta y la que, en el segundo octosílabo del v. 5, parece alusión a un precedente contacto. La pregunta sorprendida de la doncella en el v. 4 se puede atribuir a un automatismo formular, que no es raro en el *romancero:* en efecto, los vv. 3-4 suelen ser la formulación lingüística corriente del motivo de la 'llamada a la puerta de la amada', tanto en la lírica como en el *romancero*: cfr. los Textos 29 y 156.

—Abráisme —dixo—, señora, abráisme, cuerpo ga-
[rrido.—
4 —¿Quién sois vos, el cavallero, que llamáis a mi pos-
[tigo?—
—Girineldos soy, señora, vuestro tan querido amigo.—
Tomáralo por la mano, a un palacio lo ha metido,
y besando y abraçando Girineldos se ha dormido.
8 Recordado havía el rey del sueño despavorido;
tres vezes lo avía llamado, ninguna le ha respondido.
—Girineldos, Girineldos, mi camarero polido,
si me andas en traición trátasme como enemigo:
12 o dormías con la infanta o me has vendido el castillo.—
Tomó la espada en la mano, en gran saña va encendido;
fuérase para la cama donde a Girineldos vido.
Él quisiéralo matar mas criole de chiquito;
16 sacara luego la espada, entre entrambos la ha metido,
porque desque recordasse viesse como era sentido.
Recordado avía la infanta e la espada ha conoscido:
—Recordasseis, Girineldos, que ya érades sentido,
20 que la espada del rey mi padre yo me la he bien conoscido.—

---

8 *Despavorido* puede ser un atributo de *sueño* o de *rey*; he optado por la primera solución porque la segunda obligaba a una coma entre *sueño* y *despavorido,* dando lugar a una fuerte anomalía rítmica. De todas formas, parece evidente que el rey ha tenido un sueño y no que simplemente ha dormido, como entiende una zona de la tradición oral moderna. Otra rama da el contenido del sueño: «que le duermen con la infanta / o le roban el castillo», donde el segundo octosílabo puede ser una tautología, como metáfora del contenido del primero, en un poemita cuya riquísima fortuna se ha apoyado también en el juego del simbolismo sexual. Es imposible determinar si los versos con el contenido del sueño son una preciosa pieza arqueológica o una integración explicativa *a posteriori* del v. 12 de nuestro texto, que indica ya al paje como protagonista de la empresa eventualmente soñada por el rey. Sobre el *R.* y su tradición cfr. el estudio ejemplar de Menéndez Pidal [1920], puesto al día en 1950 por Catalán-Galmés de Fuentes [1954]; también Horrent [1957], que defiende la integridad de los textos antiguos de las dudas de Menéndez Pidal; *RJEM,* 82-88; Schiavo [1979]; Alonso Hernández [1989]; Cruz [1990]. Todos los textos en *RT,* VI, VII y VIII.

16 Gesto simbólico de origen histórico, para atestiguar el descubrimiento de la infracción y anunciar un castigo; que en este caso, según la tradición moderna, al final dio paso al perdón.

20 En *3S51* (470) a este verso siguen cuatro octosílabos que prolongan

23

Bien se pensava la reina que buena hija tenía,
que del conde don Galván tres vezes parido avía,
que no lo sabía ninguno de los que en la corte avía
4 sino fuesse una donzella qu'en su cámara dormía
y por un enojo que oviera a la reina lo dezía.
La reina se la llamava y a su cámara la metía
y estando en este cuidado de palabras la castiga:
8 —Ay hija, si virgo estáis reina seréis de Castilla;
hija, si virgo no estáis de mal fuego seás ardida.—
—Tan virgo estoy, la mi madre, como el día que fui na-
[cida.
Por Dios os ruego, mi madre, que no me dedes marido:
12 doliente soy del mi cuerpo, que no soy para servillo.—

---

la desazón de la infanta y relatan una propuesta de matrimonio de Girineldos. Según tendencia general, el epílogo fue una zona de labor intensa de la tradición: cfr. los estudios citados. Un posible prototipo textual ofrece *Flor nueva,* 51; una muestra mínima de textos y una síntesis de temas críticos en Débax [1982], 387-394.

10 Nótese el humor burlón que ha sugerido la invención de este v. después de haberse creado el 2.

12 En las ediciones sucesivas de *CR[47]* siguen catorce octosílabos más que relatan cómo la infanta se encierra en una torre, le entran los dolores del parto y llama a Galván, rogándole que se encargue de la crianza del niño que le va a arrojar desde lo alto (*Primav*. 160). El *R*. es una versión más, y extremada (pero cfr. *Primav*. 160), de un tema abusado en la novela caballeresca y bien presente en el *romancero:* los amores clandestinos de princesas, en muchos casos generadores de héroes. Este segundo elemento está ausente en los *rr*. o se presenta —caso muy raro— en la forma apenas esbozada de nuestro texto en su versión más larga. Apunto alguna posible explicación: la brevedad de los *rr*. no permite premisas y desarrollos; las premisas son más jugosas que los desarrollos; y, en general, las historias de los adultos atraen más que la extraordinaria carrera de un niño excepcional, que sería forzoso narrar en síntesis e imposible compendiar en una o pocas escenas emblemáticas; en fin, el *r*. es un espacio que no fragua destinos sino que los consume. Prueba de todo esto es el efecto de marginalidad que nos producen, dentro del género tal como lo conocemos, el *R. de Espinelo* (Texto 50) o el de la *Infancia de Fernán González* (Texto 110), a pesar de que el primero se disponga como el rememorar angustioso de una víctima; el llamado *R. del nacimiento de Bernardo* (Texto 107) es realmente el de la ruina de sus padres.

24

—Tiempo es, el cavallero, tiempo es de andar de aquí,
que me cresce la barriga e se me acorta el vestir,
que no puedo estar en pie ni al emperador servir;
4 vergüença he de mis donzellas, las que me dan el bestir:
míranse unas a otras, no hazen sino reír.
Si tienes algún castillo donde nos podamos ir.—
—Parildo, infanta, parildo, que assí hizieron a mí:
8 hijo soy de un labrador, que de cavar es su bivir.—

---

2 *vestir:* es expresión formular; con disyuntiva, nos la depara la canción francesa del s. XVI de la «belle fille» que bajo un olivo se durmió doncella y despertó encinta: «Ma cinture est trop courte / ou le ventre m'est creu» [«Mi cinta es demasiado apretada / o me ha crecido el vientre»]. En el ms. Madrid BP1: vol. 3b, núm. 146 [1505], págs. 318-319 leemos los cuatro vv. primeros de la versión «más arcaica conocida» y que debía de tener un «tono de sobriedad» que fue perdiéndose en las versiones sucesivas (según Romeu): «Tiempo es, ell escudero, / tiempo es de andar d'aquí, / qu'el secreto se descubre, / ya no lo puedo encobrir»; *ibíd.,* sobre glosas y contrahechuras; cfr. también Díaz Mas [1988]. Para ampliar la geografía de la documentación de tal motivo y de su fórmula, cfr. John F. Plummer, «The Woman's Song in the Middle English and its European Backgrounds», en *Vox Feminae,* cit. en la Bibliografía, págs. 135-154 [146].

5 Las risas de las doncellas sin duda eran contagiosas para el público. Hubo en particular una pandilla de amigos del versificador valenciano Francisco de Lora que le pidió —nos lo dice él mismo— una glosa del *R.*; y para reforzar el entretenimiento, la quisieron también del Texto 25, de manera que nos fuera claro por dónde tiraban sus gustos. Y de manera que supiéramos a quién agradecer el *pliego suelto,* de los más afortunados, que nos ha legado estos dos productos de la vertiente cómico-realista, 'provocante a risa', de la escuela cancioneril en sus juegos con materia poética parafolklórica. Antecesora noble fue la mano que redactó en gustoso latín: «[…] Cum foris egredior, / a cunctis inspicior, / quasi monstrum fuerim. // Cum vident hunc uterum, / alter pulsat alterum, / silent, dum transierim. // Semper pulsant cubito, / me designant digito, / ac si mirum fecerim […]» («[…] Nada más salir a la calle, / tengo los ojos de todos encima, / como si fuera un monstruo. // Al verme esta barriga, / se avisan el uno al otro, / pero callan mientras paso. // Siempre se dan del codo, / me señalan con el dedo, / como si hubiera hecho un portento […]»): *Carmina Burana* (cit. en la nota 1-3 del Texto 16), vol. I.2, núm. 126 «Huc usque me miseram», pág. 209 y cfr. Anne Howland Schotter, «Woman's Song in Medieval Latin», en *Vox Feminae,* cit. en Bibliografía, págs. 19-33 [26-30], que señala con acierto el humorismo sustancialmente antifeminista de éste y de otros textos similares, y que podemos extender muy bien a nuestro *R.* y al núm. 25 e intuir en la pandilla de Lora. Sobre las relaciones con la sátira misógina llama la atención Plummer en la conclusión de su art. cit. anteriormente.

—Maldita sea yo princesa   e la ora en que nascí!
¡Antes rebentasses, vientre,   que de tal hombre parir!—
—Calléis, infanta, calléis,   no vos queráis maldezir,
12 que hijo soy del rey de Francia   y de la reina emperatriz:
villas y castillos tengo   donde vos pueda encobrir.—

25

—Essa guirnalda de rosas,   hija, ¿quién te la endonara?—
—Donómela un cavallero   que por mi puerta passara.
Tomárame por la mano,   a su casa me llevara;
4 en un portalico escuro   comigo se deleitara:
echóme en cama de rosas,   en la cual nunca fui echada,

---

1 *guirnalda:* era pieza corriente del vestir, la que después se llamó *rollo*, relleno de juncos o lana y forrado de tela, que podía llevar adornos, como son aquí las rosas, con su alusividad: Carmen Bernis, *Indumentaria medieval española,* Madrid, Inst. D. Velázquez, 1955, pág. 43.

1 *endonara:* 'donara'.

4 *portalico:* 'zaguán'. Los vv. no velan la impaciencia del caballero y la sensualidad de este amorío, vivido y narrado entre símbolos delicados y crudezas realistas. En el centro está la *rosa,* que pasa de una alusividad evanescente y casi decorativa —*guirnalda*— a una sugerencia ya más explícita —*cama de rosas*—, hasta dar en la evidencia de la *sangre* del himen. Referencias a este simbolismo de desfloración en ritos y cantos nupciales en Suárez Ávila [1989], 49, 85 y 127; Rodríguez Baltanás-Pérez Castellano [1989], 628-629; y también *CGR,* I, 177. La matriz lírica de todos los elementos del *R.* en *CALP,* 280-292, 306-308, 314, 629 y en particular 1651 con el motivo de la 'camisa manchada'. Uno de los tantos antecedentes temáticos del *R.* merece señalarse por ser lejano en el espacio geográfico-cultural y curiosamente próximo como invención poética: es uno de los *Carmina Burana,* cit. en la nota 1-3 del Texto 16, el que empieza «Ich was ein chint so wolgetan» [«yo era una doncella tan atractiva»] (vol. I.2, núm. 185, pág. 310) y alterna guasonamente vv. en antiguo alemán a vv. en latín. La joven cuenta la que ha sido más bien una violación, en un ambiente campestre como el de las 'pastorelas' y opuesto al urbano del *R.;* traduzco unas estrofas: «Me tocó con su blanca mano, / pero no deshonestamente, / me llevó al prado / muy arteramente. // ¡Ahi y oh! Malditos sean los tilos / que bordean el sendero. // Agarró mi blanco vestido / muy indecentemente, / me arrastró de la mano / muy violentamente.»; sigue un relato con algún detalle, incluso obsceno, y sin la alegría que chispea en el *R.* Lo comentan bien Schotter (art. cit. en la nota 5 del Texto 24), págs. 24-26 y Plummer (art. cit. en la nota 2 del mismo Texto), págs. 140-142.

hízome no sé qué hizo que d'él vengo enamorada.
Traigo, madre, la camisa de sangre toda manchada.—
8 —¡Oh sobresalto ravioso, que mi ánima es turbada!
Si dizes verdad, mi hija, tu honra no vale nada,
que la gente es maldiziente, luego serás desonrada.—
—Calledes, madre, calledes, calléis, madre muy amada,
12 que más vale un buen amigo que no ser malmaridada:
dame el buen amigo, madre, buen mantillo e buena saya;
la que cobra mal marido bive malaventurada.—
—Hija, pues queréis assí, tú contenta yo pagada.—

---

12 La huella más antigua de este v. se localiza en la *Celestina*, Acto XVI: ya prendida de Calisto, Melibea —entre otras justificaciones— alega «que más vale ser buena amiga que mala casada». La frase en realidad es proverbial (Correas, 538: «Más vale ser buena amiga ke malkasada») y en las mismas fechas resuena en una canción francesa: «Car il vault myeulx avoir amy / Qu'estre mal mariée» (*Chansons des XV et XVI siècles* [cit. en la nota 11 del Texto 5], núm. LVI, pág. 102). Pero el episodio entero del *R.* está muy próximo a la experiencia que vive Melibea, incluso en la polémica con los padres: ella está escuchando a hurtadillas, y rebatiendo mentalmente, los proyectos de matrimonio que los padres van razonando, temerosos ellos también de «maldicientes»: cfr. nuestro v. 10, aunque en la Tragicomedia la frase de Pleberio desciende de Petrarca. Señaló el lugar celestinesco, pero remitiendo a *La bella malmaridada,* Dorothy S. Severin, «Is *La Celestina* the first modern Novel?», en *Homenaje a Stephen Gilman,* en *REH-PR,* 9 (1982), págs. 205-209 [207]. Además del tema de la 'malmaridada', que engalana varios *rr.,* otros más entran a componer la rotunda declaración de la que fue doncellita. En la oposición *buen amigo-mal marido,* liberal el uno y tacaño el otro, con la preferencia implícita por un bienestar en la deshonra contra una honrada estrechez, hay ecos de tradicionales debates literarios medievales. El marco nos propone otra convención, la del diálogo entre la hija en sus amores tempranos y la madre confidente, y muchas veces represiva; una madre que, en este caso, cambia con desenvoltura su primitiva actitud censora en una calculada resignación. El rasgo bien corona el humorismo gracioso y la leve vulgaridad pícara de este texto, que comparte con el género de la pastorela el motivo del 'encuentro'. Sobre su fortuna moderna Armistead-Silverman [1979], 46-49.

15 *contenta...pagada:* la sal del *R.* debía de estar también en la chistosa manipulación de esta fórmula, que en la lírica tradicional suele conjugar opuestos. Un ejemplo dentro de un texto de Luis de Camões, el *Auto dos enfatriões:* «Vós por outrem, e eu pos vós; / Vós contente, e eu penado; / Vos casada, eu cansado [...]».

26

—Rosa fresca, rosa fresca, tan crescida y con amor,
cuando vos tuve en mis braços no vos supe servir no
y agora que os serviría no vos puedo aver no.—
4 —Vuestra fue la culpa, amigo, vuestra fue que mía no:
embiástesme una carta con vuestro servidor
y en lugar de recaudar él dixera otra razón:
qu'erades casado, amigo, allá en tierras de León,
8 que tenéis muger hermosa y hijos como la flor.—
—Qui vos lo dixo, señora, no vos dixo verdad no,
que yo nunca entré en Castilla ni en tierras de León,
sino cuando era pequeño que no sabía de amor.—

27

—Durandarte, Durandarte, buen cavallero provado,
yo te ruego que hablemos en aquel tiempo passado

---

2 *no vos supe servir no:* en los Textos 4 y 5 la *cortesía* (o la *covardía,* según la maliciosa niña) inhibe el 'servicio' del caballero; cuál pudo ser aquí la causa de la ocasión perdida no se nos dice. Lo que sí nos dicen estos textos es el gusto refinado con el que una escuela poética encuentra en el *r.* un molde cristalino para representar, en forma y con figuras de relato dramatizado —revistiendo de carne y huesos—, conceptos, motivos y casos que el trovadorismo tardío, en sus espacios marcadamente cultos, reitera según las abstracciones convencionales. Y con alguna obsesión profunda: por ejemplo, la inquietud del varón frente al «misterio insondable del goce femenino», temido en su mitizada avidez, que determina un auténtico «*impasse* sexual»: así leen aspectos del código amoroso de los provenzales algunos críticos de inspiración lacaniana (*apud* Georges Duby, «El modelo cortés», en el vol. 2 de la *Historia de las mujeres,* Madrid, Taurus, 1992).

5 En otras fuentes *un vuestro* regulariza la medida del v.

9 *Qui:* por *quien,* es arcaísmo cuyo uso superó la mitad del siglo XIV solamente en Aragón, según *DCECH,* IV, págs. 705b38 y 706b3.

1 *Durandarte:* no sabemos cuándo y cómo el nombre de la espada de Roldán —«Durendal», personificada en el lamento del héroe moribundo: cfr. la nota 5 del Texto 47— pasó a ser antropónimo, ni en qué textos: *Tratado,* VII, 315 propone el *Reinaud de Montauban,* mientras a la *Chevalerie Ogier* remite Entwistle [1932], 211. La forma «Durandart», para la espada, se documenta sólo en las versiones rimadas del *Roland* de Châteauroux y de París, en el *Garin de Monglane* y en *Fierabras:* Rita Lejeune, «Les noms d'épées dans la *Chanson de Roland»,* en *Mélanges de Linguistique et de Littérature Romane* offerts à Mario Roques, Paris, Didier, 1950, vol. I, págs. 149-166 [155-160].

2 Estos dos vv. en el ms. Madrid BP1: vol. 3b, núm. 445 [1515], pág. 487.

y dime si se te acuerda cuando fuste enamorado,
4 cuando en galas y envinciones publicavas tu cuidado,
cuando venciste a los moros en campo por mí aplazado.
Agora, desconoscido, di ¿por qué me has olvidado?—
—Palabras son lisongeras, señora, de vuestro grado;
8 que si yo mudança hize vos lo avés todo causado
pues amastes a Gaiferos cuando yo fui desterrado.
Que si amor querés comigo tenéslo muy mal pensado,
que por no sufrir ultraje moriré desesperado.—

28

Yo me adamé un amiga dentro en mi coraçón;
Catalina avía por nombre, no la puedo olvidar no.
Rogóme que la llevasse a las tierras de Aragón.
4 —Catalina, sois mochacha: no podréis caminar no.—
—Tanto andaré, el cavallero, tanto andaré como vos.
Si lo dexáis por dineros llevaré para los dos:
ducados para Castilla, florines para Aragón.—
8 Ellos en aquesto estando la justicia que llegó.

---

3 *fuste:* igual que *fuiste.*

4 *envinciones:* emblemas que declaraban, con figuras o colores o letras solos o combinados, los sentimientos de quien los exhibía, especialmente en las justas o en el desafío lanzado por un caballero para ensalzar a su dama, como en este caso: cfr. el *campo por mí aplazado* del v. sig.

6 *desconoscido:* de memoria lábil.

7 Interpreto: 'Son palabras acordes a vuestro gusto', o sea, que no respetan la verdad y solamente quieren ocultar un antojo. El *R.* pone en escena el contraste entre dos puntos de vista (un buen análisis en Foster [1971], 166-172); patrón idéntico, con los papeles invertidos, en el Texto 26, que curiosamente empieza también con la iteración del nombre del interlocutor. Son como 'debates', según observación más general de Spitzer [1935] y [1945]; relatan en primer término un diálogo, que en su interior y en segunda instancia apunta una historia de la que es remate: Di Stefano [1976].

1 *adamé:* 'amé intensamente'. Cfr. «Eu amey hua senhora / de todo meu coraçam»: *CALP*, 478 (en Gil Vicente), que parece eco —o modelo— de nuestro primer verso. Cfr. también el v. 6 del Texto 11. Ver ADICIONES.

8 El paso de la narración en primera persona a la indirecta, después de un diálogo, no sorprende: cfr. los Textos 4, 68 y 70. Choca más el final trunco, aunque la información no es incompleta en lo esencial: dos amantes son separados por la fuerza cuando la justicia los alcanza y detiene a uno de

los dos o a ambos. Sin embargo, debió de existir un texto más amplio, que relataba algo de esa aventura malograda y que se da por concluida desde el presente en que se coloca el acto de narración retrospectiva (v. 2). Sospecho que se trate de un adulterio y de la huida de los dos amantes, con la mujer que se ha llevado bienes y dineros del marido y por esto los persigue la justicia; abundante documentación sobre tal punto en Ricardo Córdoba de la Llave, «Las relaciones extraconyugales en la sociedad castellana bajomedieval», en *AEM*, 16 (1986), págs. 570-619 [584-591]. Acutis [1974], 63-64, supuso en un origen ilícito del dinero de Catalina la causa de la persecución, que el público enmarcaba en un relato ya perdido para nosotros. El final contenido en una versión judeo-española del *R.* le aparece postizo a *RH,* I, 73n., que señala dos vv. en Correas: «Catalina, Catalina, mucho me cuesta el tu amore, / tras mi viene la justicia, tambien el corregidore.» El segundo v. presenta un motivo corriente: cfr. el Texto 29 y el que transcribo en una nota del 156. En la lírica popular se rastrean vv. que acaso nos aproximen a la naturaleza del tema de este *R.* y a la definición de algunos de sus motivos dentro de un contexto tradicional. Hemos visto ya el caso del v. 1. El motivo del v. 3 se encuentra en otros *rr.* y en la lírica: Textos 31 y su nota 8, y 110; las *tierras de Aragón* se citan en *CALP,* 523. El motivo de la 'mocedad' (v. 4) ya lo hemos visto en el Texto 17; cfr. también «soy niña y muchacha» de *CALP,* 888A. El motivo del v. 5 está presente, en negativo, en *CALP,* 1014: «Cavallero, idme aguardando, / que no puedo caminar tanto», que enlaza con el temor de nuestro caballero en el v. 4. En *CALP* Catalina sobrepasa en presencias a cualquier Juana, Teresa o Beatriz: aparece en doce textos, más otro que se da como cantado por ella. Por la frecuencia de tal nombre en la Península, el dato puede tener poco peso. Pero notamos que once de esos trece textos son de un tono dramático muy afín al de nuestro *R.*, y al del Texto 153 y del cit. en la nota al núm. 156: sus infelices protagonistas se llaman también Catalina. Excluyo los vv. de Correas, que pertenecen a alguna versión perdida del *R.* De los demás cito: «¡Ay, Catalina, mi vida! / ¡ay, Catalina, se te vira!» (*CALP,* 427); «En aquella sierra erguida / gritos davan a Catalina. / ¡Ay, madre, quiérome ir a ella!» (*CALP,* 191); «Si te echaren de casa, / la Catalina, / si te echaren de casa, / vente a la mía» (*CALP,* 473); «Adío, adío, Catalineta, / adío, adío, Cataliná» (*CALP,* 542); «¡Ay, cómo tardas, amigo! / ¡Ay, cómo tardas, amado» (*CALP,* 572), de un *R. en voz de Catalina.* Los vv. remiten a una temática de amor doloroso y de separación que coincide con la del *R.* En *CALP,* 889 encontramos a Catalina y se cita la cárcel, pero en un contexto poco claro. En *CALP,* 1526 una voz pregunta a Catalina por su pena secreta. Perfil un poco distinto tiene Catalina en las demás coplas: la de *CALP,* 641 «bem promete» y en realidad «mente»; en *CALP,* 1708 se le ruega: «Catalina, no me olvides, / pues te troxe borzeguines». Quién sabe si, en el fondo, todos estos interlocutores y compañeros de nuestra doncella no concordarían en la exclamación: «El diablo soys vos, que no çorra, / la Catalinorra» (*CALP,* 1982). Es probable que se asociara a ese grito también el caballero de nues-

29

Yo m'era mora Moraima, morilla d'un bel catar.
Cristiano vino a mi puerta, cuitada, por m'engañar;
hablóme en algaravía como aquel que la bien sabe:
4 —Abrasme las puertas, mora, si Allá te guarde de mal.—
—¿Cómo t'abriré, mezquina, que no sé quién te serás?—
—Yo soy moro Maçote, hermano de la tu madre,

---

tro *R*., donde nos parece ahora que encuentra remate un perfil de mujer seductora y nefasta, más bien vulgar, que aclara la semántica del texto, aunque quede obscura su anécdota. *CALP,* 1927 y 1997C son intrascendentes. De la poesía 'culta' nos viene al encuentro la Catalina de tres brillantes socarrones: Villasandino («Catalina no es fina»), Antón de Montoro («Catalina, mientras merco», y en otros tres poemitas siempre como criada o beoda) y Rodrigo de Reinosa («Catalina, de mí querida», al final despedida con un «que vayas a espulgar un perro»). Sabemos cuán dignamente Catalina se muestra en tanta literatura, hasta culminar en aquella «flor de las Catalinas» que en palabras de Fabia fue la santa madre de las dos mocitas medinesas del *Caballero de Olmedo* de Lope. Pero, ante una pareja como la ramera de la comedia y el siempre chistoso dramaturgo, creo conveniente no arrinconar los sentidos múltiples y ambiguos que en la jerga de la época rodeaban a 'Catalina'; por ejemplo: «Vulgarmente dizen que tiene Catalinas el que padece enfermedad gálica. Devió de ser por alguno a quien pegó este mal la que era deste nombre» (Ayala 1693, en Gili Gaya, s.v.). El disparate de la etimología se excusa en vista de la mala fama que debía de acompañar al nombre y que no evitó una curiosa «inversión del campo semántico»; de ella nació, vulgarizándose, la acepción positiva de 'pureza' comentada por Covarrubias: José Luis Alonso Hernández, *Léxico del marginalismo en el Siglo de Oro,* Salamanca, Universidad, 1977, pág. 190. Es la acepción que usa Lope, o por lo menos que aparenta usar este buen conocedor de cara y cruz de todas las jergas y del saber tradicional de su público, donde es probable que campearan más 'Catalinorras' que 'flores de Catalinas': si al pronunciar Fabia su elogio hubiera resonado en el corral alguna carcajada de mosqueteros, nadie —creo— se habría sorprendido, empezando por el mismo Lope. Tirso de Molina, con 'Catalinón' del *Burlador,* es explícito.

1 *Moraima:* ha sido propuesta una corrección en *moraina,* considerada lección originaria; es «forma diminutiva árabe [...] del romance *morena,* o sea, por lo tanto, 'morenilla'»: Solà Solé [1965], 137 y mi nota al v. 4.

4 Este v. y el v. 8 presentan un motivo muy difundido en la lírica popular; un ejemplo es «Morenica, ¿por qué no me vales? / que me matan a tus umbrales»: *CALP,* 402, y también los núms. 292, 341 y 1710 con el motivo de la llamada a la puerta.

6 *Maçote:* «evolución popular y directa» del árabe *Mas'ûd:* Solà Solé, 138; *hermano de la tu madre* sería calco de una típica construcción árabe: Solà Solé, 143.

que un cristiano dexo muerto, tras mí viene ell alcaide;
8 si no me abres tú, mi vida, aquí me verás matar.—
Cuando esto oí, cuitada, començéme a levantar,
vistiérame un almexía no hallando mi brial,
fuérame para la puerta y abríla de par en par.

---

8 *mi vida:* al constatar que en castellano se documenta tardíamente, Solà Solé, 143 considera esta expresión afectiva «un calco de la fórmula tan corriente en árabe *la-'amrî,* 'por mi vida'».

9 *començéme a levantar:* «podría relacionarse con la extraordinaria frecuencia de construcciones inceptivas (y pleonásticas) del árabe»: Solà Solé, 144.

10 *almexía:* 'manto pequeño y de tela basta, que entre los moros de España usaba la gente del pueblo': *DRAE,* s.v. *almejía.*

11 Realidad y símbolo, por la puerta de la doncella puede entrar un regustado y provechoso amor, como en el Texto 25, o la violencia y la deshonra, como en este caso. Al igual que la puerta de Moraima, su *R.* ha quedado abierto *de par en par* al asalto de los críticos. Por las notas que anteceden, y que sólo en parte utilizan sus muchos argumentos, se intuye ya claramente que Solà Solé tiende a dar base filológica a la añeja idea que el *R.* es «una transposición, tal vez algo más reducida y compacta, de un cantarcillo arábigo» (pág. 146). Se le aproxima mucho Armistead [1978b], 222-223, cuando define el texto «obra de un poeta morisco, o más bien, dada la fecha temprana, de un mudéjar (si se prefiere)», sugiriendo la segunda mitad del siglo XV como época de composición. Ambos concuerdan sobre el sentimiento inspirador: para el primero «el sentido anticristiano del poema no puede ser más evidente» (142); afirma el segundo: «es un poema de sentimientos, o de resentimientos, profundamente anticristianos» (221). Una tesis puede resultar sospechosa por su misma transparencia. Lectores más pertrechados han querido ahondar. Uno de los resultados no podía ser, por supuesto, sino lo contrario exacto de la opinión común: el *R.* es «a pro-christian text», fraguado en los tensos años finales de la Reconquista para exaltar el ardid de un cristiano contra una odiosa enemiga, que se ha revelado dispuesta a proteger a un correligionario, asesino de un cristiano: Mirrer-Singer [1985]. En otra lectura la densidad de referencias temáticas y textuales, siempre de interés, no oculta un involuntario tufillo antifeminista afín a los humores que aletean en cierta mentalidad, e incluso en algunas instituciones, frente a la violación de la mujer: el relato de la morilla es «una versión trastocada de los hechos», construida como «excusa y lamento por no haber sabido guardar mejor su virtud», porque... Moraima «no es violada sino seducida»: Aguirre [1972], 54-55. Sólo que el lamento de Moraima me parece bien distinto, por ejemplo, del que entona esta niña: «Como es el amor / un fuerte guerrero / quiso en mí el primero / mostrar su rigor; / gusté de su ardor / y abríle la puerta» (*El Parnaso español de madrigales y villancicos,* por Pedro Ruimonte, Anvers 1614, f. 2v.). Pienso que cualquiera de estas interpretaciones en algo puede acertar: en un texto como el nuestro, más que en otros, el sentido está confiado al arbitrio de quien lo canta y a quien lo canta, y cómo, cuándo, dónde. En el ms. Londres BL1, f. 25r (=Dutton, I, 158) el texto del *R.*, que allí se atribuye

30

A caça ivan, a caça los caçadores del rey;
ni fallavan ellos caça ni fallavan qué traer;
perdido avían los halcones, mal los amenaza el rey.
4 Arrimáranse a un castillo que se llamava Mainés;
dentro estava una donzella muy fermosa y muy cortés;
siete condes la demandan y assí fazen tres reyes;
robárala Rico Franco, Rico Franco aragonés.
8 Llorando iva la donzella de sus ojos tan cortés;
falágala Rico Franco, Rico Franco aragonés:
—Si lloras tu padre o madre, nunca más vos los veréis;
si lloras los tus hermanos, yo los maté todos tres.—
12 —Ni lloro padre ni madre ni hermanos todos tres,
mas lloro la mi ventura que no sé cuál ha de ser.
Prestédesme, Rico Franco, vuestro cuchillo lugués:
cortaré filas al manto, que no son para traer.—

---

a Pinar, sigue con los vv.: «de que esto vido el cristiano / començóme de abraçare; / de que yo lo vi, mesquina, / comencéme a gritos dare; / de questo vido el cristiano / con un puñal que traía / començóme a degollare; / desque esto ví yo, mesquina, / y aun oviera de callare.» Queda anulada la eventual ambigüedad del *R.* y bien perjudicado su encanto; es la fatalidad que acompaña todas las versiones 'largas' de un *R.*, siendo ésta además coja por sobrarle un verso —«con un puñal que traía»— o, más probablemente, por faltar uno antecedente con la palabra final asonante.

6 *reyes:* hay que suponer la acentuación *reyés,* recurso nada raro en poesía cantada: cfr. *amorés* del Texto 8. En las reimpresiones de *CR5OA* se prefiere invertir: *reyes tres.* Cfr. *RH,* I, 141n. El *veréis* del v. 10 muy probablemente en su origen era, o se pronunciaba, *verés.*

7 Si Rico Franco es uno de los cazadores, cosa nada clara (*RJEM,* 161), el exordio, con su motivo de la caza desafortunada (Devoto [1960], McGrady [1986] y [1989]), adelanta simbólicamente la derrota final del protagonista. Si éste no tiene relación alguna con los cazadores, como el texto aparenta, la fórmula del exordio sirve solamente para crear una atmósfera funesta apropiada al relato. Sobre la vivaz tradición moderna del texto *Yoná,* 241-254, que comenta una bella versión del siglo pasado de los hebreos de Salónica; una del siglo XVIII en Armistead-Silverman [1971b], 17, 54-55 y 89.

10 *vos:* es anómalo respecto al *tú* que precede y que vuelve en el v. siguiente; pero lo impone la asonancia en *-és*, que nos da también el cuchillo *lugués.* Malabarismos análogos en el Texto 39, y cfr. la nota 8 del Texto 79. Alternancias *tú-vos* son frecuentes, no sólo en el *romancero.*

15 *filas:* 'hilas' o hebras. En la fuente *fitas* (=*hitas*), que no tiene ninguna acepción conveniente a nuestro texto y que creo una falta de imprenta.

16 Rico Franco de cortese por las cachas lo fue tender,
la donzella que era artera por los pechos se lo fue a meter:
ansí vengó padre y madre y a hermanos todos tres.

31

—La bella malmaridada, de las lindas que yo vi,
véote tan triste, enojada: la verdad dila tú a mí.
Si has de tomar amores, por otro no dexes a mí,
4 que a tu marido, señora, con otras dueñas lo vi,
besando y retoçando mucho mal dize de ti:
jurava y perjurava que te avía de herir.—
Allí habló la señora, allí habló e dixo assí:
8 —Sácame tú, el cavallero, tú sacássesme de aquí.
Por las tierras donde fueres bien te sabría yo servir:
yo te haría bien la cama en que ayamos de dormir,
yo te guisaré la cena, como a cavallero gentil,
12 de gallinas y de capones y otras cosas más de mil.

---

16 *cachas:* en la fuente *tachas,* sin sentido aquí.

18 Tal conclusión, con una «venganza del tipo épico» contra «un fiero enemigo de familia» (*RH,* I, 330), es peculiar de la versión hispánica de un relato bien conocido en toda Europa y cuyo protagonista es un seductor asesino de mujeres. Rogers [1969] recuerda una balada alemana con elementos muy afines a los del *R.* español. Más directa puede ser la relación con una canción piamontesa, de igual asonancia, pasada a través de Provenza y de Cataluña, itinerario hacia España para el canto folklórico europeo. Cfr. *RH,* II, 316 y Armistead-Silverman [1979], 61-63 y 133-134; Armistead [1976], 185-187.

8 Es la invocación, aunque típica no menos desesperada, de la malcasada y del amor estorbado: cfr. el v. 8 del Texto 34 y *CALP*, 469: «Vida de mi vida, / si bien me quieres, / d'esta tierra me saques / y a otra me lleves», y cfr. el Texto 28 y su nota.

12 El texto del *R.* insertado en una glosa de Quesada (*Dicc.* 689 [¿1520?]) acaba con este v. y la oferta que de sí misma hace la mujer, aproximando su perfil al de los Textos 12, 13 y 34, como una versión del tema 'aburguesada', o más bien populachera. El requiebro se mezcla a la delación y la entrega se ensalza con la promesa de comodidades y apetecibles servicios, que nos recuerdan los «perdizes, capones / y dos mil potajes» que adoban la mesa de los adúlteros, antes de perecer bajo la furia del marido, en el *Cantar de los Comendadores* (*CALP*, 887E). Continúa una tradición erótico-gastronómico-literaria que tuvo un hito prestigioso en el poema del trovador Guillermo de Aquitania «Farai un vers, pos mi sonelh», sobre su aventura ple-

Que a este mi marido ya no lo puedo sufrir,
que me da muy mala vida cual vos bien podéis oír.—
Ellos en aquesto estando su marido helo aquí.
16 —¿Qué hazéis, mala traidora? Oy avedes de morir.—
—¿Y por qué, señor, por qué? Que nunca os lo merecí.
Nunca besé a hombre mas hombre besó a mí.
Las penas que él merescía, señor, daldas vos a mí:
20 con riendas de tu cavallo, señor, açotes a mí,
con cordones de oro e sirgo biva ahorques a mí,
en la huerta de los naranjos biva entierres tú a mí

---

beya con dos lujuriosas hermanas que propician los furores de las muchas noches con abundantes cenas a base de capones, pan, pimienta y vino (Martín de Riquer [cit. en la nota 20 del Texto 9], vol. I, pág. 134). En la predicación «luxuria et gula» iban casi siempre acopladas como pecados capitales, señal evidente que poco favor se concedía a la recomendación de evitar comidas abundantes antes del acto sexual: era precepto de la cultura erótica árabe, que había encontrado acogida en algún tratado español del s. XVI. Contrasta con estos tonos y materia el brillo descriptivo de la segunda parte del *R.*: oros, sedas, naranjos, marfil, y sobre todo el epitafio final, evocan contextos cancioneriles y de *novela sentimental* más que cantos de malmaridada del tipo corriente en el folklore poético hispánico y europeo. Sobre la extraordinaria difusión del *R.* en glosas y fragmentos, y sobre sus lazos con la lírica popular, cfr. Lucero del Padrón [1967]; cfr. también el ms. Madrid BP1: vol. 3b, núm. 234 [1515], págs. 361-364; Gotor [1990].

15 Aquí se concluye el texto del *R.* en el llamado *Cancionero de Juan de Molina* (Salamanca, 1527). El texto 'entero' lo hallamos solamente en la colección de Sepúlveda, romancista empedernido y prosaico en extremo; pero dudaría en atribuirle este epílogo, aunque resulta un tanto sospechoso en alguna parte: cfr. la conclusión de la nota anterior. Es interesante observar que los Textos que aquí entran en juego —éste y los 12, 13 y 34— están afectados por problemas de 'final inacabado' (y cfr. sus notas); y lo que tienen en común es el perfil de su 'primera parte', según queda aludido arriba en el comienzo de la nota 12. ¿Refleja esto un patrón creativo, que provocaba posteriores remates postizos, o una convención en la actividad de cortar los textos? Es cierto que frente a los *rr.* 'completos' como los da algún documento antiguo o la tradición oral moderna, es difícil no pensar que debió de haber quien se esmeraba en dar apariencia de postizos a tales continuaciones y epílogos. Cfr. la nota 4 del Texto 51.

19 Que solamente el caballero pudiera merecer la ira del marido parece excesivo en boca de quien acababa de manifestar con calor su inclinación a ceder. Sin embargo, implorando clemencia para el fallido amante y sólo para sí el castigo por una culpa que no había llegado a pasar de las intenciones, la *bella* exalta su perfil de víctima y se adorna de la aureola de mártir de un deseo de amor que ha sido frustrado con el esposo y malogrado con el amante.

21 *sirgo:* 'seda retorcida', que en general se asociaba a prendas de luto.

en sepultura de oro   y labrada de un marfil;
24 póngasme encima un mote,   señor, que diga assí:
«Aquí está la flor de las flores,   por amor murió aquí;
cualquier que muere de amores   mándese enterrar aquí,
que assí hize yo mezquina   que por amores me perdí.»

32

—Blanca sois, señora mía,   más que el rayo del sol.
¿Si la dormiré esta noche   desarmada y sin pavor?
Que siete años avía, siete,   que no me desarmo no:
4 más negras tengo mis carnes   que un tiznado carbón.—
—Dormilda, señor, dormilda   desarmado sin temor,
que el conde es ido a la caça   a los montes de León:
ravia le mate los perros   y águilas el su halcón
8 y del monte hasta casa   a él arrastre el morón.—

---

1 *Blanca:* lo considero un calificativo, aunque en el v. 10 parece componer el nombre propio *Blancaniña,* como entiende la mayoría de editores y críticos y como parecería confirmar el primer v. del Texto 33: «¡Ay, cuán linda que eres, Alba». *Blanca* (que sea o no adjetivo) y *Alba* nos llevan hacia la canción de amanecer o *alborada* (Empaytaz de Croome [1980], 28-48); y con ella muestra relacionarse la tradición del *R.*, por ejemplo, en una comedia de Lope, donde el exordio es: «Yo me levantara un lunes, / un lunes de la Ascensión» (*RH,* II, 177 y Swislocki [1986]), y se continúa evocando el alba y a la niña-alba y jugando con la ambivalencia. Una versión moderna empieza: «Yo me levantara un lunes, / un lunes antes del albor» (*RJEM,* 142-144; y cfr. la nota 1 del Texto 3). La *blanca niña* es figura muy común en la lírica (la «muchacha alva» del portugués don Denís) y en el *romancero* tradicional; son frecuentes *blanca* y *blancura* como calificativos o apelativos de la doncella: Samuel G. Armistead-James T. Monroe «*Albas, Mammas,* and Code-Switching in the Kharjas: A Reply to Keith Whinnom», en *LCo,* 11 (1982-83), págs. 174-207 y *CALP,* 436, 565, 1073 y 2267. Los cruces con la tradición lírica distinguen a nuestro *R.* en el contexto de análogas canciones folklóricas europeas sobre un tema que aparece por vez primera en un *fabliau* del siglo XIII, de donde debió de pasar a una canción que lo difundió por todo el continente: Entwistle [1939]. Estudios en Pérez Vidal [1951], 270-280; *Yoná,* 196-226; Martínez Yanes [1976].

4 Las *negras carnes* del caballero anhelan a regenerarse en la fuente de la *blanca niña:* el mito del renacer primaveral en el amor sustituye, con mayor halago y apremio, el requiebro explícito que se encuentra en los Textos 31 y 33.

8 *morón:* probable aumentativo o forma paralela de *moro* 'caballo negro'. Algunos editores asignan los vv. 7-8 al caballero.

Ellos en aquesto estando, su marido que llegó:
—¿Qué hazéis, la blanca niña, hija de padre traidor?—
—Señor, peino mis cabellos, péinolos con gran dolor
12 que me dexéis a mí sola y a los montes os váis vos.—
—Essa palabra, la niña, no era sino traición.
¿Cúyo es aquel cavallo que allá baxo relinchó?—
—Señor, era de mi padre y embióslo para vos.—
16 —¿Cúyas son aquellas armas que están en el corredor?—
—Señor, eran de mi hermano y oy os las embió.—
—¿Cúya es aquella lança? Desde aquí la veo yo.—
—Tomalda, conde, tomalda, matadme con ella vos,
20 que aquesta muerte, buen conde, bien os la merezco yo.—

---

9 Parece que el marido llega cuando todavía la pareja no ha trascendido de las palabras al acto; lo mismo ocurre en el Texto 33. Es punto ambiguo, creo intencionadamente. Por cierto, el *R.* no es un espejo de inocencia; pero su léxico y sus símbolos, al atraernos hacia la lírica y el canto de doncella, crean alrededor de esta mujer y de su historia un aire de amores aurorales más que de sensualidad adulterina.

15 La referencia al padre, y más adelante al hermano, es excusa muy frágil, si la tomamos al pie de la letra. En vista de los vv. 170-171 del Texto 49, del v. 48 del Texto 68 y del v. 22 del Texto 82, conviene pensar en su sentido implícito: la *niña* recuerda al esposo dos figuras con el derecho-deber de protegerla, o vengarla, contra una violencia injusta.

18 *Desde aquí:* comentarios muy apropiados sobre ésta y otras indicaciones espaciales (vv. 14 y 16), que sugieren, de manera pertinente y progresiva, el recorrido del conde dentro de la casa, hace Wright [1987], 126-127; cfr. los vv. 7, 13, 19 y 26 del Texto 154. *Aquí la* es corrección de *aquella* en la fuente.

20 Con excepciones raras, los antecedentes y congéneres del *R.* fuera de la Península se concluyen con el triunfo del adulterio y el escarnio del marido. El epílogo trágico parece peculiaridad hispánica, pero con áreas que conocen soluciones menos drásticas y hasta absolutorias: Martínez Yanes [1979]. Catarella [1990] estudia las reacciones ante temática tan candente en la vida tradicional de este texto y del 33. Según la letra de estos *RR.*, el adulterio no llega a realizarse: el caballero se apea y se quita las armas; el marido nota las huellas al adentrarse en la casa y —suponemos— cuando está a punto de descubrir al rival, la mujer cede. Podemos sólo intuir una intimidad que no se declara. La tradición oral moderna prefirió, en general, poner las cosas en claro: el esposo llega en un momento delicado y comprometedor. No creo que la aparente cautela del *R.* antiguo dependa de una actitud moralista. Creo más bien que, tal como lo conocemos, oscila entre la temática de los amores de doncella y la de 'la malcasada'. Esta última debió de ser la originaria del *R.* y marca su identidad en la tradición; pero, según lo leemos, se ha difuminado al contacto con motivos y tonos del canto de doncella. Tal cariz

33

—¡Ay cuán linda que eres, Alba, más linda que no la flor!
¡Quién contigo la durmiesse una noche sin temor,
que no lo supiesse Albertos, esse tu primero amor!—
4 —A caça es, señor, a caça a los montes de León.—
—Si a caça es ido, señora, cáigale mi maldición:
ravia le maten los perros, aguilillas el falcón,
lançada de moro izquierdo le trespasse el coraçón.—
8 —Apead, conde don Grifos, porque haze gran calor.
Lindas manos tenéis, conde. ¡Ay cuán flaco estáis, señor!—
—N'os maravilléis, mi vida, que muero por vuestro amor,
y por bien que pene y muera no alcanço ningún favor.—

---

iba a coincidir con la preferencia del *romancero* por la representación del drama de mujeres inermes, e inocentes, ante la violencia masculina. Por lo demás, la tradición hispánica sabe recrearse también con 'malcasadas' bien logradas y hasta mordaces: dos ejemplos en el ms. Madrid BP1: vol. 3b, núms. 384 y 387 [1507-1510], págs. 454-456. Ver Adiciones.

1 Típico comienzo lírico: *CALP*, 99B.

2-3 La fórmula del primero de estos vv. está presente también en la lírica popular: *CALP*, 1704C y 1704D. Respecto al Texto 32, aquí la demanda del pretendiente llega sin velos, mientras es incierto el estado de Alba, si se trata de la esposa o de la 'amiga' de Albertos; y con ello, el grado de la eventual infracción. El conde Grifos aparece como el galán frustrado en su constancia (vv. 10-11), por lo menos hasta ese momento. Hacia el tema de la 'malcasada' nos dirige un rasgo sólo mínimo, el *sin sabor* con que Alba va a abrir la puerta a Albertos; las maldiciones contra el 'estorbo' las lanza Grifos. A su vez, la voluntad de Alba de rendirse por fin al conde adopta formas de manifestación indirectas: la alusión a la ausencia del amigo y el aprecio por la hermosura de las manos del conde. Con una estrategia distinta respecto a la del Texto 32, el tema del adulterio queda igualmente muy difuminado; y así como en ese Texto y en el 31, la infracción tiene las apariencias de no haber sido consumada.

6 *maten:* la gramática impondría un singular; pero puede tratarse de una concordancia *ad sensum* provocada por los plurales colindantes. Al acecho está siempre la falta de imprenta: inmediatamente después topamos con dos seguras: «agullilas el falçon».

8 *Grifos:* en otro *R.* (*Primav.* 137) encontramos un conde Grifos Lombardo: fuerza a una doncella, lo acusan ante Carlomagno y es condenado a casarse con su víctima. Lo publica también la *Flor de enamorados*, antepuesto al nuestro. Joan Coromines, *Estudis de toponímia catalana*, Barcelona, Barcino, 1970, vol. II, págs 246 y sigs. comenta las afinidades entre el Grifos castellano y el conde Guifre, forzador de la hija del conde de Flandes en leyendas de Cataluña.

12 En aquesto estando, Albertos tocó a la puerta mayor.
—¿Dónde os pondré yo, don Grifos, por hazer salva mi [honor?—
Tomáralo por la mano y subióle a un mirador.
Abaxara abrir Albertos muy de presto y sin sabor.
16 —¿Qu'es lo que tenéis, señora? Mudada estáis de color:
o havéis bevido del vino o tenéis celado amor.—
—En verdad, mi amigo Albertos, no tengo d'esso pavor,
sino que perdí las llaves, las llaves del mirador.—
20 —No tenéis enojo, Alba, d'esso no tenéis rancor,
que si de plata eran ellas de oro las haré y mejor.
¿Cúyas son aquellas armas que tienen tal resplandor?—
—Vuestras, que hoy, señor Albertos, las limpié d'esse [tenor.—
24 —¿De quién es aquel cavallo que siento relinchador?—
Cuando Alba aquesto oyera cayó muerta de temor.

34

Bodas se hazen en Francia, allá dentro en París.
¡Cuán bien que guía la dança essa doña Beatriz!

---

12 Entre el primero y el segundo octosílabo hay encabalgamiento: cfr. la nota 114 del Texto 49.

19 El motivo de las llaves está en el *fabliau* citado en la nota 1 del Texto 32.

20 *rancor:* usado más o menos como sinónimo del anterior *enojo* 'pesar', con un matiz de 'rabia'.

25 Colapso y muerte de Alba son la renuncia a seguir mintiendo; pero, y sobre todo, son como el anticipo liberatorio de la ira de Albertos mediante ese pánico mortal que destruye a la que no escaparía del castigo. Sin embargo, nos despedimos de este texto con la imagen de un Albertos marido, o más bien compañero, afectuoso y munífico (vv. 20-21), que en sus preguntas no alberga todavía la sospecha. Es lo contrario del marido del Texto 32, desde su entrada en escena. Si en la protagonista resulta incierto el estatuto de 'malmaridada', más anómalo aún aparece Albertos en cuanto cónyuge de 'malmaridada'.

1 «Entonze se fazían en París vnas vodas muy ricas e honrradas [...] Vinieron a ellas los duques e condes e grandes señores [...] e las grandes señoras, damas, *puselas* e damiselas. Allí fueron las salas muy ricamente aparejadas [...] de los juglares solos abría vn pueblo, que tañían estrumentos [...] Allí heran traydas muchas danças [...]»: allí danzó y galanteó don Pero Niño, conde de Buelna, caballero español del siglo XV; y todo lo revivió y relató su

¡Cuán bien que se la mirava   el buen conde don Martín!
4 —¿Qué miráis aquí, buen conde?   Conde, ¿qué miráis [aquí?
Dezid si miráis la dança   o si miráis vos a mí.—
—Que no miro yo la dança,   porque muchas danças vi;
miro yo vuestra lindeza,   que me haze penar a mí.—
8 —Si bien os parezco, conde,   conde, saquéisme de aquí,
qu'el marido tengo viejo   y no puede ir tras mí.—

---

alférez Gutierre Díez de Games en *El Victorial* (cit. en la nota 6 del Texto 12), pág. 238, sin que la experiencia vivida empañara la evocación encantada de aquel lugar ya tópico de la geografía del placer: Francia y su vértice-vértigo París.

5 Con su maliciosa pregunta, doña Beatriz, hermana malcasada de tantas seductoras del *romancero,* devuelve al conde la provocación de la mirada mediante la provocación, reforzada, de la palabra. La intensa reiteración de ese *mirar* teje en el texto, y en la sala, la red de la solicitación erótica, en un cruce de sugestiones y mensajes que encuentra remate en la invocación final; un final que, con su suspensión, parece participar él también en el juego de las provocaciones, ésta dirigida al oyente o lector que sea. ¿Cuál fue el destino de este *coup de foudre* entre vuelos de danza? Como en otros casos, la tradición oral moderna nos entrega un relato completo al precio de una mutación de tono: el anciano marido de doña Beatriz se reveló tan comprensivo del *raptus* de su esposa que la entregó él mismo al conde —como cantan algunos—, pero limitadamente a un noche; liberalidad mal compensada: el conde «Levou-a no mês de Maio, / trouxera-a no mês d'Abril. / Levara-a ele vazia, / trouxera-a para parir», según reza una versión portuguesa con chistosa rusticidad, y un juego opositivo que localizamos también en una canción francesa del s. XVI: «Pucelle estoit, grosse l'a relevée» [«Doncella era, empreñada se la trajo»"]. Cortesano lo habíamos dejado el *R.*, bien aplebeyado lo retiramos; pero la aventura exhibe el marco acertadísimo —y su íntimo sentido— del renacer primaveral de la naturaleza que se ha librado del letargo invernal, o sea, de la vejez estéril del esposo. Rápida reseña de textos modernos en *RJEM,* 138-141; *Yoná,* 62-66. El del rebrote natural 'bloqueado' y de la maternidad frustrada [cfr. el Texto 76] sería el tema de fondo de la canción de 'malmaridada': Alfred Schossig, *Der Ursprung der Altfranzösischen Lyrik,* Halle, Niemeyer, 1957, pág. 187.

7 A la franca pregunta de doña Beatriz responde don Martín con pareja sinceridad. El motivo de las miradas (cfr. la nota anterior) es un lugar común; pueden animarlo acierto y gracia en su uso, como en este caso. Y como en el caso, curiosamente tan parecido al presente incluso por la analogía de las circunstancias (allí un banquete), del famoso *cantar* de *Los Comendadores.* Relata aquella infeliz protagonista: «nunca tiró Jorge / los ojos de mí / [...] / Tuvo con la vista / tal conocimiento / y de ver en mi cara / tal movimiento, / tomó de hablarme / atrevimiento; / de que oí, cuytada, / su pedimiento / d'amores vencida, / díxele de sí» (*CALP,* 887C). También esta adúltera se llama Beatriz.

35

Para ir el rey a caça de mañana ha madrugado.
Entró donde está la reina sin la aver avisado;
por holgarse iva con ella, que no iva sobre pensado.
4 Hallóla lavando el rostro, que ya se avía levantado;
mirándose está a un espejo, el cavello destrançado.
El rey con una varilla por detrás la avía picado.
La reina que lo sintiera pensó que era su querido.
8 —Está quedo, Landarico,— le dixo, muy requebrado.
El buen rey cuando lo oyera malamente se ha turbado.
La reina bolvió el rostro, la sangre se le ha cuajado.
Salido se ha el rey, que palabra no ha fablado;
12 a su caça se ha ido, aunque en ál tiene cuidado.
La reina a Landarico dixo lo que ha passado:
—Mira lo que hazer conviene, que oy es nuestro fin lle-
[gado.—
Landarico que esto oyera mucho se ha cuitado:
16 —En mal punto y en mal ora mis ojos te han mirado;
nunca yo te conociera pues tan cara me has costado,
que ni a ti hallo remedio ni para mí lo he hallado.—
Allí hablara la reina desque lo vio tan penado:
20 —Calla, calla, Landarico, calla, hombre apocado.

---

1 *el rey:* es Chilperico, odiado soberano de los francos; la reina es Fredegunda; su amante es el «Laudericus» de un par de crónicas en latín que relatan este regicidio ocurrido en 584. Son novelescos la escena inicial y varios detalles del *R.*, que pudo tener su fuente en una de esas crónicas, la titulada *Gesta regum francorum:* texto y comentarios en *Tratado,* VII, 372-375. El *R.* sobrevive en la tradición oral moderna, la hebrea en particular: *RJEM,* 103-108; Armistead-Silverman [1979], 50-53 y 93-94; *RJEO,* 68-77; *Florilegio,* 61-64. Mirrer-Singer [1989] propone una lectura socio-lingüística de los diálogos, que averigua en el texto la censura no de la reina sino de los dos varones: del rey, que no ha sabido proteger mejor su propia honra ni a la comunidad; y de Landarico, que se ha revelado incapaz de controlar él la situación.

3 *sobre pensado:* 'de propósito', porque sospechara algo.

5 *destrençado:* en la fuente *destrançado;* cfr. la nota 48 del Texto 116.

7 *querido:* es la única ruptura de la rima en *-ado.* El término *querido* define la condición adulterina de los amores de la reina menos poéticamente que un eventual *amado,* impecable para la rima si no perdiera una sílaba por la sinalefa y resultara así inservible para la medida del v.

8 *muy requebrado:* 'amorosamente'.

12 *ál:* 'otra cosa'.

Déxame tú hazer a mí, que yo lo habré remediado.—
Llama a un criado suyo, hombre de muy baxo estado;
que mate al rey le dize, en aviéndose apeado,
24 que sería a boca de noche cuando oviesse tornado.
Házele grandes promesas y ellos lo han aceptado.
En bolviendo el rey deçía, de aquello muy descuidado;
al punto que se apeava de estocadas le han dado.
28 —¡Traición! —dize el buen rey y luego ha espirado.
Luego los traidores mesmos muy grandes bozes han dado:
'criados de su sobrino havían al rey matado'.
La reina hizo gran duelo y muy gran llanto han tomado,
32 aunque en su coraçón dentro otra cosa le ha quedado.

36

Atán alta va la luna como el sol a mediodía,
cuando el buen conde Alemán y con la reina dormía.
No lo sabe hombre nascido de cuantos en la corte avía
4 sino era la infanta, aquessa infanta su hija.
Su madre le hablava, d'esta manera dezía:
—Cuanto viéredes tú, infanta, cuanto vierdes encobrildo.
Daros ha el conde Alemán un manto de oro fino.—
8 —¡Mal fuego queme, madre, el manto de oro fino
cuando en vida de mi padre tuviesse padastro bivo!—
De allí se fuera llorando. El rey su padre la ha visto:
—¿Por qué lloráis, la infanta? Dezí quién llorar os hizo.—
12 —Yo me estava aquí comiendo, comiendo sopas en vino;
entró el conde Alemán, echómelas por el vestido.—

---

25 *ellos:* confirmado en los vv. 27 y 29, el plural contradice la referencia a un solo criado en los vv. 22-25 pero coincide con testimonios antiguos que indican más de un sicario.

26 *deçía:* 'descendía del caballo', 'se apeaba', del infinitivo *deçir* del latín *discedere;* su uso no sobrepasa el siglo XV: Yakov Malkiel, «Etimología y trayectoria del verbo ant. esp. *deçir,* port. *descer* 'bajarse'», en *Homenaje Solà-Solé* (cit. en Bibliografía *sub* Montgomery), vol. I, págs. 341-354. La grafía de nuestra fuente es *dezia,* que puede revelar incomprensión del término.

2 *y:* probable falta de imprenta por *ya.*

—Calléis, mi hija, calléis, no toméis d'esso pesar,
que el conde es niño y mochacho, hazerlo ía por burlar.—
16 —¡Mal fuego quemasse, padre, tal reir y tal burlar!
Cuando me tomó en sus braços comigo quiso holgar.—
—Si él os tomó en sus braços y con vos quiso holgar
enantes que el sol salga yo lo mandaré matar.—

---

15 *hazerlo ía:* forma analítica por *lo haría.*

17 Habiendo dado el rey poca importancia a la primera (vv. 12-15), la infanta se ve obligada a una segunda y más grave acusación contra el conde Alemán. Ambas quieren promover un castigo sin delatar la culpa auténtica, evitando así la deshonra a la reina y al rey, con una posible tragedia: conducta sagaz e inspirada por una moralidad ejemplar; además, la infanta asume sobre su propio cuerpo —aunque sea sólo en una ficción verbal— una sombra del pecado del conde. Pero en la turbación de esta princesa ¿no percibimos algo excesivo? Se indigna con razón ante la burda propuesta de la reina (vv. 6-7), que además —fallo imperdonable— supone en la hija una sensibilidad aún infantil. Con igual furia e idéntica expresión más adelante (v. 16) reacciona ante una subestimación paterna muy afín a la delatada por la madre; y sigue llevando razón. Sin embargo, el fondo de su agitación parece enturbiado por un obscuro rencor. El formular *mal fuego* invocado para destruir al conde no parece alimentarse de la llama transparente del ethos virginal, sino más bien del ardor turbio del eros. La segunda falsa acusación contra el conde tiene todo el aspecto de estar delatando un deseo frustrado: el de encontrarse en el lugar de la madre. Sobre rivalidad y celos entre madres e hijas en el *roman courtois* e incluso en la épica cfr. Ménard [1969], 90-91 y 281; algo apunta Grieve [1990], 347. Es un mecanismo elemental de negación de lo deseado, y de implícita revelación, que por supuesto no nace con la ciencia que lo ha analizado; al responsable del texto le debemos aquella perspicacia en su realismo que hizo que fueran señas de lenguaje doble las que había seleccionado como fórmulas en apariencia obvias. Que el *R.* albergara una ambigüedad y que pudiera captarse algo de su naturaleza, creo que lo dicen estos vv. atribuidos a la infanta en versiones cantadas por los hebreos de Salónica: «No lo matís, 'el mi padre, / ni lo kizeras matare, / ni lo kizeras matare, // ke 'el conde 'es ninyyo 'i mugago, / 'el mundo kere gozare, / 'el mundo kere gozare. // Desteraldo de 'estas tyêras, / ke de akí non koma pane» (*Yoná,* 105-115). Es un final convencional, que se encuentra también en otros textos; pero conocemos la fuerza interpretativa que a veces puede tener el más aparente automatismo en la reelaboración tradicional. En los vv. que acabo de citar la repetición de un octosílabo, fenómeno no frecuente, podría ser huella de una estructura estrófica primitiva del *R.,* tal vez confirmada por los vv. 6 y 14 con cambio de asonancia: *RH,* I, 135 y *Yoná,* 109-110. En la red de un brillante análisis semio-narratológico captura una inocente versión portuguesa Pinto-Correia [1982-1983].

37

Fonte frida, fonte frida, fonte frida y con amor,
do todas las avezicas van tomar consolación
sino es la tortolica qu'está biuda y con dolor.
4 Por allí fuera a passar el traidor del ruiseñor;

---

1 *Fonte frida:* por *fuente fría,* es arcaísmo que sobrevive en el siglo XVI como sintagma lexicalizado para indicar un lugar de recreo, especialmente para mujeres, que sugería, con la frescura de sus aguas, atmósferas y tradiciones de las 'mayas' y del renacer de la naturaleza; Asensio [1954]. Un tal Nalvillos, ciudadano acomodado en la Ávila del siglo XV, para su casa recién edificada hizo construir «vn vaño para se vañar: y assi las nobles dueñas auian grandes solaces, en torno de una frida fuente» (María del Carmen Carlé, «La casa en la Edad Media castellana», en *Cuadernos de Historia de España,* LXVII-LXVIII (1982), págs. 165-229 [188]), como las avecicas del *R.;* y como las alegóricas damas del poeta Imperial: «En un famoso vergel / vi quatro dueñas un día / a sombra de un laurel, / çerca una fonte fría» (*Cancionero de Baena,* ed. Azáceta, núm. 242).

3 La tórtola fue primero un símbolo de castidad, de origen oriental y culto; los atributos de 'viuda casta' y de 'compañera fiel' fueron añadidos sucesivos. Subraya su convergencia como rasgo muy marcado del *R.* Gericke [1979], 45, estudiando las versiones antiguas de este poemita, que le aparece un típico producto cortesano. Bataillon [1953] investigó los atributos de nuestra tórtola en un marco de historia de la cultura, tanto literaria como científica; su trayectoria intentó trazarla Gazdaru, la más remota [1953-1954] y la más reciente [1976-1977]; cfr. también Calvert [1973], en part. 293-294 sobre el *R.* y la ambivalencia de algunos de sus símbolos, como el agua y el ramo. Para la fortuna del *R.*, sobre todo en época áurea, Devoto [1989], 175-177. La transcripción más antigua conocida en el ms. Madrid BP1: vol. 3b, núm. 142 [1505], págs. 315-316.

4 El primer octosílabo es fórmula que anuncia el encuentro casual de signo erótico: cfr. el Texto 8 y también este chistoso trasplante: «Una tarde de verano / la niña se peina al sol. / Por allí pasó el curilla, / por allí pasó el traidor: / Dame de tu pecho, niña, / dame de tu pecho, amor» (texto recogido en Yeste, provincia de Albacete: Francisco Mendoza Díaz-Maroto, «El anticlericalismo en la literatura oral albaceteña», en *Cultural Albacete,* núm. 28 (dic. 1988), págs. 3-16 [5]). Mucho más fino que el curilla de Yeste es el ruiseñor que, en hábitos de galán cancioneril interesado en la tórtola, es invención del *R.,* según Gazdaru [1953-1954], 82. Solitario, vuela en buen número de canciones amorosas francesas y españolas, como documenta Asensio [1954]; que ve en el *R.* la fusión elegante de elementos cultos y motivos populares: el «ruiseñor enamoradizo», la tórtola casta y fiel, la fuente fría, los ardores sensuales de mayo, etc. Agreguemos que el insistido dolor de la viuda se tiñe del masoquismo típico del fiel amador de *cancionero:* recuerdo uno por todos, el de Villasandino (*Canc. de Baena,* cit., núm. 11), que rechaza los conortes propiamente de un ruiseñor: «Respondíle con grant saña: /

las palabras que él dezía   llenas son de traición:
—Si tú quisiesses, señora,   yo sería tu servidor.—
—Vete de aí, enemigo,   malo, falso, engañador,
8 que ni poso en rama verde   ni en árbol que tenga flor;
que si el agua hallo clara,   turbia la bevía yo;
que no quiero aver marido   porque hijos no aya no:
no quiero plazer con ellos   ni menos consolación.
12 Déxame triste, enemigo,   malo, falso, mal traidor,
que no quiero ser tu amiga   ni casar contigo no.—

38

¡Cuán traidor eres, Marquillos,   cuán traidor de coraçón!
Por dormir con tu señora   avías muerto a tu señor;

"Rruyseñor, sy Deus te ajude, / vayte ora con saude / parlar por essa montaña; / que aquesta cuyta tamaña / es mi plaser e folgura"», como le ocurre a la tórtola.

7 *malo, falso, engañador:* la serie es formular y se encuentra también en la lírica: *CALP,* 639 y 1995B.

9 *turbia:* el agua turbia es amor malogrado y pena de amor, en oposición a agua clara, que es plenitud y goce de amor: «Turbias van las aguas, madre, / turbias van, / mas ellas se aclararán» (*Flor de romances,* 1591) y «Ya vienen las aguas turbias, / mañana se aclararán; / el amor que ha sido firme / a su tiempo volverá» (Lafuente, *Cancionero popular,* 1865); ambas citas en Alín [1992], núms. 75-76, págs. 453-454; para la primera también Alín [1968], núm. 720, pág. 656, con referencias a Lope, Góngora, Quevedo y Correas; cfr. *CALP,* 855A y 855B, y también la nota sig. y la núm. 9 del Texto 3. El motivo del 'agua enturbiada', con frecuencia por el ruiseñor que en ella ha bañado su cola, junto con el de la doncella cabe la fuente o el río, caracteriza varias *chansons de femme,* un género con el que bien se conjuga nuestro *R.*

11 Una relectura e integración documentaria de las afligidas costumbres de la tórtola ha efectuado Rico [1990b]. Su densísimo artículo, con implicaciones más generales que apuntan a momentos de la historia del *romancero,* plantea hipótesis de mucho realce sobre el posible origen del *R.:* o en ámbitos estudiantiles hispanos de Bolonia, donde se supone circulara el Texto 8, aprendido y copiado allí por Olesa en versión ya contaminada con el nuestro (cfr. arriba la nota 4, y también la nota 1 del Texto 8); o en ambientes catalano-aragoneses, que constan abiertos a la tradición de los atributos de la tórtola, en particular —y en esto únicos en la Península del s. XV— el desdén por el agua clara; este motivo parece ser de origen —o por lo menos de cultivo típico— italiano y boloñés, sin duda erudito, como es la tradición entera de tales motivos y como sería, desde luego, el *R.*

2 Unirse con la esposa del señor era pecado más grave que el inces-

desque lo huviste muerto le quitaste el chapirón,
4 fuéraste al castillo fuerte donde está la Blancaflor.
—Ábreme, linda señora, que aquí viene mi señor.
Si no lo queréis creer veis aquí su chapirón.—
Blancaflor desque lo viera las puertas luego le abrió.
8 Echóle braços al cuello, allí luego la besó;
abraçándola y besando a un palacio la metió.
—Marquillos, por Dios te ruego que me otorgasses un don:
que no durmiesses comigo hasta que rayasse el sol.—
12 Marquillos, como es hidalgo, el don luego le otorgó.
Como viene tan cansado, en llegando se adurmió.
Levantóse muy ligera la hermosa Blancaflor,
tomara cuchillo en mano y a Marquillos degolló.

39

—Cavallero de lexas tierras, llegaos acá y veréis;
hinquedes la lança en tierra, vuestro cavallo arrendéis.

---

to. Lo nefando del delito de Marquillos provoca el énfasis de la reprobación exclamativa en el exordio, recurso de la retórica romanceril que anuncia eventos funestos.

3 *chapirón:* explica Covarrubias, s. v. *chapeo,* pág. 432a60: «capa como aguadera que se echa cierto modo de capilla sobre la cabeça, para quando llueve»; y cita «un cantarcillo vailadero antiguo», que es el todavía popularísimo «Chapirón del rey…». No se puede excluir una influencia del cantarcillo, de tema erótico, en la aparición y en el papel de este indumento en el *R.*

9 *palacio:* 'sala'.

12 El motivo del don que se concede y del consiguiente compromiso que se debe respetar, piedra de toque de la ética caballeresca y motor de la aventura en la narrativa cortesana y en libros de caballerías, implica la hidalguía de Marquillos; de faltar ésta, el tópico no funcionaría. Por lo tanto, el citarla no es un rasgo irónico, como podría pensarse al constatar que la hidalguía de Marquillos ha sido puesta en entredicho por su conducta anterior, y excluida ya con el *traidor* reiterado en el exordio. La mancha que ha afeado un sector del código de honor del caballero, no se extiende de modo automático a los demás.

14-15 Rápido e inesperado, como el levantarse y actuar de Blancaflor, es el final de esta truculenta historia, de raíz folklórica y llegada a España probablemente de Francia: Cid [1979], 298n.; también págs. 282-288 sobre los textos antiguos y una posible huella del *R.* en el s. XV, y págs. 285 y 353 sobre un posible truncamiento artificioso de un final primitivo. Cfr. el Texto 153.

2 *arrendéis:* 'atéis de las riendas'.

2-3 Cfr. vv. análogos en el Texto 41.

Preguntaros he por nuevas si mi marido conocéis.—
4 —Vuestro marido, señora, dezid de qué señas es.—
—Mi marido es blanco y moço, gentil hombre y bien [cortés,
muy gran jugador de tablas y aún también del axedrez.
En el pomo de su espada armas trae de un marqués;
8 y un ropón de brocado y de carmesí el envés;
cabe el fierro de la lança trae un pendón portugués,
que lo ganó a las tablas a un buen conde francés.—
—Por essas señas, señora, tu marido muerto es.
12 En Valencia le mataron, en casa de un genovés:
sobre el juego de las tablas lo matara un milanés.
Muchas damas lo lloravan, cavalleros y un marqués;
sobre todos lo llorava la hija del ginovés:
16 todos dizen a una boz que su enamorada es.
Si avéis de tomar amores, por otro a mí no dexéis.—
—No me lo mandéis, señor, señor, no me lo mandéis,
que antes que esso hiziesse, señor, monja me veréis.—
20 —No os metáis monja, señora, pues que hazello no po- [déis,
que vuestro marido amado delante de vos lo tenéis.—

40

Por los caños de Carmona por do va el agua a Sevilla,
por aí va Baldovinos a ver a su linda amiga.

---

8 *ropón:* especie de capa.

20-21 La estratagema tiene multitud de variantes en la literatura popular. Como fuente lejana del *R.* se suele indicar la canción francesa «Gentilz gallans de France», recogida ya en el s. XV (Bronzini [1958]), que sin embargo se concluye con la noticia de la muerte del marido en batalla y de su entierro. Este origen lo confirmaría la asonancia en *-e*, difícil de mantener en español como prueban los dos *marqués* y el buen toque de internacionalismo lucido por un marido adicto a la milicia apicarada más que a la heroica; y cfr. el Texto 134, vv. 16-17 y nuestros vv. 6 y 10. Amplia la fortuna de este *R.: RJEM,* 227-234 y *RH,* I, 318-319 y II, 352-353; Díaz Roig [1979] estudia la labor tradicional en zonas del tema y del texto destinadas a caracterizar a la mujer o idealizándola en su castidad o tachándola de adúltera; cfr. también Catarella [1990].

1 El antiguo acueducto de Sevilla entra impropiamente en esta historia

Los pies lleva por el agua y la mano en la loriga,
4 temiéndose de los moros no le tuviesen espía.
Sáleselo a recibir la linda infanta Sevil[l]a;
júntanse boca con boca, nadie no los inpidía.
Sospiros da Baldovinos que en el cielo los ponía.
8 Allí hablara su esposa, bien oiréis lo que diría:

—¿Por qué sospiráis, señor, coraçón y vida mía?
O tenéis miedo a los moros o en Francia tenéis amiga.—
—No tengo miedo a los moros ni en Francia tengo amiga,
12 mas vos mora y yo cristiano hazemos muy mala vida:

---

atraído, en un momento de la vida oral del texto, por la doble sugestión del río que el protagonista cruza y del nombre de su amiga. Baudoin y Sebile, héroe él del ejército de Carlomagno y sobrino del emperador, reina ella de los sajones sarracenos, son protagonistas de citas nocturnas y arriesgados amores durante el sitio de los francos a la capital adversaria, emplazada en la otra orilla del Rin. Casi todas las noches Baudoin lo cruza, contrariando al emperador y desafiando centinelas y espías de los enemigos, para reunirse con la reina sarracena. Cuenta esta historia la *Chanson des Saisnes [de los Sajones]* de Jean Bodel, de finales del s. XII, llegada a España a través de alguna versión provenzal y aquí reelaborada: Menéndez Pidal [1950].

7 Los suspiros proceden de la *Chanson,* donde Sebile se negaba a entregarle a Baudoin su propio anillo, que Carlos pretendía del insubordinado sobrino para evitarle el destierro de Francia. La motivación del *R.* en los vv. 11-15 conserva una huella del malhumor de Carlos, pero se funda en una problemática más bien típica del ambiente peninsular: Menéndez Pidal [1950], 235. Cfr. la nota 9 del Texto 41.

8 Después de este v. en el ms. se lee: «Sospirastes, etc.», que remite —sin transcribirla— a una segunda parte del *R.* abierta por las palabras de la infanta y que circularía también autónoma, siendo su primer v. «Sospirastes, Valdovinos», a veces utilizado como título del poemita entero. Esta segunda parte la imprime *CR[47]* dentro de una versión de nuestro *R.*, divulgada en *pliegos sueltos,* que empieza: «Tan claro hace la luna» (*Primav.* 169) y que difiere bastante de la que presento. Menéndez Pidal [1950], 234 supone que la segunda parte apuntada por el ms. correspondería a la impresa en *CR[47]*, mientras para la primera parte el amanuense habría preferido aportar un texto que juzgaba más satisfactorio que el que leía en *CR[47]:* en efecto conserva rastros primitivos ausentes en el de *CR[47]*. Pero yo me inclino a ver detrás del «Sospirastes» del ms. una referencia sólo genérica a la bien conocida continuación del relato, y por lo tanto he optado por presentar como texto de esa continuación el del *pliego* de Ribera (también en un *pliego* de la Bibl. del Escorial: *Dicc.* 1071), donde la primera parte es casi idéntica a la del ms., con la ausencia de los vv. 5 y 8. Es el único caso de cruce de fuentes en esta antología y lo señalo con un espacio en blanco entre los vv. 8 y 9, que no alude a ninguna laguna.

comemos la carne en viernes, lo que mi ley defendía;
siete años avía, siete, que yo missa no la oía.
Si el emperador lo sabe, la vida me costaría.—
16 —Por tus amores, Valdovinos, cristiana me tornaría.—
—Yo, señora, por los vuestros moro de la morería.—

41

—Nuño Vero, Nuño Vero, buen cavallero provado,
hinquedes la lança en tierra y arrendedes el cavallo.
Preguntaros he por nuevas de Baldovinos el Franco.—

---

13 *defendía:* 'prohibía'.

17 Es muy cortesano el juego de superarse en pruebas de amor y es muy caballeresco el sacrificio de Baldovinos, aunque discutible bajo otros puntos de vista, incluso en época y lugares donde no escaseaban los renegados. En efecto, el *pliego* escurialense sustituye el segundo octosílabo con «por cierto mucho haria», prosaico remedo censorio; *CR[47],* como varios *pliegos sueltos,* en su lugar tiene una fórmula que refuerza la disponibilidad de Sevilla: «si quisieres por muger / sino sea por amiga». Menos escrúpulos tenía la lírica tradicional, que bien conoce el motivo: «Buélbete cristiana, / morica de los cabellos de oro, / buélbete cristiana, / si no bolberm'é yo moro» (*CALP,* 342 y también 343 y 344). En la *Chanson* Sebile manifestaba la intención de convertirse. Amores entre contrastes religiosos, promesas de renuncia a la fe propia como prueba de entrega al otro y bodas con conversiones caracterizan la balada irlandesa, obsesionada por la lucha multisecular entre 'orangistas' (protestantes) y 'romanos' (católicos).

1 *Nuño Vero:* «enigmático» y «misterioso» es, para *RH,* I, 253 y 255, este nombre más que el personaje, que corresponde al Justamont de la *Chanson des Saisnes* (cfr. la nota 1 del Texto 40); tal vez hubo alguna relación entre el rarísimo antropónimo y el topónimo Muñoveros: Menéndez Pidal [1950], 236. Fuera cual fuera su origen, *nomina sunt numina* y el arcaico y muy connotado *Vero* ('verdadero', 'sincero'), que acompaña al tan corriente *Nuño* como un epíteto, se constituye en eje semántico y formal del *R.:* el antiguo relato ha sido reelaborado en función del emblemático personaje, que entra en escena como 'vero' y *buen cavallero provado* y sale como 'falso' y *mal cavallero provado.* Cfr. Zayas [1970].

3 Este v. y las *nuevas* son supervivencia mecánica de una frase de la *Chanson,* que en el nuevo contexto contradice el mentís echado en cara a Nuño Vero en el v. 15 y que presupone en Sevilla una correcta información sobre Baldovinos; a no ser que se piense en una prueba a la cual la infanta quería someter al caballero. El motivo está ausente en el poema francés, mientras el desenmascaramiento de Nuño Vero es esencial en el *R.* Es un caso ejemplar de sutileza del juego entre persistencia y renovación. En efecto, en

4 —Aquessas nuevas, señora, yo vos las diré de grado.
Esta noche a medianoche entramos en cavalgada
y los muchos a los pocos lleváronnos de arrancada;
hirieron a Baldovinos de una mala lançada:
8 la lança tenía dentro, de fuera le tiembla el asta.
Su tío el emperador la penitencia le dava;
o esta noche morirá o de buena madrugada.
Si te pluguiesse, Sebilla, fuesses tú mi enamorada;
12 adamédesme, mi señora, que en ello no perderéis nada.—
—Nuño Vero, Nuño Vero, mal cavallero provado,

---

la *Chanson* existe el motivo de la muerte ficticia de Baudoins, pero unido al de la falsa identidad: Baudoins mata a Justamont, se viste con sus armas, consigue así entrar en el campo enemigo, e incluso alejar a los soldados con falsas órdenes, hasta presentarse a Sebile, insinuando en ella el temor de una desgracia cuando la princesa pide al fingido Justamont *nuevas* del franco; la desengañará pronto y se abandonarían plenamente a sus amores si no se interpusiera el tenso episodio del anillo, para el cual cfr. la nota 7 del Texto 40. Vemos que en la *Chanson* asoma de alguna forma el tema folklórico de 'la prueba', el que se encuentra en el Texto 39. La influencia de este *R*. sobre el nuestro acaso fue superior a la indirecta de la *Chanson,* si miramos la casi identidad de los vv. de exordio y el contenido y los modos de la 'prueba' en los dos *RR*., aunque con inversiones significativas. En efecto, en «Cavallero» (Texto 39) es el marido quien crea la 'prueba' y con ella verifica la fidelidad de la esposa; en «Nuño Vero» es la esposa quien provoca una puesta en escena auténtica del esquema de la 'prueba' y así desenmascara al falso marido. En el primer caso la fidelidad es el punto de llegada y la 'prueba' actúa en función suya; en el segundo la fidelidad es punto de partida y la 'prueba' opera en contra del pretendiente, que aquí es auténtico en ese papel como falso en el de marido. Quede claro que empleo 'esposa' y 'marido' para Sevilla y Baldovinos exclusivamente con el fin de dar evidencia a la inversión simétrica.

5 De este v. hasta el 12 cambia la asonancia y se delimita así un segmento narrativo concluido con la requesta; lo forman cuatro cuartetas de octosílabos, le preceden y le siguen dos cuartetas con asonancia *-a-o*. La repartición en tres grupos estróficos bien equilibrados y con rimas distintas para los dos interlocutores, es casi impecable (cfr. el v. 4). ¿Fue casual? Hay precedentes en la épica; simples cambios de asonancia se encuentran en otros *rr.:* cfr. Introducción.

6 *de arrancada:* 'de vencida'.

7 En la *Chanson* Baudoins acaba herido mortalmente. El segundo octosílabo de este v. y los dos vv. siguientes son formulares.

9 *la penitencia:* en *CR50A* se lee *a penitencia*. Es la confesión en punto de muerte, entre laicos, consentida en circunstancias de emergencia, bélicas en particular, como sería en este caso.

12 *adamédesme:* 'amadme intensamente'.

yo te pregunto por nuevas, tú respóndesme al contrario;
que aquesta noche passada comigo durmiera el Franco:
16 él me diera una sortija y yo le di un pendón labrado.—

42

Moriana en un castillo juega con moro Galvane;
juegan los dos a las tablas por mayor plazer tomare.
Cada vez qu'el moro pierde él perdía una ciudade,
4 cuando Moriana pierde la mano le da a besare:
del plazer qu'el moro toma adormescido se cae.
Por aquellos altos montes cavallero fue assomare;
llorando viene y gimiendo, las uñas corriendo sangre,
8 de amores de Moriana, hija del rey Moriane.
Captiváronla los moros la mañana de sant Juane,
cogiendo rosas y flores en la huerta de su padre.
Alçó los ojos Moriana, conociérale en mirarle;
12 lágrimas de los sus ojos en la faz del moro dane.

---

15 Las reiteradas alusiones a la noche son huella de la originaria condición nocturna y furtiva de los encuentros de los dos amantes, que con frecuencia daban lugar a refriegas y persecuciones del atrevido franco.

16 *sortija:* para su función en el poema francés cfr. la nota 7 del Texto 40; junto con el *pendón labrado* (y cfr. Texto 72), en el *R.* es prenda y arra en un pacto recíproco de amor fiel.

2 *tablas:* juego de las damas acoplado al de los dados.

7-10 Motivo idéntico, con fórmulas parecidas, en el Texto 44 (vv. 4-8). Los dos *RR.,* y el 144, son variaciones sobre un núcleo temático único: una doncella, o esposa, raptada por moros y cautiva, es buscada y a veces rescatada por su amigo o esposo. Se suele considerar más temprano el Texto 144 y de él procederían sugerencias para los otros dos: *Tratado,* VII, 282; Ortiz [1931], que comenta el lirismo creciente de un tema originariamente épico; Morley [1938], 156. Para nuestro *R.* ese origen estaría en el cantar de gesta francés *Aye d'Avignon: RH,* I, 262. Cfr. también *RJEM,* 64-68; Lewis Galanes [1986]. Una versión propiamente lírica del tema, con el lamento del amigo como epílogo, en el cantar 497B de *CALP,* que procede del ms. Madrid BP1: vol 3b, núm. 254 [1515], pág. 374, donde se titula «romance»; su primera estrofa es: «Mi madre, por me dar plazer, / a coger rosas m'embía; / moros andan a saltear / y a mí llévanme cautiva», como en el comienzo de las aventuras de nuestros *RR.;* cfr. también *CALP,* 2266.

Con pavor recuerda el moro y empeçara de hablare:
—¿Qu'es esto, la mi señora? ¿Quién os ha hecho pesare?
Si os enojaron mis moros luego los haré matare,
16 o si las vuestras donzellas harélas bien castigare,
y si pesar los cristianos yo les iré a conquistare:
mis arreos son las armas, mi descanso es peleare,
mi cama las duras peñas, mi dormir siempre velare.—
20 —No me enojaron los moros ni los mandéis vos matare,
ni menos las mis donzellas por mí reciban pesare,
ni tampoco los cristianos cumple de los conquistare.
Pero d'este sentimiento quiéroos dezir la verdade:
24 que por los montes aquellos cavallero vi assomare,
el cual pienso que es mi esposo, mi querido, mi amor [grande.—
Alçó la su mano el moro, un bofetón le fue a dare:
los dientes teniendo blancos en sangre buelto los hae;
28 y mandó que sus porteros la lleven a degollare
allí do viera su esposo, en aquel mismo lugare.
Al tiempo de la su muerte estas palabras fue a hablare:
—Yo muera como cristiana y también por confessare
32 mis amores verdaderos de mi esposo natural.—

43

—Mis arreos son las armas, mi descanso es pelear,
mi cama las duras peñas, mi dormir siempre velar.
Las manidas son escuras, los caminos por usar,
4 el cielo con sus mudanças ha por bien de me dañar,
andando de sierra en sierra, por orillas de la mar,

13 *recuerda:* 'despierta'.
18-19 Fórmula idéntica en el Texto 44.
26-27 cfr. los vv. 30-31 del Texto 143 y la nota.
31-32 Conociendo el gusto de tanto *romancero* por las conclusiones simplemente aludidas, daríamos como trágica la de este texto, con la muerte de Moriana después de haber lanzado su mensaje de fidelidad ejemplar a la religión y al esposo. Pero existen otros dos *RR.*, que concluyen la aventura con un epílogo feliz: *Primav.*, 122 y 123; saben a continuación postiza, pero indemostrable. Situación análoga para el Texto 68.

por provar si mi ventura hay lugar donde avadar.
Pero por vos, mi señora, todo se ha de comportar.—

44

—¡Arriba, canes, arriba, que rabia mala os mate!
En jueves matáis el puerco y en viernes coméis la carne.
¡Ay! que oy haze los siete años que ando por este valle,
4 pues traigo los pies descalços, las uñas corriendo sangre,
pues como las carnes crudas y bevo la roja sangre,
buscando, triste, a Julianesa, la hija del emperante,
pues me la an tomado moros mañanica de sant Juan,
8 cogiendo rosas y flores en un vergel de su padre.—
Oídolo ha Julianesa qu'en braços del moro está:
las lágrimas de sus ojos al moro dan en la faz.

---

6 *avadar:* 'mitigar', 'sosegar'. Este término, y los motivos que forman el *R.*, apuntan al campo semántico cancioneril de la pena de amor, en su versión de la prueba —una empresa o una penitencia— impuesta por la amada o que se impone el mismo amador, como parece ser aquí. Nuestro protagonista es de la familia de los Amadises en Peña Pobre, de aquellos amantes que buscan alivio a sus angustias aislándose en lugares salvajes y entregando sus cuerpos a crueles padecimientos. Tales tópicos y este texto se presentaron más de una vez a la memoria exaltada del Ingenioso Hidalgo.

1 En una glosa impresa en un *pliego suelto* se encuentra una versión de este *R.* abierta por los versos: «Por unos puertos ayuso / mal ferido va el salvaje; / siete canes van tras él, / mal aquexándole van. / Tras él iva un cavallero / que ha nombre Guillendarte. / Las bozes qu'el iva dando / al cielo quieren llegar»; siguen, con variantes, nuestros vv. 1, 3, 5, 6 y 7: *Seis pliegos poéticos barceloneses desconocidos c. 1540.* Est. bibliogr. de Pedro M. Cátedra, Madrid, El Crotalón, 1983, núm. 6 y págs. 50-51; cfr. también el Texto 42. El *R.* es un concentrado, armonioso, de lugares comunes (*RH*, I, 267).

2 *puerco:* 'jabalí'. El verso censura una transgresión, donde acaso hay alguna supervivencia del motivo folklórico de 'la caza infernal': cfr. el Texto 150.

6 *Julianesa:* en el *pliego* cit. arriba en la nota 1 *Juliesa,* y es «hija del rey Julián»: cfr. la *Juliana* del Texto 144, v. 295.

10 El *Romance* tiene aspecto de fragmento. ¿Cuál pudo ser su continuación, si la tuvo? Aunque se presente como una variante del de *Moriana* (Texto 42), creo difícil imaginar conclusión análoga, sea ella la muerte ejemplar o la feliz reunión con el esposo. En cuanto al otro texto del mismo grupo temático (núm. 144), allí Gaiferos llega —sin precipitación, pero a tiempo— para rescatar a una esposa todavía inviolada. No así parece haber

45

Yo me partiera de Francia, fuérame a Valladolid.
Encontré con un palmero, romero atán gentil.
—¡Ay! dígasme tú, el palmero, romero atán gentil:
4 nuevas de mi enamorada si me las sabrás dezir.—
Respondióme con nobleza, él me fabló y dixo así:
—¿Dónde vas, el escudero, triste, cuitado de ti?
Muerta es tu enamorada, muerta es, que yo la vi:
8 ataút lleba de oro y las andas de un marfil,
la mortaja que levava es de un paño de París,
las antorchas que le llevan, triste, yo las encendí.
Yo stuve a la muerte d'ella, triste, cuitado de mí,
12 y de ti lleva mayor pena que de la muerte de sí.—
De qu'esto oí yo cuitado, a cavallo iva y caí.
Una visión espantable delante mis ojos vi;
hablóme por conortarme, hablóme y dixo así:
16 —No temas, el escudero, no ayas miedo de mí:
yo soy la tu enamorada, la que penava por ti.
Ojos con que te mirava, vida, non los traigo aquí,

---

quedado Julianesa, esposa irrecuperable que ha debido de franquear el límite: su cuerpo «en braços del moro está». Y éste habría podido ser también el límite originario de un 'fragmento' que ya nacía sin pretensiones de futuro. Ataja cualquier fantasía la tradición oral hebrea, donde una astuta Moriana-Juliana mata a su carcelero; importantes comentarios en *RJEM*, 64-68.

1 En los impresos del s. XVI es más frecuente el *incipit:* «En los tiempos que me vi / mas alegre y plazentero» (*Ensayo*, I, 63 y II, 103). Estudia los textos antiguos y modernos Morley [1922]; cfr. también Débax [1982], 343-344 y Chicote [1986].

2 *palmero:* «Peregrino de tierra santa que traía palma»: *DRAE*, s.v. cfr. el v. 1 del Texto 145.

4 Este v. en la fuente había sido colocado equivocadamente detrás del v. 2; tachado, se volvió a escribir en el lugar correcto.

6 Con este verso empieza la popularísima adaptación que del *R.* se hizo para lamentar la muerte prematura de la reina Mercedes en el verano de 1878: «¿Dónde vas, Alfonso Doce? / ¿Dónde vas, triste de ti?»: *RH*, II, 386-387.

18-19 Por ser un tópico de la literatura funeraria no es menos conmovedora la referencia a partes del cuerpo del difunto que en vida iban asociadas a emociones y sentimientos que ahora mueren con ellas, y a hermosuras que con ese cuerpo se marchitan y disuelven bajo tierra. Una enumeración más extensa y ecos más claros del *ubi sunt?* encontramos —por ejemplo— en el lamento sobre la muerte del príncipe Alfonso de Portugal, en la *Crónica* de García de Resende (cit. en la nota 10 del Texto 79), págs. 196-197.

braços con que te abraçava so la tierra los metí.—
20 —Muéstresme tu sepoltura y enterrarm'he yo con ti.—
—Biváis vos, el cavallero, biváis vos pues yo morí.
De los algos d'este mundo fagáis algund bien por mí.
Tomad luego otra amiga y no me olvidedes a mí,
24 que no podés hazer vida, señor, sin estar así.—

46

Ya piensa don Bernaldino su amiga visitar.
Da bozes a los sus pajes de vestir le quieran dar.
Dávanle calças de grana, borzeguís de cordován,
4 un jubón rico broslado que en la corte no ay su par;
dávanle una rica gorra que no se podría apreciar,
con una letra que dize: «Mi gloria por bien amar»;
la riqueza de su manto no vos la sabría contar,
8 sayo de oro de martillo que nunca se vio su igual.
Una blanca hacanea mandó luego ataviar,
con quinçe moços de espuela que le van acompañar;
ocho pajes van con él, los otros mandó tornar:

---

2 El exordio es parecido al de los Textos 14 y 21, en particular al del segundo, que se transparenta como posible modelo. Falta aquí toda exaltación, y la escena es el preludio sereno de una visita como acto rutinario de amor y cortesía. Es la premisa esencial, y bien lograda, para que en el lector se repercuta el efecto de gran sorpresa que causa en don Bernaldino la ausencia de la amiga; y sobre todo para que resalte más fuerte el contraste con la tragedia del final.

6 Esta *letra* y el *letrero* final, cara y cruz del *bien amar* —ahora *gloria* y un momento después *muerte*—, enmarcan el sentido de la 'aventura' de don Bernaldino, de este emblemático meteorito cancioneril que pasa en el horizonte del *romancero,* con fugaz trayectoria, de la luz a las tinieblas, en un brillo de euforia erótica que pronto el ímpetu de autodestrucción apaga (v. 18). En la segunda parte del texto se insinúan motivos de novela sentimental. Del comentario de Botta [1985] al *R*. «Gritando va el cavallero» son muy útiles también para nuestro *R*. las págs. 268 y sigs.

8 *martillo:* asociado al *oro* del sayo, podría entenderse como oro machacado y reducido a láminas sutiles que revisten el sayo. También cabría pensar en una falta de imprenta por *martilla* o sea piel de marta, que sin embargo daría lugar a un indumento poco convincente.

9 *hacanea:* tipo de caballo propio de paseo.

12 de morado y amarillo es su vestir y calçar.
Allegado an a las puertas do su amiga solía estar;
fallan las puertas cerradas, empieçan de preguntar:
—¿Dónde está doña Leonor, la que aquí solía morar?—
16 Respondió un maldito viejo que él luego mandó matar:
—Su padre se la llevó lexos tierras habitar.—
Él rasga sus vestiduras con enojo y gran pesar
y bolvióse a los palacios donde solía reposar.
20 Puso una espada a sus pechos por sus días acabar.
Un su amigo que lo supo veníalo a consolar
y en entrando por la puerta vídolo tendido estar.
Empieça a dar tales bozes que al çielo quieren llegar.
24 Vienen todos sus vasallos, procuran de lo enterrar
en un rico monumento todo hecho de cristal,
en torno del cual se puso un letrero singular:
«Aquí está don Bernaldino que murió por bien amar.»

47

—¡Oh Belerma, oh Belerma, por mi mal fuiste engendrada!,
que siete años te serví sin de ti alcançar nada;
agora que me querías muero yo en esta batalla.
4 No me pesa de mi muerte, aunque temprano me llama,
mas pésame que de verte y de servirte dexava.

---

12 *morado...amarillo:* la librea de los pajes es un mensaje de su dueño: el *morado* nos dice de su 'pasión de amor', tal vez con la inevitable pizca de sufrimiento; el *amarillo* preanuncia la 'desesperación'. Quizá podamos incluir el *blanco* de la «hacanea» como señal de 'amor casto'. Aumenta el nimbo de languidez que rodea a este don Bernaldino. Colores y símbolos en Goldberg [1992].

3 *batalla:* es la de Roncesvalles.

5 *de verte y de servirte:* palabras claves del amor cortés, a cuyos tardíos fuegos cancioneriles se ha fraguado este *R.*, que tuvo un éxito enorme: una buena colección de citas en Devoto [1989], 178-179. Tuvo numerosas glosas (Piacentini [1990] y Soriano del Castillo [1990]) y versiones (Catalán [1992], con una rica bibl. y textos orales modernos de este *R.* y del 48), tanto que «de tumbo en tumbo vino a dar en la parodia»: *Tratado,* VII, 314, siendo la más atroz la que padece en la cervantina Cueva de Montesinos del *Quijote,* sobre la cual cfr. por último Chevalier [1990], que sigue comentando el menosprecio de intelectuales y poetas del Siglo de Oro por los *rr. viejos:* cfr. también

Oh mi primo Montesinos, lo que agora yo os rogava
que cuando yo fuere muerto e mi ánima arrancada,
8 vos llevéis mi coraçón adonde Belerma estava
y servilda de mi parte como de vos yo esperava
y traelde a la memoria, dos vezes cada semana,
y diréisle que se acuerde cuán cara que me costava;
12 y dalde todas mis tierras, las que yo señoreava:
pues que yo a ella pierdo, todo el bien con ella vaya.
Montesinos, Montesinos, mal me aquexa esta lançada;
el braço traigo cansado y la mano del espada;
16 traigo grandes las heridas, mucha sangre derramada;
los estremos tengo fríos y el coraçón me desmaya.
¡Que ojos que nos vieron ir nunca nos verán en Francia!
Abracéisme, Montesinos, que ya se me sale el alma,
20 de mis ojos ya no veo, la lengua tengo turbada.
Yo vos doy todos mis cargos, en vos yo los traspassava.–
—El Señor en quien creéis él oiga vuestra palabra.—

48

Muerto yaze Durandarte debaxo una verde aya.
Con él está Montesinos que en la muerte se hallara:
la fuessa le está haziendo con una pequeña daga.

[1988]. Esa parodia cervantina, en cambio, les aparece transida de añoranzas del mítico mundo cortés y en polémica con la gongorina («Diez años vivió Belerna», de 1582) a Gornall-Smith [1985], que refuerzan finamente juicios menendezpidalianos. El mismo *R.* albergaba gérmenes tan provocativos como —supongo— involuntarios: la prescripción bisemanal del v. 10, la arriesgada proximidad entre *cuán cara* del v. 11 y la transferencia del v. 12, la didascálica anatomía de esta 'muerte en directa', el alternar suspiros y cuentas, desmayos e *items* notariales, la imprudente inmediatez —después de la donación en el v. 21— del auspicio de Montesinos en el final v. 22. Todo esto no empaña la belleza del poemita, que tiene su joya en el emocionante v. 18, de merecida popularidad e… irrefrenables usos grotescos. Sobre el motivo del corazón arrancado cfr. Soriano del Castillo [1990], 214-215. Es sorprendente el paralelo entre el tema del *R.* y las circunstancias y los tonos del lamento de las estrofas CLXX-CLXXII de la *Chanson de Roland,* un verdadero «canto de amor» —como ha sido definido con acierto— «alto y afligido, que Roldán dirige a su propia espada cuando está a punto de abandonarla en estado de 'viudez'» [tr. mía]: Franco Cardini, *Alle radici della cavalleria medievale,* Florencia, La Nuova Italia, 1987, pág. 70 [1.ª ed. 1981].

4 Desenlázale el arnés, el pecho le desarmava;
por el costado siniestro el coraçón le sacava;
bolviéndolo en un cendal, de mirarlo no cesava,
8 con palabras dolorosas la vista solennizava:
—Coraçón del más valiente que en Francia ceñía espada,
agora seréis llevado adonde Belerma estava
para dar clara señal de la verdadera llaga.
12 Será hecho el sacrificio, que ella tanto desseava,
del amador más leal a la más cruel y brava;
use clemencia en la muerte pues en vida os la robava.
Si vuestra muerte le duele, dichosa será la paga
16 a quien está aguardando el contento de su dama,
que hasta ver la licencia el cuerpo muerto acompaña.—
Allegando Montesinos adonde Belerma estava,
le dize con el semblante qu'el dolor le combidava:
20 —Si la potencia de amor te ha rendido en su batalla,
muéstralo en saber qu'es muerto el que más que a sí te [amava.—
Belerma con estas nuevas no menos que muerta estava;
mas después que ya tornó entre sí se razonava:
24 —Mi buen señor Durandarte, Dios perdone la tu alma,
que según queda la mía presto te tendrá compaña.—

49

Retraída está la infanta bien assí como solía,
biviendo muy descontenta de la vida que tenía,

---

7 *la vista solennizava:* 'daba solemnidad a la escena'. La grafía con *-nn-* no era rara.

10 *verdadera llaga:* con *sacrificio* del v. siguiente, apunta el rito del ofrecimiento extremo, en el servicio de amor como religión laica. Aun teniendo en cuenta la tradición cancioneril del uso profano de lo sagrado, no sería tan descabellado suponer que los dos términos tienden a evocar la figura de Cristo. Sobre distintas versiones del texto cfr. Arthur Lee-Francis Askins, ed., *The Cancionero de Evora,* Berkeley, Univ. of California Press, 1965, págs. 140-141.

18 *combidava:* 'ofrecía', o sea, 'con el aspecto que el dolor le daba'. El giro está en armonía con la fraseología rebuscada del *R.;* perdería mucho de su retorcimiento pero casaría bien con la frase de Montesinos a Belerma, si fuera «*a*l dolor l*a* combidava»: ¿pudo ser esa la lección original?

veyendo que se passava toda la flor de su vida
4 y que el rey no la casava ni tal cuidado tenía.
Entre sí estava pensando a quién se descobriría;
acordó llamar al rey, como siempre hazer solía,
por dezirle su secreto y la intención que tenía.
8 Vino él siendo llamado, que no tardó su venida.
Veyéndola estar apartada, sola está y sin compañía,
su lindo gesto mostrava ser más triste que solía,
conosciera luego el rey el enojo que tenía:
12 —¿Qu'es aquesto, la infanta? ¿Qu'es aquesto, hija mía?
Contadme vuestros enojos, no toméis malenconía,
que sabiendo la verdad todo se remediaría.—
—Menester será, buen rey, remediar la vida mía,
16 que a vos quedé encomendada de la madre que yo tenía.
Dédesme, buen rey, marido, que mi edad ya lo pedía.
Con vergüença os lo demando no con gana que tenía,
que aquestos cuidados tales a vos, rey, pertenescían.—
20 Escuchada su demanda, el buen rey le respondía:
—Essa culpa, la infanta, vuestra era que no mía,
que ya fuérades casada con el príncipe de Ungría;
no quisistes escuchar la embaxada que os venía.
24 Pues acá en las nuestras cortes, hija, mal recado avía,
porque en todos los mis reinos vuestro par igual no avía
sino era el conde Alarcos: hijos y muger tenía.—
—Combidalde vos, el rey, al conde Alarcos un día
28 y desque ayáis comido dezilde de parte mía,
dezilde que se acuerde de la fe que d'él tenía,

---

10 *gesto:* 'rostro'.

21 Verso formulario análogo en el Texto 26, v. 4. Otros casos más: v. 40 (=Texto 25, v. 9); v. 27 (=Texto 66, v. 5); cfr. también las notas 29, 40, 109 y 198.

26 *Alarcos:* no se conoce ningún conde, real o ficticio, con tal nombre, sin documentación en la onomástica. Como topónimo, designa el lugar que fue teatro de la derrota de Alfonso VIII en 1195 por los almohades, interpretada en la leyenda popular como castigo divino por los amores adulterinos del rey con la judía toledana Raquel. Esto lleva a Vernon A. Chamberlain a suponer una posible vinculación tradicional del nombre Alarcos con historias de infracciones conyugales y castigos divinos: «Origin and Significance of the name Alarcos», en *Symposium*, 13 (1959), págs 117-120.

29 Cfr. los reproches de Urraca a Rodrigo en el Texto 124 y la inver-

la cual él me prometió, que yo no gela pidía,
de siempre ser mi marido, yo que su muger sería;
32 yo fui d'ello muy contenta y no me arrepentía.
Si casó con la condessa, que mirasse qué hazía,
que por él no me casé con el príncipe d'Ungría.
Si la condessa es burlada, d'ella es culpa que no mía.—
36 Perdiera el rey en oírlo el sentido que tenía;
mas después en sí tornando con enojo respondía:
—No son éssos los consejos que vuestra madre os dezía.
Mal mirastes vos, infanta, do era la honra mía.
40 Si verdad es todo esso, vuestra honra ya es perdida:
no podéis ser vos casada siendo la condessa biva;
si se haze el casamiento por razón y por justicia,
en el dezir de las gentes por mala seréis tenida.
44 Dadme vos, hija, consejo, qu'el mío no bastaría,
que ya es muerta vuestra madre a quien consejos pidía.—

---

sión en las actitudes de aquellos protagonistas respecto a los de este *R*. frente a idéntica circunstancia.

40 Cfr. Texto 15, v. 9.

42 *por razón y por justicia:* el sintagma, formulario, encierra el núcleo ético e ideológico del *R*. y vuelve oportunamente en los vv. 156 y 211. El matrimonio con la infanta puede ser impuesto al conde, a pesar de estar ya casado, «de razón y de justicia» (v. 156) sobre la base del antiguo compromiso que él no respetó (vv. 29-30). Esa promesa se podría entender incluso como un matrimonio secreto, una práctica que realmente existió y que encontramos con frecuencia en la narrativa caballeresca, con la que el *R*. tiene más de una afinidad. Así parece entenderlo el mismo rey (v. 40), que con delicadeza prefiere ignorar detalles (vv. 80-81). Pero, si pueden valer como principio, esa *razón* y esa *justicia* llegan tardíamente a su aplicación y con fatales consecuencias sobre la inocente condesa; por lo tanto la opinión pública y la moral común («el dezir de las gentes», v. 43) no las comprenderían ya, como el rey intuye acertadamente (vv. 42-43). En efecto, cuando en el texto esa opinión pública asoma a través de la voz indirecta del narrador, entonces la muerte de la condesa —como resultado de la demanda de la infanta, de la decisión del rey y de la actuación del conde— se define secamente «sin razón e sin justicia» (v. 211): la forma negativa del sintagma, con la evidencia de la colocación conclusiva, pone al descubierto la superchería que se ocultaba detrás de su forma positiva y define de una vez la moral auténtica del caso.

45 Un verso como éste, y la conducta toda del rey, no contribuyen a exaltar la figura de la realeza; como tampoco el v. 98, que fue eliminado en un par de *pliegos sueltos* (*Dicc*. 1015 y 1016). Pero no se revela mucho más edificante el perfil de tantos otros monarcas del *romancero*, o por las violencias y los desafueros que promueven o por lo endeble del carácter, que hace de

—Yo vos los daré, el buen rey, d'esto poco que tenía:
mate el conde a la condessa que ninguno lo sabría,
48 eche fama que ella es muerta de un cierto mal que tenía,
y tratarse ha el casamiento como cosa no sabida.
D'esta manera, buen rey, mi honra se guardaría.—
De allí se sale el rey no con plazer que tenía;
52 lleno va de pensamiento con la nueva que traía.
Vido estar al conde Alarcos entre muchos que dezía:
—¿Qué aprovecha, cavalleros, amar e servir amiga?

---

ellos, en algún caso, apariciones puramente decorativas y hasta cómicas. La inclinación pro-señorial es evidente en varios *rr.*, en particular en los que enlazan con la épica y en los históricos concebidos como propaganda y defensa de puntos de vista de individuos y familias. Más en general actúa un modelo ya muy literaturizado, a través de siglos de tradición épica y novelesca de dentro y de fuera de España, que encuentra su cristalización última en los libros de caballerías. Sobre aspectos de esta problemática, y otros del *R.*, cfr. Mancini [1959].

54-59 Conforme con el tono jactancioso de tales charlas palaciegas y en ellas camuflada, parece introducirse una información importante y ambigua al mismo tiempo: el persistir, en el conde, del recuerdo del antiguo amor, que no fue abandonado por falta de firmeza, en contraste con la volubilidad de la amiga, según el v. 55. El conde y su experiencia amorosa ejemplificarían así el mote «no adamés, el cavallero, / fija del vuestro señor / que ella vos ternía en poco / y vos por ella moriréys de amor» (ms. Londres BL1, f. 66v: Dutton, I, 201). Pero si es auténtica la justificación aducida en los vv. 90-91, no puede serlo del todo entonces esta declamación entendida como alusión de Alarcos a su propia experiencia amorosa. Sea como sea, el perfil de esposo ejemplar que parece ofrecerse del conde no sale reforzado; a no ser que se dé por implícita la distinción, bien arraigada y teorizada, entre amor y afecto conyugal: el conde resultaría así ejemplar en ambos. Lo cual creo que no responde de lleno a la ética del texto. En cambio, si en los vv. 90-91 el conde afirma algo falso, dado el interlocutor, y si en el debate cortesano la declaración es ficticia, cabe preguntarse entonces por qué nuestro agudo autor quiso darle ese contenido arriesgado; un contenido que necesariamente entra en relación con la aventura que el conde, sin saberlo, está a punto de vivir aunque con papeles invertidos: la firmeza se descubre en la mujer y la inconstancia en el varón. He aquí una primera razón de ser, estética, de la escena palaciega e incluso de su temática: el paso rápido del recreo al drama, del amor que inspira euforias verbales al que emite sentencias trágicas; es un contraste elemental, pero logrado con finura, y que contiene su lección moral. Otra razón la vería propiamente en la sombra de ambigüedad que la escena proyecta sobre el conde. Auténticas o falsas que sean su declaración jactanciosa y su justificación al rey, Alarcos es una figura que —usemos la fórmula— no está a la altura de las circunstancias. Si la que dice ahora es la verdad, no lo estuvo en su momento por escaso atrevimiento; pensemos en el valiente Claros de

Que son servicios perdidos donde firmeza no avía.
56 No pueden por mí dezir aquesto que yo dezía,
que en el tiempo que yo serví una que tanto valía
si muy bien la quise entonces agora más la quería;
mas por mí pueden dezir: «Quien bien ama tarde olvida».—
60 Estas palabras diziendo, vido el buen rey que venía
y para hablar con el rey d'entre todos se salía.
Dixo el buen rey al conde, hablando con cortesía:
—Combidaros quiero, conde, para mañana en aquel día,
64 que queráis comer comigo por tenerme compañía.—
—Que se haga de buen grado lo que su alteza pedía.
Beso sus reales manos por la buena cortesía
de tenerme aquí mañana aunque estava de partida,
68 que la condessa me espera, según la carta me embía.—
Otro día de mañana el rey de missa salía.
Assentósse a comer no por gana que tenía
sino por hablar al conde lo que hablar le quería.
72 Allí fueron bien servidos como a rey pertenescía.
Después que ovieron comido toda la gente salía;
quedóse el rey con el conde en la tabla do comían.
Empeçó de hablar el rey la embaxada que traía:
76 —Unas nuevas traigo, conde, que d'ellas no me plazía,
por las cuales yo me quexo de vuestra descortesía.
Prometistes a la infanta lo que ella no vos pidía:
de siempre ser su marido, y a ella que le plazía.
80 Si otra cosa passastes no entro en essa porfía,
que no lo he demandado ni gelo demandaría.
Otra cosa os digo, conde, de que más os pesaría:
que matéis a la condessa, que cumple a la honra mía,
84 y echés fama que ella es muerta de cierto mal que tenía

Montalbán frente a situación análoga (y cfr. la nota 178). Si miente en su justificación al rey, no lo está en el presente por cobardía. Descontando simplificaciones inevitables en estos renglones, parece evidente que al conde le superan en temperamento tanto la infanta (es casi norma en el *romancero*) como la condesa, siéndole afín el rey. Una vez más se impone el universo femenino, que presenta aquí su doble cara, la diabólica y la angélica. Para un análisis más detallado de texto y temas del *R*. cfr. Di Stefano [1989a] y [1992c].

83-86 El rey repite casi al pie de la letra las palabras de la infanta (vv. 47-50), quedando subrayada así su total sujeción a la voluntad de la hija.

y tratarse ha el casamiento   como cosa no sabida,
porque no sea desonrada   hija que tanto quería.—
Oídas estas palabras,   el buen conde respondía:
88 —No puedo negar, el buen rey   lo que la infanta dezía
sino qu'es todo verdad   todo cuanto le pidía.
Por miedo de vos, el rey,   no casé con quien devía:
no pensé que vuestra alteza   en ello consentiría.
92 De casar con la infanta   yo, señor, bien casaría;
mas matar a la condessa   yo, señor, no lo haría,
porque no deve morir   la que mal no merescía.—
—A morir tiene, el buen conde,   por salvar la honra mía,
96 pues no mirastes primero   lo que mirar se devía.
Si no muere la condessa   a vos costará la vida;
que por la honra de los reyes   muchos sin culpa morían,
porque muera la condessa   no es mucha maravilla.—
100 —Yo la mataré, buen rey,   mas no será culpa mía:
vos os avendréis con Dios   en la fin de vuestra vida.
Yo prometo a vuestra alteza,   y a fe de cavallería,
que me escriva por traidor   si lo dicho no complía:
104 de matar a la condessa   aunque mal no merescía.
Buen rey, si me dais licencia   yo luego me partiría.—
—Vais vos con Dios, el buen conde,   ordenad vuestra
[partida.—
Llorando se parte el conde,   llorando sin alegría,
108 llorando por la condessa   que más que a sí la quería.
Llorava también el conde   por tres hijos que tenía:
el uno era de teta   que la condessa lo cría,
que no quería mamar   de tres amas que tenía
112 sino era de su madre   porque bien la conoscía;
los otros eran pequeños,   poco sentido tenían.
Antes que llegasse, el conde   estas razones dezía:

109 Los hijos y su número son motivos folklóricos. Es uno de los numerosos puntos de contacto entre nuestro *R.* y los Textos 68, 78 y 82, tantos y tales que no se puede excluir la influencia directa del *Alarcos,* o del *Isabel de Liar,* sobre los demás. Es más difícil de aclarar la precedencia entre estos dos. Un sondeo completo, según una perspectiva marcadamente literaria, de las deudas (¿o créditos?) lingüísticas y temáticas del *Alarcos* dentro y fuera de su género, en particular con el *Isabel de Liar,* en Norti Gualdani [1986].

114 La coma que he introducido rompe el ritmo del verso pero aclara la sintaxis de la frase; es muy probable que el canto respetara el primero y de-

—¿Quién podrá mirar, condessa, vuestra cara de alegría,
116 que saldréis a recebirme a la fin de vuestra vida?
Yo soy el triste culpado, esta culpa toda es mía.—
En diziendo estas palabras la condessa ya salía,
que un paje le avía dicho como el conde ya venía.
120 Vido la condessa el conde la tristeza que traía;
viole los ojos llorosos, que hinchados los traía
de llorar por el camino mirando el bien que perdía.
Dixo la condessa al conde: —Bien vengáis, bien de mi [vida.
124 ¿Qué avéis, el conde Alarcos? ¿Por qué lloráis, vida mía?
Que venís tan demudado que cierto n'os conoscía:
no paresce vuestra cara aquella que ser solía.
Dadme parte del enojo como dais del alegría;
128 dezídmelo luego, el conde, no matéis la vida mía.—
—Yo vos lo diré, condessa, cuando la ora sería.—
—Si no me lo dezís, conde, cierto yo rebentaría.—
—No me fatiguéis, señora, que no es la ora venida.
132 Cenemos luego, condessa, de aquello que en casa avía.—

---

jara a la intuición del oyente la segunda. No tengo yo menor confianza en la intuición del lector moderno, sólo quiero llamar la atención sobre algún caso que podríamos definir de encabalgamiento, o sea, de contraste entre la continuidad del ritmo del verso y la unidad sintáctica de la frase; es fenómeno casi inexistente en el *romancero viejo,* pero no desconocido: cfr. el v. 12 del Texto 33 y el v. 5 del Texto 87, análogos al nuestro, y después el v. 15 del Texto 116; cfr. Ochrymowycz [1979].

117 No se contradice el v. 100, que alude a la responsabilidad del rey en el asesinato de la condesa; ahora se trata de la responsabilidad indirecta, pero originaria, que es del conde, como el rey ha recordado en el v. 96.

132 Como ocurre con muchos de los vv. pares, el segundo octosílabo podría ser de puro relleno. Sin embargo, contiene una especificación funcional al tono del encuentro, porque con ella advertimos reforzada una angustia que se concentra sobre sí misma y anhela ya a un desenlace, y para la cual el mundo exterior y doméstico es ahora sólo ocasión de tormento. El detalle es una pincelada más, y no secundaria, en un cuadro de intimidad familiar que propone gestos, afectos y emociones plácidamente usuales, pero que para el conde son ya fantasmas crueles. Al margen: el detalle suena impropio en boca de un magnate y nos recuerda otros versos de otro texto, el del *Conde Dirlos* (*Primav*. 164), en ocasión del banquete que su tío organiza para celebrar el regreso del conde: «envían presto a las plazas / carnecerías otro que tal, / para mercalles de cena». Como en la casa de Alarcos, en la de don Beltrán, primo de Gaiferos e íntimo del emperador y de los Doce, con la comida

—Aparejado está, el conde, como otras vezes solía.—
Sentóse el conde a la mesa, no cenava ni podía,
con sus hijos al costado que muy mucho los quería.
136 Echóse sobre los braços, hizo como que dormía;
de lágrimas de sus ojos toda la mesa corría.
Mirávalo la condessa que la causa no sabía;
no le preguntava nada, que no osava ni podía.
140 Levantóse luego el conde, dixo que dormir quería;
dixo también la condessa que ella también dormiría;
mas entr'ellos no avía sueño, si la verdad se dezía.
Vanse el conde y la condessa a dormir como solía.
144 Dexan los niños de fuera, qu'el conde no los quería;
lleváronse el más chiquito, el que la condessa cría.
Cerrara el conde las puertas, lo que hazer no solía.
Empeçó de hablar el conde con dolor e con manzilla:
148 —¡Oh desdichada condessa, grande fue la tu desdicha!—
—No fue desdichada, el conde; por dichosa me ternía
sólo a ser vuestra muger: ésta fue gran dicha mía.—

---

penetra en el palacio la calle y parece colarse un reflejo de lo cotidiano del público y de los autores de estos *rr.* juglarescos. Tenía razón don Quijote: nunca había leído que un héroe comiera; porque nunca en esos libros se leyó que un héroe enviara a plazas y carnicerías para 'mercar de cena'. Acaso no sea superflua una referencia al proceso de aburguesamiento que en los *cantari* italianos del XV ha sido detectado más de una vez. Pero, ¡ojo!: en el *Libro de cuentas* de los Reyes Católicos (cfr. mi Introducción, nota penúltima) abundan las compras en la plaza.

143 *solía:* es forma impersonal. El uso frecuente de *soler,* sobre todo en el tiempo imperfecto, no se debe ni a automatismo de fórmula ni a comodidad de asonancia. Este verbo se propone como un auténtico *leit motiv* del *R.:* la confortable iteración de costumbres y relaciones, conductas y gestos inspirados por deberes y afectos estables, de pronto se ve atropellada y mudada en desasosiego por el desenfrenarse, en esa rutina, del elemento más expuesto al riesgo, la melancolía inquieta de la infanta. Y a la princesa pertenecen los *solía* iniciales del texto, confiándose al primero la notación eficaz de una quietud que se daba por descontada cuando, en realidad, alimentaba el germen del desastre. Habría dicho sabiamente Juan de Flores: «Y como ya muchas veces acaece cuando hay dilación en el casamiento de las mujeres ser causa de caer en vergüenza y yerros, asi a esta despues acaecio» (*La Historia de Grisel y Mirabella,* ed. facsímil de la de 1529, Granada, Don Quijote, 1983, pág. 54); y con él consentiría el emperador padre de Melisenda, más afortunado que su colega del *Alarcos:* Texto 14, nota 69-70.

149 *fue:* convivía con *fui* como forma de la primera persona.

150 Si no fueran muchos más sus logros, este solo verso, denso de iro-

—Si bien lo sabéis, condessa, ésta es vuestra desdicha.
152 Sabed que en tiempo passado yo amé a quien bien quería,
la cual era la infanta, por desdicha vuestra y mía.
Prometí casar con ella y a ella que le plazía.
Demándame por marido por la fe que me tenía;
156 puédelo muy bien hazer de razón y de justicia,
díxome el rey su padre porque d'ella lo sabía.
Otra cosa manda el rey que lastima el alma mía:
manda que muráis, condessa, por la honra de su hija,
160 que no puede tener honra siendo vos, condessa, biva.—
Desque esto oyó la condessa cayó en tierra amortescida;
mas después en sí tornada estas palabras dezía:
—Pagos son de mis servicios, conde, con que y'os hazía.
164 Si no me matáis, el conde, yo bien os consejaría:
embiédesme en mis tierras, que mi padre me ternía;
yo criaré vuestros hijos mejor que la que vernía;
y'os mantendré lealtad como siempre os mantenía.—
168 —A morir teneis, condessa, enantes que venga el día.—
—Bien paresce, el conde Alarcos, yo ser sola en esta [vida,
porque tengo el padre viejo, mi madre ya es fallescida
y mataron a mi hermano el buen conde don García,
172 qu'el rey le mandó matar por miedo que d'él tenía.
No me pesa de mi muerte porque yo morir tenía,
mas pésame de mis hijos que pierden mi compañía.
Hazédmelos venir, conde, y verán mi despedida.—
176 —No los veréis más, condessa, en días de vuestra vida.
Abraçad este chiquito, que aqueste es el que os perdía.
Pésame de vos, condessa, cuanto pesar me podría;
n'os puedo valer, señora, que más me va que la vida.

---

nía trágica, y su impecable colocación les bastarían a la sutileza psicológica y a la maestría efectista de nuestro anónimo poeta para descollar más allá del *romancero*, en el ámbito entero de la narrativa del siglo XV. En los *pliegos sueltos* fue divulgándose un nombre para ese poeta: Pedro de Riaño; nada sabemos de él, pero tampoco tenemos razones para hacer caso omiso de ese nombre.

163 *hazía:* 'trataba'.

168 *enantes:* 'antes'.

178 Es el v. 117 del *Conde Claros* (Texto 21), adaptado a la distinta asonancia.

179 Ese *más* remite al honor: cfr. los vv. 102-104.

180 Encomendaos a Dios, que esto hazer se tenía.—
—Dexédesme dezir, conde, una oración que sabía.—
—Dezilda presto, condessa, antes que venga el día.—
—Presto la avré dicho, conde, no estaré una Ave [María.—
184 Hincó rodillas en tierra, esta oración dezía:
—En las tus manos, Señor, encomiendo el alma mía.
No me juzgues mis pecados según que yo merescía
mas según tu gran piedad y la tu gracia infinita.
188 Acabada es ya, buen conde, la oración que sabía.
Abraçaros quiero, conde, por amor que os tenía.
Encomiénd'os essos hijos que entre vos e mí avía
y rogad a Dios por mí mientra tuviérades vida,
192 que d'ello sois obligado pues que sin culpa moría.
Dédesme acá esse hijo, mamará por despedida.—
—No le despertéis, condessa, dexalde, que dormía;
sino que os demando perdón porque ya se viene el día.—
196 —A vos y'os perdono, el conde, por el amor que os [tenía;
mas yo no perdono al rey ni a la infanta su hija,
sino que quedan citados delante el alta justicia,
que allí vayan a juizio dentro de los treinta días.—
200 Estas palabras diziendo, el conde se apercebía.
Echóle por la garganta una toca que tenía;
apretó con las dos manos con la fuerça que tenía:
no le afloxa la garganta mientra que vida tenía.
204 Cuando ya la vido el conde traspassada y fallescida,
desnudóle los vestidos y las ropas que tenía,
echóla encima la cama, cobríala como solía,
desnudóse a su costado obra de una Ave María.
208 Levantóse dando bozes a la gente que tenía:
—Socorred, mis escuderos, que la condessa se fina.—
Hallan la condessa ya muerta los que a socorrer venían.
Assí murió la condessa sin razón e sin justicia.
212 Mas también todos murieron dentro de los treinta días:
los doze días passados la infanta ya moría,

198 Cfr. este verso y el final con los del Texto 65, y también su v. 45 con el nuestro 211.

el rey a los veinte y cinco, el conde al treinteno día.
Allá fueron a contar con la justicia divina.
216 Acá nos dé Dios su gracia, allá su gloria complida.

50

Muy malo estava Espinelo, en una cama yazía:
los bancos eran de oro, las tablas de plata fina,
los colchones en que duerme son de una holanda fina,
4 las sávanas que le cubren en el agua no se vían,
la colcha qu'encima ponen sembrada es de perlería.
A su cabecera tiene Mataleona su querida;
con las plumas d'un pavón la su cara le resfría.
8 Estando en este solaz, tal demanda le hazía:
—Espinelo, Espinelo, ¡cómo nasciste en buen día!
El día que tú nasciste la luna estava crescida,
que ni punto le faltava ni punto le fallescía.
12 Contássedesme, Espinelo, contássedesme tu vida.—
—Yo te la diré, señora, con amor y cortesía.

---

214 *treinteno:* en la fuente y en gran parte de la tradición impresa se lee *tercero.*

216 El poeta se despide del relato y de su público con una fórmula profesional. Típica de *romances de ciego,* es rarísima en nuestros textos, lo mismo que las fórmulas de exordio: cfr. la nota 1 del Texto 65; en su nota 17 cito una versión del mismo *R.* que concluye invitando a los oyentes a invocar a Dios.

2 *bancos:* los dos caballetes que sostenían las tablas de la cama.

10 El arcaico referirse a la luna como indicadora del discurrir segmentado del tiempo, hace que el plenilunio —vértice periódico de la progresión circular— sea el símbolo del completarse de un itinerario, del cumplirse de una tensión; un símbolo sustancialmente positivo. Por esto, nacer en plenilunio era señal de suerte propicia y de distinción respecto a los demás individuos: cfr. el Texto 90. El *R.,* como nota Catalán [1984], traza la trayectoria vital de Espinelo, desde la cuna —rememorada— hasta la sepultura, si la grave enfermedad es anuncio de muerte. La narración le capta en ese momento, invirtiendo la sucesión natural de los acontecimientos, con un efecto artístico indudable, ya que se acentúa el tono angustioso del relato. Falk [1986] resalta la función catártica ejercida por tal tipo de cuentos, que en sus elementos maravillosos implican el trauma del nacimiento y amplifican el logro azaroso de una madurez excepcional.

Mi padre era de Francia, mi madre de Lombardía.
Mi padre con su poder a Francia toda regía;
16 mi madre como señora una ley hecha tenía:
la muger que dos pariesse de un parto y en un día
que la den por alevosa y la quemen por justicia
o la echen en la mar porque adulterado havía.
20 Quiso Dios y su ventura qu'ella dos hijos paría
de un parto y en un hora, que por deshonra tenía.
Fuérase a tomar consejo, con tan loca fantasía,
a una cativa mora que sabía nigromancía.
24 —¿Qué m'aconsejas tú, mora, por salvar la honra mía?—
Respondiérale: —Señora, yo de parescer sería
que tomasses a tu hijo, el que se te antojaría,
y lo eches en la mar en una arca de valía,
28 bien embetumada toda, que más segura sería,
y pongas también en ella mucho oro y joyería
porque quien al niño hallasse de criártelo holgaría.—
Cayera la suerte a mí y en la gran mar me ponía;
32 la cual estando muy brava, arrebatado me havía
y púsome en tierra firme con la favor que traía,
a la sombra de una mata que por nombre 'espina' havía,
que por esso me pusieron d'Espinelo nombradía.
36 Marineros navegando halláronme en aquel día,
lleváronme a presentar al Gran Soldán de Suría.
El Soldán no tiene hijo, por su hijo me tenía.
El Soldán agora es muerto, yo por el Soldán regía.—

---

15 *padre:* en la fuente se lee *madre,* que considero falta de imprenta, sobre todo en vista del verso anterior, cuya equilibrada alternancia sin duda se vuelve a repetir aquí, repartida entre este verso y el siguiente. Sin embargo, las sugerencias del siglo freudiano nos atraen hacia el gazapo, como un *lapsus* enjundioso y bien comprensible del mismo Espinelo, o de un recitador: en la historia particular de este personaje, y en general en las creencias sobre venturas y desventuras de los mellizos, el papel jugado por la figura materna en el período anterior a la fecundación es determinante: cfr. el art. cit. en la nota 19.

18 *alevosa:* 'traidora', o sea, infiel al esposo: cfr. el verso siguiente.

19 Sobre mitos y folklore de los mellizos Delpech [1986], 358-359 y *passim.*

28 *embetumada:* la segunda *-m-* es grafía etimológica.

35 *nombradía:* igual que *nombre.*

39 En algunos textos de la tradición oral moderna Espinelo recobra la condición regia, al revelarse hermano gemelo del monarca que lo ha acogi-

51

Por el mes era de mayo, cuando haze la calor,
cuando canta la calandria y responde el ruiseñor,
cuando los enamorados van a servir al amor,
4 sino yo, triste cuitado, que yago en esta prisión,
que ni sé cuándo es de día ni cuándo las noches son,
sino por una avezilla que me canta al alvor:
matómela un vallestero, de Dios aya el galardón.

---

do. Es un final más propio del tema folklórico que está en la base de nuestro relato y que inspiró dos obras medievales muy emparentadas, por separado, con el *R*. Se trata del *lai* de María de Francia *Fraisne* (hacia 1165) y del poemita italiano *Gibello;* del segundo el texto más antiguo conocido es del siglo XV y contiene el motivo del rico manto gracias al cual se produce el reconocimiento final. De ese motivo quedan sólo rastros desemantizados en los vv. 3-5 de nuestro texto; pero se conserva en versiones modernas, en particular hebreas de Marruecos. Es posible que las redacciones antiguas del *R*. fueran más de una, dada la fortuna de este cuento. La única conservada, la nuestra, presenta resabios de una mano letrada, responsable de una reorganización formal del texto y del paso de la probable asonancia primitiva *-o -a* a la actual *-ía*. Cfr. el denso estudio de Catalán [1984] y *RH*, I, 336-337. Un *incipit* «Dolyente yyaz, Espinelo» se documenta hacia 1525 en una colección de himnos hebreos cantados sobre melodías de *rr*. muy conocidos: Armistead y Silverman [1981], núm. 23, págs. 471-472.

1 La canción de mayo, canto a la primavera y al rebrotar de la naturaleza, canto del eros, es una de las ramas más vigorosas de la lírica popular; de ella y de sus fórmulas temático-lingüísticas se alimenta este *R*.: Asensio [1954].

4 En la versión larga del *R*. (Texto 52) la prisión es real; aquí podría ser la abusada metáfora de la angustia de amor: Aguirre [1972], que no cree originario el texto largo, muy híbrido en temas y lengua. Es más difusa la opinión contraria, que atribuye el texto breve al corte de alguno de sus muchos glosadores, entre ellos Garci Sánchez de Badajoz. Es cierto que el *R*. largo documenta perfectamente esos casos en que «entran en íntima proximidad, sin mezclarse, dos modos de creación y elocución ajenos uno a otro», según observación general de Bénichou [1990], 55. Exploran la semántica del texto breve Acutis [1974], 74-80 y Robertson [1979], que incluye la tradición moderna, donde la cárcel como metáfora está presente sin ambigüedades. Cfr. también *CGR*, I, 136-137 y Catalán [1992], 86-94. Piñero y Atero [1989], 473-474 comentan dos versiones modernas, en cuyos rasgos diferenciadores encuentro una gran analogía con los perfiles distintivos de los dos textos antiguos: una versión es «de alto valor poético»; la otra les aparece «degradada», y en ella «el viejo romance [*el breve*] ha sido alargado con una historia del mismo tema carcelario» (y cfr. la nota 8 del Texto 52).

7 *vallestero:* si las estrofillas populares delatan los humores corrientes, debían de ser bastante malos los que inspiraba la figura del ballestero: cfr. «Vallestero tuerto, / ¿quántas aves avéis muerto?» en *CALP*, pág. 1133.

52

—Por el mes era de mayo cuando haze la calor,
cuando canta la calandria y responde el ruiseñor,
cuando los enamorados van a servir al amor,
4 sino yo triste cuitado que bivo en esta prisión,
que ni sé cuándo es de día ni cuándo las noches son
sino por una avezilla que me cantava al alvor:
matómela un vallestero, ¡dele Dios mal galardón!
8 Cabellos de mi cabeça lléganme al corvejón,
los cabellos de mi barba por manteles tengo yo,
las uñas de las mis manos por cuchillo tajador.
Si lo hazía el buen rey, házelo como señor;
12 si lo haze el carcelero, házelo como traidor.
Mas ¡quién agora me diesse un páxaro hablador!,
si quiera fuesse calandria o tordico o ruiseñor,
criado fuesse entre damas y abezado a la razón,
16 que me lleve una embaxada [a] mi esposa Leonor
que me embíe una empanada no de trucha ni salmón
sino de una lima sorda y de un pico tajador:
la lima para los hierros y el pico para la torre.—
20 Oídolo avía el rey, mandóle quitar la prisión.

---

8 Con variantes de poca monta, este verso se encuentra también en el texto del *R.* copiado en el ms. Madrid BP1: vol 3b, núm. 85 [1505], págs. 287-289, donde asoma además una huella del primer octosílabo del v. 9. El texto impreso con la glosa de Alonso Pérez en el *Cancionero llamado Guirnalda Esmaltada de Galanes* o *Cancionero de Constantina* [¿1515?], ed. mod. Madrid, Bibliófilos Madrileños, 1914, págs. 12-17, contiene los vv. 8 y 17-19, mientras del v. 16 da la variante «escreuir quiero vna carta / a mi hermana la mayor». La labor alrededor de este *R.* debió de ser intensa y supongo que no desdeñó dar entrada a humores paródicos y casi pre-quevedescos. Buen ejemplo son imágenes y tono de los vv. 8-10, más grotescos aún en el cit. ms. Madrid BP1: «Las barbas de la mi cara / cíñolas en rrededor. / [*los cabellos como en el v. 8, agregando:*] de noche los é por cama / i de día por cobertor»; o la tan acogedora empanada, con capacidad para una lima y nada menos que *un pico tajador*. Y no es todo: con tanto revuelo de aves y un verso como el 15, me parece evidente que esa labor no pudo —¿o no quiso?— evitar un resbalón en simbolismo sexual. Los resultados documentables, sobre todo en la versión más larga, muestran un concentrado de refinada poesía y de relato vulgar, de imágenes exquisitas y de informes prosaicos, que bien pudo ser casual, aunque tiene visos de malicioso y logrado *pastiche*. Cfr. la nota 4 del Texto 51. A propósito de aves, cfr. la ristra de citas y los comentarios de Devoto [1990]. Ver Adiciones.

53

Tres hijuelos avía el rey, tres hijuelos que no más.
Por enojo que uvo d'ellos todos maldito los ha:
el uno se tornó ciervo, el otro se tornó can,
4 el otro se tornó moro, passó las aguas del mar.
Andávase Lançarote entre las damas holgando;
grandes bozes dio la una: —Cavallero, estad parado.
Si fuesse la mi ventura, cumplido fuesse mi hado
8 que yo casasse con vos y vos comigo de grado,
y me diéssedes en arras aquel ciervo del pie blanco.—
—Dároslo he yo, mi señora, de coraçón y de grado
y supiesse yo las tierras donde el ciervo era criado.—
12 Ya cavalga Lançarote, ya cavalga y va su vía;
delante de sí llevava los sabuesos por la traílla.
Llegado avía a una hermita donde un hermitaño avía.

---

4 *mar:* en este v. acaba la asonancia *-a-(e)* y el texto sigue con *-a-o* para los vv. 5-11 y con *-i-a* para los demás. Quedan delimitados así tres momentos distintos del relato: los antecedentes, la premisa de la aventura y su comienzo; caso análogo en el Texto 41. William J. Entwistle, «The adventure of 'Le Cerf au Pied Blanc' in Spanish and Elsewhere», en *MLR,* XVIII [1923], págs. 435-448, que algo apunta de la tripartición, ve en los cambios de asonancia y en cierta oscuridad del texto los indicios de un anterior *R.* más amplio. Entwistle [1925], 203-209 condensa el artículo anterior; sobre este punto pág. 208.

9 Sobre aventuras en territorios de las hadas, viajes al otro mundo y motivo del animal-guía, con el topos de la caza del ciervo blanco, cfr. Harf-Lancner (cit. en la nota 14 del Texto 7), capp. VIII y IX; también Trillo Bouza-Brey, *Etnografía y folklore de Galicia,* Vigo, Ed. Xerais de Galicia, 1982, vol. I, págs. 241-263 y Joan Ors, «De l'encalç del cérvol blanc al creuer de la balena sollerica: la funció narrativa del motiu de l'animal guia», en *Studia in honorem prof. M. de Riquer,* Barcelona, Quaderns Crema, 1986, vol. I, págs. 565-577. En cuanto al argumento del *R.,* Laiglesia [1917] encuentra algunos de sus elementos en el *Lai de Tyolet* y en un *Lanzarote* holandés, y perfila el posible episodio completo, con el aporte de otros textos. Entwistle, art. cit. en la nota 4, no comparte las propuestas de Laiglesia y prefiere ver en nuestro texto el fragmento de un poema que resumía algunos capítulos del *Lanzarote* castellano en prosa. A Catalán [1970], 82-100 el aspecto de 'fragmento' le parece originario del *R.,* que sus destinatarios antiguos entendían bien al enmarcarlo dentro de una leyenda muy conocida; olvidados contexto y detalles, la tradición oral moderna ha conservado el texto gracias a contaminaciones varias.

—Dios te salve, el hombre bueno.— —Buena sea tu venida.
16 Caçador me parescéis en los sabuessos que traía.—
—Dígasme tú, el hermitaño, tú que hazes santa vida:
esse ciervo del pie blanco ¿dónde haze su manida?—
—Quedáisos aquí, mi hijo, hasta que sea de día;
20 contaros he lo que vi y todo lo que sabía.
Por aquí passó esta noche dos horas antes del día;
siete leones con él y una leona parida.
Siete condes dexa muertos y mucha cavallería.
24 Siempre Dios te guarde, hijo, por doquier que fuer tu ida,
que quién acá te embió no te quería dar la vida.
¡Ay dueña de Quintañones, de mal fuego seas ardida!,
que tanto buen cavallero por ti ha perdido la vida.—

54

Nunca fuera cavallero de damas tan bien servido
commo fuera Lançarote cuando de Bretaña vino:
donzellas curavan d'él y dueñas de su roçino;

---

16 *traía:* esta tercera persona del verbo podría nacer de la asonancia o responder a una intromisión de la voz ponderativa del narrador: cfr. el v. 12 del Texto 90 y su nota.

17-18 Son versos documentados ya a finales del siglo XV; tuvieron amplia fortuna tanto sueltos como en contrahechuras.

26 Suponemos que esta dueña es la misma dama del v. 6, que se ha ofrecido en matrimonio a Lanzarote pero le ha impuesto la *quête*. Es un ejemplo de mujer funesta, presente en varios *rr*. En este caso podríamos pensar en la que fue el prototipo de tales criaturas, Morgana, el hada hermana de Artús y brillante discípula de Merlín, que en vano atrae e intenta retener en sus dominios al valiente caballero y virtuoso amante de Ginebra. El favor que en el v. 10 parece mostrarle Lanzarote, y el curioso nombre Quintañona (cfr. la nota 4 del Texto 54), no extrañan en un texto algo heterogéneo y libre como es este *R.* que, por tal ladera, hace pareja con el extravagante Texto 15. Pueden reforzar la identificación apuntada los dos versos finales, si los ponemos en relación con la malísima fama que rodeaba a la diabólica y lujuriosa Morgana, «la plus desloial femme del monde», como reza el *Lancelot* francés en prosa de hacia 1215. Laiglesia [1917] más que en Morgana, ya sugerida por Milà y Fontanals aunque muy de paso, piensa en Quintañona como «una amalgama de personajes, dominando en ella la dama de Malehaut» (pág. 11).

3 *roçino:* el uso de este término para la cabalgadura de Lanzarote y los detalles y tono de la escena sugieren a Murillo [1977] una lectura sutil del *R.* como probable parodia de figuras y motivos de la ficción caballeresca.

4 esa dueña Quintañona, esa le escançiava el bino,
la linda reina Ginebra se lo acostava consigo.
Estando al mejor sabor, que sueño no avía dormido,
la reina toda turbada movido le ha un partido:
8 —Lançarote, Lançarote, si antes fuérades venido
no dixera el Orgulloso las palabras que abía dicho:
que mataría al rey Artús y aun a todos sus sobrinos
y a pesar de vos, señor, él dormiría comigo.—
12 Lançarote que lo oyó gran pesar ha recebido.
Lleno de muy gran enojo sus armas avía pedido;
armóse de todas ellas, de la reina se ha partido.
Va buscar al Orgulloso, hallólo baxo de un pino;
16 conbátense de las lanças, a las hachas han venido:
de la sangre que les corre todo el campo está teñido;
ya desmaya el Orgulloso, ya cae en tierra tendido,
cortádole ha la cabeça sin hazer ningún partido.
20 Tornóse para la reina, de quien fue bien recebido.

55

Mal se quexa don Tristán, que la muerte le aquexava;
preguntando por Iseo, de los sus ojos llorava:

---

4 *dueña Quintañona:* «purely Castilian fabrication» es tal personaje para Murillo [1977], 58n.; como «a popular version of the Lady Mallehault (Sp. Malgud)» lo había visto Entwistle [1925], 199; ambos habían sido precedidos por Laiglesia [1917], 10-11. Entwistle relacionaba el episodio con la victoria de Lanzarote sobre Meleagance, dado que el *R.* le parecía una reelaboración muy libre de materiales artúricos de localización difícil (¿el 2.º libro del *Lanzarote* español?), y además su argumento le recordaba la aventura de Tristán que decapita a Dagrins, acusado por Isolda de requiebros molestos. Cfr. también la nota 26 del Texto 53. Entwistle [1925], 2, 205, 230, 245 y 252 insiste en ver en la dueña Quintañona rasgos de la alcahueta de tipo hispánico.

9 *el Orgulloso:* como nombre alegórico de amante celoso se encuentra, en el *Perceval* francés, un Orgueilleus de la Lande, con su pareja femenina, la Orgueilleuse de Logres.

10-11 Típico *gab* ('jactancia') épico-caballeresco; otros ejemplos y variantes en los Textos 17, 21 y 136. Una lectura reciente de este *topos,* con bibliografía, en Massimo Bonafin, *La tradizione del «Voyage de Charlemagne» e il 'gabbo'*, Alessandria, Ed. dell'Orso, 1990, págs. 76-115.

1 El primer octosílabo se cita en el *Juego trobado* que compuso hacia 1495 Pinar: *CG,* ff. 183-185 y *RH,* II, 46-48. El verso debió de extractarse de

—¿Qu'es de ti, la mi señora? ¡Mala sea la tu tardada!,
4 que si mis ojos te viessen sanaría esta mi llaga.—
El este planto haziendo y la reina que llegava:
—¡Quién os hirió, mi señor, herida tenga de rabia!—
—Hirióme el rey mi tío de aquesta cruel lançada;
8 hirióme desde una torre, que de cerca no osava.
Juntóse boca con boca, allí se salió el alma.

56

Ferido está don Tristán de una mala lançada;
diérasela el rey su tío con una lança hervolada;

---

un texto del *R.* idéntico o muy parecido al que aquí presento. También a éste creo que remite la cita en el *Tirante el Blanco* (mitad del siglo XV): la emperatriz de Constantinopla le canta a su amante Hipólito «un romance de don Tristán, como se quexava de la lançada que le avíe dado el rey Mares» (trad. esp. 1511, *apud* Riquer [1953]). Ambas referencias, la directa y la indirecta, concuerdan menos con el Texto 56.

2-5 Estos versos y el llanto son privativos de la presente versión del *R.* La invocación, entre lágrimas, a la amada y a su poder de sanar las heridas del amado con su sola vista, es un lugar común de la poesía cancioneril, como también la conformación del texto en lamento del amante infeliz. Es él el protagonista, modelo de triste amador que proclama su desesperación y recibe ya tarde el auxilio invocado; en otras versiones predomina Iseo.

7 *cruel:* estamos dentro del campo léxico cancioneril, donde la *lançada* es llaga de amor (en ámbito romanceril cfr. el Texto 124); en las otras versiones *mala,* que es más propio de herida material. La marcada huella trovadoresca del *R.* insinúa, en el relato de la muerte real de Tristán, el motivo de la muerte simbólica de amor. La polisemia de cierto léxico y la fragilidad de los límites entre literatura y vida los conocía la misma Iseo; por lo menos la Iseo resentida contra su olvidadizo Tristán, a quien reprocha la falsedad del repetido «mal quexarse», de su apelar a «la Muerte con que ante mi te finauas», del exaltarla por las virtudes taumatúrgicas: «sanar llagas», «yo hazer milagros en resocitarte». Casi comprendemos el tardar de la Iseo del *R.:* no imaginaba que la lanzada del esposo había quebrado el mundo de las metáforas. Las citas provienen de unas cartas de Iseo que remontan a principios del siglo XVI: Harvey L. Sharrer, «Letters in the Hispanic Prose Tristan Text: Iseut's Complaint and Tristan's Reply», *Tristania,* VII (1981-1982), páginas 3-20 [8] y Fernando Gómez Redondo, «Carta de Iseo y respuesta de Tristán», en *Dicenda.* Cuadernos de Filología Hispánica, 7 (1988): *Arcadia.* Estudios y Textos dedicados a Francisco López Estrada, págs. 327-356 [329-330]. Cuestiones textuales y comentarios críticos en Di Stefano [1988b].

2 *hervolada:* 'emponzoñada con hierbas'.

diósela desde una torre, que de cerca no osava.
4 Tan mal está don Tristán que a Dios quiere dar el alma.
Váselo a ver doña Iseo, la su linda enamorada,
cubierta de un paño negro que de luto se llamava:
—¡Quien os hirió, don Tristán, heridas tenga de ravia
8 y que no se halle hombre que huviese de sanalla!—
Tanto están boca con boca como una missa rezada.
Llora el uno, llora el otro, la cama toda se vaña.
El agua que de allí sale un azucena se regava:
12 toda muger que la beve luego se haze preñada.
—Que assí hize yo, mesquina, por la mi ventura mala:
no más que d'ella beví, luego me hize preñada;
empreñéme de tal suerte que a Dios quiero dar el alma.—
16 Allí murió don Tristán y su linda enamorada.

---

5 Este texto del *R.* da por descontado que el destinatario conoce la historia de los dos amantes y la identidad de *doña Iseo* como esposa de aquel rey que acaba de herir mortalmente a Tristán. Para oídos indoctos, sin embargo, no es nada evidente que de adulterio se trata, y la saña del rey puede parecer bastante inexplicable. Por esta razón, en algunos impresos se encuentran retoques que aclaran la circunstancia. *Tratado,* VII, 354-356 y Bonilla y San Martín [1912], 393-401 relacionan el *R.* con el popular *Libro del esforçado cauallero don Tristán de Leonís y de sus grandes fechos en armas,* que se imprimió en 1501 pero que seguramente circulaba ya en el siglo XV. Agudas propuestas de lectura se extraen de Pelegrín [1975]. Cfr. también Di Stefano [1988b].

11 *un azucena:* en el *pliego suelto* se lee *una zucena*, que se podría mantener considerando la derivación del árabe vulgar *sussêna.*

12-15 Es incierto si estos cuatro vv. formaban parte del *R.* en su texto primitivo; en particular, los 13-15 parecen llegar de una 'voz' distinta respecto a la que narra. Son como un aparte del que canta o recita, una voz femenina que, al margen del texto, parece hacerse cargo del sentimiento de culpa y castigo que emana del *R.,* donde agua y azucena son símbolos de pureza, pero generados del pecado y a su vez generadores de pecado y desventura. En otras versiones es la azucena la que produce el infausto embarazo, al ser comida. Campa [1981-1982] ve en el segmento, que atribuye a la voz de Isolda, la alusión a «una relación sexual [de los dos amantes, *in extremis*] vuelta a evitar la extinción del linaje de Tristán» [65]. Sobre tales motivos folklóricos *Yoná,* 61n.; la 'fuente fecundante' y la 'hierba pisada fecundante' son temas de *rr.* de la tradición oral moderna: *CRJE,* II, 166-169; más en general Daniel Devoto, «Pisó yerba enconada», en su libro *Textos y contextos.* Estudios sobre la tradición, Madrid, Gredos, 1974, págs. 11-46 [22 y 31].

Materia de Roma

57

Aquel rey de los romanos que Tarquino se llamava
enamoróse de Lucrecia, la noble casta romana,
y para dormir con ella una gran traición pensava.
4 Vase muy secretamente adonde Lucrecia estava.
Cuando en su casa le vido, como a rey le aposentava.
A hora de medianoche Tarquino se levantara;
vase para el aposento adonde Lucrecia estava,
8 a la cual halló durmiendo, de tal traición descuidada.
En llegando cerca d'ella desenvainó su espada
y a los pechos se la pone, d'esta manera la habla:
—Yo soy aquel rey Tarquino, rey de Roma la nombrada.
12 El amor que yo te tengo las entrañas me traspassa;
si cumples mi voluntad serás rica y estimada;
si no, yo te mataré con esta cruel espada.—
—Esso no haré, el rey, si la vida me costara,
16 que más la quiero perder que no vibir deshonrada.—
Como vido el rey Tarquino que la muerte no bastava,
acordó otra traición, con ella la amenazava:
—Si no cumples mi desseo como yo te lo rogava,
20 yo te mataré, Lucrecia, con un negro de tu casa,
y desque muerto lo tenga echarlo he en la tu cama.
Yo diré por toda Roma que ambos juntos os tomara.—
Y como Lucrecia vido la gran traición que pensava,
24 cumplióle su voluntad por no ser tan deshonrada.
Desque Tarquino huvo hecho lo que tanto desseava,
muy alegre y muy contento para Roma se tornava.

---

1 Livio, I, 58, seguramente conocido por el autor del *R.*, refiere que el violador de Lucrecia fue Sexto Tarquino, hijo del rey Tarquino el Soberbio, que a las violencias del padre agregó sus propias perversiones, acelerando la caída de la monarquía (510 a. C.). Enfrentando a Lucrecia con el rey, el romancista adopta una popular versión simplificada del episodio, de mayor efecto; y que además, en ambiente hispánico, sugería una obvia asociación con la empresa y el desastre de Rodrigo, el último rey godo.

17 Aquí, como en otros pasajes, casi se traduce a Livio, que en I, 58, 4 reza: «Ubi obstinatam videbat et ne mortis quidem metu inclinari […]».

Lucrecia quedó muy triste en verse tan deshonrada;
28 embiara muy apriessa con un siervo de su casa
a llamar a su marido, porque allá en Roma estava.
Cuando ante sí lo vido, d'esta manera le habla:
—Oh mi amado Colatino, ya es perdida la mi fama,
32 que pisadas de hombre ageno han hollado la tu cama:
el soberbio rey Tarquino vino anoche a tu posada,
recibíle como a rey y dexóme vïolada.
Yo me daré tal castigo como adúltera malvada,
36 porque ninguna matrona por mi exemplo no sea mala.—
Estas palabras diziendo echó mano de una espada,
que secreta la traía debaxo de la su falda,
y a los pechos se la pone y salióle por la espalda:
40 luego allí en aquel momento muerta cae la romana.
Su marido que la viera amargamente llorava.
Sacóle de la herida aquella sangrienta espada
y en la mano la tenía y a sus dioses jurava
44 de matar al rey Tarquino y quemalle la su casa.

27-29 Livio, I, 58, 5: «Lucretia maesta tanto malo nuntium Romam eundem ad patrem Ardeamque ad virum mittit.» El aviso al padre se elimina, así como más adelante desaparece Bruto: la tradición vulgata, y más aún el *R.*, tienden a enfrentar directamente a los protagonistas.

31 Colatino era primo tercero de Sexto Tarquino, según una genealogía de Dionysios de Alicarnassos en sus *Antigüedades de Roma.*

32 Livio, I, 58, 7: «Vestigia viri alieni, Collatine, in lecto sunt tuo.»

35-36 Livio, I, 58, 10: «ego me etsi peccato absolvo, supplicio non libero; nec ulla deinde impudica Lucretiae exemplo vivet.»

37-40 Livio, I, 58, 11: «Cultrum, quem sub veste abditum habebat, eum in corde defigit, prolapsaque in vulnus moribunda cecidit.»

42-44 Livio, I, 59, 1: «cultrum ex vulnere Lucretiae extractum manantem cruore prae se tenens [...] inquit '[...] iuro, vosque, dii, testes facio me L. Tarquinium Superbum [...] ferro, igni [...] exsecuturum [...]'». Es Lucio Junio Bruto, amigo de Colatino, quien saca el puñal, jura venganza, reúne gente armada, subleva a los romanos y acaudilla el ejército en Ardea; el rey fue exilado y Sexto Tarquino asesinado por sus propios criados. El autor del *R.* ha sabido insertar en la tradición novelesca la información culta, que nunca se sobrepone a tonos y giros puramente romanceriles. Sobre supervivencias actuales: *REJM*, 95-98; Arminstead-Silverman [1978]; *Nahón*, 69-70; *RJEO*, 58-67. En los textos judeo-españoles Mirrer [1986] detecta una implícita matización de la castidad de Lucrecia como fidelidad a la fe hebraica, al definirse «cristiano» a Tarquino. Sobre el tema en general Ian Donaldson, *The Rapes of Lucretia*. A Myth and its Transformations, Oxford, University Press, 1982.

En un monumento negro el cuerpo a Roma llevava
y púsolo descubierto en medio de una gran plaza.
De los sus ojos llorando, de la su boca hablava:
48 —¡Oh romanos, oh romanos, doleos de mi triste fama!,
que el soberbio rey Tarquino ha forçado esta romana,
y por esta gran deshonra ella mesma se matara.
Ayudádmela a vengar su muerte tan desastrada.—
52 Desque aquesto vido el pueblo, todos en uno se arman
y van para el palacio donde el rey Tarquino estava.
Danle mortales heridas y quemáronle su casa.

58

Mira Nero de Tarpeya a Roma cómo se ardía.
Gritos dan niños y viejos y él de nada se dolía.
El grito de las matronas sobre los cielos subía;
4 como ovejas sin pastor unas a otras corrían,
perdidas, descarriadas, llorando a lágrima biva.
Toda su gente huyendo a las torres se acogía.
Los siete montes romanos lloro y fuego los hundía.
8 En el grande Capitolio suena muy gran bozería;

1-2 Fueron entre los versos de *r.* más difundidos, documentándose por vez primera en *La Celestina:* Berndt Kelly [1966], que subraya la frecuencia de usos paródicos; Emilio Rodríguez Demorizi, «Del Romancero», en *Thesaurus,* VI (1950), págs. 279-281: citas en Crónicas de Indias; Díaz Mas [1985]. Fundado sobre un auténtico saqueo de la Vida de Nerón escrita por Suetonio, donde se pueden localizar circunstancias y lugares, detalles y personajes, hasta expresiones, este *R.* es un pequeño monumento de apretada erudición. Tiene algo de monstruoso su furor acumulativo que arrolla a sabiendas la cronología: en esa noche de fuego del 64 d. C. se congregan a los pies de Nerón y lo imploran ancianos y recién nacidos, vivos y difuntos, en una especie de sacrificio final fuera del tiempo, donde se consumen un mundo y una civilización, bajo la mirada indiferente de un espíritu del mal que a todos ha contagiado y a todos devora ya. Marco genial: ese verso de abertura y cierre *él de nada se dolía.* Me resisto a ver en el autor de este *R.* la víctima de un desmodado afán por lucir erudición. Creo que seríamos nosotros sus víctimas si no captáramos la chispa del juego en sus versos, y no supiéramos apreciar su poemita como regustada caricatura de un personaje y de un contexto histórico-míticos, y hasta de la misma erudición como desenfrenada danza terminológica y onomástica.

4 *ovejas:* el *pliego suelto* dice *quejas.*

8-11 Suetonio, cap. 38, también para los vv. 17-26.

por el collado Aventino gran gentío discurría;
van en Cavallo Rotundo, la gente apenas cabía;
por el rico Coliseo gran número se subía.
12 Lloravan los dictadores, los cónsules a porfía,
davan bozes los tribunos, los magistrados plañían,
los qüestores lamentavan, los senadores gemían,
lloran la orden eqüestre, toda la cavallería,
16 por la crueldad de Nero, que lo ve y toma alegría.
Siete días con sus noches la cibdad toda se ardía:
por tierra yazen las casas, los templos de tallería,
los palacios muy antiguos de alabastro y sillería:
20 por tierra van en ceniza sus lazos y pedrería.
Las moradas de los dioses han triste postrimería:
el templo capitolino do Júpiter se servía,
el grande templo de Apolo, el que de Mars se dezía,
24 sus tesoros y riquezas el fuego los derretía.
Por los carneros y ossarios la gente se defendía.
De la Torre de Mecenas lo mirava todo y veía
el ahijado de Claudio, que a su padre parecía,
28 el que a Séneca dio muerte, el que matara a su tía,
el que antes nueve meses que Tiberio se moría

---

14 Conservo este cultismo gráfico, como en el v. sig.

18 *tallería:* 'fina labor de escultura'.

20 *lazos:* decoraciones de los frisos.

25 *carneros:* lo mismo que *osarios.*

27 Claudio, emperador del 41 al 54 d. C., después de haberse divorciado de Plaucia casó con su sobrina Agripina, que le hizo adoptar a Nerón, habido con su primer marido Cneo Domicio Ahenobarbo, procónsul de Sicilia, individuo infame: Suetonio, 5. Cuando Claudio empezó a pensar en anular la adopción, recuperando el interés por su primer hijo Británico y disgustado por la conducta de Agripina, ésta le mandó matar. Era el año 54 d. C. Le sucedió Nerón.

28 Acusado de estar comprometido en la conjuración de los Pisones, Séneca fue obligado al suicidio en el año 65. La tía fue Domitia, hermana del padre, que Nerón mandó matar para adueñarse de su patrimonio, en torno al año 59 d. C.

29-30 Nerón nació el 15 de diciembre del año 37 d. C. y Tiberio había muerto el 16 de marzo: el v. 29 está mal construido. Suetonio, 6, escribe que el horóscopo había sido adverso; que el padre, conversando con amigos, pronosticó que nada bueno podía haberse generado de la unión de dos canallas como Agripina y él; y que Calígula, invitado a imponer el nombre al recién nacido, propuso Claudio (el futuro emperador), considerado entonces el hazmerreír de la corte, y Agripina lo rechazó indignada.

con prodigios y señales   en este mundo nacía;
el que siguió los cristianos,   el padre de tiranía,
32 de ver abrasar a Roma   gran deleite recebía:
vestido en scénico traje,   decantava en poesía.
Todos le ruegan amanse   su crueldad y porfía.
Doriphoro le rogava,   Esporo le combatía,
36 a sus pies Rubria se lança,   Acte los besa y lamía,
Claudia Augusta se lo ruega,   ruégaselo Messalina;
ni lo hace por Pompea   ni por su madre Agripina,
no haze caso de Antonia   que la Mayor se dezía,
40 ni del padre y tío Claudio   ni de Lépida su tía;

---

31 *siguió:* 'persiguió'.

33 *decantava:* 'cantaba con exaltación' un poema sobre la caída de Troya, por él compuesto: Suetonio, 38, 2.

35 El primero era un liberto y fue 'esposo' de Nerón; como lo fue también el segundo, un adolescente que Nerón hizo castrar en el intento de hacerle mudar sexo, y que gustaba exhibir como 'emperatriz'. Sobre ambos Suetonio, 28, 1-2 y 29.

36 Rubria era una virgen vestal, violada por Nerón: Suetonio, 28, 1. Acte era una liberta con quien el emperador estuvo a punto de casarse: Suetonio, 28, 1 y 50.

37 Claudia Augusta, que Nerón tuvo de Poppea Sabina, difícilmente habría podido suplicar al padre incendiario: murió a los cuatro meses cuando aún faltaba un año para el gran fuego: Suetonio, 35, 3 y Tácito, *Anales,* XV, 23. A su vez Statilia Messalina entró en la esfera de interés de Nerón muy probablemente en época posterior al incendio; el emperador casó con ella en el 66 d. C., después de haberle procurado la viudez y de haberse quedado él mismo, involuntariamente, viudo de Poppea.

38 Poppea Sabina murió en el año 66, embarazada, de una patada de su enamoradísimo esposo Nerón, enfurecido por haberle increpado al regresar tarde a palacio después de una carrera de carros. En cuanto a la codiciosa Agripina, es difícil creer que, de estar viva, se dedicara a implorar la clemencia de Nerón, en vista del negocio —amén de la diversión— que se fraguaba gracias al incendio; con su ambición y afán de lucro, la madre del emperador había llegado a ser tan obsesiva y peligrosa que éste se vio obligado a matarla, en el año 59 d. C.., o sea, cinco años antes del incendio.

39 Antonia la Mayor, como la define Suetonio, 5, fue abuela paterna de Nerón; nacida en el 39 a. C., es natural que el nieto ya no le hiciera caso en el 64 d. C.

40 El emperador Claudio fue padre adoptivo de Nerón (cfr. la nota 27), y era hijo de Antonia la Menor, hermana de la abuela de Nerón; pero es muy probable que el *tío* del *R.* provenga de una mala lectura de Suetonio, 6, 2, donde se habla de Nerón infante, de su tío Calígula y de Claudio, aludido también como tío, pero respecto a Calígula. Domitia Lépida, hermana de Do-

Aulo Planco se lo habla, Rufino se lo pedía,
por Británico ni Tusco ninguna cuenta hazía;
los dos ayos se lo ruegan, el tonsor y el que tañía,
44 a sus pies se tiende Octavia, essa que ya no quería.
Cuanto más todos le ruegan él de nada se dolía.

Materia de Grecia

59

Por una linda espessura de arboleda muy florida,
donde corren muchas fuentes de agua clara muy luzida,
un río caudal la cerca que nace dentro en Turquía,
4 en las tierras del Soldán y las del Gran Can Suría;
mil y quinientos molinos que d'él muelen noche y día:
quinientos muelen canela y quinientos perla fina

---

mitia (cfr. la nota 28) y tía paterna de Nerón, fue perseguida hasta la muerte por instigación de Agripina; otro 'fantasma' en la noche del incendio.

41 En el *pliego suelto* se lee *Planco* y en Suetonio, 4, se cita un Lucio Planco, pero del todo marginal. En Suetonio, 35, 4 aparece, en cambio, un más probable Aulo Plaucio: fue primer cónsul de Britania y Nerón lo mandó matar por la sospecha de amoríos con Agripina. Más misterioso es Rufino, si excluimos el Rufrio Crispino de Suetonio 35, 5, figura a su vez poco clara teniendo en cuenta Tácito, *Anales,* XIII, 45; se suicidó en el 66 d. C.

42 Británico fue hijo de la primera mujer del emperador Claudio y por lo tanto hermanastro de Nerón. Es fácil imaginar cuáles tensiones se crearon alrededor de este infeliz joven, sobre todo gracias a la infatigable Agripina, hasta que acabó sus días envenenado, el año 55 d. C. Otro 'espectro'. Cecina Tusco era hijo de la nodriza de Nerón; fue gobernador de Egipto y en el 67 d. C. sufrió el exilio.

43 Según Suetonio, 6, 3, Nerón de niño fue criado en casa de su tía Lépida, al cuidado de un barbero y de un bailarín.

44 Hija de Claudio, casó con Nerón el año 53 d. C. y concluyó su atroz experiencia conyugal el año 62 d. C., desangrada: cfr. la tierna página que le dedica Tácito, *Anales,* XIV, 63-64. Es el último 'trasgo' de este tragicómico aquelarre.

6 La especificación distributiva es una fórmula: ejemplos en los Textos 105 y 140. Sobre una base temática y lingüística culta, que busca complicidades con recursos de la poética juglaresco-romanceril, se construye «esta bella estampa de intensa y amena coloración artificiosa, de tonalidad muy arcaica y muy popularizante»: *RH,* I, 348-349, que reseña las supervivencias en la tradición oral moderna. La elegancia y el *humour* suave de este *R.*se aprecian

y quinientos muelen trigo para sustentar la vida.
8 Todos eran del gran rey que a los reyes precedía,
padre del buen cavallero, orden de cavallería,
del esforçado don Héctor que a los griegos destruía.
En medio d'esta arboleda el infante Paris dormía;
12 el arco tiene colgado de una murta muy florida
y el aljava de los tiros por cabecera tenía.
Era por el mes de mayo, que los calores hazía;
por el suelo muchas flores, mucha fina clavellina,
16 de lirios y rosas frescas que era grande maravilla;
el ruiseñor cantava con muy dulce melodía,
cantavan mil paxaricos todos con grande armonía.
Y estando assí el infante que el sueño más le vencía,
20 dormiendo soñava un sueño de una visión que veía,
de tres damas las más lindas que en todo el mundo avía,
vestidas de oro y de seda, perlas y gran pedrería:
los joyeles que llevavan no tienen par ni valía;
24 ruvios cabellos tendidos que un sotil velo cubrían.
Y estando assí dormiendo que de sí nada sabía,
cuando estas lindas damas cada cual bien lo servía:
la una le peina el cabello, la otra aire le hazía,
28 la otra le coge el sudor que de su rostro salía.
Recuerda el infante Paris, no sabiendo si dormía;

---

mejor comparándolo con el siguiente, un buen producto de una cultura y de un oficio netamente juglarescos. Se perciben ecos de la *Crónica troyana,* recopilada por Núñez Delgado aprovechando las *Sumas* de Leomarte (cfr. la nota 18 del Texto 60) e impresa numerosas veces desde finales del s. XV, y de las *Heroidas* de Ovidio, la 16.ª, ya ampliamente presentes en las letras castellanas.

8 El *gran rey* es Priamo, pero el v. 5 parecía atribuir la propiedad de los molinos al Gran Can. En este exordio conviven la tendencia actualizadora y un gusto por lo exótico que mezcla lo lejano en el tiempo con lo lejano en el espacio, rasgos frecuentes en la cultura medieval.

12 *murta:* especie de mirto, 'arrayán'.

13 *aljava:* o *aljaba,* 'caja portátil para las flechas'.

14 Motivo del 'mayo', con su fórmula lingüística: cfr. los Textos 51 y 52 y nótense las divergencias, empezando por la disposición de las palabras en el primer octosílabo; en el segundo la asonancia impone la inversión.

24 *cubrían:* conservo el plural, tratándose de una concordancia *ad sensum.*

29 *Recuerda:* 'se despierta'.

mas ya en sí acordado con espanto que tenía,
y en ver tan alta visión doblado esfuerço tenía.
32 Palabras está diziendo, de aquesta suerte dezía:
—¡Oh Dios, y qué lindas damas! ¡Qué linda filosomía!
Bien parecen estos gestos ser damas de gran valía.
Dezidme si sois hermanas o si sois cosa divina
36 o si sois encantamiento o buena ventura mía.
Dezid si puedo serviros con las fuerças y la vida:
aventuraré mi cuerpo en batallas noche y día,
porque el día en que naciera grandes cosas se dezían
40 en las cortes del mi padre, que grandes sabios avía;
y aún la infanta mi hermana, que lee en astrología,
dixo que en esta arboleda, dentro en esta pradería,
me vernía un aventura por donde me perdería.
44 Mas aunque sepa morir, de servir no cansaría,
que en los buenos cavalleros mal está la covardía.—
Combidávanse las reinas cuál primero hablaría.
Habló primero la Palas una razón bien sabida:
48 —Ah, vos, el infante Paris, escuchadme por mi vida,
pues que sois tal cavallero digno en la sabiduría.
Estad con ojos abiertos, despertad la fantasía,
porque estas reinas y yo venimos en gran porfía
52 de cuál era más hermosa, de cuál era más garrida.
Paris, si juzgáis por mí aqueste don vos daría:
daros he ventura en armas, dicha en cavallería,
vencerás cualquier batalla, aunque tengas demasía.—
56 Luego que acabó la Palas habló Iunia, assí dezía:
—Ah, vos, esforçado Paris, oiga vuestra señoría.
Cavallero sois en armas que en el mundo otro no avía;

---

30 *espanto:* 'asombro'. Aunque no se trate del terror que sobrecoge a Ayuelos (Texto 14), dada la situación bien distinta, es cierto que en el marco y, sobre todo, en las primeras preguntas de Paris a las diosas (vv. 35-36) asoma el motivo del encuentro fatídico del caballero con criaturas femeninas que van a modificar su destino, según lo hemos visto ya en Textos como los números 6, 7, 8, 12, 14, etc.

33 *filosomía:* 'fisionomía'.

39 Fórmula parecida en el Texto 90.

55 *demasía:* 'gran concurrencia de gente', aquí hostil.

57 El primer octosílabo falta en la reimpresión moderna de nuestra fuente.

persona tan justiciera porque se alegra mi vida,
60 que sé que no quitaréis aquello que yo merecía.
Y si me dáis este don yo a vos otro daría:
daros he muchos dineros, más que ningún rey tenía;
sobre todos los señores siempre avréis la señoría.—
64 Hablada que avía Juno, Venus luego que venía,
de ropas verdes vestida, un arco al cuello traía.
Hablava luego a Paris, que delante le tenía:
—Ah, vos, el príncipe Paris, hijo del rey d'esta isla,
68 hijo sois del mejor rey que en todo el mundo avía,
hermano del cavallero que don Héctor se dezía.
Yo sé que fuerça ni miedo no os hará torcer la vía,
por do espero que mi derecho, Paris, no se perdería;
72 en vuestras manos, señor, encomiendo la honra mía.
Y si juzgas, Paris, por mí, por empresa te daría
esta saeta de amor que llegando luego hería:
darte he la más linda dama que en el mundo otra no avía;
76 y Paris, sobre las otras siempre avrás la señoría.—
Don Paris desque se vido metido en tan gran porfía,
hablando muy reposado estas palabras dezía:
—Suplico a vuestras altezas desnudas veros querría,
80 que ya he visto lo público el secreto ver querría,
porque yo pueda juzgar y absolver vuestra porfía.—
Todas juntas a la par se desnudan en camisa.
Juzgara el infante Paris, d'esta manera dezía:
84 que en gala y discreción, hermosura y cortesía
y en todo lo demás, y a lo que a él parecía,
juzga que la deessa Venus llevasse la mejoría.—
Luego Palas y la Iunia empieçan hazer su vía,
88 métense por un boscage, por una gran pradería,

---

64 *Hablada:* en la fuente se lee *Hablaua*. Mi corrección es mínima; el participio concordado es frecuente en la lengua de la época y no es raro en los *rr*.

72 Cfr. el v. 185 del Texto 49.

74 *hería:* no nos esperaríamos un imperfecto, pero lo requiere la asonancia: cfr. los Textos 53 y 90 y sus notas.

81 *absolver:* 'resolver'.

86 *deessa:* hasta ahora las tres diosas han sido indicadas o por sus nombres o como *damas, reinas* y *altezas*. ¿Será un descuido en una estrategia de eliminación de lo maravilloso?

estas palabras diziendo ambas juntas en porfía:
—Paris, ¡y cuán mal mirastes, mal mirastes la honra mía!
Pudiérades tomar provecho y escogistes la perdida.
92 Y'os haré morir en batalla que será de gran valía.—

60

—Reina Elena, reina Elena, Dios prospere tu estado.
Si mandáis alguna cosa, véisme aquí a vuestro mandado.—
—Bien vengades vos, Paris, Paris el enamorado.
4 Paris, ¿dónde váis camino? ¿Dónde tenéis vuestro trato?—
—Por la mar ando, señora, hecho un terrible cossario.
Traigo un navío muy rico, de plata y oro cargado;
llévolo a presentar a esse buen rey castellano.—
8 Respondiérale la reina, d'esta suerte le ha hablado:
—Tal navío como aquesse razón era de mirarlo.—
Respondiérale Paris muy cortés y mesurado:
—El navío y yo, señora, somos a vuestro mandado.—
12 —Gran plazer tengo, Paris, como venís bien criado.—
—Vayádeslo a ver, señora; veréis cómo va cargado.—
—Plázeme —dixo la reina— por hazer vuestro man-
[dado.—
Con trezientas de sus damas a la mar se avía llegado.
16 Echó la compuerta Paris hasta que huvieron entrado.
Desque todos fueron dentro bien oiréis lo que ha mandado:
—¡Alcen áncoras, tiendan velas!— y a la reina se ha
[llevado.
Lunes era, cavalleros, lunes fuerte y aziago,

---

90 Cfr. el v. 39 del Texto 49.

7 *castellano:* parece un clásico disparate de la tradición oral.

10 Cfr. el v. 3 del Texto 8.

18 Este motivo del rapto en el barco opulento pertenece al folklore narrativo europeo: *RH,* I, 353 y *Yoná,* 149. Lo contenían ya textos 'troyanos' peninsulares: por ejemplo, aparece en las *Sumas de historia troyana* de Leomarte (ed. Agapito Rey, Anejo XV de la *RFE,* Madrid, 1932), como racionalización del robo de Europa por Júpiter (pág. 296), mientras Elena es capturada durante el saqueo del templo de Diana en la isla Citarea (págs. 166-168) por un Paris que actúa como 'pirata', según se define en el *R.*

19 Desde este v. en adelante tendríamos la continuación juglaresca de lo

20 cuando entró por la sala aquesse rey Menalao,
messándose las sus barvas, fuertemente sospirando,
sus ojos tornados fuentes, de la su boca hablando:
—Reina Elena, reina Elena, ¿quién de mí os ha apartado?
24 Aquesse traidor Paris, el señor de los troyanos,
con las sus palabras falsas malamente os ha engañado.—
¡Cuán bien se lo consolava don Agamenón su hermano!:
—No lloredes vos, el rey, no hagades tan gran llanto,
28 que llorar y solloçar a las mugeres es dado;
a un tal rey como vos ¡con el espada en la mano!
Yo os ayudaré, señor, con treinta mil de cavallo;
yo seré capitán d'ellos y los iré ordenando.
32 Por las tierras donde fuere iré iriendo y matando;
la villa que se me diere haréla yo derribar,
y la que tomare por armas essa sembraré de sal,
mataré las criaturas y cuantos en ella están.
36 Y d'esta manera iremos hasta en Troya allegar.—
—Buen consejo es ésse, hermano, y assí lo quiero to-
[mar.—
Ya se sale el buen rey por la ciudad a passear.
Con trompetas y añafiles comiençan a pregonar:
40 quien quisiere ganar sueldo de grado se lo darán.
Tanta viene de la gente que era cosa de espantar.
Arman naos y galeras, comiénçanse de embarcar;
Agamenón los guiava, todos van a su mandar.
44 Por las tierras donde ivan van haziendo mucho mal.
Andando noches y días a Troya van allegar.
Los troyanos que lo saben las puertas mandan cerrar.
Agamenón que esto vido mandó apercebir su real;
48 pone en orden su gente como avía de estar.
Los troyanos eran muchos, bien reparan su ciudad.
Otro día de mañana la comiençan de escalar;

---

que era un fragmento tradicional, según *RH*, I, 271. Sobre el motivo folklórico del lunes malhadado *Yoná*, 177 y sigs. *Cavalleros* es un típico apóstrofe al auditorio en el arte de los juglares, creo único en el *romancero*. Por supuesto, es un tratamiento de cortesía genérico, que ya en los ss. XV o XVI nada nos dice sobre el perfil social del público; acaso podamos deducir que normalmente —o por convención— era masculino.

38 Cfr. el v. 1 del Texto 96; también su v. 9 y nuestro v. 40.

derriban el primer paño, de dentro quieren entrar
52 si no fuera por don Héctor que allí se fue a hallar;
con él estava Troílo y el esforçado Picar.
Paris esfuerça su gente que empieçan de desmayar;
las vozes eran tan grandes que al cielo quieren llegar;
56 matan tantos de los griegos que no los saben contar.
Más venían de otra parte que no hay cuento ni par;
entrádose han por Troya, ya la empieçan de robar.
Prenden al rey y a la reina y al esforçado Picar;
60 matan a Troílo y a Héctor sin ninguna piedad,
y al gran duque de Troya ponen en captividad.
Y sacan a la reina Elena, pónenla en su libertad;
todos le besan las manos como a reina natural.
64 Preso llevan a Paris con mucha riguridad.
Tres pascuas que hay en el año le sacan a justiciar:
sácanle ambos los ojos, los ojos de la su faz,
córtanle el pie del estribo, la mano del gavilán,
68 treinta quintales de hierro a sus pies mandan echar
y el agua hasta la cinta porque pierda el cavalgar.

---

51 *paño:* 'lienzo de la muralla'.

54 *empieçan:* en el *pliego suelto* se lee *empiençan,* grafía nada rara en impresos del s. XVI.

65 *pascuas:* 'fiestas solemnes'.

65 *justiciar:* 'aplicar tormento'. El que se relata en detalle, de matriz juglaresca 'carolingia', agotaría su campo de acción en una sola pascua. Es un rasgo absurdo, donde colaboran la magia del 'tres', la inercia del formulismo y el abultamiento típico de versificadores de *pliego,* a ratos humoristas involuntarios. Sin embargo, la realidad —como siempre— puede superar el sadismo de ciertas fantasías. A finales de 1492 un loco, que había herido a Fernando el Católico en Barcelona, fue paseado por la ciudad y lentamente mutilado y despedazado, hasta que se le arrancó el corazón por las espaldas: lo cuenta Andrés Bernáldes en sus *Memorias* y lo cita y comenta Augustín Redondo, «Mutilations et marques corporelles d'infamie dans la Castille du XVIe. siècle», en *Le corps dans la société espagnole des XVIe. et XVIIe. siècles,* Paris, Sorbonne, 1990, págs. 185-199 [185-186]. Cfr. también la nota 78-80 del Texto 21. Un estudio eficaz de la tradición antigua y moderna del *R.*, defendido en su unidad, en Catalán [1970], 101-117; cfr. también *RJEM*, 91-94; *Yoná,* 145-151; *Nahón,* 63-68.

61

—Oh cruel hijo de Archiles, nunca mal te merecí,
que si tu padre fue muerto ni lo supe ni lo vi.
No me des assí la muerte ni tomes vengança en mí,
4 que el favor de las mugeres en los hombres yo lo vi;
no fenezcan los mis días ni se pierdan aora por ti.
Baste, baste contentarte con me ver ya destruir
y la muerte de mi padre y su muy triste bivir,
8 la muerte de mis hermanos con Héctor el varonil,
la amazona que mataste, tan esforçada y viril,
la ciudad toda abrasada para más la consumir.
Sea contenta tu vengança con que poco he de bivir,
12 pues que por tierras estrañas por esclava he de servir.—
—Policena, Policena, no se escusa tu morir,
pues que por tus tristes amores el mi padre murió aquí.
Muy bien es que tú padezcas lo que él padesció por ti,
16 que la muerte se ha de dar a quien haze a otro morir.—

62

Triste estava e muy penosa aquessa reina troyana,
de que assí se vido sola, biuda e desmanparada,
por ver a sus hijos muertos, la ciudad toda assolada,
4 e la linda Policena en el templo degollada,
sobre el sepulcro de Archiles por Pirrus sacrificada.

1-2 Inútilmente Policena afirma su inocencia en la muerte de Aquiles por traición. Enamorado de la hija de Priamo, el héroe había acudido al templo de Apolo en Timbra por una cita de la reina Hécuba y con la falsa promesa de la entrega de la doncella; pero allí había encontrado la muerte, a manos de un grupo de troyanos capitaneados por Paris. Divulgado en la Edad Media, este relato remonta a invenciones de la época clásica tardía, a su vez desarrollo novelesco de un motivo más antiguo: el sacrificio de la virgen princesa de los vencidos, sobre la tumba de Aquiles (cfr. el v. 5 del Texto 62 y su nota). Sobre el tema Katherine Callen King, *Archilles.* Paradigms of the War Hero from Homer to the Middle Ages, Berkeley-Los Angeles-Londres, University of California Press, 1987, págs. 184-217 y 228-231.

4 *favor:* 'ayuda', 'protección'.

5 La muerte atroz de Polisena y el llanto de Hécuba fueron dos de los episodios del tema troyano más cultivados en el siglo XVI, en particular por el

—Di, traidor, ¿cómo podiste en muger vengar tu saña?
¿No bastó su hermosura contra tu cruel espada?
8 ¿Qu'es de Paris? ¿Qu'es de Héctor? ¿Qu'es de la su enamo- [rada?,
¿Qu'es del hermoso Deifebo, el hijo que más amava?
¿Qu'es de mi hijo Troíllo, el que consejos me dava?—

63

Por los bosques de Cartago se salen a montería
la reina Dido y Eneas con muy gran cavallería;
Ana, hermana de la reina, y Julio Ascanio los guía,
4 a la dehesa de Juno donde la caça se cría.
Preguntando iva la reina al niño qué tal venía,
si se le acuerda de Troya, si vió cómo se perdía.

---

romancero erudito y 'nuevo' de la segunda mitad del siglo y de comienzos del sucesivo. Fuente inmediata pudo ser la *Crónica troyana: Tratado,* VII, 365-366. Según la letra del *R.*, podríamos entender el sacrificio como ofrecimiento de una víctima humana, una virgen, al guerrero difunto; era motivo nacido en la épica post-homérica y pasado a los grandes trágicos: King (cit. en la nota 1-2 del Texto 61), págs. 52-53, 84-85 y *passim.* En realidad, el *R.* está empleando una expresión áulica para aludir a desarrollos tardíos del motivo: cfr. la nota que acabo de citar.

10 Seguramente el texto continuaba, aunque el modelo era el de la 'lamentación': cfr. los Textos 76 y 80. Del corte pudo ser responsable algún glosador; y se imprime siempre glosado en los *pliegos sueltos.* En cambio, en los *Romanceros* aparece en una erudita versión reelaborada y muy ampliada.

1-4 El exordio procede del Libro IV de la *Eneida,* y también la tempestad y la escena de la cueva, mientras es del Libro II la narración de la caída de Troya; tradiciones secundarias, incluso romancísticas, asoman aquí y allá: en el v. 11 (cfr. Texto 62) o en el v. 13 (cfr. Texto 61). Del *R.* se conocen otras dos versiones, más cortas y con variantes notables, fruto de revisiones de mano erudita; como erudita fue la primera pluma que dio vida al texto y acertó en enlazar montería y memorias trágicas, con una labor de compresión de gran efecto emotivo.

5-6 La *Eneida* desconoce este motivo, que es esencial en la perspectiva del *R.* En efecto, el que Dido solicite de Ascanio el relato sobre Troya, equivale a subrayar que la reina está interesada exclusivamente en el conocimiento de una historia famosa. Y el que Eneas capte rápidamente (v. 7) la ocasión e intervenga en lugar del hijo, hace resaltar la autonomía de la iniciativa del troyano, sin alguna relación —y como en contraste— con la voluntad de Dido.

Su padre toma la mano, d'esta manera dezía:
8 —Pues mandáis, reina y señora, renovar la llaga mía,
ya os conté que a Troya vi que por mil partes ardía;
vi las donzellas forçadas, muerta la cavallería,
la triste reina troyana que nadie la socorría,
12 los sus hijos todos muertos, Priamo no parescía,
a la triste Policena muerta cabe sí tenía,
a Helena que quedó viva mil vezes la maldezía.—
Ellos en esto hablando, un ciervo que parescía.
16 Metió la mano a la aljava, una saeta le tira:
el golpe le dio en soslayo, el ciervo mucho corría;
espárzense los monteros, síguele quien más podía.
Eneas y Elisa Dido quedaron sin compañía;
20 tomárala por la mano, con sospiros le dezía:
—O reina, ¡cuán mejor fuera en Troya perder la vida!:
los tristes campos de Troya fueran sepultura mía,
con Paris, Troílo y Héctor fuera la mi compañía.
24 O reina Pantasilea, flor de la cavallería,
más embidia he de tu muerte que desseo la vida mía.—
Estas palabras diziendo muchas lágrimas vertía.
La reina le dixo entonces: —Conortaos, por cortesía,
28 que los muertos sobre tierra resuscitar no podían;
ya es perdida la ciudad, llorar pro no vos ternía.—

---

18 En la *Eneida* los monteros se desmandan por la tempestad. Introduciendo el motivo del ciervo y dividiendo así en dos momentos esta circunstancia, se reparte en dos segmentos el discurso de Eneas: el primero es objetivo e impersonal, el segundo emotivo y comprometido, con un patetismo que se anuncia en el gesto de coger la mano de la reina y en los suspiros, y desemboca en los vv. 30-32. El motivo del ciervo, animal-guía, procedente de la materia de Bretaña y de la narrativa caballeresca (cfr. la nota 9 del Texto 53), desarrolla su función propia de forma invertida: prepara sí la aventura separando a los predestinados de los demás, pero se lleva tras sí a estos últimos; y de los elegidos quien ve modificado su destino no es el caballero, sino la mujer.

22 *Troya:* en otros impresos *Frigia,* más apropiado y —creo— originario.

28-29 Dido sigue sin enterarse; o lo aparenta, con tacto y elegancia. En cualquier caso, se salva la antigua tradición de una Dido castísima, fiel a la memoria del esposo (cfr. el v. 35) y sin responsabilidad alguna en los ardores y actos desleales de Eneas: sobre esa tradición cfr. María Rosa Lida de Malkiel, *Dido en la literatura española. Su retrato y defensa,* Londres, Tamesis Books, 1974.

[—No llorava yo los muertos lloro la desdicha mía:]
que me escapé de los griegos y en las tus manos moría,
32 que tu gracia y hermosura es de mi muerte la guía.—
—Pago es de tu atrevimiento, —la reina le respondía—
Eneas, vete a tus naos pues sigues essa porfía;
la fe que devo a Sicheo yo no la quebrantaría.—
36 Ellos en aquesto estando el cielo se rebolvía:
las nubes cubren el sol, gran escuridad hazía,
el granizo es muy crecido, con gran fuerça descendía,
los relámpagos y truenos grande espanto les ponía.
40 La reina con el temor, del palafrén se caía.
Eneas baxó tras ella, con su manto la cubría.
Mirando por todas partes una cueva vio vazía;
tomándola entre sus braços dentro d'ella la metía.
44 El aposento es strecho que muy juntos los tenía;
mientras la reina en sí torna ¡cuán bien se desembolvía!:
apártale paños de oro, lo de lino l'encogía.
Cuando ella en sí tornó hallóse d'amor ferida:
48 ya no tiene qué le dar, qu'él tomado se lo havía.
Echó los braços a Eneas, d'esta suerte le dezía:
—O traidor, ¡cuál has tratado la fama y honra mía!
Y'as hecho a tu voluntad y olvidarme as otro día.
52 Si tal ha de ser, Eneas, yo misma me mataría.—
Eneas que tal le oyó, aquesto le respondía:
—No permitan tal los dioses ni os venga tal fantasía,
que antes que yo tal hiziesse mil muertes recebiría.—
56 Salido se han de la cueva con soberana alegría:

30 El verso falta en *3S51,* probablemente por caída mecánica; lo transcribo según *CR50A*.

33 *Pago:* es la *muerte* de amor que Eneas acaba de evocar en el verso anterior, pero que Dido cambia en la pena que el troyano merecería por haberse atrevido a concebir tal pasión.

50 Eneas como traidor es el eje semántico de la invención y de la organización del texto del *R.,* eslabón de los mejor labrados de la larga cadena textual que desde antiguo perfiló un Eneas «insulso y egoísta amante», según lo define *Tratado,* VII, 368. El pro-didonismo de don Marcelino ha tenido un continuador, tal vez involuntario, que ha actuado superándole, no con airados adjetivos, sino con sólo un cambio de letra: en el segundo octosílabo del v. 52 *me* se vuelve *te* en la reimpresión moderna de *3S51;* con lo que Dido pasa a ser, de candidata al suicidio, amenazadora de muerte para el seductor si osará abandonarla. ¡*Lapsus* formidable!

si Eneas va glorioso ella más leda yazía.
Y assí se van mano a mano a buscar su compañía;
desque la huvieron hallado a Cartago se bolvían.

64

Morir se quiere Alixandre del dolor del coraçón.
Enbió por los maestros, cuantos en el mundo son.
Enbió por Aristótil, el ayo que lo crió.
4 El ayo desque lo supo cabalgó y no se tardó:
jornada de quinze días en cinco las caminó.
Descavalgó de la mula, cerca del rey se asentó
y tomóle por la mano, luego el pulso le cató.

---

59 Con Cartago se cierra perfectamente el *R.*, que se había abierto con Cartago; y se concluye un itinerario de la angustia a la felicidad, donde brillan el recato de Dido que al final se disuelve y una infamia de Eneas que, en verdad, sólo una información ulterior podría delatar. En efecto, un destinatario inculto puede ver en el *R.* una historia de amor en cierto modo ejemplar, sin percibir el veneno de los vv. 54-55; y sobre todo sin captar la ironía del primer octosílabo del v. 54: porque exactamente de la esfera de los dioses llegará la desventura de Dido. Sobre la tradición antigua del *R.* Menéndez Pidal [1932], 333-337; Eberhard Leube, *Fortuna in Karthago.* Die Eneas-Dido-Mythe Vergils in den romanischen Literaturen vom 14 bis zum 16. Jahrhundert, Heidelberg, Winter, 1969, págs. 303-310 (y págs. 220-322 sobre el tema en las letras españolas); Di Stefano [1989b], con edición comentada de los textos.

1 Cfr. el v. 1 del Texto 123.

3 *Aristótil:* habría sido el personaje menos oportunamente indicado como médico para Alejandro, si hubieran persistido en la época del *R.* los rumores que achacaban a algunos de sus discípulos, y al mismo maestro, un pretendido envenenamiento del rey. Su muerte por veneno sigue circulando en textos medievales, mientras que a Aristóteles se le conoce ya sólo como amado y admirado preceptor del héroe: George Cary, *The Medieval Alexander,* Cambridge, University Press, [1956] 1967, págs. 105-110 y 315-317.

5 *las:* concordancia con un mental *jornadas* en el sentido genérico de 'viaje'.

6 *mula:* cabalgadura obvia, y más para un 'clérigo'. Pero como simple curiosidad recuerdo que, según la tradición aludida arriba en la nota 3, el veneno para matar a Alejandro fue enviado, por consejo de Aristóteles, dentro de la uña de una mula (*Liber* [cit. en la nota 10], pág. 221, y Arriano) o de un asno (Plutarco).

8 —¿Qué vos pareçe, maestro, d'este mal que tengo yo?—
—A mí pareçe, señor, qu'es gran mal de coraçón.
Fazed vuestro testamento, poned vuestra alma con Dios
la muerte verná por vos.—
12 —¿Que haré yo, cuitado

---

9 *mal de coraçón:* no queda aclarada la causa cierta de la muerte de Alejandro. Se tiende a descartar el envenenamiento y se piensa más bien en la malaria, tal vez con complicaciones pulmonares, o en las consecuencias de una vieja herida en el pecho.

10 *testamento:* probablemente es fórmula ritual; sin embargo, existió y se conserva un dudoso *Liber de morte testamentoque Alexandri:* cfr. la nota 12.

11 *la muerte:* esta muerte no llega para adueñarse de un individuo cualquiera, sino para reducir a una común condición de difunto al magno Alejandro que señoreaba tanta parte del mundo. Es concepto repetido siete veces, con variantes, por siete filósofos ante el mausoleo del rey, en el Ejemplo XXXIII de la *Disciplina clericalis* de Pedro Alfonso, que conoció amplia difusión en la literatura didascálica: cfr. la nota 46 del Texto 105. Pervivía un estupor antiguo ante la parábola de Alejandro quien, en ambientes cristianos y según algunas alusiones de libros bíblicos, fue visto bastante pronto como encarnación máxima del pecado de soberbia, poseído por una *libido dominandi* que hacía de él una figura de anticristo: cfr. la «Part B: The medieval Conception of Alexander the Great» del libro de G. Cary cit.

12 Es claramente un fragmento este texto, el solo conocido, de un *R.* que debió de tener gran difusión: lo citan, demasiado fugazmente, Nebrija y el poeta Pinar; algunos vv. sobrevivieron entre los hebreos de Oriente: *RH,* I, 346. Dentro del vasto y vivaz patrimonio histórico-legendario y novelesco que se fraguó rápidamente en Occidente y en Oriente alrededor de Alejandro y que llegó en gran parte a la Edad Media, conociendo una renovada fortuna, no se ha investigado a fondo la posible fuente de la escena del *R.* Su estado fragmentario impide saber dónde residía el punto de interés del poemita. Acaso la clave estuviera en la parte perdida, que parece anunciarse como una de esas 'lamentaciones' tan del gusto de nuestro género: cfr. la nota 10 del Texto 62; el texto entero sería la ejemplificación y puesta en escena de una 'caída de príncipes' y del tema de las frágiles fortunas humanas. La muerte prematura de Alejandro (356 —10 de junio de 323 a. C.), precedida de una larga agonía y seguida de voces contradictorias, acabó siendo uno de los eventos fabulosos de su ya extraordinaria biografía. Parece que existieron unos «Diarios», que Arriano y Plutarco aprovecharon para describir aquella muerte, y un largo relato de los «Últimos días», del que acaso es epítome el *Liber* que cito arriba en la nota 10 y que puede leerse en Reinhold Merkelbach, *Die Quellen des griechischen Alexanderroman,* München, C. H. Beck, 1954, págs. 220-251, y también 54-55 y 121-151. Una detallada y atractiva revisión crítica del enigma en el cap. 32 de Robin Lane Fox, *Alexander the Great,* Londres, Allen Lane, 1973.

Sucesos varios

65

Válame Nuestra Señora que dizen de la Ribera,
donde el buen rey don Fernando tuvo la su cuarentena.
Dende el Miércoles corvillo hasta el Jueves de la cena
4 el rey no afeitó su barba ni se lavó su cabeça;
una silla era su cama, un canto su cabecera;
cuarenta pobres comían cada día a la su mesa:
de lo que a los pobres sobra el rey hazía su cena;
8 con vara de oro en mano bien haze servir su mesa.
Dízenle sus cavalleros dó havía de tener la fiesta.
—A Jaén —dize—, señores, con mi señora la reina.—
En Jaén tuvo la Pascua y en Martos el Cabodaño.

---

1 El v. suena a fórmula de exordio típica de 'romances de ciego'; éste es el único *r. viejo* donde la encontramos, bien fundida con la narración.

2 *cuarentena:* 'los 46 días que preceden a la fiesta de la Resurrección': *DRAE*, s. v.

3 *miércoles corvillo:* miércoles de ceniza; el *jueves de la cena* es el jueves santo.

11 *cabodaño:* según *RH*, I, 310-314, el cambio de asonancia a partir de este v. indicaría que los diez vv. primeros pertenecen a otro *R.*, acaso uno dedicado a Fernando III el Santo (muerto en 1252), el piadoso rey que legó a sus sucesores una tradición de actos de humildad en la época de Semana Santa. Hay versiones de nuestro *R.* sin este prólogo y es verosímil una contaminación que robustecía el didascalismo del texto, haciendo más impresionante el castigo divino final que cae sobre un monarca retratado, en el exordio, como modelo de devoción. La muerte de Fernando IV tuvo lugar en septiembre y el suceso que se pretende haberla causado en agosto.

11-12 En las semanas que precedieron su muerte el rey se desplazó va-

12 Pártese para Alcaudete, esse castillo nombrado.
El pie tiene en el estribo, aún no havía descavalgado,
cuando le davan querella de dos hombres hijos dalgo;
y dávanle la querella dos hombres como villanos.
16 —Justicia, justicia, el rey, pues que somos tus vassallos,
de don Pedro Caravajal y don Rodrigo su hermano,
que nos corren nuestras tierras y nos roban nuestro campo,
fuérçannos nuestras mugeres a tuerto y desaguisado,
20 y cómennos la cevada, no nos la quieren pagar;
hazen otras desvergüenças que era vergüença contallo.—
—Yo haré d'ellos justicia. Tornaos a vuestro ganado.—
Manda pregonar el rey, y por todo su reinado,
24 que cualquier que los hallase le darían buen hallazgo.
Hallólos el Almirante allá en Medina del Campo,

---

rias veces entre Jaén y Alcaudete por razones militares. A su manera, el *R.* lo refleja confusamente.

15 *villanos:* opuesto a *hijos dalgo* del v. precedente, caracteriza la querella como conflicto entre una nobleza acusada de rapacidad y el campesinado que se ampara en el rey; el precio que éste acaba pagando por su credulidad y sumaria justicia reafirma la ideología pro-señorial que inspira tantos *rr.* Ignoramos si tal contenido de la querella, una especie de lugar común (cfr. Texto 74), fue orginario del *R.* o sustituyó en él la acusación auténtica como la registran las Crónicas: el asesinato nocturno de un privado de Fernando, ante la residencia real en Palencia. Sobre la oposición *villanos/caballeros* en la literatura medieval Ménard [1969], 168-173; cfr. también los Textos 8 y 133.

17 En el ms. más antiguo que relata la muerte del rey, el de la *Crónica de Alfonso XI* probablemente de 1376, los acusados son anónimos; y lo mismo en una larga serie de mss. posteriores de la Crónica de Fernando. Otros mss., y no de los más antiguos, presentan en sus márgenes o en el cuerpo del relato la identificación con los Carvajales, cuyos nombres de pila varían mucho. No se puede excluir que, en la transmisión del *R.* y en la de las Crónicas, hayan interferido intereses apologéticos de una familia aristocrática, que sabemos aficionada al poemita: una versión la transcribió en su *Genealogía de los Carvajales* el doctor Lorenzo Galíndez de Carvajal al comienzo del s. XVI (cfr. Di Stefano [1988c], donde se presentan y analizan documentos históricos y los textos del *R.*).

20 *Pagar:* rompe la asonancia; tal vez remonte a la formulación primitiva de un motivo que debe de haber sido retocado variamente. La lección de *CR[47]* parece más bien un arreglo acertado: «sin después querer pagallo».

25 Recordando que la popularidad tanto del título de Almirante de Castilla como de la feria de Medina fue muy posterior a la época de Fernando IV, *Tratado,* VII, 33 excluyó una fecha del texto poético próxima al suceso. Con razón *RH,* I, 311 limita las dudas a las versiones conocidas del *R.* En efecto, en un *pliego suelto* que le era desconocido, y que se guarda en

comprando muy ricas armas, jaezes para sus cavallos,
para ir a ver el pregón que el buen rey avía dado.
28 —¡Presos, presos, cavalleros, presos, presos, hijos dalgo!—
—No por vos, el Almirante, si de otro no es mandado.—
—Sed presos, los cavalleros, que del rey traigo man-
[dado.—
—Pues assí es, el Almirante, plázenos de muy buen
[grado.—
32 Por las sus jornadas ciertas a Jaén avían llegado.
—Manténgate Dios, el rey.— —Mal vengades, hijos
[dalgo.—
Mandóles cortar los pies, mandóles cortar las manos
y mandóles despeñar de aquella peña de Martos.
36 Allí habló el menor d'ellos, el menor y más osado:
—¿Por qué nos matas, el rey, siendo tan mal informado?—
Pues quexámonos de ti al Juez que es soberano
que dentro de treinta días con nosotros seas en plazo;
40 y ponemos por testigos a sanct Pedro y a sanct Pablo,
ponemos por testimonio al apostol Sanctiago.—
E sin más poder dezir mueren estos hijos dalgo.
Antes de los treinta días malo está el rey don Fernando:
44 el cuerpo cara oriente y la candela en la mano.
Assí fallesció su alteza, d'esta manera citado.

Cambridge (*Dicc.* 990; ed. en Norton y Wilson [1969], 78-79), aparece una versión sin las dos referencias y con un elemento nuevo que la conecta con la utilizada en *Las bienandanzas e fortunas* (1471-1475) por Lope García de Salazar: uno de los hermanos llama desde el otro mundo al rey (ed. de A. Rodríguez Herrero, Bilbao, Diput. de Vizcaya, 1967, vol. III, pág. 188). Con anterioridad a este documento se conoce sólo otro que suele relacionarse con nuestro *R.*: es la copla 287 del *Laberinto de Fortuna* (1444) de Juan de Mena, que en realidad alude genéricamente a un canto sobre la muerte de Fernando. A una 'narración fabulosa' remite, de modo vago, hacia 1362 el historiador granadino Ibn al-Jatib. Sobre estas bases se puede solamente afirmar que, medio siglo después del suceso, existió una leyenda ya formalizada (¿en prosa?: al-Jatib); poco más de un siglo después, se conocían relatos cantados (¿en verso?: Mena); siglo y medio después, circulaba un texto con puntos de identidad o estrecha afinidad con textos del *R.* (Salazar); casi dos siglos después aparece impresa una versión del *R.* (*pliego* de Cambridge) y probablemente se transcribió otra (Galíndez).

44 Verso casi idéntico en el Texto 122, que contamina rudamente el final de la versión del citado *pliego* de Cambridge.

66

Don García de Padilla, esse que Dios perdonasse,
tomara el rey por la mano y apartólo en poridad.
—Un castillo hay en Consuegra que en el mundo no hay [su par;
4 mejor sería para vos, el rey, que para el Prior de sant Juan.
Combidédesle, el buen rey, combidédesle a yantar;
la comida que le diéredes como dio en Toro a don Juan:
que le cortéis la cabeça sin ninguna piedad;
8 desque se la ayás cortado, en tenencia me lo dad.—
Ellos en aquesto estando, el Prior llegado ha.
—Mantenga Dios a tu alteza y a tu corona real.—
—Bien vengáis, el buen Prior. Digádesme una verdad:
12 el castillo de Consuegra, digades por quién está.—
—El castillo con la villa, señor, a vuestro mandar.—
—Pues combidos, el Prior, para comigo yantar.—
—Plázeme —dixo—, el buen rey, de muy buena voluntad.
16 Deme licencia tu alteza, licencia me quiera dar:
monjes nuevos son venidos, irélos aposentar.—
—Váis con Dios, Hernán Rodrigo; luego vos queráis [tornar.—
Vase para la cozina do su cozinero está;
20 assí hablava con él como si fuera su igual:

---

1 *García de Padilla:* personaje ajeno al episodio histórico contado en el *R.*, donde ha entrado al atribuirse el incidente al rey don Pedro y a su camarilla de parientes y amigos de María de Padilla.

2 El rey es Alfonso XI, el privado Alvar Núñez Osorio y el año 1328.

2 *en poridad:* 'en secreto'.

3 *Consuegra:* a unos sesenta kilómetros al sur-este de Toledo; su Prior era Hernán Rodríguez de Valbuena.

6 *don Juan:* llamado 'el Tuerto'; fue asesinado en Toro en 1326.

12 El v. nos da la clave de lectura del *R.;* su acertada iteración marca las fases del relato, elevando el castillo a símbolo: primero lo es de la ambición del privado, y sucesivamente de la superchería del monarca, de los derechos del Prior y de la lealtad de sus milicias. Refuerzo semántico análogo en los vv. 24-28, 38 y 49-50, que en el epílogo realzan el épico papel del animal ayudante del héroe; cfr. los Textos 136, 139 y 144. En la imagen del castillo se captan los motivos de la ciudad-mujer y del sitiador frustrado (Textos 89-91 y 100, nota 6).

17 *monjes:* así llamados en cuanto eran miembros de una orden religioso-militar, en este caso la de san Juan; cfr. el v. 26 del Texto 98.

—Tomes estos mis vestidos, los tuyos me quieras dar,
y a hora de mediodía saliesses tú a passear.—
Vase a la cavalleriza do su macho fue a hallar.
24 —Macho rucio, macho rucio, Dios te me quiera guardar.
De dos me has escapado, con aquesta tres serán;
si de aquesta tú me escapas luego te entiendo ahorrar.—
Presto le echava la silla, comiença de cavalgar.
28 Llegando a Azoguejo el macho empieça a roznar.
Media noche era por filo, los gallos quieren cantar,
cuando entrava por Toledo, por Toledo essa ciudad;
antes qu'el gallo cantasse a Consuegra fue a llegar.
32 Halló las guardas velando; empiéçales de hablar:
—Digádesme, veladores, digádesme la verdad:
este castillo de Consuegra digades por quién está.—
—El castillo con la villa por el Prior de sant Juan.—
36 —Pues abriéssedes la puerta, catalde aquí donde está.—
La guarda desque le oyera abriólas de par en par.
—Tomássesme allá esse macho, d'él me quieras tú curar.
Déxesme la vela a mí, que yo la quiero velar.
40 ¡Velá, velá, veladores, assí rabia mala os mate,
que quien a buen señor sirve este galardón le dan!—
El estando en aquesto, el mal rey llegado ha.
Halló las guardas velando, començóles de hablar:
44 —Digádesme, veladores, que Dios vos quiera guardar,
el castillo de Consuegra digades por quién está.—
—El castillo con la villa por el Prior de sant Juan.—
—Pues abrí hora las puertas, catalde aquí do está.—

---

28 *roznar:* 'rebuznar'. El término define la 'voz' del asno más que la del caballo, así como *macho* del v. 23 sería más propiamente el mulo. Sin embargo, son términos que casan bien con un tono y contexto de épica realista y en cierto modo 'vulgar' como los del *R*.

31 No hay contraste entre lo que afirma este v. y lo del v. 29, cuyo *quieren cantar* sabemos que equivale a 'están cantando'. Morley [1938], 127 refiere la tradición del gallo español que canta dos veces en la noche; en vista de *Macbeth,* II. 3, ¿diremos que también el escocés? Menéndez Pidal, ed., *Cantar de Mío Cid,* vol. II, Vocabulario, Madrid, Espasa-Calpe, 1969 (4.ª ed), pág. 700, nos informa que entre el canto de la medianoche y el del alba había uno más, el de las tres de la madrugada.

42 *mal rey:* creo que éste es el único caso de apropiada modificación de la abusada fórmula *buen rey.*

48 —Afuera, afuera, buen rey, qu'el Prior llegado ha.—
—¡Macho rucio, macho rucio, muermo te quiera matar!
Siete cavallos me has muerto y con este ocho serán.
Abrasme, el buen Prior, allá me dexes entrar,
52 que por mi corona te juro de nunca te hazer mal.—
—Hazerlo vos, el buen rey, agora en mi mano está.—
Mándale abrir la puerta, dale muy bien de cenar.

67

Yo m'estando en Coimbra a prazer y a bel folgar,
por los campos de Mondego cavalleros vi asomar.
Desque yo los vi, mesquina, luego vi mala señal,
4 qu'el coraçón me dezía lo que traían en voluntad.

---

48 *muermo:* grave enfermedad de la mucosa nasal de los caballos.
50 Cfr. el v. 23 del Texto 53.

1 *bel folgar:* Asensio [1989], 39, constata la «clara significación erótica» del sintagma en *rr.* carolingios y por lo tanto ve como una censura su variación en el v. 1 del Texto 68, implícitamente considerado posterior al que ahora comentamos. Este podría ser un resto del primitivo *R.* —o de uno de los primitivos— sobre Inés de Castro que *Tratado,* VII, 190 intuía con sagacidad detrás de una de las *Trovas [...] a morte de doña Inés de Castro* de García de Resende (*Cancioneiro geral. Lisboa 1516,* ed. facsímil de la Hispanic Society of America, reprint New York, Kraus, 1967, f. CCXXI). Primitivo, y con algunos rasgos lingüísticos poco 'tradicionales' como son los giros de los vv. 6 y 9-10. Sobre Inés de Castro cfr. la nota 65 del Texto 68.

2 Es el v. que hizo detectar en las *Trovas* de Resende la huella de un *R.* que no era el n. 68; cfr. también *RV*, 83-92. El hallazgo reciente de este Texto 67 permite ampliar la deuda de Resende, como indicaré en las notas siguientes. Aquí copio los vv. finales de la estr. 7: «Estando muy de vaguar / bem fora de tal cuidar / em Coymbra da seseguo / polos campos de Mondeguo / cavaleyros vy somar»; y también los iniciales y finales de la sucesiva: «Como as cousas quan de ser / loguo dam no coraçam / começey entrestiçer / [...] meu coraçam trespassado / foy que nunca mays faley», con ecos de nuestros vv. 3-4. Leamos asimismo algunos renglones de una *Crónica* anónima de Alfonso IV, en la cual Eugenio Asensio, «Inés de Castro: de la Crónica al mito», en *Estudios portugueses,* París, Fundación Gulbenkian-Centro Cultural Portugués, 1974, págs. 34-58 [47], supone el aprovechamiento de los textos poéticos: «Doña Ines de Castro estava nas casas do mosteiro de santa Clara bem segura [...] ainda que tives alguas toardas de tal cousa por lhe doer ha alma e ho coraçam lhe adivinhar.»

Cerquéme de mis hijuelos para los ir a buscar,
porque la inocencia d'ellos los moviese a piedad.
Púseme delante el rey con muy grande humildad,
8 tristes palavras diziendo, no cesando de llorar:
—Si no te duele mi muerte, duélate la tierna edad
d'estos hijos de tu hijo que avrán de mí soledad.—

68

Yo me estando en Giromena a mi plazer y holgar,
subiérame a un mirador por más descanso tomar.

5-8 Estr. 9 de Resende: «E quando vy que [*el rey*] deçia / sahy ha porta da sala / devinhando o que queria / com gram choro e cortesya / lhe fiz hua triste fala. / Meus filhos pus derredor / de mym cõ gram omildade / muy cortada de temor / lhe disse avey senhor / desta triste piadade.» Asensio, cit. *supra*, página 45 resume y cita la *Crónica de Alfonso IV* de Ruy de Pina: «Inés sale a la puerta escudada por sus tiernos hijos, y "com palabras assi piadozas pedio misericordia e perdão a el Rey que elle vencido della se dis que se volvia e a leixava ja": los caballeros del séquito real le increpan por revocar la sentencia y le arrancan el consentimiento para volver atrás y matar a doña Inés, como en efecto hacen.»

9-10 Estrr. 10-11 de Resende: «[...] Quanto mays a mym que dam / culpa nam sendo rrezam / por ser mãy dos ynoçentes / quante vos estam presentes / os quaes vossos netos sam. // E tem tam pouca ydade / que se nam forem criados / de mym soo com saudade / e sua gram orfyndade / morreram desemparados [...]» Nótese, como en el *R.*, la rima *ydade* / *saudade* y antes *omildade* / *piadade* en la estr. 9; rimas parecidas en las estrr. 13, 14 y 17.

10 Sobre este corte cfr. la nota 13 del Texto 130.

1 El *romancero* es propenso al relato en primera persona, de raíz lírica y en función dramática. En casos como éste, el texto es como un autoepicedio —forma presente en la poesía funeral tanto culta como popular—, contando el protagonista su desventura postrera. Pero, cuando la ficción autobiográfica se haría del todo inverosímil por la proximidad de la muerte, el relato sigue en tercera persona. La transición puede suavizarse si se coloca después de un diálogo: cfr. el v. 24 y en el Texto 70 el v. 40. En el *Cantar de los comendadores* narra la propia adúltera asesinada por el marido: a su cargo está el texto entero en una versión (*CALP*, 887 E) y sólo la primera parte en otras (*CALP*, 887 C y D). García de Enterría [1986b], 213 considera esta modalidad narrativa, en *rr*. 'vulgares', como reproducción de confesiones de reos de muerte que los 'ciegos' estaban autorizados a recibir directamente, en las cárceles, para después ponerlas en verso.

1 *Giromena:* es Jurumenha, en la frontera con Portugal, no lejos de Badajoz.

Por los campos de Monvela cavalleros vi assomar;
4 ellos no vienen de guerra ni menos vienen de paz:
vienen en buenos cavallos, lanças y adargas traen.
Desque yo los vi, mezquina, parémelos a mirare.
Conociera al uno d'ellos en el cuerpo y cavalgar:
8 don Rodrigo de Chavela, que llaman del Marichale,
primo hermano de la reina, mi enemigo era mortale.
Desque yo, triste, le viera luego vi mala señale;
tomé mis hijos comigo y subíme al omenage.
12 Ya que yo iva a subir, ellos en mi sala estáne:
don Rodrigo es el primero y los otros tras él vane.
—Sálveos Dios, doña Isabel.— —Cavalleros, bien ven-
[gades.—
—¿Conocédesnos, señora, pues assí vais a hablare?—
16 —Ya os conozco, don Rodrigo, ya os conozco por mi
[male.
¿A qué era vuestra venida? ¿Quién os ha embiado acáe?—
—Perdonédesme, señora, por lo que os quiero hablare.
Sabed que la reina, mi prima, acá embiado me hae
20 porque ella es muy mal casada y esta culpa en vos estáe,
porque el rey tiene en vos hijos y en ella nunca los hae.
Siendo como sois su amiga y ella muger naturale,
manda que muráis, señora; paciencia queráis prestare.—
24 Respondió doña Isabel con muy gran onestidade:
—Siempre fuistes, don Rodrigo, en toda mi contrariedade.
Si vos queredes, señor, bien sabedes la verdade:
que el rey me pidió mi amor y yo no se le quise dare,
28 temiendo más a mi honra que no sus reinos mandare.
Desque vio que no quería, mis padres fuera a mandare;
ellos tampoco quisieron por la su honra guardare.
Desque todo aquesto vido, por fuerça me fue a tomare;
32 trúxome a esta fortaleza do estoy en este lugare;
tres años he estado en ella fuera de mi voluntade.
Y si el rey tiene en mí hijos, plugo a Dios y a su bondade;

---

3 *Monvela:* esperaríamos *Mondego,* el río que baña Coimbra: Texto 67, v. 2.

11 *omenage:* 'torre del homenaje' se denominaba la más importante de un castillo.

y si no los ha en la reina, es ansí su voluntade.
36 ¿Por qué me avéis de dar muerte pues que no merezco male?
Una merced os pido, señores, no me la queráis negare:
desterréisme d'estos reinos, que en ellos no estaré máse;
irme he yo para Castilla o a Aragón más adelante,
40 y si aquesto no bastare, a Francia me iré a morare.—
—Perdonédesnos, señora, que no se puede hazer máse.
Aquí está el duque de Bavia y el marqués de Villareale,
y aquí está el obispo de Oporto que os viene a confessare.
44 Cabe vos está el verdugo que os avía de degollare;
y aún aqueste pagezico la cabeça ha de llevare.—
Respondió doña Isabel con muy gran onestidade:
—Bien paresce que soy sola, no tengo quien me guardare:
48 ni tengo padre ni madre, pues no me dexan hablare,
y el rey no está en esta tierra, que era ido allén del mare;
mas desque él sea venido la mi muerte vengaráe.—
—Acabedes ya, señora, acabedes ya de hablare.
52 Tomalda, señor obispo, y metelda a confessare.—
Mientras en la confessión, todos tres hablando estáne
si era bien hecho o mal hecho esta dama degollare.
Los dos dizen que no muera, que en ella culpa no hae;
56 don Rodrigo es tan cruel, dize que la ha de matare.
Sale de la confessión con sus tres hijos delante:
el uno dos años tiene, el otro para ellos vae,

---

35 *su:* de Dios.

39 *irme he yo:* sintagma idéntico abre los amargos propósitos de Urraca en el Texto 123. El lector puede rastrear con facilidad motivos y fórmulas lingüísticas del tema de la mujer víctima inocente: cfr. los Textos 29, 49, 69, 72, 82, 123, 124, etc. Tales *RR.*, y algún otro con víctimas de sexo opuesto, son un muestrario de grados de brutalidad, desde el extremo de los homicidios de don Fadrique y de Blanca de Borbón, pasando por los ritos íntimos y patéticos de la eliminación de la esposa de Alarcos, hasta el ceremonial que rodea la ejecución de Isabel de Liar, confiada a un impecable equipo operativo: cfr. en particular los vv. 41-45.

57 *tres hijos:* tres varones y una hembra parece que tuvo Inés de Castro: cfr. el Texto 67, nota 5-8. Escribe la *Crónica* anónima de Alfonso IV: los consejeros del rey «loguo tornaram e não esguardando palavras algũas que lhe dizia nem ter os filhos diante, ne lhe por diante ho Ifante dom Pedro seu senhor que não avia de deixar sua morte sem vingança [cfr. vv. 49-50], a mataram cruelmente as punhalas»: Asensio, art. cit. (en la nota 2 del Texto 67), pág. 46.

y el otro era de teta, dándole sale a mamare.
60 Toda cubierta de negro, lástima es de la mirare.
—Adiós, adiós, hijos míos: oy os quedaréis sin madre.
Cavalleros de alta sangre, por mis hijos queráis mirare,
que al fin son hijos de rey aunque son de baxa madre.—
64 Tiéndenla en un repostero para avella de degollare.
Assí murió esta señora sin merescer ningún mal.

---

64 *repostero:* «un paño quadrado con las armas del Principe ó Señor: el qual sirve para poner sobre las cargas de las Azémilas, y también para colgar en las antecámaras»: *Aut., s.v.*

65 Aquí termina el *R.* y se concluye la historia personal de doña Isabel. Se conocen dos *RR.* más (*Primav.*, 105 y 106) que narran la venganza del rey y el triunfo póstumo de Isabel-Inés. Es difícil dictaminar sobre la autenticidad originaria del tríptico. De poderosa familia castellana, Inés de Castro había llegado a Portugal en 1340 acompañando a doña Costanza, hija del prócer y escritor don Juan Manuel, que había sido desposada con el heredero portugués don Pedro. Entre éste y la bellísima Inés nació pronto una sólida y pública relación, mientras Costanza moría después de haberle dado a Pedro tres hijos. Y tres o cuatro fueron los que dio a Pedro Inés. En su castillo cerca de Coimbra, en 1355, la degollaron tres caballeros por orden del rey Alfonso IV, que había visto fracasar sus intentos de alejar de ella a Pedro. Tuvo lugar una escena, con diálogos, análoga a la del *R.* Una vez rey en 1357, Pedro I consiguió que Pedro de Castilla, primo suyo y protagonista en los mismos años de una historia de amor similar, le entregara a dos de los asesinos de Inés, que fueron apuñalados. En 1362 los restos de Inés fueron trasladados al monasterio de Alcobaça, que acoge las tumbas reales. Igual que María de Padilla, Inés de Castro tuvo en lo antiguo una fama popular pésima, mientras la literatura fue siempre muy sensible a su tragedia. Justamente ese temprano éxito literario de la historia, contada y cantada abiertamente, hacía incomprensible para *Tratado,* VII, 189-195 su transfiguración en los textos sobre Isabel de Liar. Pero la memoria histórica ofrecía más de un modelo: pensemos en la reina doña María que mandó matar a Leonor de Guzmán, que había sido amante del difunto Alfonso XI. Agréguese que tales sucesos se prestaban a reelaboraciones dentro de la regustada temática romanceril de las víctimas del poder, mujeres en particular, con patéticos efectismos como la diferencia de categoría social, la soledad indefensa, la inocencia, el amor de madre, etc. En nuestro caso, si la sugerencia proviene de la historia de Inés, como parece claro, se ha querido sustituir la razón de estado que transforma un amor en tragedia, con las razones del sentimiento: el escándalo no es ya la pasión de un futuro rey que lo arrastra a transgredir a sus obligaciones institucionales, sino el adulterio de un monarca que le aleja de sus deberes conyugales; la tragedia no nace ya del castigo lanzado por el rey-padre para tutelar la comunidad, sino de la venganza promovida por la reina-esposa para restaurar su honor. Esta historia de Isabel, además, parece ser el reflejo invertido de la de María de Padilla y Blanca (Texto 72), donde es la amante del rey la causa de la muerte de la reina. Asensio [1989], 36-37 sugiere que Liar pudiera haber na-

69

Entre las gentes se dize, mas no por cosa sabida,
que del Maestre de Santiago la reina estava parida;
entre unos es secreto y entre otros se publica.
4 El rey don Pedro está lexos, que nada d'esto sabía;
porque si él lo supiese muy bien lo castigaría.
La reina, de congoxada, su secreto descubría
a un criado del Maestre, hombre de gran fiaduría.
8 Llamárale en su palaçio de noche que no de día;
de que le tuvo presente, d'esta suerte le dezía:
—¿Qué es del Maestre de Santiago? ¿Qué es d'él que no [parescía?
Para ser de sangre real, hecho me avié villanía:
12 que se dize en mi palaçio, y es público por Sevilla,
que una de mis donzellas del Maestre parido avía.
Si el rey mi señor lo sabe muy bien lo castigaría.—
El camarero, turbado, d'esta suerte respondía:
16 —El Maestre, señora reina, cercada tiene a Coinbra.
Si él tal nueva supiese presto sería su venida.
Si tú, gran reina, lo mandas, yo por él me partiría;
cuanto más, señora reina, que eso verdad no sería.—
20 —Verdad es, el camarero, y yo te lo mostraría.
Ven acá, mi camarera, haz lo que te mandaría:
sácame fuera al infante que la donzella tenía.—
Sacóle la camarera enbuelto en una faldilla;
24 tomóle la reina en braços, d'esta suerte le dezía:
—Mira, mira, Alonso Pérez: ¿el niño a quien paresçía?—

---

cido como arreglo asonántico de un originario Lara; y recuerda a una Isabel de Lara, heredera del señorío de Vizcaya, mandada matar por Pedro I de Castilla para adueñarse de sus posesiones. La monografía más reciente sobre el tema de Inés es de María Leonor Machado de Sousa, *Inés de Castro. Un tema português na Europa,* Lisboa, ed. 70, 1987, con la bibliografía anterior; págs. 56, 58, 67 y 111-112 sobre *RR*. El primer *R*. culto inspirado en el tema, y enteramente lírico, sería «Gritando va el cavallero» de João Manuel, anterior a 1495: Botta [1985], 250-267.

2 *Maestre de Santiago:* hermanastro del rey Pedro: cfr. las notas del Texto 70. La reina es Blanca de Borbón: cfr. las notas del Texto 72.

16 *Coimbra:* cfr. la nota 1 del Texto 70.

25 *Alonso Pérez:* es «Alonso Ortiz» en la versión del *R*. transcrita muy parcialmente por el erudito Ortiz de Zúñiga, que presume de ese papel de

—Al Maestre, mi señora, no a otra criatura biba.—
—Pues tómale tú, Alonso Pérez, y a criar tú le darías.
28 No lo digas a persona ni a criatura biva,
si no fuese al Maestre que don Fadrique se dezía.—
Toma el niño Alonso Pérez y pártese de Sevilla.
Queda la reina llorando, consolar no se podía.
32 Con lágrimas de sus ojos de aquesta suerte dezía:
—¡O reina más desdichada que nunca fuera nascida!
Casóme el duque mi padre con este rey de Castilla;
desde la noche de la boda nunca más visto le avía:
36 dexárame encomendada al Maestre en conpañía.
Si alguna cosa es mal hecha, la culpa toda era mía.
Si el rey don Pedro lo sabe de entranbos se vengaría,
por poder mejor gozar de la su doña María.—
40 Llegado avié Alonso Pérez a Llerena, aquesa villa.
Dexara el niño a criar en poder de una judía:
vasalla era del Maestre, 'la paloma' se dezía.

---

confidente de quien considera un antepasado propio: cfr. *Primav.,* 67a y sus notas y *Tratado,* VII, 58-64. Un «Íñigo Ortiz» en el v. 7 del Texto 72.

37 *mía:* cfr. v. 117 del Texto 49. Esta autoacusación recuerda la de *La bella malmaridada* (Texto 31, vv. 19 y sigs.); y alrededor del tema de 'malmaridada' en el *R.* giran motivos típicos de narraciones epicocaballerescas y romanceriles: amores ilícitos, parto clandestino, la criatura confiada a persona de condición humilde pero en algo 'señalada', el destino glorioso de este niño (cfr. los vv. citados en la nota 42). Este último punto, y la nota indicada, ponen en evidencia intereses que bien pudieron fraguar —en parte o totalmente— el *R.;* o que por lo menos buscaron apoyo también en él. Así la culpa de la reina aparece justificada y perdonada, en un *R.* adverso a Pedro además de poco noble para con Blanca; pero sin duda provechoso pudieron verlo los Ortiz, y sobre todo los Enríquez: para éstos fue incluso una *felix culpa* la de la infeliz reina: cfr. la nota sig.

42 La versión de Durán, núm. 965, sacada de un «códice de la segunda mitad del siglo XVI» no identificado, prosigue con estos vv.: «Y como el rey Don Enrique / Reinase luego en Castilla, / Tomara aquel Infante / Y almirante lo hacía; / Hijo era de su hermano / Como el romance decía». Creado por el *R.* o introducido en él, éste que probablemente fue sólo un chisme sirvió bien a los descendientes de «D. Alfonso Enríquez, cabeza de la prepotente familia de los Almirantes de Castilla» (*Tratado,* VII, 63): hijo bastardo del Maestre don Fadrique y de madre desconocida, don Alfonso vio completada su sangre real gracias a la probable calumnia a cargo de Blanca. La indignación de Menéndez Pelayo es tanta que le lleva a devolver chisme por chisme: madre de Alfonso se decía que fuese la mujer del mayordomo del Maestre. Si ese mayordomo fue realmente Alonso Ortiz, aumentan los motivos que tuvo Ortiz de Zúñiga para exaltar nuestro *R.* y su 'verdad'.

70

Yo me estava allá en Coimbra, que yo me la ove ganado,
cuando me vinieron cartas del rey don Pedro mi hermano,
que fuesse a ver los torneos que en Sevilla se han armado.
4 Yo, Maestre sin ventura, yo, Maestre desdichado,
tomara treze de mula, veinte y cinco de cavallo,
todos con cadenas de oro y jubones de brocado.
Jornada de quinze días en ocho la avía andado.
8 A la passada de un río, passándole por el vado,
cayó mi mula conmigo, perdí mi puñal dorado,
ahogáraseme un page de los míos más privado:
criado era en mi sala y de mí muy regalado.
12 Con todas estas desdichas a Sevilla ove llegado.
A la puerta Macarena encontré con un ordenado,

---

1 Sobre este tipo de *incipit* cfr. la nota 1 del Texto 68.

1 *Coimbra:* a una legua de Jumilla (prov. de Murcia), existió una localidad de nombre idéntico al de la ciudad portuguesa: «Castillo y fuerza de la villa y fuerza antigua de Coimbra, así llamada, que su fundación está en un llano de lo alto de un zenajo», reza un documento de 1475: marqués de Villamantilla de Perales, «Notas al romance de la muerte de don Fadrique», en *BBMP,* XXVIII (1952), págs. 122-132 [129] y Antonio Pérez Gómez, «Jumilla en el romancero del rey don Pedro», en *Primera Semana de Estudios Murcianos,* Murcia, 1961, vol. I, págs. 99-110. Jumilla y la fortaleza de Coimbra acababa de arrancarlos a los aragoneses don Fadrique el mismo año de su muerte, por mandato del hermanastro Pedro I o para congraciárselo: Pedro Luis Pérez de los Cobos, «La conquista de Jumilla por el infante don Fadrique, maestre de la Orden de Santiago», en *AEM,* 11 (1981), págs. 277-299. No se puede excluir algún contacto entre este v. y el primero del Texto 67.

2 *rey...hermano:* la repetición de este sintagma (vv. 21, 24 y 31) o solamente de *hermano* (vv. 51 y 54) realza el horror del fratricidio. Fadrique era hermanastro de Pedro, habiéndolo tenido Alfonso XI de su amante Leonor de Guzmán.

4 *Maestre:* de la Orden de Santiago.

6 Tales atuendos significan actitud confiada y pacífica, en un don Fadrique que además cabalga una mula; cfr. los Textos 111 y 120.

8 *passada de un río:* más allá de la geografía real, el río es límite simbólico tradicional entre lo conocido y seguro y lo incógnito y hostil. Protagonista de una especie de rito de transición malogrado, el Maestre pasa al territorio de la prueba desatendiendo los muchos avisos, y avanza hacia su destino en una progresiva e inerme soledad: cfr. los vv. 9-10, 13 y sigs. y 26-29; situación parcialmente análoga en el Texto 144; para el río, cfr. los Textos 88, 92, 94, 98 y 131.

13 *ordenado de evangelio:* 'diácono', grado inferior al de misacantano.

ordenado de evangelio que missa no avía cantado.
—Manténgate Dios, Maestre, Maestre, bien seáis llegado.
16 Oy te ha nascido hijo, oy cumples veinte y un año.
Si te pluguiesse, Maestre, bolvamos a baptizallo,
que yo sería el padrino, tú, Maestre, el ahijado.—
Allí hablara el Maestre, bien oiréis lo que ha hablado:
20 —No me lo mandéis, señor, padre, no queráis mandallo,
que voy a ver qué me quiere el rey don Pedro mi hermano.—
Di de espuelas a mi mula, en Sevilla me ove entrado.
De que no vi tela puesta ni vi cavallero armado,
24 fuime para los palacios del rey don Pedro mi hermano.
En entrando por las puertas las puertas me avían cerrado;
quitáronme la mi espada, la que traía a mi lado;
quitáronme mi compañía, la que me avía acompañado.
28 Los míos desque esto vieron de traición me han avisado,
que me saliesse yo fuera, que ellos me pondrían en salvo.
Yo como estava sin culpa de nada ove curado.
Fuime para el aposento del rey don Pedro mi hermano.
32 —Manténgaos Dios, el rey, y a todos de cabo a cabo.—
—Mal hora vengáis, Maestre, Maestre, mal seáis llegado.
Nunca nos venís a ver sino una vez en el año,
y esta que venís, Maestre, es por fuerça o por mandado.
36 Vuestra cabeça, Maestre, mandada está en aguinaldo.—
—¿Por qué es aquesso, buen rey? Nunca os hize desagui-
[sado,

---

16 *veinte y un año:* como la geografía del v. 8, también esta cronología tiene valor más bien simbólico, ya que el Maestre había nacido alrededor de 1332 y su muerte ocurre en 1358. Con la simultánea alusión al nacimiento del hijo, en el postrer día de Fadrique héroe romanceril coinciden plenitud vital e inmaduro ocaso. Cfr., entre otros, los Textos 72 y 126.

23 *tela:* recinto para el torneo.

32-33 Fórmulas y humores parecidos en el Texto 65.

36 *aguinaldo:* aunque irónica, la alusión a un rito muy popular aseguró a buena parte de este macabro *R.* una larga vitalidad en la tradición oral, en particular la judeo-española: un ejemplo en Débax [1982], 258.

37 *Nunca os hize desaguisado:* es pura fórmula, tanto en el lenguaje del *romancero* como en labios de don Fadrique. Junto con su hermano Enrique, el futuro asesino de Pedro y usurpador del reino, había protagonizado asaltos y saqueos en los exordios de las luchas civiles, aunque en 1358 tal compromiso personal pertenecía ya al pasado.

ni os dexé yo en la lid ni con moros peleando.—
—Venid acá, mis porteros, hágase lo que he mandado.—
40 Aún no lo ovo bien dicho, la cabeça le han cortado;
a doña María de Padilla en un plato la ha embiado.
Assí hablava con ella como si estuviera sano;
las palabras que le dize d'esta suerte está hablando:
44 —Aquí pagaréis, traidor, lo de antaño y lo de ogaño:
el mal consejo que diste al rey don Pedro tu hermano.—
Asióla por los cabellos, echádosela ha [a] un alano.
El alano es del Maestre, púsola sobre un estrado;
48 a los aullidos que dava atronó todo el palacio.
Allí demandara el rey: —¿Quién haze mal a esse alano?—
Allí respondieron todos, a los cuales ha pesado:
—Con la cabeça lo ha, señor, del Maestre vuestro her-
[mano.—
52 Allí hablara una su tía, que tía era de entrambos:

---

41 Amante de Pedro, María de Padilla debe su fama sombría más a la reacción general contra las maniobras promovidas en la corte por sus familiares que a la conducta suya personal. En este caso particular los historiadores la absuelven del todo. Como figura diabólica entró incluso en el folklore y en conjuros: Bernard Leblon, «María de Padilla aux enfers», en *BHi,* LXXXIII (1981), págs. 463-465. Los *rr.* más antiguos conocidos relativos al reinado de Pedro I nacieron en campo adverso; se supone que los hubo también favorables: para un posible fragmento Catalán [1969], 57-81. Sobre nuestro *R. Tratado,* VII, 40-50; sobre el conjunto de *rr.* Entwistle [1930] y Mirrer-Singer [1986a].

42 *ella:* la cabeza; *sano* 'vivo', referido al Maestre. Fórmula de derivación épica, se encuentra casi idéntica en el Texto 116, v. 16, que en el *Cantar* reconstruido suena «e razonose con ella como si fuese bivo»: la cabeza es la del ayo de los Infantes. La fórmula aparece dos veces en el *Roncesvalles.*

44 El verso se cita en una comedia anónima de finales del siglo XVI, *Las Carnestolendas de Barcelona,* con la variante *maestre* en lugar de *traidor*, probablemente tradicional: Paloma Díaz Mas, «Sobre un romance citado en una comedia del siglo XVI», en *RDTP,* XLI (1986), págs. 241-242.

52 *tía:* hubo una tía paterna de Pedro, Leonor, hermana de Alfonso XI y reina de Aragón, que ninguna relación tuvo con este episodio; la mataron en 1359, según parece por iniciativa del sobrino. Ya que en el *R.* reviste el papel de conciencia crítica, concordaría mejor con la hostilidad del texto hacia el rey, y con la premisa del v. 55, que a la cárcel fuera a parar ella y no *doña María.* En efecto, un erudito del siglo pasado propuso muy sensatamente sustituir ese *doña María* con *la su tía*, que además arreglaba la medida del verso. Sin embargo, creo que la agresividad contra María de Padilla superaba cualquier coherencia, hasta llegar a transformar al rey 'Cruel' de la primera parte en el 'Justiciero' de un final denso de lugares comunes y que sabe a contaminación.

—¡Cuán mal lo mirastes, rey! ¡Rey, qué mal lo avéis mi-
[rado!
Por una mala muger avéis muerto un tal hermano.—
Aún no lo avía bien dicho cuando ya le avía pesado.
56 Fuese para doña María d'esta suerte le ha hablado:
—Prendelda, mis cavalleros, ponédmela a buen recaudo,
que yo le daré tal castigo que a todos sea sonado.—
En cárceles muy escuras allí la avía aprisionado;
60 él mismo le da a comer, él mismo con la su mano,
no se fía de ninguno sino de un paje que ha criado.

71

Por los campos de Xerez a caça va el rey don Pedro.
En llegando a una laguna allí quiso hazer un buelo:
vido bolar una garça, desparóle un sacre nuevo,
4 remontárale un neblí que a sus pies cayera muerto.
A sus pies cayó el neblí, túvolo por mal agüero.
Tanto bolava la garça parece llegar al cielo;
por donde la garça sube vio baxar un bulto negro.
8 Mientra más se acerca el bulto más temor le va poniendo;
tanto se abaxava el bulto parece llegar al suelo.
Delante de su cavallo, a cinco passos de trecho,
d'él salía un pastorcico. Sale llorando y gimiendo,
12 la cabeça desgreñada, rebuelto trae el cabello,
los pies trae llenos de abrojos y el cuerpo lleno de vello;
en su mano una culebra y en la otra un puñal sangriento,
en el hombro una mortaja, una calavera al cuello;
16 a su lado de traílla traía un perro negro:
los aullidos que dava a todos ponen gran miedo.
A grandes vozes dezía: —Morirás, el rey don Pedro,
que mataste sin justicia los mejores de tu reino;
20 mataste tu primo hermano, el Maestro, con mal consejo,

57 *recaudo:* no altera la asonancia, porque podía pronunciarse *recado.* Cfr. el Texto 78, v. 9.
2 *hazer un buelo:* 'lanzar un ave de caza'.
3 *sacre nuevo:* ave de cetrería parecida al gerifalte, recién mudada.

y desterraste a tu madre. A Dios darás cuenta d'ello.
Tienes presa a doña Blanca, enojaste a Dios por ello;
que si tornas a querella darte ha Dios un heredero
24 e si no, por cierto sepas te vendrá desmán por ello:
serán malas las tus hijas por tu culpa y mal govierno
y tu hermano don Enrique te avrá de heredar el reino:
morirás a puñaladas, tu casa será el infierno.—
28 Todo aquesto recontado, despareció el bulto negro.

72

—Doña María de Padilla, n'os me mostráis triste vos,
que si me casé dos vezes hízelo por vuestra pro

---

21 Doña María, madre del rey don Pedro, protegió a la reina doña Blanca y a sus partidarios; derrotados en Toro en septiembre de 1356, se le permitió retirarse a Portugal.

22 *doña Blanca:* cfr. las notas al Texto 72.

23 *si tornas a querella:* ésta había sido una de las reivindicaciones de tinte más noble que sustentaban los sublevados contra Pedro, con el fin de eliminar al clan de los Padilla.

25 *hijas:* de María de Padilla tuvo don Pedro un hijo varón, muerto en 1362, y tres hembras, dos de las cuales casaron con hijos de Eduardo III de Inglaterra. De la primera de ellas y del duque de Lancaster nació Catalina, que en 1388 casará con el futuro Enrique III, nieto de aquel Enrique —después II— que matara a don Pedro para *heredar* el reino, como nos dice el verso siguiente.

27 El regicidio fue en Montiel, el 22 de marzo de 1369, por mano del hermanastro Enrique después de breve lucha. El *R.* pudo haberse compuesto poco tiempo después para justificar el delito y afianzar en la opinión pública la usurpación, enmarcando ambos en un designio superior que se manifestaba a través de avisos, profecías y demás signos premonitorios, que corrieron abundantes en la época como arma de lucha política.

28 *despareció:* convive con *desaparecer* en español antiguo.

1 Para María de Padilla cfr. la nota 41 del Texto 70.

2 *casé dos vezes:* en *2S50,* f. 46 [pág. 298] *descase,* corrección de probable mano erudita que corresponde mejor a la realidad histórica. El acuerdo de matrimonio entre Blanca, hija del duque Pedro de Borbón (primo de Carlos V de Francia) y el rey don Pedro lo decidió la reina madre doña María y se firmó en 1352. El mismo año Pedro conocía a María de Padilla y al año siguiente ya esperaba un hijo de ella, cuando fue a encontrar por vez primera a Blanca y se celebró la boda. Era un lunes, día aciago en las creencias populares y en los *rr.*, y el miércoles Pedro había abandonado ya a la esposa; consejos apremiantes hicieron que retrocediera algún tiempo después, pero la

y por hazer menosprecio   a doña Blanca de Borbón.
4 A Medina Sidoña embío   a que me labre un pendón:
será el color de su sangre,   de lágrimas la lavor.
Tal pendón, doña María,   le haré hazer por vos.—
Y llamara a Iñigo Ortiz,   un excelente varón;
8 díxole fuese a Medina   a dar fin a tal lavor.
Respondiera Iñigo Ortiz: —Aquesso no faré yo,
que quien mata a su señora   haze aleve a su señor.—
El rey de aquesto enojado,   a su cámara se entró
12 y a un vallestero de maça   el rey entregar mandó.
Aqueste vino a la reina   y hallóla en oración.
Cuando vido al vallestero   la su triste muerte vio.
Aquel le dixo: —Señora,   el rey acá m'embió
16 a que ordenáis vuestra alma   con Aquel que la crió,
que vuestra hora es llegada,   no puedo alargalla yo.—

---

nueva unión no superó —una vez más— los dos días. De las varias razones aducidas para explicar tal conducta, la más fuerte podría ser la que alega también el *R.* (y una versión dice *amor* en lugar de *pro*), que por lo demás rezuma injusta adversión hacia María de Padilla. Cfr. la nota 65 del Texto 68.

4 *Medina Sidoña:* o Sidonia, donde la reina doña Blanca era custodiada por Íñigo Ortiz de Estúñiga. Según el cronista López de Ayala, el rey Pedro le había enviado un mensajero con la orden de envenenar a la reina. Es información dudosa: *Tratado,* VII, 53-58.

5 El verso completa una bella y atroz metáfora que alude a un uxoricidio, incierto históricamente, en pro de la amante e inspirado por ella. La suerte no le concedió a María de Padilla tiempo para apreciar las ventajas eventuales de la muerte de la reina: murió ese mismo año de 1361 a los veintiocho años, por causas naturales. El rey la hizo proclamar su auténtica esposa y honrar como a reina. La dedicación de Pedro a esta mujer fue muy intensa pero con algunas pausas, siempre breves. La más sintomática de los humores del rey fue la que en 1353 estimuló doña Juana de Castro, una atractiva viuda que se entregó a Pedro después de una promesa de matrimonio, celebrado al año siguiente por unos obispos complacientes, a pesar de la legítima unión con Blanca y de la 'secreta' con María de Padilla; al desvanecerse la oscuridad de la primera noche de boda, doña Juana se encontró abandonada.

9 López de Ayala informa que efectivamente Ortiz se negó a cumplir la orden del rey.

10 *aleve:* 'traición'.

12 El sentido general y la regularidad de medida del segundo octosílabo exigirían *la reyna* en lugar de *el rey*. El texto de *CR50A* tiene numerosos descuidos, que he corregido cuando eran claramente tipográficos.

14 Cfr. el v. 10 del Texto 68 y la analogía de situación también con el Texto 49. Motivos y expresiones componen una macro-fórmula viajera.

—Amigo, —dixo la reina— mi muerte os perdono yo.
Si el rey, mi señor, lo manda, hágase lo que ordenó.
20 Confessión no se me niegue, si no pido a Dios perdón.—
Sus lágrimas y gemidos al macero enterneció.
Con la boz flaca temblando esto a dezir començó:
—¡Oh Francia, mi noble tierra! ¡Oh mi sangre de Borbón!
24 Oy cumplo dezisiete años, en los deziocho voy:
el rey no me ha conoscido, con las vírgenes me voy.
Castilla, di: ¿qué te hize? No te hize traición;
las coronas que me diste de sangre y sospiros son.
28 Mas otra terné en el cielo, será de más valor.—
Y dichas estas palabras, el macero la hirió:
los sesos de su cabeça por la sala les sembró.

73

Yo me estando en Tordesillas por mi plazer y holgar,
vínome al pensamiento, vínome a la voluntad
de ser reina de Castilla, infanta de Portugal.

---

21 *enterneció:* el singular lo exige la asonancia, pero podemos suponer también una concordancia *ad sensum* con *la reina.* Como la repulsa de Ortiz antes, ahora la piedad del macero (y cfr. el v. 17) y la resignación de Blanca aíslan al rey en su crueldad.

24 Al par de los veintiuno de don Fadrique (cfr. la nota 16 del Texto 70), estos años de Blanca son 'poéticos': los auténticos eran veinticinco, no menos dignos del amor de los dioses y de la piedad de los humanos. Es recurso emotivo e idealizador frecuente en el *romancero:* cfr. la nota 2 del Texto 126.

25 El contenido de este v. refleja una habladuría de la época, con la doble función de censura hacia Pedro y negación del pretendido adulterio de Blanca, y con el efecto de exaltar el candor de la reina hasta rozar la hagiografía; cfr. la nota anterior. Sobre el asunto los historiadores cuestionaron mucho; cfr. Texto 69.

27 Blanca pasó nueve años segregada en varios castillos, vigilada a veces muy duramente a veces con amistoso respeto. La metáfora enlaza agudamente con la del v. 5.

30 *les:* conservo este aparente gazapo, que puede derivar de una distracción del impresor, arrastrado por las varias *-s* del verso entero, o de una concordancia mental con *sesos;* cfr. la nota 21.

3 Cfr. el v. 2 del Texto 79. Si se trata de una fórmula usada aquí para indicar genéricamente ambiciones de poder, es posible leer el *R.* como una

4 Mandé hazer unas andas de plata que non de ál,
cubiertas con terciopelo, forradas en tafetán.
Pasé las aguas de Duero, pasélas yo por mi mal,
en los braços a don Pedro y por la mano a don Juan.
8 Fuérame para Coimbra, Coimbra de Portugal.

---

versión más del mito de Inés de Castro, quizá desde la ladera de la tradición popular que le fue adversa. Otra opción histórica sería la que propone Durán, nota al núm. 1239, aceptable para *Tratado,* VII, 195-196, y que transcribo en parte: «Si se llamase doña Leonor y no Isabel, y si en vez de acogerse [...] a un monasterio de Coimbra, fuese a uno de Tordesillas, la heroína de este romance pudiera creerse que fue Doña Leonor Téllez, esposa del rey don Fernando de Portugal, y suegra de don Juan I de Castilla [...] es una de las mujeres más notables por su ambición y sus intrigas. Enamorado de ella el rey Don Fernando, se la robó a su esposo Juan de Acuña, y se casó con ella dejando en sus manos todo el gobierno del reino [...] No perdonó a ninguno que la hiciese sombra [...] Regente del reino por la muerte de Fernando, se entregó a sus amores con el hidalgo castellano Don Juan de Andeiro, a quien elevó a la cumbre del favor. Esto irritó los ánimos [...] No segura en Lisboa, se retiró a Alanquer, donde no la quisieron recibir, y desde allí a Santarem, adonde ansiosa de venganza atrajo al rey de Castilla Don Juan I ofreciéndole la corona de Portugal como esposo de Doña Beatriz su hija y heredera del trono. Arrepentida después, viéndose poco atendida, conspiró contra su yerno, que temeroso de sus intrigas la encerró en un monasterio de Tordesillas, donde murió el año de 1405.»

6 *Pasé las aguas:* sobre el valor simbólico de este tránsito cfr. la nota 8 del Texto 70. El paso del río suele ser funesto, como aquí declara la segunda parte del v. Sin embargo, nuestra protagonista parece estar realizando lo que se vieron negado Isabel de Liar y la esposa de Alarcos, o sea, una huida con sus hijos; y que lleve a uno de éstos de la mano y al otro en brazos, la acerca más todavía a aquellas dos madres de tiernas criaturas. Pero nuestra Isabel entra en escena con un desplazamiento que parece obedecer a un impulso de ambición, brotado además como de improviso. En el *romancero* el *ex-abrupto* no es solamente una cuestión de técnica de los exordios; mueve humores más íntimos de la invención temática y de la creación de sus personajes, y más todavía cuando los textos viajan y establecen entre sí contactos no previstos en sus orígenes, con resultados que a veces desilusionan pero otras fascinan: y este *R.,* con su red evidente de complicidades y su indescifrable individualidad, sin duda fascina.

8 *Coimbra de Portugal:* la especificación no es superflua en vista de lo apuntado en la nota 1 del Texto 70; con él y con el Texto 68 el nuestro tiene varias afinidades. Con el segundo se ha cruzado en la tradición oral, destino inevitable dada la comunión de fórmulas y de motivos, del tema de fondo —la mujer víctima— y del nombre de la protagonista, que en nuestro *R.* podría ser consecuencia temprana de esa afinidad; como lo fue *Tordesillas* que en lugar de *Coimbra* encontramos en alguna versión moderna del Texto 70. Entre los sefarditas se contamina con el Texto 152 (*Nahón,* 110-115 y la nota 3 de ese Texto), como confirmando la sospecha de Durán.

Coimbra desque lo supo, las puertas mandó cerrar.
Yo triste que aquesto vi, recibiera gran pesar.
Fuérame a un monesterio que estava en el arrabal:
12 casa es de religión y de grande santidad.
Las monjas están comiendo, ya que querían acabar.
Luego yo desque lo supe, embié con mi mandar
a dezir al abadessa que no se tarde en baxar,
16 que la espera doña Isabel para con ella hablar.
La abadesa que lo supo, muy poco tardó en baxar;
tomárame por la mano, a lo alto me fue a llevar,
hízome poner la mesa para aver de yantar.
20 Después que ove yantado, començóme a preguntar
cómo vine a la su casa, cómo no entré en la ciudad.
Yo le respondí: —Señora, esso es largo de contar;
otro día hablaremos, cuando tengamos lugar.—

74

En Arjona estava el duque y el buen rey en Gibraltar;
embióle un mensajero que le uviesse a hablar.
Malaventurado duque vino luego sin tardar:

---

13 *ya que:* sería preferible invertir *que ya.*

19 Nada raro en el *romancero,* el motivo 'gastronómico' se extiende aquí del v. 13 al 20 sin una funcionalidad definida, a menos que no la veamos en el intento de retrasar el relato de Isabel y tener así en suspenso el interés del oyente. Este v., en particular, nos recuerda una circunstancia análoga en el *Romance del Conde Alarcos,* cuando al protagonista —portador de un relato— se le prepara la cena, quedando aplazada la narración. Sólo que en aquel texto la escena alrededor de la mesa es una de las invenciones poéticas más geniales por tensión dramática; aquí, al contrario, se insinúa una sensación rara: la de estar delante de uno de esos relatos folklóricos construidos para decepcionar al destinatario, negándole —como a la abadesa— el nudo o el desenlace…que en este caso falta muy probablemente por pérdida en la transmisión.

1 El duque es don Fadrique de Castro, señor de Galicia, poeta y mecenas, cuñado del marqués de Santillana. El rey es Juan II. Gibraltar sustituye el más raro Belalmazán, donde en julio de 1429 el rey con su ejército estaba a punto de enfrentarse con los inquietos infantes de Aragón (cfr. el Texto 75): *Tratado,* VII, 76-80.

3 *sin tardar:* realmente el duque no tardó en acudir a una convocación del rey, que fue muy enérgica por la lentitud sospechosa con que iba procediendo para unir sus tropas a las del monarca.

4 jornada de quinze días en ocho la fuera a andar.
Hallava las mesas puestas y aparejado el yantar.
Desque uvieron comido vanse a un jardín a holgar;
andándose passeando, el rey començó a hablar:
8 —De vos, el duque de Arjona, grandes querellas me dan:
que forçades las mugeres casadas y por casar,
que les bevíades el vino y les comíades el pan,
que les tomáis la cevada sin se la querer pagar.—
12 —Quien os lo dixo, buen rey, no vos dixo la verdad.—
—Llámenme mi camarero de mi cámara real,
que me traxisse unas cartas que en mi barjuleta están.
Védeslas aquí, el duque, no me lo podéis negar.
16 Preso preso, cavalleros, preso de aquí lo llevad;
entregaldo al de Mendoça, este mi alcalde el leal.—

5-7 El rey recibió al duque delante de su tienda, rodeado de los próceres de su consejo, y allí tuvo lugar el tenso coloquio, sin mesas aparejadas ni banquetes y menos aún paseos por jardines. Sin embargo, hay que admitir que la época del año y los lugares —aunque tal vez no los humores de Juan II— hubieran permitido ese marco, ya que el campamento real estaba puesto «en el soto de la rribera del Duero», según la *Crónica de Juan II* escrita por su halconero Pedro Carrillo de Huete, ed. Mata Carriazo, Madrid, Espasa-Calpe, 1946, pág. 39.

8 Con este verso se indica el *R.* en citas antiguas, probable señal de su difusión como fragmento: *Tratado,* VII, 76; *RH,* II, 25-26; Armistead y Silvermann [1981], 471, núm. 21.

9-11 Las querellas de Juan II fueron muy otras. Pero no se puede excluir que durante la pausada marcha hacia el campo de batalla el duque y su hueste se dedicaran a algunas de las diversiones aquí aludidas. Eran lugar común en la realidad y en el *romancero* (Texto 65), donde las encontramos acaso porque tocaban más de cerca la experiencia vital de cantores y público, respecto a otras motivaciones. Sólo que cierta incoherencia de la *pietas* de la musa popular (¿fue tal?) acaba tachando de calumnias los cargos y absuelve plenamente aquí al *malaventurado* duque y en el otro *R.* a los hermanos Carvajal, según la más ortodoxa perspectiva de los ambientes señoriales, donde se sabía bien que para la 'formación' de la opinión pública un buen *r.* valía más que una Crónica o una lápida; cfr. *Tratado,* VII, 77.

14 *cartas:* las Crónicas las desconocen y podrían ser huella de las auténticas acusaciones políticas desaparecidas; como prueba se adaptan mejor a ellas que a las liviandades tópicas; cfr. el final de la nota 2 del Texto 78.

17 *Mendoça:* señor de Almazán y guarda mayor del rey, en un primer momento encerró al duque en una cámara de madera en el pabellón real y después lo trasladó a su villa; de allí Juan II mandó llevarlo al castillo de Peñafiel, donde el duque murió en 1430. El rey vistió luto durante nueve días, como imponía la etiqueta; cfr. la nota 11 del Texto 78.

75

—Alburquerque, Alburquerque, bien mereces ser honrado.
En ti están los tres infantes, hijos del rey don Fernando.
Desterrélos de mis reinos, desterrélos por un año.
4 Alburquerque era muy fuerte, con él se me avían alçado.
¡Oh don Albaro de Luna, cuán mal que me avías burlado!
Dixísteme que Alburquerque estaba puesto en un llano;
véole yo cavas hondas y de torres bien cercado;
8 dentro mucha artillería, gente de pie y de cavallo,
y en aquella torre mocha tres pendones han alçado:
el uno por don Henrique, otro por don Juan su hermano,
el otro era por don Pedro, infante desheredado.
12 Alçese luego el real, que escusado era tomallo.—

---

1 Alburquerque era un castillo bien fortificado, como el *R.* afirma y como pudo comprobar el frustrado Juan II el 2 de enero de 1430, fecha del episodio.

2 Los hijos de Fernando 'el de Antequera' (cfr. el Texto 85), tío de Juan II y regidor del reino durante la menor edad del sobrino, junto con la reina madre, después rey de Aragón, fueron siete; una de las dos hembras, María, casó con su primo Juan II. Los infantes por antonomasia eran: Enrique, casado con una hermana de Juan II; Pedro, que morirá en Nápoles (cfr. el v. 14 del Texto 77), y Juan, que será rey de Navarra por consorte. Fomentaron bandos y una larga y peligrosa oposición a Juan II, con intervenciones de Navarra y de Aragón, donde había heredado la corona Alfonso V. El episodio del *R.* vio protagonistas sólo a los dos hermanos primeros, siendo el *tres* o un descuido o un resabio folklórico o una consecuencia del *tres* del v. 9. Son *dos* en el fragmento del *R.* contenido en el ms. Madrid BP1: vol. 3b, núm. 106 [1505], pág. 298.

3 La enrevesada relación del rey con los infantes se simplifica aquí excesivamente e incluso está equivocada la duración del destierro.

5 Es una invención hostil a don Álvaro, que en realidad se había adelantado al rey para lograr la rendición del castillo.

8 La artillería asoló el campamento real durante todo el día, sin causar víctimas.

9 Es difícil saber si este número de los pendones está en relación con el v. 2 o es un detalle de sorprendente precisión histórica. Porque las insignias de los adversarios del rey eran sólo dos, como los infantes encerrados en el castillo; pero consta que en aquella torre fue levantada realmente una tercera para escarnecer a Juan II: era un falso pendón real, contrapuesto al auténtico que el rey había mandado colocar frente a la fortaleza, para que los rebeldes le rindieran homenaje. Lo cuenta una carta que el mismo rey dirigió a los Grandes y que la *Crónica* real transcribió: cfr. *Tratado,* VII, 81-83.

12 El triunfo de los infantes fue efímero; poco después el rey, de acuerdo con los procuradores de las ciudades y con los Grandes, mandó confiscar sus bienes castellanos, incluyendo los del rey de Navarra. Prosaica victoria que no interesaba ni a la poética ni a la ideología del *romancero viejo.*

76

Retraída estava la reina, la muy casta doña María,
la muger de Alfonso el Magno, fija del rey de Castilla,
en el templo de Diana, do sacrificio fazía.
4 Vestida estava de blanco, un parche de oro ceñía,

---

1 *doña María:* primogénita de Enrique III de Castilla, casó con su primo Alfonso en 1415, a los catorce años escasos. Su lamentación perfila un aspecto muy personal del alto precio afectivo y material impuesto por la política de expansión mediterránea de la casa de Aragón, de la que el texto es en realidad una exaltación. El *R.* es el más antiguo que se conoce con nombre seguro de autor, un poeta cancioneril de la corte aragonesa de Nápoles, Carvajal, de quien tenemos buen número de poesías y ningún dato biográfico. *RH,* II, 20 le atribuiría también el Texto 77; hipótesis muy razonable en vista de la acentuada afinidad que muestran los dos poemitas en la estructura, en los motivos y en el juego hábil de las emociones individuales contrastadas con la realidad exterior, siendo en el segundo la voz de Alfonso la que se lamenta y evoca. Sin embargo, mientras la angustia de doña María y la ausencia del Magnánimo eran temas corrientes entre poetas de corte, sobre todo en la Península (Ramón Aramon i Serra, «L'absencia del Magnànim com a tema poètic», en *IV Congreso de la Corona de Aragón.* Actas y comunicaciones, Barcelona, Archivo de la Corona de Aragón, 1970, págs. 397-416), un lamento de Alfonso —tan dentro de la poética del *romancero*— estride fuertemente con los tonos apologéticos de la poesía de corte dedicada al monarca: una lista da Juan Carlos Rovira, *Humanistas y poetas en la corte napolitana de Alfonso el Magnánimo,* Alicante, Inst. de Cultura «Juan Gil-Albert», 1990, pág. 241. Además, este segundo texto nunca aparece en mss. cancioneriles, que en cambio contienen el primero, que pudo ser su modelo. Whetnall [1984] inserta oportunamente nuestro *R.* en la tradición de la lírica femenina de 'despedida' y también en la de 'malmaridada', unidas en el común lamento por el abandono y la soledad; cfr. en particular las págs. 141, 143, 145-147 y 149. En esta producción destacaré el *Comiat entre'l Rey e la Reyna en el biaje de Napols*, de Santa Fe, y las estrofas en que Mayor Arias despide con angustia al marido Ruy González de Clavijo cuando, en 1403, se embarcaba para su embajada al Tamorlán. El motivo del mar, que aleja y separa, une este texto al *R.* y ambos a una tradición temática viva en *cantigas de amigo* y en canciones de cruzada en forma de lamentoso monólogo de las esposas: por ejemplo, la atribuida a Rinaldo d'Aquino (s. XIII) o la que empieza «Jherusalem, gran damage me fais», y cfr. nuestro v. 28.

3 *sacrificio:* siendo el tema íntimo dominante del poemita la soledad de la esposa, no creo aventurado captar en el uso de este término —bien apropiado a la solemnidad del exordio— una fina alusión a la dolorida renuncia de doña María al amor conyugal; y también intuir un matiz de resignación en ese culto a la diosa de la castidad que se había convertido en áulico tópico poético, no sabemos en qué medida apreciado por la reina; cfr. los vv. 6 y 31 y sus notas.

collar de jarras al cuello con un grifo que pendía,
paternosters en sus manos, corona de palmería.
Acabada su oración, como quien planto fazía,
8 mucho más triste que leda, sospirando así dezía:
—Maldigo la mi fortuna que tanto me perseguía.
Para ser tan malfadada ¡muriera cuando nascía!,
e muriera una vegada e non tantas cada día.
12 O muriera en aquel punto que de mí se despedía
mi marido e mi señor para ir en Bervería:
ya tocavan las trompetas, la gente se recogía,
todos davan mucha priesa, contra mí a la porfía:
16 quien içava, quien bogava, quien entrava, quien salía,
quien las áncoras levava, quien mis entrañas rompía,
quien proízes desatava, quien mi coraçón fería;
el terremote era tan grande que por cierto parescía
20 que la máchina del mundo del todo se desfazía.
¿Quién sufrió nunca dolor cual entonces yo sufría?
Cuando vi junta la flota y el estol vela fazía,
yo quedé desamparada como vidua dolorida,
24 mis sentidos todos muertos, cuasi el alma me salía,
buscando todos remedios ninguno non me valía;
pediendo la muerte, quexosa, e menos me obedescía,
dixe con lengua raviosa, con dolor que me afflegía:
28 «—¡O maldita seas, Italia, causa de la pena mía!
¿Qué te fize, reina Juana, que robaste mi alegría

---

5 Era el emblema de la orden de las Jarras o del Grifo, creada por Fernando 'el de Antequera', padre de Alfonso.

6 *paternosters:* 'cuentas de rosario o de adorno': Margherita Morreale, reseña a Emma Scoles, ed., Carvajal, *Poesie,* cit., en *RFE,* LI (1968), páginas 275-287 [282], sugiere la forma *paternostres.*

6 *palmería:* lo mismo que palma, símbolo de pureza.

10 *malfadada:* malhadada, 'desafortunada'.

12-13 El 1 de septiembre de 1432 Alfonso V, que navegaba por el Mediterráneo desde hacía tiempo, venció cerca de la isla de los Gelves al rey de Túnez. Asociada a la empresa africana, la despedida es más bien una referencia simbólica a la entrega del esposo a la política y a la vida militar.

18 *proízes:* 'maromas'.

22 *estol:* 'comitiva'.

23 *vidua:* forma etimológica de *viuda.*

29-30 Abandonada por el marido, la reina Juana de Nápoles ofreció a Alfonso, que se encontraba en Cerdeña (1420), el ducado de Calabria y la

e tomásteme por fijo   un marido que tenía?
Feziste perder el fructo   que de mi flor atendía.—»
32 ¡O madre desconsolada   que fija tal parido havía!,
e diome por marido un César   qu'en todo el mundo non cabía:
animoso de corage,   muy sabio con valentía,
non nasció por ser regido   mas por regir a quien regía.
36 La Fortuna, embidiosa   que yo tanto bien tenía,
ofrecióle cosas altas   que magnánimo seguía,
plaziente a su deseo,   con fechos de nombradía;
e diole luego nueva empresa   del realme de Secilía.
40 Seguiendo el planeta Mares,   dios de la cavallería,
dexó sus reinos e tierras,   las agenas conquería;
dexó a mí desaventurada,   años veinte e dos havía,

---

adopción como hijo y heredero, a cambio de su protección. Las complicaciones no tardaron, cuando Juana, instigada por la corte, transfirió ducado y adopción a Luis de Anjou.

31 La escasez de contactos entre Alfonso y doña María no facilitó el logro de una descendencia legítima. Pero sobre el motivo de la maternidad frustrada cfr. la nota 5 del texto 34.

37 *magnánimo:* así titularon a Alfonso los humanistas de su docta y mundana corte de Nápoles. Bajo la forma de la autoconsolación, todo este pasaje celebra más explícitamente que el resto del *R.* al ambicioso aragonés y recuerda pasajes de la *Comedieta de Ponça* (¿finales de 1436?) del marqués de Santillana, apología de la estirpe real aragonesa.

39 *realme:* 'reino'. Catalanismo o quizá, en este texto de Carvajal, italianismo.

40 *Mares:* es Marte, el dios de la guerra.

42 *veinte e dos:* esta cifra ha sido muy discutida para fechar el texto, con propuestas que remiten o a 1442 o a 1445 o a 1454: *Tratado,* VII, 185-188; *RH,* II, 19-20 y Scoles, ed., Carvajal, *Poesie,* cit., 25-29. La última parece la más probable, por haber empezado en junio de 1432 la ausencia definitiva de Alfonso, entregado ya a la empresa africana primero y a la italiana después. El reino de Aragón fue regido sabiamente por la reina, con la ayuda de sus cuñados. Se excluye una referencia de la cifra a la edad de doña María, porque nos situaría en 1423, año que registró sólo un corto viaje de Alfonso a Barcelona. Es improbable también un remozamiento poético de la protagonista (cfr. la nota 24 del Texto 72), porque habría introducido una distorsión chocante en un poemita destinado a circular en la corte, y que se supone presentado a Alfonso precedido por una carta ficticia de la reina y seguido por unas coplas, obras todas de Carvajal. Scoles, ed. cit., propone con cautela una redacción del conjunto posterior a la muerte de Alfonso en 1458 y en ocasión de la de la reina al año siguiente; habría sido una manera [un tanto singular, en verdad, aunque no improbable] de celebrar emocionadamente a los dos monarcas. En apoyo de tal hipótesis se podría agregar que, en esos textos, las

dando leyes en Italia, mandando a quien más podía,
44 sojugando con su poder a quien menos lo temía:
en Affrica e en Italia dos reys vencido havía.—

77

Mirava de Campoviejo el rey de Aragón un día,
mirava la mar d'España cómo menguava y crescía;
mirava naos y galeras, unas van y otras venían:
4 unas venían de armada, otras de mercadería,
unas van la vía de Flandes, otras la de Lombardía;
essas que vienen de guerra ¡oh cuán bien le parescían!
Mirava la gran ciudad que Nápoles se dezía;
8 mirava los tres castillos que la gran ciudad tenía:
Castel Novo y Capuana, Santelmo que reluzía;
aqueste relumbra entr'ellos como el sol de mediodía.
Llorava de los sus ojos, de la su boca dezía:

---

razones y los tonos del dolor privado de doña María no quedaban marginados por la sustanciosa apología del Alfonso héroe conquistador; estaba tan centrado en ellos el poemita que el Alfonso esposo, ya más que bien consolado, difícilmente habría podido escuchar con entusiasmo tales versos como homenaje de un poeta de su corte. Los *veinte e dos* años se vuelven a encontrar, apropiadamente, en el Texto 77, v. 16.

1 El rey es Alfonso V, de Aragón, Cataluña y Valencia desde 1416 y de Nápoles y Sicilia desde 1442, después de una larga guerra con los franceses empezada en 1420: cfr. el v. 16. Campoviejo era localidad situada al norte de Nápoles.

2-5 La contemplación melancólica del mar es motivo acentuadamente lírico, con ejemplos innumerables empezando por las *cantigas de amigo* gallego-portuguesas; para la tradición popular remito sólo a vv. de *CALP* más afines a fórmulas del *R.:* «Meus ollos van per lo mare, mirando van Portugale» (533: del ms. Madrid BP1: vol. 3b, núm. 453 [1519-1520], pág. 491), «Galeritas de España / sulcan por el mar» (2350) y «[...] ondas del mar, / qu'unas se vienen y otras se van» (843B). A tales vínculos nuestros vv. deben su supervivencia actual, únicos del *R.*, en el canto del gitano Luis Suárez la O 'Panete' del Puerto de Santa María, que los había aprendido de su padre: «Miraba la mar de España / cómo menguaba y crecía, / yo miraba las galeras / que el rey de España tenía. / Unas venían de armada / y otras con su mercancía; / unas traían seda / y otras holanda traían. / Unas iban para Flandes / y otras para Normandía» (Suárez Ávila [1989], 104). Comentarios sobre la alternancia de los tiempos verbales de este pasaje en Sandmann [1974], 289.

12 —¡Oh ciudad, cuánto me cuestas por la gran desdicha [mía!
Cuéstasme duques y condes, hombres de muy gran valía;
cuéstasme un tal hermano que por hijo le tenía;
d'essotra gente menuda cuento ni para no tenía.
16 Cuéstasme veinte y dos años, los mejores de mi vida,
qu'en ti me nascieron barbas y en ti las encanescía.—

78

—Quéxome de vos, el rey, por aver crédito dado
del buen duque mi marido lo que le fue levantado;

---

14 El hermano es Pedro: cfr. la nota 2 del Texto 75.

17 Las barbas nos recuerdan el Texto 126 y el motivo poético de la juventud del héroe desafortunado. A Alfonso las barbas le encanecieron ciertamente en Nápoles pero no le habían salido allí, porque había emprendido la conquista cuando tenía ya veintiséis años, o sea, rondaba la edad real de otros infelices 'adolescentes', como don Fadrique (Texto 70), Blanca de Borbón (Texto 72), Sancho (Texto 126). Por supuesto, la infelicidad de Alfonso es enteramente literaria, y romanceril en particular. En el *R.* el desaliento del héroe encuentra expresión magistral mediante un juego, sencillo en apariencia, de fórmulas, anáforas y bimembraciones que llegan a sugerir plásticamente el ondear, ante la vista y la memoria melancólicas, de circunstancias y figuras ya distanciadas en la realidad pero aún doloridamente vivas en el sentimiento. Bien pudo ser que por esta vía el texto quisiera reflejar una conciencia incipiente de la crisis de los ideales caballerescos y feudales frente al avance del mercantilismo burgués, naciente él también, como siempre (López Nieto [1982]); lo cierto es que tal clave de lectura pertenece a las que 'tienen un gran porvenir a sus espaldas'.

1 Habla doña Isabel, duquesa viuda de Guimarães y Braganza. El rey es João II de Portugal, que sucedió a su padre Alfonso V en 1481.

2 *levantado:* el término implica la falsedad de la acusación. La tesis inocentista es obvia en boca de la viuda, y difundida por el *romancero,* género abierto a las reivindicaciones de vasallos más o menos leales, bien equipado de recursos para ganarles la adhesión patética de los oyentes: cfr., por ejemplo, los vv. 17-18 y el modelo mismo del 'lamento'; Di Stefano [1976], 50-51 y Ferré [1989a]. Fuera de la ficción y de la propaganda, aclaremos que don Fernando, primer duque de Guimarães y tercero de Braganza, ya de malas con don João cuando era príncipe heredero, había acaudillado el descontento de la alta nobleza contra un eficaz proyecto real de control judiciario en sus señoríos, solicitado por las poblaciones: cfr. ahora el agudo estudio de Manuela Mendonça, *D. João II. Um percurso humano y político nas origens da modernidade em Portugal,* Lisboa, Ed. Estampa, 1991. Los rebeldes habían

mandástesmelo prender, no siendo en nada culpado.
4 Mal lo hezistes, señor, mal fuistes aconsejado,
que nunca os hizo aleve para ser tan maltratado,
antes os sirvió, mezquina, poniendo por vos su estado.
Siempre vino a vuestras cortes por cumplir vuestro man-
[dado:
8 no lo hiziera, señor, si en algo os oviera errado,
que gente y armas tenía para darse a buen recaudo;
mas vino como inocente qu'estava de aquel pecado.
Vos, no mirando justicia, avéismelo degollado.
12 No lloro tanto su muerte como vello deshonrado
con un pregón que dezía lo por él nunca pensado;
murió por culpas agenas, injustamente juzgado.
El ganó por ello gloria, yo para siempre cuidado,

---

planeado incluso la abertura de las fronteras a las tropas de los Reyes Católicos. Ya manifiesta en Evora, en las Cortes allí abiertas el 12 de noviembre de 1481, donde el duque se negó a prestar homenaje al nuevo soberano mediante fórmula juzgada vinculadora en exceso, la insubordinación de don Fernando tuvo trágica conclusión en la misma Evora: fue prendido el 28 de mayo de 1483, procesado con todo rigor formal durante tres semanas y ejecutado. La prueba de las acusaciones estaba en la correspondencia con los Reyes Católicos, que fue hallada en el despacho del duque.

5 *aleve:* 'traición'.

6 En verdad, los servicios de más empeño y coste el duque los había rendido a Alfonso V, padre de João.

7 La presencia del duque en las Cortes es indudable, pero cfr. la nota 2.

9 La casa de Braganza era la más poderosa de Portugal y el duque podía reunir un ejército propio, con tres mil de a caballo y diez mil de a pie.

11 El duque fue decapitado en la plaza de Evora al amanecer del 20 de junio de 1483. Prohibido a la corte, sólo el rey llevó luto: «tres dias nom sayo fora, vestido sempre de panos de laã [era junio] pretos e capuzes çarrados»: Rui de Pina, *Crónica de el-rey D. João II,* Coimbra, Atlântida, 1950, pág. 50; en pág. 48 se relata el dolor y llanto del rey por la inevitable sentencia de muerte.

13 Fue el pregón: «Iustiça que manda fazer el Rey nosso senhor, manda degolar dom Fernando, Duque que foy de Bragança, por cometer, e tratar trayçao, e perdiçao de seus Reynos, e sua pessoa Real», según refiere García de Resende, *Crónica de Dom João II,* Lisboa, Imprensa Nacional, 1973, páginas 69-70. Resende a trechos casi copia a Rui de Pina, agregando algún detalle: uno es el texto del pregón.

15 *gloria:* que alrededor de la ejecución del duque se creara un halón de martirio, como atestigua la misma existencia del *R.,* lo confirman los renglones apenados que le dedica Rui de Pina, cronista adicto sin duda a la causa del rey y que fue testigo de la escena; la relata en todos sus detalles y da én-

16 y en prisiones muy esquivas en que vos me avéis echado
con una hija que tengo, que otro bien no me ha quedado;
que tres hijos que tenía avéismelos apartado:
el uno es muerto en Castilla, el otro desheredado,
20 el otro tiene su ama, no espero de verlo criado,
por el cual pueden decir: 'inocente desdichado'.
Y pido de vos emienda, rey señor primo y hermano,
a la justicia de Dios de hecho tan mal mirado,
24 por verme a mí con vengança y a él, sin culpa, desculpado.—

79

¡Ay ay ay ay, qué fuertes penas!
¡Ay ay ay ay, qué fuerte mal!
Hablando estava la reina, en su palacio real,
con la infanta de Castilla, princessa de Portugal.

---

fasis a la santa resignación del condenado, que llegó a decir: «Jesu Christo nosso Senhor nom morreo morte tam honrada»; y Pina puede comentar: «bem poderiamos como Christãos chamar sua morte bemaventurada; pois nella se viram muy craros synaes de verdadeira salvaçam de su'alma» (pág. 50).

16 Los recursos patéticos se van acentuando. No consta un encarcelamiento de doña Isabel. Los tres hijos varones se refugiaron en Castilla: Felipe, el mayor, murió allí quizá envenenado; el tercero, nacido en 1481, recibió especial ayuda de la reina Católica y a la vuelta a Portugal, en 1496 —siendo ya rey Manuel I—, fue reintegrado en sus derechos y posesiones, junto con el segundogénito. Éste, Jaime, fue el nuevo jefe de la Casa de Braganza y es el protagonista del caso narrado en el Texto 82.

22 João era *primo* de doña Isabel, por ser ella hija de un hermano de Alfonso V, el padre del rey; y era también *hermano* 'cuñado', por haber casado con una hermana de la duquesa.

23 *la justicia de Dios:* cfr. los Textos 49 y 65, que perfilan otros ejemplos de inocentes víctimas de la imperfecta justicia humana y que claman a la divina.

1 La reina es Leonor, esposa de João II. La corte estaba de paso en Almeirim, cerca de Santarem y del Tajo.

2 *infanta:* en el ms. *infainte,* que podría restaurarse con *infante,* forma entonces muy usada también para el femenino; sin embargo, son frecuentes en el ms. las *-e* por *-a* inequívocas, reflejo de la pronunciación portuguesa débil: *castille, princesse,* etc. Isabel, hija de los Reyes Católicos, estaba recién casada con Alfonso, príncipe heredero de Portugal. Según Rui de Pina, primero fue informada del accidente la reina, que corrió a dar la noticia a la infanta; pero Resende, que escribe unos cuarenta años después del suceso, presenta juntas a ambas señoras. Para las *Crónicas* respectivas cfr. las notas 9 y 10.

¡Ay ay ay ay, qué fuertes penas!
¡Ay ay ay ay, qué fuerte mal!
Allí vino un cavallero con grandes lloros llorar:
4 —Nuevas te traigo, señora, dolorosas de contar.
¡Ay ay ay ay, qué fuertes penas!
¡Ay ay ay ay, qué fuerte mal!
¡Ay!, no son de reino estraño, d'aquí son, de Portugal:
vuestro príncipe, señora, vuestro príncipe real
¡Ay ay ay ay, qué fuertes penas!
¡Ay ay ay ay, qué fuerte mal!
es caído d'un cavallo, e l'alma quiere a Dios dar.
8 Si lo querés de ver vivo non querés detardar.
¡Ay ay ay ay, qué fuertes penas!
¡Ay ay ay ay, qué fuerte mal!

---

6 *señora:* en el ms. *señor,* que se podría conservar como miembro de un sintagma *príncipe señor* paralelo al sucesivo *príncipe real,* aunque mucho menos corriente. La frase nominal de este v. queda separada de su verbo en el v. 7 por el estribillo. Se obtiene un efecto de suspensión acaso involuntario, pero que traduce muy bien la pausa y el grito doloroso que estalla nada más nombrarse el difunto, típica del lamento fúnebre. Son estrategias de 'teatralización' del *planctus* que en otros aspectos bien estudia Morais Alçada [1983]. Pero si supusiéramos los vv. 6 y 7 unidos, resultarían muy equilibradas incluso la pareja anterior de los vv. 4 y 5 y la sucesiva de los vv. 8 y 9. Quedarían sueltos los vv. 3 y 10. En cuanto al primero de ellos consideremos que en versiones orales de la Isla de São Jorge en las Açores se encuentra el v. «Que novas traz, cavaleiro, / que novas traz p'ra me dar?» (*CGR,* III, 357), posible buen complemento originario de nuestro v. 3 y que cabría cotejar con el v. del *Romance* de Montesino (cfr. nota 10): «Dezid qué nuevas son éstas / de tan triste lamentar». El v. 10, que me inclino a atribuir al narrador, como el v. 17 del Texto 149 y el v. 7 del Texto 150, podría ser un remate conclusivo.

7 Fue el 11 de julio de 1491, ya casi de noche, cuando el príncipe convenció a un amigo a lanzarse con sus caballos en una carrera a orillas del río. Del estado de coma consecuente a la caída, Alfonso no salió ya, y murió en la noche entre el 12 y el 13, a los dieciséis años de edad.

8 *querés de ver:* así en el ms., aparte el acento; *RH,* II, 38 da *queredes ver,* como propone *n'os querades* donde yo mantengo *non querés* del ms. Ambos *querés,* escritos *qres* con abreviatura en *q,* permitirían también una lectura *quieres,* teniendo en cuenta que los *quiere* del texto (vv. 7 y 9) son *quere* en el ms. El caballero da realce a una sola *señora,* a la viuda casi ciertamente, y ha usado ya la segunda persona del singular en el v. 4, aunque pasa al plural en el v. 6. En Montesino *querés.* Cfr. la nota 10 del Texto 30.

Allí estava el rey su padre que quiere desperar.—
Lloran todas mugeres, casadas e por casar.
¡Ay ay ay ay, qué fuertes penas!
¡Ay ay ay ay, qué fuerte mal!

---

9 *desperar:* así en el ms. Creo innecesario leerlo *desesperar,* que está en el *Romance* de Montesino, ya que es forma bien documentada desde Berceo; Gili y Gaya, s.v., cita de Franciosini «desperar de la vida de alguno». No daríamos rienda suelta a la imaginación al suponer en esta desesperación del rey aguijones de un sentimiento de culpa por haber instado al hijo, reacio por el cansancio del día de caza, para que le acompañara al río. Una angustiosa obsesión parece revelarse en dos episodios ocurridos en días sucesivos a la tragedia, relatados por la pluma emocionada de Rui de Pina, *Crónica de el-rey D. João II,* Coimbra, Atlântida, 1950, cap. 50: solicitado por la corte a romper la encerrada soledad, el rey montó sobre una mula para ir a una iglesia a rezar, pero se quedó parado como esperando a alguien y explicó a los sorprendidos acompañantes: «Espero polo Princepe meu filho, chamemno que cavalgue comigo»; el día siguiente y en circunstancia análoga, exclamó: «Quería ver o que nom vejo, que he o Princepe meu filho; porque era ho meu espelho em que me via, que por meus pecados me quebrou» (pág. 142). Los dos detalles faltan en Resende.

10 No creo imprescindible interpolar entre *todas* y *mugeres* un *las*, por verosímil que sea. Separo este v. del anuncio del caballero y lo atribuyo al narrador: el lamento de las mujeres parece más propio del entorno de las damas reales al cundir la noticia de la desgracia que del de la comitiva de varones que había ido a bañarse al Tajo. El *planctus* colectivo estalló en los últimos momentos de vida del príncipe, cuando el rey separó del hijo, piadosamente, a la reina y a la nuera; entonces «se levantou antre todos hum muito grande, e muito triste, e desaventurado pranto [...] e as molheres desfazendo com suas unhas, e mãos, ha fermosura de sues rostos, que lhe corrião em sangue. Cousa tão espantosa, e triste, que se não vio, nem cuydou»: García de Resende, *Crónica de dom João II,* Lisboa, Imprensa Nacional, 1973, pág. 196 y Morais Alçada [1983], 71-72. Es éste el único v. que, con el estribillo, no se halla en el *Romance* compuesto por fray Ambrosio Montesino, quizá a finales de 1491, a ruegos de la infanta viuda y que contiene en parte o enteros todos los demás vv. del *R.* anónimo. Inspirado en él lo creyó Gaston Paris, fiel al fondo romántico de su idea de una poesía popular anterior a las creaciones cultas, como oportunamente subraya Menéndez Pidal; el cual, fundándose en principio opuesto y en experiencias de estudio que le inclinaban a atribuir el estilo popular, o mejor dicho tradicional, a la continua reelaboración oral colectiva de un texto incluso culto, invierte la relación indicada por Paris: *RH,* II, 37-43, y exalta la rápida difusión refundidora del *Romance* del franciscano, transformado en poquísimos años en el texto que la casualidad entregó al ms. francés. Es éste uno de esos dilemas cuya solución aparente se funda sólo en el credo de cada investigador. Quien no posee credos constata que los datos actuales no permiten dirimir la cuestión: así Bénichou [1975], que repasa la controversia sin tomar partido y prefiere ahondar

80

Emperatrizes y reinas que fuís del alegría,
la triste reina de Nápoles busca vuestra compañía.

---

en un bello análisis de los textos orales modernos. Pero antes deja anotado que el corte narrativo del *Romance* de Montesinos no es el típico de los *rr.* noticieros cortesanos, sino más bien el de los épico-líricos tradicionales; y que en él se perciben «contrastes en el estilo [...], explicables quizá por la dificultad de acertar en la imitación de la poesía oral», pero también pensando en una eventual «mezcla de pasajes tomados de la tradición con invenciones propias» (pág. 117). Sería una taracea muy parecida a la que hemos detectado en las *Trovas* de Resende con relación al Texto 67. Asumiendo la perspectiva, provisional e hipotética, de una prioridad del *R.* popular, surgen algunas observaciones. El texto de Montesino procede por cuartetas de octosílabos y se cierra con dos vv. sueltos pero igualmente pertenecientes al mensajero; los vv. del *R.* popular se localizan casi todos al comienzo y al final, en las cuartetas 1, 2 y 3 y en las 14, 15 y 17, menos un octosílabo en la cuarteta 11. Corresponden a vv. del *R.* popular los siguientes vv. de Montesino: cuarteta 1.ª, vv. 1, 3-4; 2.ª, v. 2; 3.ª, vv. 1, 3-4; 11.ª, v. 4; 14.ª, v. 1; 15.ª, v. 1; 17.ª, vv. 1-2. En cinco de las siete cuartetas se ve afectado el v. de abertura; es como una señal sistemática, que se extiende a los vv. 3-4 en las solas estrofas de arranque y sólo al v. 2 en la segunda y en la última. ¿Qué técnica más segura y al mismo tiempo suave para que en el nuevo texto consolatorio resonaran palabras y notas de un lamento ya popular? Un lamento quizá compuesto y cantado en las mismas horas de la tragedia y en lengua castellana, como homenaje afectuoso a la viuda y por ésta guardado en la memoria, junto a voces e imágenes de aquellos días que, hasta momentos antes de la desgracia, rebosaban de alegría y fiestas, de músicas, danzas y propiamente de cantos, gracias a músicos y juglares que acompañaban la corte. El impropio «En su palacio real» del *R.* popular es sustituido en Montesino por un áulico «en cosas bien de notar»; «de Portugal» del v. 5, explícitamente lusitanocéntrico, cede el paso a un genérico «d'este lugar», y «vivo» del v. 8 a un más trágicamente auténtico «morir», que además encaja mejor con el v. que le antecede: «do yaze casi defunto, / sin remedio de sanar». El mensajero de Montesino se dirige correcta y constantemente a las dos «señoras», de quienes se despide con una fórmula de circunstancia: «Dios os consuele, señoras, / si es posible conortar, / que el remedio d'estos males / es a la muerte llamar»; epílogo concorde con la función del *R.* del franciscano, y en donde sobraría nuestro v. 10. Todo esto 'simulando' una anterioridad del texto popular respecto al de Montesino.

2 En este personaje se funden, o confunden, Juana III y Juana IV, madre e hija, de la dinastía aragonesa de Nápoles, ambas reinas destronadas. Residieron algún tiempo en España y en 1506 volvieron a Nápoles, «estableciéndose en Castel Capuano con título y consideración de Reinas, y reuniendo en torno suyo una verdadera corte de Princesas destronadas o venidas a menos [...] A pesar de tantas tristezas juntas, la vida que se hacía en aquel castillo a

Va diziendo, gritos dando: —De mi mal contar podría
4 quien amasse a la tristeza y olvidasse el alegría;
porque viessen los mis ojos el daño que les venía
en perder un tal marido que jamás no cobraría.
Lloren damas y donzellas la reina que tal se vía;
8 quien pensó tener consuelo mal tras mal le combatía.
Un año avía y más qu'este mal a mí seguía;
vínome lloro tras lloro, sin aver consuelo un día.
Yo lloré al rey Alfonso por la muerte que moría,
12 yo lloré a su hermana que otro hijo no avía,
lloré al príncipe don Juan cuando fraile se metía.
Estando en estas congoxas vínome mensagería
qu'esse rey de los franceses el mi reino me pedía,
16 porque dize que fue suyo y que a él pertenescía.
Un consuelo me quedava para mi postrimería:
éstos fueron dos hermanos rey y reina de Castilla.
Demandéles yo socorro, que de grado les plazía.
20 Subiérame en una torre, la más alta que yo avía,
para ver si vienen velas d'esta reina que dezía.
Vi venir unas galeas y unas naos bizcaínas;

---

principios del siglo XVI parece haber sido muy amena y regocijada», gozando la madre y la hija de la consolación de dos gentileshombres: *Tratado,* VII, 213-214 y antes Benedetto Croce, «La corte delle tristi regine a Napoli», en *Archivio Storico per le Province Napoletane,* XIX (1894), págs. 354-375 [360-361]. *Triste* solía denominarse más bien a la hija, viuda de Ferrante II a los tres días de haberse celebrado el matrimonio religioso. Cfr. también Joan Oleza, «La corte, el amor, el teatro y la guerra», en *Edad de Oro,* V (1986), págs. 149-182 [162-164].

6 Si la voz es de Juana III, el marido es Ferrante I.

9 *seguía:* 'perseguía'; cfr. la nota 9 del Texto 81.

11 Se trata de Alfonso II, hijo del primer matrimonio de Ferrante I y muerto un año después del padre, en 1495; le sucedió su hijo Ferrante II.

12 Su segundo marido, Ladislao de Bohemia, la había repudiado por estéril.

13 El príncipe don Juan era hijastro de Juana III.

15 Carlos VIII de Francia pretendía restaurar sobre Nápoles y Sicilia los derechos heredados de Renato de Anjou, desposeído por Alfonso V en 1442; cfr. la nota 29-30 del Texto 76.

18 El hermano de sangre era Fernando.

22 Cuando Carlos VIII ocupaba ya Nápoles, en 1495, se esperaba todavía el socorro de unos barcos gallegos y guipuzcoanos, al mando de Galcerán de Requesens.

mas el tiempo fuera tal que mi dicha las desvía:
24 las galeas y las naves bueltas son para Castilla.—
Ya después de todo esto, éstas y otras más venía.
Con ellas viene un cavallero de la noble Andaluzía:
éste fue Gonçalo Fernández, con muy gran cavallería;
28 quiera Dios de le guardar de muy mala compañía,
y a la reina qu'es de Nápoles su muy alta señoría
y dexar bivir alegre en los días de su vida.

81

Los aires andan contrarios, el sol ecclipse hazía,
la luna perdió su lumbre, el norte no parescía,
cuando el triste rey don Juan en la su cama yazía,
4 cercado de pensamientos que valer no se podía.
—Recuerda, buen rey, recuerda. Llorarás tu mancebía.
Cierto no deve dormir el que sin dicha nascía.—
—¿Quién eres tú, la donzella? Dímelo, por cortesía.—
8 —A mí me llaman Fortuna, que busco tu compañía.—

25-30 El epílogo me parece ajeno a la 'lamentación' de la reina y atribuible a un narrador externo, que da remate positivo a la relación de desgracias. Podemos darlo también por posterior y pegadizo, en vista de la coherencia del modelo formal del 'lamento' adoptado hasta el v. 24 y de lo postizo que suena el sucesivo v. 25. Whinnom [1981] sospecha matices de maliciosa ironía en la euforia del final y revela errores e imperfecciones en el texto entero.

27 El Gran Capitán había desembarcado en Messina en mayo de 1495.

30 La alegría de la reina duró solamente hasta octubre de 1496. Se trata ahora de Juana IV, que al enviudar quedó otra vez —junto con su madre— en poder de las zozobras de Fortuna. Si el texto originario del *R.* es el que estamos leyendo, debió de componerse antes de esa fecha.

1-2 Cfr. el exordio del Texto 105, que trata también de la pérdida de un reino. Sol y luna enlutados es motivo frecuente en cantarcillos trágicos y *endechas:* «La luna tenía su último grado, / el sol eclipsado, / que no pareçía» (*CALP*, 766); «El sol escondió sus rayos, / la luna quedó eclipsada» (*CALP*, 857). La grafía *ecclipse* es un falso cultismo.

3 Juan de Albret, un aristócrata francés sin particulares dotes ni políticas ni militares, a consecuencia de un matrimonio de estado se vio convertido en rey —el último— de una Navarra peligrosamente enclavada entre dos rivales tan poderosos como Francia y España.

5 *Recuerda:* 'despierta'.

8 Entiéndase Fortuna como suerte inestable y más bien adversa; cfr. el v. 9 del Texto 76.

—Fortuna, ¡cuánto me sigues   por la gran desdicha mía!
Apartado de los míos,   de los que yo más quería,
¿qué es de ti, mi nuevo amor?   ¿Qué es de ti, triste hija mía?
12 Que en verdad, hija, tú tienes   Estella por nombradía.
¿Que es de ti, Olite y Tafalla?   ¿Qué es de mi genealogía?
¡Y este castillo de Maya   que el duque me lo tenía!
Pero si el rey no me ayuda   la vida me costaría.—

82

Lunes se dezía, lunes,   tres horas antes del día,

---

9 *sigues:* 'persigues'. Cfr. «¡Ai, fortuna, i cómo me sigues!» (*CALP*, 816 y 858C). No debe de ser casual el volver del mismo concepto, y con el mismo término, en tres lamentos de altezas reales: en éste, en el de la «triste reina de Nápoles» (Texto 80, v. 9) y en el de María de Aragón (Texto 76, v. 9).

10 Juan de Albret tenía extensas posesiones y vasallos más allá de los Pirineos.

11-13 Respecto a su tierra solariega de Francia, la Navarra adquirida le parece a Juan —con notoria metáfora (cfr. vv. 9 y 14 del Texto 89 y la nota)— una segunda esposa, con sus hijas que son las principales ciudades del nuevo dominio, y en particular la capital Estella. Es evidente que el *R.* nace y se va construyendo, con habilidad y gusto, mediante el ensamblaje de motivos y fórmulas corrientes. También en esta cita de ciudades pudo actuar la sugestión de un cantarcillo popular, seguramente anterior a la fecha de su primera documentación (1549): «Estella, la bella, / Pamplona, la bona, / Olite y Tafalla, / la flor de Navarra» (*CALP*, 1060).

14 En julio de 1512 el duque de Alba había recibido el castillo de Maya como rehén por Juan de Albret que, refugiado en Llumbrer, se declaraba dispuesto a someterse a Fernando el Católico. Éste había asegurado que su ocupación de Navarra era por cuenta de la Liga Santa y de carácter provisional.

15 Este rey podría ser Luis XII de Francia (*Tratado,* VII, 188) o Fernando (*RH*, II, 58). En Llumbrer, en realidad, Juan esperaba la llegada de un ejército francés al mando del duque de Longueville; cuando la espera se demostró inútil, huyó a Francia, donde le llegaron —y rechazó— propuestas de paz de parte de Fernando, con la oferta de un matrimonio para su hijo, el príncipe de Viana. Ayudado por el rey de Francia, realizó dos intentos militares de recuperación del reino, ambos fracasados. No sabemos si en algún momento la vida de Juan estuvo en peligro, como apunta el *R.* en el toque final a esta dramatización de un destino de derrota; sí sabemos que en 1517 esa vida se la llevó una muerte natural.

1 Lunes era día funesto en las creencias populares, no solamente en España; una canción francesa sobre Francisco I da un lunes como día de su captura en Pavía, cuando el 25 de febrero de 1525 era un viernes, día no menos

cuando el duque de Bergança con la duquesa reñía.
El duque con gran enojo estas palabras dezía:
4 —Traidora me sois, duquesa, traidora falsa maligna,
porque pienso que traición me hazéis y alevosía.—
—No te soy traidora, el duque, ni en mi linaje lo havía.—
Echó mano de su espada viendo que así respondía.
8 La duquesa con esfuerço con las manos la tenía.
—Dexés la espada, duquesa, las manos le cortaría.—
—Por más cortadas, el duque, a mí nada se daría;
si no, veldo por la sangre que mi camisa teñía.
12 ¡Socorred, mis cavalleros, socorred, por cortesía!—
No hay ninguno allí de aquellos a quien la favor pedía,
qu'eran todos portugueses y nadie no lo entendía
sino era un pagezito que a la mesa la servía.

---

fatídico pero menos grato a la poesía. Como el martes, que era el día real que vio la tragedia relatada en el *R.*: eran dos horas antes de la madrugada y no *tres,* el 2 de noviembre de 1512.

2 El duque era don Jaime, cuarto de Braganza y segundo de Guimarães (cfr. la nota 16 del Texto 78); de 1499 a 1503 había sido heredero designado al trono portugués. La duquesa era doña Leonor de Mendoza, hija de don Juan de Guzmán, tercer duque de Medina Sidonia. Habían casado en septiembre de 1500.

6 En el *romancero* es una fórmula, y puede que lo fuera también en boca de la duquesa y que don Jaime no anduviera equivocado del todo. De suyo el duque tenía fama de «hombre melancólico» y de súbitas exaltaciones: al poco tiempo de haber consumado el matrimonio quería repudiar a la esposa por escrúpulos morales; más adelante pidió licencia al Papa para ingresar en una orden religiosa, pero el rey se opuso.

9 *le:* esperaríamos *os* o *vos*. El *le* produce un efecto de irrupción de la voz del narrador que creo involuntario.

14 En época y ambientes bilingües como eran los lusitanos de entonces, parece una razón de escaso relieve la aducida aquí. Es probable que el *R.,* en forma atenuada y quizá hasta irónica, quiera dejar patente la hostilidad que rodeaba a doña Leonor y manifestar humores anti-portugueses.

15 El *pagezito* es una típica figura novelesca y romanceril, y el v. que lo introduce es en parte formular. Pero, una vez más, los utensilios del género sirven para transfigurar la realidad. Porque en el suceso real hubo un paje, Antonio Alcofarado, pero había pasado ya la edad del diminutivo; habrá servido a la mesa de la duquesa, pero en aquellos momentos lo encontraron en un lugar más comprometedor, o sea, en el dormitorio de doña Leonor, y eran las dos de la madrugada. Su conducta no coincidió con la del relato poético: aterrorizado, imploró el perdón del duque, sin obtenerlo; fue degollado en el acto, no por mano del duque, sino de un negro, después de haberse confesado y haberle concedido su dueño que se le tapara la cabeza con una sábana. A la

16 —Dexes la duquesa, el duque, que nada te merescía.—
El duque muy enojado detrás el paje corría
y cortóle la cabeça aunque no lo merescía.
Buelve el duque a la duquesa, otra vez le persuadía:
20 —Morir tenéis, la duquesa, antes que viniesse el día.—
—En tus manos estoy, duque, haz de mí a tu fantasía,
que padre y hermanos tengo que te lo demandarían,
y aunqu'estén en España allá muy bien se sabría.—
24 —No me amenazéis, duquesa; con ellos yo m'avernía.—
—Confesar me dexéis, duque, y mi alma ordenaría.—
—Confesáos con Dios, duquesa, con Dios y Santa [María.—
—Mirad, duque, estos higicos qu'entre vos y mí havía.—
28 —No los lloréis más, duquesa, que yo me los criaría.—
Rebolvió el duque su espada y a la duquesa hería:
diole sobre su cabeça y a sus pies muerta caía.
Cuando ya la vido muerta y la cabeça bolvía,
32 vido estar sus dos higicos en la cama do dormía,
que reían y jugavan con sus juegos a porfía.

---

elaboración novelesca, y a la romancística en particular, gusta encarar figuras extremadas, las del furor homicida frente a las de la inocencia inerme, conjugando estética y ética; en este caso una ética muy interesada. Un apunte al margen. El *R.* presenta curiosas relaciones con el famoso *Cantar de los comendadores,* que relata un caso análogo ocurrido en 1448: el esclavo, inocente aquí, asesinado; la mano de la mujer que se corta al protegerse de la espada; el rasgo estilístico de la iteración del día («Jueves era, jueves»). Estos tres elementos se presentan juntos en una sola de las versiones conocidas del *Cantar* (la de *CALP,* 887C; la 887D es facticia), documentadas todas en el siglo XVI, aunque el poemita debe de ser anterior.

20 Cfr. el v. 168 del Texto 49 y el v. 23 del Texto 68. El lector puede rastrear fácilmente otras coincidencias entre los tres *RR*.

23 El caso se supo en España pero no se hizo nada, como el duque prevé: cfr. el v. 24 y la nota 39.

27 Los hijos eran dos: Teodosio, que entonces tenía cuatro años y sucedió al padre en el Ducado; e Isabel, que casará con don Duarte, hijo del rey Manuel. El acierto de la delicada escena de sus juegos, y la crisis consiguiente del duque, exalta el triunfo de la inocencia mediante su emblema más conmovedor, la infancia, representada en la actitud de mayor contraste con el mundo áspero de los adultos. La visión al fin disuelve las tinieblas del crimen que han ofuscado al duque, y que no había logrado disipar a tiempo la patética evocación en los vv. 27-28.

30 Así pasó realmente.

Cuando así jugar los vido   muy tristes llantos hazía;
con lágrimas de sus ojos   les hablava y les dezía:
36 —Hijos, ¡cuál quedáis sin madre   a la cual yo muerta [havía!
Matéla sin merecello,   con enojo que tenía.
¿Dónde irás, el triste duque?   De tu vida, ¿qué sería?
¿Cómo tan grande pecado   Dios te lo perdonaría?—

Sucesos de la frontera andaluza

83

Cercada tiene a Baeça   esse arráez Avdalla Mir
con ochenta mil peones,   cavalleros cinco mil;

---

39 Con este v., que parece excluir el perdón, se cierra un epílogo que nos da la clave del sentido y de la función del *R.;* las variantes de otras versiones no atañen a la sustancia del juicio sobre el duque. Divulgando su justicia poética, nuestro poemita debió de granjearse la gratitud de la familia de doña Leonor, que se había visto obligada al silencio oficial en aras del relieve del responsable y de las delicadas relaciones entre España y Portugal. Por su parte, el duque había visto su imagen empañada por la truculenta acción, fuera o no motivada, y quiso rehabilitarse ante los ojos de su rey, lanzándose al año siguiente en una empresa africana que costeó casi por entero. Murió en 1532. Esencial Ferré [1983]; cfr. también *Tratado,* VII, 202-212 y Menéndez Pidal [1973], 186 y 210.

1 Solamente Argote (cfr. Abreviaturas y siglas de las fuentes) nos da, con el texto del *R.*, la noticia de este cerco, de 1368. La aceptan *Tratado*, VII, 87-91; *RH,* II, 5 (y [1939], 94-96, donde se vuelve a afirmar el valor del *R.* como fuente histórica); Alvar [1970], 58-59. La pone en duda Franco Meregalli, «Cercada tiene a Baeza», en *CN,* 11 (1951), págs. 273-275, por la propensión de Argote a dar crédito a los *rr.*, descuidando sus motivaciones laudatorias de figuras y tradiciones locales a veces inciertas. Ríos y Ríos (cfr. nota 3) sospechaba que lugares y personajes del *R.* fueran disfraces [¿por qué?], y en realidad se narraba el cerco de Córdoba del mismo año por Pedro y su aliado moro (pág. 65). Sorprende que este erudito, que cita más de una vez a Argote, informe en una apostilla que acababa de descubrir el texto del *R.* en el *Libro primero de las Genealogías del nuevo reyno de Granada,* de Juan Florez de Ocariz, publicado en Madrid en 1674. Ocariz, en el margen de la pág. 354, remite, obviamente, a Argote, pero en su texto del *R.* el segundo octosílabo del v. 3 reza: «que se nombra Pero Gil», y poco antes se lee «iba» en lugar de «va».

2 *arráez:* 'caudillo' moro.

con él va esse traidor, el traidor de Pero Gil.
4 Por la puerta de Bedmar la empieça de combatir;
ponen escalas al muro, comiénçanle a conseguir;
ganada tiene una torre, non le pueden resistir,
cuando de la de Calonge escuderos vi salir:
8 Ruy Fernández va delante, aquesse caudillo ardil,
arremete con Avdalla, comiénçale de ferir,
cortádole ha la cabeça, los demás dan a fuir.

84

—Moricos, los mis moricos, los que ganáis mi soldada,
derribédesme a Baeça, essa ciudad torreada,
y los viejos y las viejas los meted todos a espada,
4 y los moços e las moças los traé en la cavalgada,
y la hija de Pero Días para ser mi enamorada,
y a su hermana Leonor, de quien sea acompañada.
Yd vos, capitán Vanegas, porque venga más onrada,

---

3 *Pero Gil:* tan dudoso como el sitio parecía también este personaje, ya que Argote anotaba sin más: «Pero Gil, Señor de la Torre de Pero Gil, que seguía la parte del Rey don Pedro». Ángel de los Ríos y Ríos, «Cómo y por qué se llamó a Don Pedro el Cruel Pero Gil», en *Boletín de la Real Acad. de la Historia*, XXXVI (1900), págs. 58-66, identificó «Pero Gil» como apodo despectivo del rey Pedro, creado por el hermanastro Enrique de Trastámara. *RH,* II, 5 excluye que el texto sea posterior a 1388, fecha de una boda real (cfr. la nota 25 del Texto 71) que clausuró la época de rencores e injurias. Como curiosidad señalo una breve y no bien documentada comunicación en el XI Congreso Nacional de Cronistas Oficiales, celebrado en Barcelona en 1984, presentada por Ginés de la Jara Torres Navarrete con el título «Pero Gil de Zático (IV señor de Torreperogil)», en *Actas,* Barcelona, Ajuntament, 1985, págs. 249-250, donde se sostiene la historicidad de Pero Gil, «hijo de Payo Gil de Zático, III Señor de la Torre de Pero Gil»: parece fundarse en una lectura generosa de Argote y en tradiciones locales, de cierto interés.

8 *ardil:* igual que *ardid* 'valiente' y 'astuto'.

2 *Baeça:* la sitió en agosto de 1407, inútilmente, el rey de Granada, que aquí se imagina incitando a sus soldados.

5 Cfr. v. análogo en el Texto 136; con el v. sig. compone una fórmula que sobrevive, enriquecida, en la tradición oral moderna en contextos varios.

7 *Vanegas:* o sea, Ben Egas, 'hijo de Egas', apellido de una familia de Luque. Raptado a los ocho años por moros granadinos y criado como musulmán con el apodo de «Gilayre», 'el tornadizo', ya adulto este personaje consiguió tener contactos con Juan II para tratar una posible conquista de Gra-

8 porque, embiandos a vos, no recelo en la tornada
que recibiréis afrenta ni cosa desaguisada.—

85

De Antequera partió el moro tres oras antes del día,
con cartas en la su mano en que socorro pedía:
escritas ivan con sangre mas no por falta de tinta.
4 El moro que las llevava ciento y veinte años avía;
la barva tenía blanca, la calva le reluzía;
toca llevava tocada, muy grande precio valía:
la mora que la labrara por su amiga la tenía;
8 alhaleme en su cabeça con borlas de seda fina;
cavallero en una yegua, que cavallo no quería;
solo con un pagezico que le tenga compañía,
no por falta de escuderos, que en su casa hartos avía.
12 Siete celadas le ponen de mucha cavallería,
mas la yegua era ligera d'entre todos se salía.
Por los campos de Archidonia [*sic*] a grandes bozes dezía:
—Oh buen rey, si tú supiesses mi triste mensajería
16 messarías tus cabellos y la tu barva vellida.—
El rey que venir lo vido a recebirlo salía

---

nada. Su presencia en este *R.* parece intromisión tardía, como tardío es quizá el texto entero: cfr. *Tratado,* VII, 91-92 y *RH,* II, 9.

6 *toca:* como el *alhaleme* o alfareme del v. 8 (asociado claramente con la cabeza y por lo tanto no confundible con *alhame* o *alhelme,* que era una especie de camisa), es un tipo de gorra, de tela la primera y de lana el segundo. Bien pudo cubrirse con ambos el moro, que era anciano y calvo (tanto que su cabeza reluce a pesar de quedar muy abrigada) y salía de camino tres horas antes del alba, aunque era primavera ya avanzada o incluso verano. Como en algún otro lugar del *romancero,* sería tentador ver aquí un rasgo caricatural si no supiéramos lo mudable que es la categoría de lo cómico y su percepción en la historia de la sensibilidad y en los distintos niveles culturales. Es más prudente atribuir tales detalles al sumarse del gusto por lo exótico, que penetra en los *romances fronterizos* sobre todo en época tardía, con la inclinación hacia las descripciones acumulativas, que es típica de la poética popular. Sobre la fortuna de este segmento entre judeo-españoles Armistead-Silverman, «Dos romances fronterizos en la tradición sefardí oriental», en *NRFH,* XIII (1959), págs. 88-98 y de los mismos [1979], 44-45; *RJEO,* 43-47.

16 *vellida:* 'hermosa', pero también 'espesa, florida', por asociación de *vellido* a *velludo.*

con trezientos de cavallo, la flor de la morería.
—Bien seas venido, el moro, buena sea tu venida.—
20 —Alá te mantenga, el rey, con toda tu compañía.—
—Dime qué nueva me traes de Antequera, essa mi villa.—
—Yo te las diré, buen rey, si tú me otorgas la vida.—
—La vida t'es otorgada si traición en ti no avía.—
24 —Nunca Alá lo permetiesse hazer tan gran villanía.
Mas sepa tu real alteza lo que ya saber devría:
que essa villa de Antequera en grande aprieto se vía,
que el infante don Fernando cercada te la tenía.
28 Fuertemente la combate sin cessar noche ni día;
manjar que tus moros comen cueros de vaca cozida.
Buen rey, si no la socorres muy presto se perdería.—
El rey, cuando aquesto oyera, de pesar se amortecía;
32 haziendo gran sentimiento, muchas lágrimas vertía,
rasgava sus vestiduras con gran dolor que tenía.
Ninguno le consolava porque no lo permitía.
Mas después en sí tornando a grandes bozes dezía:
36 —Tóquense mis añafiles, trompetas de plata fina;
júntense mis cavalleros, cuantos en mi reino avía;
vayan con mis dos hermanos a Archidona, essa mi villa,
en socorro de Antequera, llave de mi señoría.—
40 Y ansí con este mandado se juntó gran morería;
ochenta mil peones fueron el socorro que venía,
con cinco mil de cavallo, los mejores que tenía.
Ansí en la Boca del Asna este real sentado avía,

---

27 *don Fernando:* cfr. la nota 2 del Texto 75. El cerco empezó el 27 de abril de 1410 y la ciudad se rindió en septiembre.

36 *añafiles:* «trompetas rectas de unos 80 cm. de longitud». *DRAE,* s.v.

40 A partir de este punto se versifican trechos de la *Crónica de Juan II,* mientras la parte antecedente es texto ya tradicionalizado de un *R.* antiguo: *RH,* I, 307. Epílogos con sospechas de ser postizos en los Textos 89, 92 y 93. Una versión más corta circuló en *pliegos sueltos: Ensayo,* I, 29. Más en general cfr. *Tratado,* VII, 95-98; López Estrada [1955]; *RH,* I, 316 y II, 7-8.

43 *Boca del Asna:* «a una legua de Antequera»: *Crónica de Juan II,* «Bibl. de Autores Españoles», vol. LXVIII, pág. 318b. Setenta y tres años después el mismo lugar vio uno de los más sonados desastres de tropas cristianas, con más de 800 muertos y 1.500 cautivos, 400 de los cuales nobles, casi todos sevillanos; en una nota ms. ocasional está toda la resonancia emotiva del desastre en la ciudad andaluza: Reinaldo Ayerbe-Chaux, «Manuscritos y documentos de Don Juan Manuel», en *LCo,* 16 (1987), págs. 88-93 [88].

44 a vista del del infante, el cual ya se apercebía,
confiando en la gran vitoria que d'ellos Dios le daría,
sus gentes bien ordenadas. De san Juan era aquel día,
cuando se dio la batalla de los nuestros tan herida,
48 que por ciento y veinte muertos quinze mil moros avía.
Después de aquesta batalla fue la villa combatida
con lombardas y pertrechos y con una gran bastida,
con que le ganan las torres de donde era defendida.
52 Después dieron el castillo, los moros, a pleitesía
que libres con sus haziendas el infante los pornía
en la villa de Archidonia; lo cual todo se cumplía.
Y ansí se ganó Antequera, a loor de santa María.

86

La mañana de sant Juan al tiempo que alboreava
gran fiesta hazen los moros por la Vega de Granada,
rebolviendo sus cavallos y jugando de las lanças:
4 ricos pendones en ellas, broslados por sus amadas;
ricas marlotas vestidas, texidas de oro y grana.

---

49 El 6 de mayo don Fernando se enfrentó con las tropas enviadas por el rey de Granada, mientras el primer asalto a la ciudad lo dio el 27 de junio. El folklórico 'día de san Juan' del v. 46 es una fecha simbólica de signo positivo; de sus efectos benéficos gozan los cristianos en este *R.* y los moros en el siguiente.

50 *lombardas:* 'bombardas'.

50 *bastida:* «torre de madera, sobre ruedas, que se acercaba a la muralla de la ciudad y desde la cual se combatían a los defensores y se saltaba con un puente levadizo sobre los muros»: *DRAE,* s.v.

1 Celebrado también por los moros, el mágico día de san Juan les regala una rápida revancha sobre don Fernando, que acababa de conquistarles Antequera. Pero, como suele ocurrir *al tiempo que alboreava,* la victoria es un sueño; y es invención del romancista el relato entero, contraposición poética al verídico *R.* que antecede. Es un ejemplo de aquellas fantasías que empezaron a fraguarse cuando el multisecular enemigo tenía sus armas ya muy despuntadas. Agradaba entonces evocarle idealizando e hispanizando sus tipos y costumbres, en un brillo de atuendos y arneses exóticos; se fue creando una tradición de emblemas estereotipados, que se mueven en la atmósfera sin tiempo de un coloreado museo de cera, el *romancero morisco.* Sobre éste son imprescindibles ahora los estudios de García-Valdecasas: cfr. Bibliografía.

4 *broslados:* 'bordados'.

5 *marlotas:* especie de sayos.

El moro que amores tiene señales d'ello mostrava
y el que no tenía amores allí no escaramuçava.
8 Las damas mozas los miran de las torres del Alhambra.
También se los mira el rey de dentro de la Alcaçava.
Dando vozes vino un moro con la cara ensangrentada.
—Con tu licencia, el rey, te diré una nueva mala:
12 el infante don Fernando tiene Antequera ganada.
Muchos moros dexa muertos, yo soy quien mejor librara:
siete lançadas yo traigo, el cuerpo todo me passan.
Los que comigo escaparon en Archidona quedavan.—
16 Con la tal nueva el rey la cara se le demudava.
Manda juntar sus trompetas, que toquen todos alarma;
manda juntar a los suyos, haze muy gran cavalgada
y a las puertas de Alcalá, que la Real se llamava,
20 los cristianos y los moros una escaramuça travan.
Los cristianos eran muchos mas llevavan orden mala;
los moros, que son de guerra, dádoles han mala carga:
d'ellos matan, d'ellos prenden, d'ellos toman en celada.
24 Con la victoria los moros van la buelta de Granada;
a grandes vozes dezían: —¡La victoria ya es cobrada!—

87

Buen alcaide de Cañete, mal consejo avéis tomado:

---

8 *mozas:* ¿será falta de imprenta por *moras*?

10 Con este verso el texto pasa de la guerra fingida a la auténtica; y una vez que las cañas han demostrado que saben volverse buenas lanzas, el *R*. vuelve a la fiesta: vv. 24-25. Tal coherencia formal y semántica no excluye que este *R*. se origine de la convergencia de dos textos distintos: es la sospecha, creo excesiva, de *Tratado,* VII, 98 y de *RH,* II, 35-36, con matices diferentes.

16 *el rey:* renuncio a la fácil corrección *al rey,* porque está insertado en un molde formulístico que aquí prevalece sobre la sintaxis; cfr. los vv. 11 y 24.

1 Se trata de Fernando de Saavedra, de 25 años de edad, que regía la alcaldía de Cañete en ausencia de su padre Fernán Arias Saavedra, dicho 'el Bueno' por sus empresas legendarias, titular desde noviembre de 1407 de ese cargo; se lo había confiado el regente infante don Fernando por la responsabilidad que implicaba, y como a soldado apreciado por el fuerte sentido del deber: Rafael Sánchez Saus, «Los Saavedra y la frontera con el reino de Gra-

hecho se avía voluntario   en correr a Setenil.
Harto haze el cavallero   que guarda lo encomendado;
4 pensastes correr seguro   y celada os han armado.
Hernandarias Sayavedra   vuestro padre, os ha vengado,
ca acuerda correr a Ronda   y a los suyos va hablando:
—El mi hijo Hernandarias   muy mala cuenta me ha dado:

---

nada en el siglo XV», en *Estudios sobre Málaga y el Reino de Granada en el V Centenario de la Conquista,* Málaga, Diput. Provincial, 1987, páginas 163-182 [164-167]. Cobran así sus dimensiones concretas e históricas tanto la gravedad moral, además de militar, de la infracción del hijo como la angustia e ira del padre, en cuya esfera más íntima de autoridad y persona se ha dado el caso de no haberse 'guardado lo encomendado'. El episodio ocurrió el 12 de junio de 1410 y lo relata la *Crónica de Juan II* en términos tan afines a los del *R.* que *Tratado,* VII, 94-96 consideró el texto poético inspirado por la prosa cronística. La relación fue inversa, según Menéndez Pidal [1973], 167-168: la *Crónica* tuvo presente un poemita de tipo juglaresco, perdido, más amplio que el conservado en tres versiones. Mediante la apóstrofe de los primeros seis vv., el narrador como doble de la figura paterna da énfasis a la censura y al didascalismo de la pieza, pero al mismo tiempo proporciona los antecedentes del suceso. Para esta clase de comienzos ponderativos cfr. Di Stefano [1979] y, por ejemplo, los Textos 93 y 126. Me parece imitación deliberada del nuestro el exordio de unas coplas anónimas de finales del siglo XV: «Rey francés, de la gran sira / mal conseio havéys tomado, / pues os han desberatado [*sic*] / al salir de Lombardía» (*Poemas castellanos de Cancioneros bilingües y otros manuscritos barceloneses,* ed. por Pedro M. Cátedra, Exeter, University, 1983, pág. 36).

2 Para restaurar la asonancia bastaría invertir el orden de los dos octosílabos en este v., como hace *3S51;* y cfr. más adelante el v. 11.

5 La puntuación parte en dos el segundo octosílabo (y cfr. el Texto 49, nota 114); pero prefiero respetar la onomástica, a pesar de la evidencia de cierto automatismo en la iteración de *Hernandarias* (y cfr. vv. 7 y 22), que se debe al indudable encanto fóno-rítmico de tal nombre, y acaso también al Texto 132, muy afín a este, casi un complemento ideal.

7 Este v. enuncia el tema de la infracción, desarrollado en los sucesivos. Fuera del contexto histórico (cfr. la nota 1), es una variante del tema más amplio de la oposición al principio de autoridad, en la especie del arrojo juvenil que se desentiende de la prudencia del anciano y corre al fracaso: ejemplos en los Textos 70 y 126. El valor positivo de esa prudencia empieza a demostrarse desde el v. 12, que funciona como gozne del giro argumentativo del texto, cuando se va representando una manera de actuar opuesta a la del joven y que conduce a la victoria. En contra de la empresa que parece cifrar su fin en su propia osadía (v. 10), se despliega la estrategia mañosa de los ancianos que miran al resultado: prefieren la *celada* (v. 13) al *campo* abierto (v. 8), el *ardid* (v. 15) de fingir una retirada y sorprender a espaldas más que el lanzarse al descubierto contra el adversario (v. 2). El anciano y experimentado Hernandarias ha adoptado contra los moros la misma técnica con la cual ellos

8 encomendéle a Cañete, él muerto fuera en el campo.
Nunca quiso mi consejo, siempre fue moço liviano,
que por alancear un moro perdiera cualquier estado;
siempre esperé su muerte en verle tan voluntario.
12 Mas oy los moros de Ronda conoscerán que le amo.—
A Gonçalo de Aguilar en celada le han dexado.
Viniendo a vista de Ronda los moros salen al campo.
Hernandarias dio una buelta con ardid muy concertado,
16 y Gonçalo de Aguilar sale a ellos denodado,
blandeando la su lança ¡va diziendo: —¡Santiago,
a ellos, que no son nada! ¡Oy venguemos a Fernando!—
Murió allí Juan Delgadillo con hartos buenos cristianos.
20 Mas por las puertas de Ronda los moros ivan entrando;
veinte y cinco traía presos, trezientos moros mataron,
mas el viejo Hernandarias no se tuvo por vengado.

88

Cavalleros de Moclín, peones de Colomera
entre sí han hecho un concierto de Alcalá robar la tierra.
Allá van hazer el salto a los molinos de Guelva.
4 Quebrantado han los molinos, los molineros se llevan.
Allí habló un moro viejo que es muy ardid en la guerra:
—Para tanto cavallero chica cavalgada es ésta.
Soltemos un prisionero que Alcalá lleve la nueva
8 y démosle tantas heridas que en llegando luego muera;
y si d'ellas no muriere no valga para la guerra:
lançadas por las espaldas, cuchillada en la cabeça,
manquémosle de una mano: cortémosle la derecha.—
12 Ellos en aquesto estando un prisionero se suelta
que corría más que un gamo, saltava más que una zebra.
Por las calles de Alcalá a grandes vozes dixera:
—Cavalleros de Alcalá, no os alabaredes d'esta,

---

le habían deparado el desastre al hijo. Esta circularidad con función amonestadora no tiene seguramente en el centro de su interés una finalidad informativa. Cfr. motivo análogo en el Texto 131.

5 *ardid:* 'mañoso' y 'valiente'.

11 *manquémosle:* 'dejémosle manco'.

16 que los moros de Moclín corrido os han la ribera,
atalado os han el campo, no dexan vaca ni yegua.—
Oídolo ha Pero Hernández, Pero Hernández de Cabrera,
que está con su padre a missa. Salídose ha de la iglesia
20 y ármase de todas armas y cavalga en Bocanegra.
Su padre que ir le vido tras él sale de la iglesia.
—No vays allá, mi hijo, la mi bendición os venga;
y si allá fuéredes, hijo, de vos aya mala nueva,
24 que moros que a tal hora corren la celada dexan cerca;
que si oy ha sido la suya, mañana será la nuestra.—
—No voy yo allá, mi padre, que aquí voy hasta la cuesta
a tornar mis cavalleros que se van sin mi licencia.—
28 Por las calles de Alcalá corriendo va a media rienda
y saliendo de Alcalá corriendo va a rienda suelta.
A la passada de un río y al saltar de una acequia
del arnés que iva vestido caídosele ha una pieça.
32 Allí hablara un alcaide que alcaide era de Cabrera:
—Buelta, buelta, Pero Hernández, que no es buena señal [ésta:
yendo vos tan bien armado caérseos ahora una pieça.—
Allí habló Pero Hernández y d'esta manera dixera:
36 —¡Adelante, cavalleros, nadie buelva la cabeça!—
Passan primera celada, la segunda y la tercera
y al passar de la cuarta cristiano d'ellos no queda
sino fuera el su alcaide, el su alcaide de Cabrera,
40 que escapó a rienda suelta y el cavallo le valiera.
Por las calles de Alcalá a grandes vozes dixera:

---

17 *atalado:* lo mismo que *talado,* 'saqueado'. En la fuente *atalados,* un participio concordado que no sería raro en español antiguo, pero que aquí creo nacido de un descuido del impresor sugestionado por las varias *-s* limítrofes.

18 No sería superfluo intentar averiguar la edad real de este arrojadizo personaje en 1424, cuando ocurrió el episodio que el *R.* relata. El insistir en su condición de «hijo» apela a la temática de la juventud transgresora y por consiguiente malograda.

21 Cfr. la nota 7 del Texto 87, análogo a éste en más de un punto.

30-31 Cfr. la nota 8 del Texto 70 y la coincidencia entre los dos *RR.* en los motivos del paso del río, de la pérdida parcial de las armas y del aviso, allí del clérigo y aquí del alcaide.

38 *cristiano:* 'persona'.

—¡Socorred, don Diego Hernández, que vuestro hijo allá [queda!—
Desque esto oyó don Diego al alcaide arremetiera
44 y diole de puñaladas, que muy bien lo meresciera.

89

—Abenámar, Abenámar, moro de la morería,
¿qué castillos son aquéllos? Altos son y reluzían.
—El Alhambra era, señor, y la otra es la Mezquita,
4 los otros los Alixares, labrados a maravilla:
el moro que los labró cien doblas ganava al día;
la otra era Granada, Granada la noblecida,
de los muchos cavalleros y de la gran ballestería.
8 Allí habla el rey don Juan, bien oiréis lo que diría:
–Granada, si tú quisiesses contigo me casaría:

---

44 La reacción parecería excesiva si no tuviéramos en cuenta que, en este contexto, el alcaide cubre la función de ayo, y como tal es su deber evitar el desastre o perecer en él: cfr. el Texto 116. Esta nota y las 21 y 30-31 justifican el interés de la averiguación apuntada en la nota 18.

1 Abenámar es personaje histórico: acompañaba al infante Yúsuf ibn al-Mawl en el campamento que Juan II, a finales de junio de 1431, había asentado cerca de la alquería de Elvira, a doce km. de Granada. El primero de julio, en la batalla de la Higueruela, los castellanos desbarataron a Mohammed IX, el rey 'Izquierdo', pero evitaron entrar en Granada. El infante, como Yúsuf IV, ocupó el trono durante pocos meses. Abenámar y otros de sus fieles anduvieron por tierras castellanas y en la corte de Juan II hasta 1436. En un momento cualquiera de esos cinco años pudo componerse el *R.*, según lo representa nuestra versión: una brillante invención, con marco personajes y detalles rigurosamente históricos o verosímiles. Es importante Torres Fontes [1972-73], en part. págs. 248 y sigs., con bibliografía, de la cual señalo por lo menos las págs. 96-104, apasionadas e irónicas, de Menéndez Pidal [1939; pero de 1914]. Sobre el proceso creativo del *R.* y sus versiones Bénichou [1969], 61-92; cfr. también Álvarez Sanagustín [1987]; de su lenguaje tratan Spitzer [1945], Gilman [1972], Sandmann [1974]. *CR50A* y sus reimpresiones presentan un texto con varios incrementos, entre los cuales una introducción narrativa que empieza: «Por Guadalquivir arriba / el buen rey don Juan camina». En un *Juego* poético recogido por el *Cancionero de Herberay,* ed. por Ch. V. Aubrun, Bordeaux, Féret, 1951, pág. 195, v. 437, se cita «Ya caualga el rey don Johan», que pudo ser variante del exordio apenas aludido, que así resultaría bastante antiguo: en pág. XXXVI se fecha el *Juego* entre 1450 y 1462.

dart'he yo en arras y dote   a Córdova y a Sevilla
y a Xerez de la Frontera,   que cabo sí la tenía.
12 Granada, si más quisiesses   mucho más yo te daría.—
Allí hablara Granada,   al buen rey le respondía:
—Casada so, el rey don Juan,   casada soy que no biuda:
el moro que a mí me tiene   bien defenderme querría.—
16 Allí habla el rey don Juan,   estas palabras dezía:
—¡Echenme acá mis lombardas,   doña Sancha y doña El-
[vira!
Tiraremos a lo alto,   lo baxo ello se daría.—
El combate era tan fuerte   que grande temor ponía.
20 Los moros del baluarte   con terrible algazería
trabajan por defenderse   mas fazello no podían.
El rey moro que esto vido   prestamente se rendía
y cargó tres cargas de oro,   al buen rey se las embía;

14-15 Amable y tajante a la vez, la respuesta de Granada-dama frustra la demanda del pretendiente. La metáfora de la ciudad-mujer, que conjuga ideología guerrera y cortesana, es frecuente ya en cantares de gesta franceses, pero se ha considerado peculiar de la cultura poética árabe; por lo tanto se ha visto como un dato más para conjeturar el origen musulmán de un *R.* de apariencia tan filogranadina, sobre todo en su versión más atractiva, la del Texto 90: *Tratado,* VII, 102-108, recogiendo opiniones anteriores, habla del autor como de un «moro latinado»; cfr. también Menéndez Pidal [1973], 33-35 y *RH,* II, 34. Documenta la metáfora dentro de la tradición bíblica y de la peninsular, y a ella la recupera, Francisco Rico, «El amor perdido de Guillén Peraza», en *Syntaxis,* 22 (1990), págs. 27-34; para el *romancero fronterizo* en part. cfr. Victorio [1985].

18 No hubo asalto a la ciudad, pero el 28 de junio fue derribada la torre de Pinos-Puente, con tiros de lombarda que mataron a cuatro de los nueve moros que la defendían: Torres Fontes [1972-73], 253.

23 Como no se asaltó Granada, tampoco se dio tal forma de rendición, según los documentos oficiales. Pero en ellos se capta cierto estupor que debió de cundir al retirarse el ejército castellano, que renunciaba a ocupar la ciudad (cfr. los vv. 25-26) después de haber destrozado a los granadinos en la Higueruela. Se sabe que circularon rumores sobre ingentes cantidades de monedas de oro llegadas de Granada a don Álvaro de Luna y al rey (Torres Fontes [1972-73], 253-254); el detalle de nuestro v. tendría una autenticidad suya de subido interés, pero en contraste con la burda falsedad sucesiva del evento bélico, difícilmente aceptable para contemporáneos de los sucesos. Seco de Lucena [1958], 25-27, recogiendo y reforzando observaciones anteriores, propuso que el segmento que va del v. 16 hasta el final se considerara un agregado tardío, además de prosaico. ¿Un agregado que, asociando al oro un asalto triunfador, mitigara la malevolencia de los rumores y salvara por lo menos la buena memoria de Juan II?

24 prometió ser su vassallo con parias que le daría.
Los castellanos quedaron contentos a maravilla;
cada cual por do ha venido se bolvió para Castilla.

90

—Abenámar, Abenámar, moro de la morería,
el día que tú naciste grandes señales avía:
estava la mar en calma, la luna estava crecida;
4 moro que en tal signo nace no deve dezir mentira.—
Allí le responde el moro, bien oiréis lo que dezía:
—No te la diré, señor, aunque me cueste la vida,
porque soy hijo de un moro y de una cristiana cautiva:
8 siendo yo niño y muchacho mi madre me lo dezía
que mentira no dixesse, que era grande villanía.
Por tanto pregunta, rey, que la verdad te diría.—
—Yo te agradezco, Abenámar, aquessa tu cortesía.
12 ¿Qué castillos son aquéllos? Altos son y reluzían.—
—El Alhambra era, señor, y la otra la mezquita;

8-9 Uno de los textos más fascinadores del *romancero* abre su versión más seductora con vv. donde destellos de juegos fónicos y de sabiduría arcana brillan al lado del prosaísmo de vv. como los que anoto. Son vv., además, que aconsejarían matizar la pretendida maurofilia del *R.*: tanto la madre cristiana de Abenámar educando al hijo especialmente a la sinceridad, como el rey en su aviso del v. 4, muestran compartir el prejuicio corriente sobre la inclinación natural de los moros a la mentira. Seco de Lucena [1958], recogiendo sugestiones ya de Milà y Fontanals, propuso eliminar del texto no sólo este motivo de la madre cristiana, sino toda la parte del diálogo que va del v. 2 al v. 11 inclusive, así como la referencia a las tardías Torres Bermejas y al Generalife en los vv. 17-18. Obtendríamos un texto histórica y culturalmente homogéneo; o sea, el Texto 89 más o menos, que si funciona en su principio falla en su final, como hemos visto. ¿Cuál quisiéramos que fuera nuestro *R. de Abenámar*, que desde luego declararíamos El *R. de Abenámar*? El que estamos leyendo probablemente es, en parte, el de Pérez de Hita, cuya indiscutible maurofilia no contemplaba —podemos estar seguros— moros auténticos, y por lo tanto mentirosos, entre colores y perfumes de la Alhambra.

12 *reluzían:* en el más comentado de los imperfectos del *romancero* las lecturas impresionistas perciben efectos de distanciación, las positivistas exigencias de rima y las formalistas el dictado de una retórica de la variación temporal, de raigambre épica y en función prosódico-musical; etc. Observaciones atinadas y bibliografía en Sandman [1974].

los otros los Alijares, labrados a maravilla:
el moro que los labrava cien doblas ganava al día,
16 y el día que no las [*sic*] labra otras tantas se perdía;
el otro el Generalife, huerta que par no tenía;
el otro Torres Bermejas, castillo de gran valía.—
Allí habló el rey don Juan, bien oiréis lo que dezía:
20 —Si tú quisiesses, Granada, contigo me casaría;
darte he yo en arras y dote a Córdova y a Sevilla.—
—Casada soy, rey don Juan, casada soy que no viuda:
el moro que a mí me tiene muy grande bien me quería.—

91

Alora la bien cercada, tú que estás en par del río,
cercóte el adelantado una mañana en domingo,
de peones y hombres d'armas el campo bien guarnescido.
4 Con la gran artillería hecho te avía un portillo.
Viérades moros y moras todos huir al castillo:

---

2 *adelantado:* Diego Gómez de Ribera en mayo de 1434, fecha del episodio, era gobernador civil y militar de Andalucía: *Tratado,* VII, 109-110. El *R.* perfila el relato según la perspectiva localista habitual, reduciendo a una dimensión casi privada un suceso que se enmarcaba en una campaña militar poderosa lanzada por Juan II contra el territorio de Málaga. Así lo destaca Mackay [1976], 20-21, comentando el particularismo de tanto *romancero fronterizo* y al mismo tiempo su capacidad de albergar humores de comprensión recíproca entre la comunidad cristiana y la musulmana.

5-8 Es la otra cara de pendones, lanzas, marlotas, adargas, añafiles y demás instrumentos marciales; la *pietas* poética reúne en un destino único de víctimas a la comunidad sitiada y al desdichado agresor. Comenta tal «dualidad emotiva» Battesti [1975], dentro de un dilatado examen formal de un texto del *R.* sacado de la muy personal *Flor nueva* de Menéndez Pidal; más esencial Chasca [1972a]. Foster [1973] piensa que esa piedad se extiende hasta inspirar comprensión por la alevosía del morador de una ciudad herida y a punto de capitular. Como puede capitular una mujer que al fin cede a un cortejador apremiante: Deyermond [1992] piensa que ese nivel metafórico pudo entrar en el juego compositivo del poemita, en una época y al contacto con una cultura poética aficionadas a léxico e imágenes militares para variar y avivar el discurso de amor. Agreguemos que tal resistencia, con frustración del agresor, tiene su análogo en la Granada que se niega a Juan II (Texto 90), y la encontramos en formas idénticas, pero en evidente versión metafórica, en la Zamora-Urraca que rechaza al Cid, herido en el corazón por aquella «vira» simbólica tirada de una «torre mocha» (Texto 124). Comentarios sobre Alora-ciudad mujer ya en Victorio [1985].

las moras llevavan ropa, los moros harina y trigo,
y las moras de quinze años llevaban el oro fino
8 y los moricos pequeños llevaban la passa e higo.
Por cima de la muralla su pendón llevan tendido.
Entre almena y almena quedado se avía un morico,
con una ballesta armada y en ella puesto un cuadrillo.
12 En altas vozes dezía, que la gente lo avía oído:
—Treguas, treguas, adelantado, por tuyo se da el casti-
[llo.—
Alça la visera arriba por ver el que tal le dixo.
Assestárale a la frente, salido le ha al colodrillo.
16 Sacólo Pablo de rienda y de mano Jacobillo,
estos dos que avía criado en su casa desde chicos;
llevároNle a los maestros por ver si será guarido.
A las primeras palabras el testamento les dixo.

92

Un día de sant Antón, esse día señalado,
se salían de san Juan cuatrocientos hijos dalgo.
Las señas que ellos llevavan es pendón rabo de gallo;
4 por capitán se lo llevan al obispo don Gonçalo.
Armado de todas armas, encima de un buen cavallo,

---

11 *cuadrillo:* 'saeta de madera'.

15 *frente:* «por la voca» según la *Crónica* del halconero de Juan II, Pedro Carrillo de Huete (cit. en la nota 5-7 del Texto 74), pág. 162.

16 *Pablo.. Jacobillo:* que se llamaran o no así en la realidad los dos pajes del adelantado, a Deyermond [1992], 109, le parece probable que la religiosa solemnidad del momento cobraba realce de la conjunción del nombre del «apóstol de los Gentiles» con el del «santo patrono de España», en un final que recupera para las armas cristianas aquellas simpatías que la primera parte del texto había orientado hábilmente hacia los moros.

18 *maestros:* 'médicos'.

18 *guarido:* 'curado'. Ver Adiciones.

2 *san Juan:* lo correcto sería *Jaén:* cfr. la nota siguiente.

4 El obispo don Gonzalo de Zúñiga vivió en la primera mitad del siglo XV y fue entre los protagonistas de la guerrilla fronteriza y de los cantos relativos. Este episodio no lo encontramos en las Crónicas; podría tener un núcleo auténtico (¿1435?), enriquecido con motivos novelescos: Menéndez Pidal [1973], 133-153.

ívase para La Guarda,   esse castillo nombrado.
Sáleselo a rescebir   don Rodrigo esse hidalgo:
8 —Por Dios os ruego, obispo,   que no passedes el vado
porque los moros son muchos,   que a La Guarda avían llegado;
muerto me han tres cavalleros   de que mucho me ha pesado:
el uno era mi primo   y el otro era mi hermano
12 y el otro era un paje mío   que en mi casa se ha criado.—
—Demos la buelta, señores,   demos la buelta a enterrallos:
haremos a Dios servicio   y honraremos los cristianos.—
Ellos estando en aquesto   llegó don Diego de Haro:
16 —¡Adelante, cavalleros,   que me llevan el ganado!
Si de algún villano fuera   ya lo oviérades quitado.
Empero alguno está aquí   a quien plaze de mi daño;
no cale dezir quién es,   que es el del roquete blanco.—
20 El obispo que lo oyera   dio de espuelas al cavallo;
el cavallo era ligero   y saltado avía un vallado.
Mas al salir de una cuesta,   a la assomada de un llano,
vido mucha adarga blanca,   mucho albornoz colorado
24 y muchos hierros de lanças   que reluzen en el campo.
Metido se avía por ellos   como león denodado:
de tres batallas de moros   las dos ha desbaratado
mediante la buena ayuda   que en los suyos ha hallado;
28 aunque algunos d'ellos mueren,   eterna fama han ganado.
Todos passan adelante,   ninguno atrás se ha quedado:

---

8 *vado:* sobre el paso del río cfr. la nota 8 del Texto 70.

13-14 Atribuyo estos dos versos al obispo: a él se ha dirigido don Rodrigo y a él le corresponde la decisión de ordenar la retirada o la prosecución de la marcha. Y en efecto el polémico «Adelante» (v. 16) de Diego de Haro es como un desafío lanzado contra el obispo, y no tan solapadamente.

15 *Diego de Haro:* en la versión del *R.* de Pérez de Hita, pág. 169, el nombre de este caballero es «Pedro Carvajal». Creo de interés tal variante y no del todo casual: asociada con la referencia despectiva del v. 17 a *algún villano,* remite al Texto 65.

19 *cale:* 'importa'. En todo el *romancero viejo* es la única presencia de este raro verbo; los demás testimonios 'corrigen' con el más familiar *cabe.*

19 *roquete:* vale tanto como indumento, «especie de sobrepelliz», que como «figura que está en forma de triángulo en el escudo»: *DRAE,* s. v.; el contexto favorece la segunda acepción, aunque en tema de vestidos el *romancero* tiene orientaciones bastante personales.

29-36 El epílogo tiene visos de postizo; otro final, con el cautiverio del obispo, parece menos auténtico aún: Menéndez Pidal, cit. arriba.

siguiendo a su capitán el covarde es esforçado.
Honra ganan los cristianos, los moros pierden el campo;
32 diez moros pierden la vida por la muerte de un cristiano;
si alguno d'ellos escapa es por uña de cavallo.
Por su mucha valentía toda la prez han cobrado;
assí con esta vitoria como señores del campo,
36 se buelven para Jaén con la honra que han ganado.

93

Río Verde, río Verde, más negro vas que la tinta:
entre ti y Sierra Bermeja murió gran cavallería,
mataron a Ordiales, Sayavedra huyendo iva.

---

33 *por uña de cavallo:* 'a todo correr del caballo': *DRAE,* s. v.

34 *prez:* formando pareja con *honra* (vv. 31 y 36), es lección bien justificada. En un *Romancero* perdido se encontraba *pressa* (o sea, *presa*) que Menéndez Pidal [1973], 144, acoge como lección primitiva. Sin embargo, en *prez* veo una correspondencia más apropiada con el carácter que la empresa ostenta en su comienzo y con el tono general del relato, que celebra un puro alarde militar. Diego de Haro introduce, con su ganado, una preocupación muy realista y unos humores que perjudican el énfasis épico que rodea la salida del obispo. Las vicisitudes textuales de este poemita debieron de ser complejas, a juzgar por lo documentado, e invitan a no descartar reelaboraciones parciales, superposición de motivos y cualquier manipulación que las rivalidades entre los protagonistas de la guerrilla fronteriza podían inspirar.

1 Sobre esta clase de exordio cfr. la nota 1 del Texto 87 y el estudio allí citado, que trata en particular de este *R*. En las proximidades del río Verde, cerca de Marbella y Sierra Bermeja, en enero de 1448 fue destrozada la hueste de 600 hombres que había salido de Jerez al mando de Juan de Saavedra, para robar ganado. El desastre impresionó mucho y dejó huellas numerosas en Crónicas y documentos varios: Menéndez Pidal [1973], 155-163 y 465-488; López de Coca Castañer [1982]. Seco de Lucena [1958] había avanzado la sospecha que el *R*. fuera muy posterior al suceso y deudor de las Crónicas.

3 La muerte de Pedro de Ordiales, veinticuatro de Sevilla y yerno del hermano menor de Juan Arias, tuvo gran resonancia; Antón de Montoro le dedicó uno de sus pocos poemas en arte mayor: *Cancionero,* ed. M. Ciceri y J. Rodríguez Puértolas, Salamanca, Diput. Provincial, 1991, núm. LXXXIX, pág. 242. Juan Arias de Saavedra, alcaide de Castellar desde 1434, era segundogénito de Fernán Arias Saavedra, el alcaide titular de Cañete en el Texto 87: Sánchez Saus (art. cit. en la nota 1 del Texto 87), págs. 167-168; muy útil más allá de su tema inmediato, este art. se concluye con la constatación que en el siglo XV «ser un Saavedra era tanto como ser partícipe, desde la

4 Con el temor de los moros entre un xaral se metía;
tres días ha con sus noches que bocado no comía,
aquexávale la sed y la hambre que tenía.
Por buscar algún remedio al camino se salía.
8 Visto lo avían los moros que andan por la serranía.
Los moros desque lo vieron luego para él se venían;
unos dizen: —¡Muera, muera!—, otros dizen: —¡Biva, [biva!—
Tómanle entre todos ellos, bien acompañado iva;
12 allá le van a presentar al rey de la morería.
Desque el rey moro lo vido bien oiréis lo que dezía:
—¿Quién es esse cavallero que ha escapado con la vida?—
—Sayavedra es, señor, Sayavedra el de Sevilla,
16 el que matava tus moros y tu gente destruía,
el que hazía cavalgadas y se encerrava en su manida.—
Allí hablara el rey moro, bien oiréis lo que dezía:
—Dígasme tú, Sayavedra, si Alá te alargue la vida,
20 si en tu tierra me tuviesses ¿qué honra tú me harías?—
Allí habló Sayavedra, d'esta suerte le dezía:

---

cuna, en un destino trágico y glorioso a la vez, sellado con frecuencia por la muerte» (pág. 181). De tal espíritu resienten los *RR*. dedicados a miembros de esta familia, y poderosamente debieron contribuir en difundirlo y reforzarlo, sin duda con el merecido favor del clan.

4 De aquí en adelante toma pie el elemento novelesco y se va construyendo la figura del caballero cristiano ejemplar, que sacrifica la vida por no traicionar su fe: la versión femenina es Moriana (Texto 42). El Saavedra histórico estuvo prisionero un par de años, en Granada, donde al fin dejó como rehenes a dos hijas hasta que reunió las 12.000 doblas del rescate, gracias también a una contribución de Juan II. Siguió luchando contra los moros y murió en 1458. Avalle-Arce [1985] atribuye el cariz idealizador y apologético del *R*. a una reelaboración interesada de un texto primitivo que se adhería más a la realidad, ya conjeturado por Menéndez Pidal; la oportunidad de ensalzar así las tradiciones de la familia Saavedra pudo presentarse cuando, en 1539, Castellar fue elevada a condado y un Juan Arias Saavedra pasó a ser su primer conde. Ha sido recogida y bien estudiada por Trapero [1986], [1989] y [1991] una interesante versión tradicional de La Gomera (Canarias). La isla formaba parte de un señorío pasado, en 1479, a una rama de los Saavedra, que debían de conocer el *R*. y apreciar su propagación, atestiguada por historiadores antiguos de las islas: Antonio Rumeu de Armas, «El señorío de Fuerteventura en el siglo XVI», en *Anuario de Estudios Atlánticos,* 32 (1986), págs. 17-127 y Trapero [1991].

19 El contenido del diálogo es motivo novelesco muy divulgado: Menéndez Pidal [1973], 486-487.

—Yo te lo diré, señor, nada no te mentiría:
si cristiano te tornasses grande honra te haría,
24 y si assí no lo hiziesses muy bien te castigaría:
la cabeça de los hombros luego te la cortaría.—
—Calles, calles, Sayavedra, cesse tu malenconía.
Tórnate moro, si quieres, y verás qué te daría:
28 darte he villas y castillos e joyas de gran valía.—
Gran pesar ha Sayavedra d'esto que oir dezía;
con una boz rigurosa d'esta suerte respondía:
—¡Muera, muera Sayavedra! La fe no renegaría,
32 que mientra vida tuviere la fe yo defendería.—
Allí hablara el rey moro y d'esta suerte dezía:
—Prendeldo, mis cavalleros, y d'él me hazed justicia.—
Echó mano a su espada, de todos se defendía;
36 mas como era uno solo allí hizo fin su vida.

94

Allá en Granada la rica instrumentos oí tocar,
en la calle los Gomeles, a la puerta de Abidbar,
el cual es moro valiente y muy fuerte capitán.
4 Manda juntar muchos moros bien diestros en pelear,

---

26 *malenconía:* en el sentido arcaico de 'enfado', 'cólera'.

36 En Pérez de Hita hay una versión del *R*. más sintética (*Primav.*, 96a), pero continuada con el relato de la muerte de Alonso de Aguilar en Sierra Nevada en 1501, que fue cantada en otro *R*.

2 *Abidbar:* muy acertadamente en *Tratado,* VII, 114 se recuerda la *serranilla* del marqués de Santillana donde el caballero avisa a la pastora que este caudillo moro está corriendo la comarca, y así espera convencerla a aceptar su compañía. Al año en que murió el marqués, 1452, remontan la empresa y el descalabro narrados en el *R.,* que mereció los elogios fervorosos de don Marcelino «por su fiera y brava pujanza» que dejaban percibir «el tumulto de la lid, la furia de la arremetida, el alborozo y la sorpresa del inesperado triunfo [...], triunfo que podemos llamar municipal más que caballeresco»; admiraba «tanta precisión topográfica [...], tanta viveza en el relato como de cosa actual, no recordada, sino vista en el propio momento»; en conclusión, auténtica «poesía de campamento [...] histórica de pies a cabeza», como queda confirmado gracias a los cronistas locales (págs. 115-116). Concuerda *RH,* II, 8, donde leemos que el texto «conserva mejor que ningún otro los rasgos originarios, noticieros, apenas tocados del estilo intuitivo».

porque en el campo de Lorca se determina de entrar.
Con él salen tres alcaides, aquí les quiero nombrar:
Amoradi de Guadix, éste es de sangre real,
8 Abenaciz es el otro y es de Baça natural,
y de Vera es Alabez, d'esfuerço muy singular,
y en cualquier guerra su gente bien la sabe caudillar.
Todos se juntan en Vera para ver lo que harán;
12 el campo de Cartagena acuerdan de saquear;
Alabez, por ser valiente, lo hazen su general.
Otros doze alcaides moros con ellos juntados se han,
que aquí no digo sus nombres por quitar prolixidad.
16 Ya se partían los moros, ya comiençan de marchar.
Por la fuente de Pulpé, por ser secreto lugar,
y por el puerto los Peines, por orilla de la mar,
en el campo Cartagena con furor fueron a entrar
20 Cautivan muchos cristianos, que era cosa d'espantar.
Todo lo corren los moros, sin nada se les quedar,
el rincón de san Ginés y con ello el Pinatar.
Cuando tuvieron gran presa hacia Vera buelto se han,
24 y en llegando al Puntarón consejo tomado han,
si passarían por Lorca o si irían por la mar.
Alabez, como es valiente, por Lorca quiere passar,
por tenerla muy en poco y por hazerle pesar.
28 Y ansí con toda su gente començaron de marchar.
Lorca y Murcia lo supieron, luego los van a buscar,
y el comendador de Aledo, que Lisón suelen llamar;
junto de los Alporchones, allí los van alcançar.
32 Los moros ivan pujantes, no dexavan de marchar;
cautivaron un cristiano, cavallero principal,

---

9 *d'esfuerço muy singular:* atributo y fórmula vuelven en los vv. 41 y 59 y evocan rasgos lingüísticos de la juglaría 'carolingia', como «que era cosa d'espantar» (vv. 20 y 56), «esfuerço muy sin par» (v. 48), «que dolor es de mirar» (v. 54), etc. En *RH,* I, 69 el lenguaje del *R.* es definido «poco tradicional, muy juglaresco»; y más adelante se nota que «con 61 versos sin ningún *-ae* pertenece bien a la métrica tardía, corriente en la segunda mitad del XV» (pág. 141). Agreguemos que su asonancia aguda en *-a* es de las más raras en *romances fronterizos.*

15 El autor mantiene su buen propósito; al mismo tiempo es como si con este v. firmara su texto, que sin duda permanece anónimo pero es menos impersonal que tantos otros, gracias también a ese aviso.

cual llamavan Quiñonero, que es de Lorca natural.
Alabez que vio la gente, comiença de preguntar:
36 —Quiñonero, Quiñonero, dígasme aora la verdad;
pues eres buen cavallero, no me la quieras negar:
¿Qué pendones son aquellos que están en el olivar?—
Quiñonero le responde, tal respuesta le fue a dar:
40 —Lorca y Murcia, son, señor, Lorca y Murcia, que no [más,
y el comendador de Aledo, de valor muy singular,
que de la francesa sangre es su prosapia real.
Los caballos traían gordos, ganosos de pelear.—
44 Allí respondió Alabez, lleno de rabia y pesar:
—Pues por gordos que los traigan, la rambla no passarán;
y si ellos la rambla passan ¡Alhá y cuán mala señal!—
Estando en estas razones allegara el mariscal
48 y el buen alcaide de Lorca, con esfuerço muy sin par:
aqueste alcaide es Faxardo, valeroso en pelear;
la gente traen valerosa, no quieren más aguardar.
A los primeros encuentros la rambla passado han;
52 y aunque los moros son muchos, allí lo passan muy mal.
Mas el valiente Alabez haze gran plaça y lugar:
tantos mata de cristianos que dolor es de mirar.
Los cristianos son valientes, nada les pueden ganar:
56 tantos matan de los moros que era cosa de espantar.
Por la sierra de Aguaderas huyendo sale Abidbar,
con trecientos de a cavallo, que no pudo más sacar.
Faxardo prendió a Alabez, con esfuerço singular;
60 quitaron la cavalgada, que en riqueza no ay su par.
Abidbar llegó a Granada y el rey le mandó matar.

---

35 Empieza un segmento que parece tener como modelo el diálogo entre Juan II y Abenámar (Textos 89 y 90), incluso exhibiendo el mismo imperfecto 'anómalo' (v. 43), aunque aquí menos evocador.

46 La rambla es a la vez el límite natural real (la Rambla de Viznaya: *Tratado,* VII, 116n) y aquella línea simbólica que muda el destino de quien la franquea; la iteración (vv. 45-46) y el v. 51 confirman el sentido latente. Cfr. el Texto 70 y su nota 8.

49 *Faxardo:* es Alonso Fajardo, posible protagonista también del Texto 95.

95

Jugando estava el rey moro y aun al ajedrez un día
con aquesse buen Fajardo, con amor que le tenía.
Fajardo jugava a Lorca y el rey moro Almería.
4 Xaque le dio con el roque, el alférez le prendía.
A grandes bozes le dize el moro: —¡La villa de Lorca es [mía!—
Aí fablara Fajardo, bien oiréis lo que dezía:
—Calles, calles, señor rey, no tomes la tal porfía,
8 que aunque tú me la ganasses ella no se te daría:
cavalleros tengo dentro que te la defenderían.—
Allí hablara el rey moro, bien oiréis lo que dezía:
—No juguemos más, Fajardo, ni tengamos más porfía,
12 que sois vos tal cavallero que todo el mundo os temía.—

96

Passeávase el rey moro por la ciudad de Granada,
desde las puertas de Elvira hasta las de Bivarrambla.
¡Ay de mi Alhama!
Cartas le fueron venidas que Alhama era ganada.
4 Las cartas echó en el fuego y al mensagero matara.
¡Ay de mi Alhama!

---

2 Don Pedro Fajardo, adelantado de Murcia, según Argote de Molina y secuaces: Erasmo Buceta, «Anotaciones sobre la identificación del Fajardo del romance 'Jugando estava el rey moro'», en *RFE*, XVIII (1931), páginas 24-33; don Alonso Fajardo, alcaide de Lorca, según otros: Torres Fontes [1948]. La segunda identificación descansa sobre documentos más convincentes, relativos a los muchos tratos de don Alonso con los moros y a su temperamento intrépido. De haber sido real, el episodio pudo ocurrir entre 1454 y 1460. Sobre versiones distintas del texto *Tratado*, VII, 116-117 y Torres Fontes [1948], 311.

1 El rey es Muley Abu-l Hassan, penúltimo monarca de Granada. Alhama se perdió el 28 de febrero de 1482.

El estribillo no aparece en ninguna de las otras fuentes ni en la otra versión del *R.* en Pérez de Hita; pero lo cita el *Delphín de Música* de Luis de Narváez, impreso en 1538. Podría ser invención de los músicos, que tuvieron predilección por este *R.*: Sage [1976], 201-202; en *RH*, I, 382 la transcripción de la música.

Descavalga de una mula y en un cavallo cavalga;
por el Zacatín arriba subido se había al Alhambra.
¡Ay de mi Alhama!
Como en el Alhambra estuvo, al mismo punto mandava
8 que se toquen sus trompetas, los añafiles de plata,
¡Ay de mi Alhama!
y que las caxas de guerra apriessa toquen alarma,
porque lo oigan sus moricos, los de la Vega y Granada.
¡Ay de mi Alhama!
Los moros que el son oyeron que al sangriento Marte llama,
12 uno a uno y dos a dos juntádose ha gran batalla.
¡Ay de mi Alhama!
Allí habló un moro viejo, d'esta manera hablava:
—¿Para qué nos llamas, rey? ¿Para qué es esta llamada?—
¡Ay de mi Alhama!
—Avéis de saber, amigos, una nueva disdichada:
16 que cristianos con braveza ya nos han ganado a Alhama.—
¡Ay de mi Alhama!
Allí habló un alfaquí de barba crecida y cana:
—Bien se te emplea, buen rey, buen rey, bien se te em-
[pleava:
¡Ay de mi Alhama!
mataste los Bencerrajes, que era la flor de Granada,
20 cogiste los tornadizos de Córdova la nombrada.

9 *caxas de guerra:* 'tambores'.
11 *sangriento Marte:* probable intrusión de la mano de Pérez de Hita, testigo único de sintagma tan culto.
12 *batalla:* 'hueste'.
17 Tiene verosimilitud histórica la enérgica intervención de un tal personaje, especialista oficial en derecho y aquí con el prestigio de la edad. Pocos años después, algunos alfaquíes de Granada instaron al entonces rey Boabdil para que fuera a socorrer a Baza (Texto 100), otro lugar estratégico para la defensa del reino agonizante. Fue inútil, y además perdieron sus cabezas. Probablemente ignoraban que Boabdil cobraba ya una pensión de los Reyes Católicos.
19 Sobre historia, leyendas y fortuna literaria de la poderosa familia granadina de los Abencerrajes cfr. Francisco López Estrada, ed., *El Abencerraje* (Novela y Romancero), Madrid, Cátedra, 1980.
20 El verso alude a la estirpe de Pedro Venegas, de origen cristiano: cfr. la nota 7 del Texto 84; un hijo suyo llegó a ser visir y privado de Muley Hassan.

¡Ay de mi Alhama!

Por esso mereces, rey, una pena bien doblada:
que te pierdas tú y el reino y que se pierda Granada.—

97

—Moro alcaide, moro alcaide, el de la barva vellida,
el rey os manda prender porque Alhama era perdida.—
—Si el rey me manda prender porque es Alhama perdida,
4 el rey lo puede hazer mas yo nada le devía,
porque yo era ido a Ronda a bodas de una mi prima;
yo dexé cobro en Alhama, el mejor que yo podía.
Si el rey perdió su ciudad, yo perdí cuanto tenía:
8 perdí mi muger y hijos, la cosa que más quería.

---

22 Es la profecía *a posteriori* que hallamos en otros *rr.* sobre 'caída de príncipes' y pérdidas de reinos: Textos 71, 81, 103 y 105. Por lo tanto este *R.* sería posterior a 1492, aunque ya en 1482 —cuando cayó Alhama— el desastre final podía preverse fácilmente. Otra versión (*Primav.* 85) agrega un intento de recobrar Alhama, vanificado por el valor de los cristianos que la ocupan, en particular del marqués de Cádiz y de Martín Galindo, alcaide de Marchena. *Tratado*, VII, 124-126 subraya el intento celebrativo de tal continuación (y cfr. el Texto 85 y su nota 40), mientras para el texto breve acepta —con menor razón— una atribución, tradicional desde Pérez de Hita, a cantores de parte árabe y un enlace con modelos de lamento sobre pérdida de ciudades, típicos de la cultura musulmana. Dentro de una lectura del *romancero fronterizo* como galería de figuras ejemplares de soldados españoles en la época que ve fraguarse la conciencia nacional, da un amplio espacio al *R.* Díaz Quiñones [1973], 11-20; una exégesis literaria en Mancini [1976]; problemas textuales tratan Gornall [1982] y Di Stefano [1992b]. A los *rr.* de tema granadino dedica importantes comentarios Alvar [1970], 139-160.

1 *vellida:* 'hermosa' y también 'abundante', asociándose *vellido* a *velludo*.

2 El verso alude a la caída de Alhama del Texto 96. Allí se cantaba el dolor del monarca, que definiríamos 'institucional' frente a la aflicción individual y doméstica del alcaide derrotado, que se canta aquí: cfr. la escueta y elocuente yuxtaposición de los vv. 7-8, que afirman la íntima primacía de los afectos privados respecto a la dimensión pública del hombre. Volvemos a percibir aquella *pietas* que inspiraba algunos versos del Texto 91 y que sustrae zonas de estos *rr.* a definiciones generales como la citada en la nota 32 del Texto 96.

98

¡Ay Dios, qué buen cavallero el Maestre de Calatrava!
¡Oh cuán bien corre los moros por la Vega de Granada,
con trezientos cavalleros, todos con cruz colorada,
4 dende la Puente de Pino hasta la Sierra Nevada!
Por essas puertas de Elvira entra arrojando la lança;
las puertas eran de hierro, de vanda a vanda las passa,
que no hay moro tan fuerte que a demandárselo salga.
8 Oídolo avía Avayaldos en sus tierras donde estava.
Arma fustas y galeras, por la mar gran gente armava.
Sáleselo a recebir el rey Chico de Granada.
—Bien vengáis vos, Avayaldos, buena sea vuestra lle-[gada.
12 Si venís a ganar sueldo daros he paga doblada,
si venides por muger, dárosla he muy galana.—
—Muchas gracias, el buen rey, por merced tan señalada.
Que no vengo por mujer, que la mía biva estava;
16 mas vengo que me dixeron, allende el mar donde estava,
que esse malo del Maestre tiene cercada a Granada.
Y por servirte, buen rey, pago yo toda esta armada.—
—La verdad —dixo el moro—, la verdad te fue contada,
20 que no hay moro en mi tierra que le espere cara a cara
sino fuere el buen Escudo, que era alcaide del Alhama,

---

1 En *Tratado,* VII, 129-131 se sugería, tibiamente, la identificación de este Maestre con don Rodrigo Téllez Girón, heredero del Maestrazgo a los doce años y muerto a los veintisiete en el sitio de Loja, en 1482, con gran fama de atrevido. Cirot [1932], después de un detenido examen de la historiografía contemporánea, señaló en el sucesor de don Rodrigo en el Maestrazgo, don García López de Padilla, el protagonista más probable de las pocas gestas de sabor histórico en la leyenda de un típico héroe de la frontera. *RH,* I, 316 prefirió resaltar la función simbólica del Maestre, cantado en varios *rr.* que en él «personifican las mil aventuras de temerario valor que tan al uso estaban en la última época de la guerra granadina», y que le aseguraron amplia fortuna tanto en el *romancero* 'nuevo' como en el teatro del Siglo de Oro: Carrasco Urgoiti [1987].

2 *corre:* 'persigue', 'acosa'.

3 *cruz colorada:* la insignia de la Orden de Calatrava.

8 *Avayaldos:* símbolo de fanfarronería mora. Ver Adiciones.

10 El rey Chico es Abd-Allah, hijo de Muley-Hassan, más conocido como Boabdil, último rey de Granada.

11-16 Cfr. los vv. 8-15 del Texto 135.

y una vez que saliera caro costó a Granada:
veinte mil moros llevó y ninguno no escapara,
24 y él encima de una yegua malherido se tornara.—
—¡Oh mal uviesse Mahoma allá do dizen que estava,
porque un fraile capilludo arroje lança en Granada!
Diéssesme tú, el buen rey, la gente que buena estava,
28 los ginetes de Jaén, los peones de tu casa,
que esse malo del Maestro yo te lo trairé a Granada.—
—Calles, calles, Abayaldos, no digas la tal palabra,
qu'el Maestro es niño y moço y venturoso en batalla
32 y si en el campo te topa haráte temblar la barba.—
Respondiera Avayardos una muy fea palabra:
—Si no fueras tú, buen rey, diérate una bofetada.—
—Essa bofetada, moro, fuérate muy bien vengada,
36 que tres hijos tengo alcaides en el reino de Granada:
el uno tengo en Guadix y el otro tengo en Baça
y el otro tengo en Lorca, una villa muy nombrada,
y a mí porque era viejo entregáronme Alhama;
40 porque veas, perro moro, si te fuera demandada.—
Pusiéronlos luego en paz, que ninguno más no hablara,
sino Avayaldos que pide licencia le sea dada,
que con sola la su gente quiere cumplir su palabra.

---

26 *fraile capilludo:* alusión despectiva al adversario, que era afiliado a una Orden religioso-militar; más apropiado sería el término *freile*.

31 *niño y moço:* la mocedad bienaventurada es rara en el *romancero*, y menos todavía en el *fronterizo*, que tal vez solamente a esta criatura de la fantasía ha querido regalársela. Bien observa Alvar [1970], reseñando los *romances* sobre el Maestre (págs. 145-150), que «la literatura romancesca, enamorada de la juventud y gallardía de don Rodrigo, vio en él el arquetipo de toda clase de buenandanzas y fundió en un maestre ideal la bizarría de don Rodrigo y la fortuna de don García. No hay que olvidar que el primero, al morir en 1482, tenía veintisiete años, y el segundo, en 1489, era de edad avanzada» (pág. 146n).

36 *tres hijos:* la familia de Boabdil fue numerosa, pero no se sabe de hijos con los cargos citados en el *R*. La entrada del 'tres' folklórico, en este caso, parece pisar las huellas del lamento de la infanta Urraca en el Texto 123: cfr. en particular su v. 5 y nuestro v. 39, donde resuena acaso un tono de burla; o, por ejemplo, el *perro moro* del v. 40. El texto abunda en lugares comunes del *romancero* y del folklore: un ejemplo más en los vv. 48-49, con un fatídico paso del río (cfr. Texto 70, nota 8) y una pérdida de la presa que preanuncian el fracaso de Avayaldos.

44 El rey se la concedió. Mucha gente le acompaña.
Por los campos de Jaén todo el ganado robava,
mucha vaca y mucha oveja y el pastor que lo guardava,
mucho cristiano mancebo y mucha linda cristiana.
48 A la passada de un río, a la orilla de un agua,
soltádosele ha un pastor de los presos que llevava;
por las puertas de Jaén al Maestro bozes dava:
—¿Dónde estás tú, el Maestre? ¿Qu'és de tu noble com-[paña?
52 Oy pierdes toda tu gloria, Avayaldos te la gana.—
Oídolo ha el Maestre en sus palacios do estava.
—Calles, calles, el pastor, no digas la tal palabra,
que si oy pierdo mi honra, mañana será ganada.
56 ¡Alarma, mis cavalleros! ¡Todo hombre, sus alarma!—
Luego que en campo se vido a los suyos esforçava.
A la baxada de un valle, por cima de una assomada,
vio como iva Avayaldos con toda su cavalgada.
60 El Maestro que los viera d'esta suerte razonara:
—¡A ellos, mis cavalleros, que ninguno se nos vaya!—
Pone piernas al cavallo y aprieta muy bien su lança.
Al primero que encontró en tierra muerto lo echara.
64 Andando en la pelea con Avayaldos topara;
con la fuerça del Maestre Avayaldos se desmaya,
cayó muerto del cavallo, su fin allí lo acabara.
Los suyos desque lo vieron cada cual a huir se dava.

99

De Granada parte el moro que Alatar se llamava,
primo hermano de Abayaldo, el que el Maestre matara.
Cavallero en un cavallo que de diez años passava,

---

62 *Pone piernas:* 'aprieta con las piernas'.
1 Aliatar, o Alatar, suegro de Boabdil, fue alcaide y defensor de Loja durante el sitio donde murió don Rodrigo Téllez Girón: cfr. las notas 1 y 10 del Texto 98. Ambos *RR.* se esmeran en la creación de relatos mediante motivos formulares como, aquí, el desafío y combate singular, las baladronadas anexas y el exotismo de atavíos y armas.

4 tres cristianos se le curan, él mismo le da cevada;
una lança con dos hierros que de treinta palmos passa:
hízola aposta el moro para bien señorealla;
un adarga ante sus pechos, toda muça y cotellada;
8 una toca en su cabeça que nueve bueltas le dava:
los cabos eran de oro, de oro y seda de Granada;
lleva el braço arremangado, sola la mano alheñada.
Tan sañudo iva el moro que bien demuestra su sana,
12 que mientra passó la puente nunca a Darro mirara.
Rogando iva a Mahomà, a Mahoma suplicava
le demuestre algún cristiano en que ensangriente su lança.
Camino va de Antequera, parecía que bolava.
16 Solo va sin compañía, con una furiosa saña.
Antes que llegue Antequera vido una seña cristiana;
buelve riendas al cavallo y para allá lo guiava;
la lança iva blandiendo, parecía que la quebrava.
20 Sáleselo a rescebir el Maestre de Calatrava,
cavallero en una yegua que esse día la ganara
con esfuerço y valentía a esse alcaide del Alhama.
Armado de todas armas, hermoso se devisava;
24 una veleta traía en una lança enazerada.
Arremete el uno al otro. El moro gran grita dava:
—¡Por Alá, perro cristiano, yo te prenderé por la barba!—
Y el Maestro entre sí mismo a Jesús se encomendara.
28 Ya andava cansado el moro, su cavallo ya cansava.
El Maestre, qu'es valiente, muy gran esfuerço tomara:
acometió rezio al moro, la cabeça le cortara.
El cavallo, que era bueno, al rey se lo presentara;
32 la cabeça en el arzón porque supiesse la causa.

---

7 *muça y cotellada:* revestida de cuero y salpicada de menudas puntas de acero.

10 *alheñada:* teñida con el polvo de las hojas de la alheña; el adorno podía extenderse a las uñas y al pelo: *Yoná,* 344n.

24 *enazerada:* 'endurecida como el acero'.

30 Si tomamos en serio la historicidad del Alatar de este *R.,* precisemos que murió en 1483, herido y ahogado en un río, durante la batalla de Lucena, donde cayó prisionero Boabdil: Cirot [1932], 18.

100

Sobre Baça estava el rey, lunes después de yantar.
Mirava las ricas tiendas qu'estavan en su real,
mirava las huertas grandes y mirava el arraval,
4 mirava el adarve fuerte que tenía la ciudad,
mirava las torres espesas, que no las puede contar.
Un moro tras un almena començóle de fablar:
—Vete, el rey Fernando, no quieras aquí envernar,
8 que los fríos d'esta tierra no los podrás comportar.
Pan tenemos por diez años, mil vacas para salar.
Veinte mil moros hay dentro, todos de armas tomar;
ochoçientos de cavallo para el escaramuçar.
12 Siete caudillos tenemos tan buenos como Roldán,
y juramento tienen fecho antes morir que se dar.—

---

1 Fernando el Católico puso sitio a Baza entre septiembre y octubre de 1489: *RH,* II, 31-32, con atribución del *R.* a un «juglar cortesano».

2-5 Juego anafórico idéntico en el Texto 77 y situación análoga en el Texto 75.

4 *adarve:* camino de guardia detrás de las almenas en la muralla.

6 Cfr. el v. 10 del Texto 91. Este moro «tras el almena» recuerda demasiado de cerca al morico que se había quedado «entre almena y almena» y disparó el «cuadrillo» mortal al adelantado, de quien Fernando al pie de los muros de Baza parece una copia con mejor suerte. Y la situación de ambos personajes, como se representa en los dos *RR.*, es muy parecida a la de Juan II en los Textos 75 y 90, de Rodrigo en el Texto 124 y, en cierta manera, a la de Alfonso V en el Texto 77. En la realidad militar de la época era circunstancia muy común, es cierto, y algunos de los episodios citados se verificaron realmente: la vida precedió a la literatura. Pero me parece indiscutible que la literatura, y en este caso el *romancero,* se adhirió a un modelo de representación que fue punto de referencia para quien aislaba en la realidad, o fingía, momentos y ejemplos de *impasse* del poder y los proponía al público conjugando didascalismo y poesía.

8 Prolongándose el sitio, el rey mandó sustituir las tiendas con «casas de tapia y teja»: *RH,* II, 32.

13 El motivo del juramento y la cita de Roldán evocan temáticas juglarescas carolingias. Los moros de Baza se rindieron en diciembre, después de haber obligado al rey a negociar. Intención del *R.* pudo ser la justificación de esos tratos, enumerando las defensas y fuerzas de la ciudad, probablemente sin amplificaciones, ya que el Zagal había logrado romper el cerco e introducir en Baza hombres y víveres. El autor funda su relato en dos motivos tópicos: la simpatía por el vencido y la frustración del 'héroe', anunciada ya en el v. 1 con el fatídico *lunes.* Un texto nacido y divulgado en la corte para exaltar al monarca Católico podía tejerse sobre esos dos motivos, y el segundo en

101

Atal anda don García por una sala adelante,
saetas de oro en la mano, en la otra un arco trae;
maldiziendo a la fortuna, grandes querellas le dae:
4 —Crióme el rey de pequeño, hízome Dios barragán;
diome armas y cavallo, por do todo hombre más vale;
diérame a doña María por muger y por iguale,
diérame a cien donzellas para ella acompañare;
8 diome el castillo de Urueña para con ella casare,
diérame cien cavalleros para el castillo guardare:
basteciómele de vino, basteciómele de pane,
basteciόle de agua dulce, que en el castillo no la aye.
12 Cercáronmelo los moros la mañana de sant Juane;
siete años son passados, el cerco no quieren quitare;
veo morir a los míos no teniendo qué les dar,
póngolos por las almenas armados como se están
16 porque pensassen los moros que podrían pelear.
En el castillo de Urueña no ay sino solo un pan:

---

particular, sólo gracias a la evidencia de su convencionalismo, y —sobre todo— sólo después de la conclusión feliz de la empresa, y no antes como opina *RH,* II, 32. Proezas y miserias del sitio y rendición de Baza narra Fidel Fernández, *Boabdil,* Granada, Ed. Ubago, 1989 [1.ª ed. 1937], págs. 117-133; el libro reconstruye los años finales del reino granadino, en una grata mezcla de documentación hasta entonces desconocida y redondeamientos al estilo de la novela morisca del siglo XVI.

4 El relato en primera persona, construido según el modelo del 'lamento' del protagonista, es el núcleo del *R.;* lo presenta y concluye una breve narración en tercera persona: cfr. los Textos 76 y 81. El episodio parece inventado.

4 *barragán:* 'esforzado', 'valiente'.

16 En la historia y en la literatura abundan ejemplos de tal estratagema y del sucesivo (v. 20): Oliver M. Johnston, «Sources of the Spanish Ballad on Don García», en *RHi,* XII (1905), págs. 281-298, que nada aclara en cuanto a fuentes efectivas del *R.;* Lida [1941], 26. Una versión fragmentaria se ha descubierto en un ms. de la segunda mitad del siglo XV en la Biblioteca Vaticana: Jones [1981]; el texto, con variantes, se interrumpe en el v. 12, adquiriendo así el perfil, angustioso y dramático, del relato de un destino desafortunado: cfr., con papeles invertidos, los Textos 75 y 100. Este caso nos alerta a propósito de textos 'enteros' y de 'fragmentos', y de nuestras interpretaciones del sentido de los *rr.;* pero también confirma que la 'fragmentación' antigua es la textualización de una lectura del *r.,* o mejor dicho, es una distinta propuesta textual, una resemantización del poema.

si le doy a los mis hijos   la mi muger ¿qué haráe?
Si lo como yo, mezquino,   los míos se quexarán.—
20 Hizo el pan cuatro pedaços   y arrojólos al real.
El un pedaço de aquéllos   a los pies del rey fue a dar.
—¡Alá pese a mis moros,   Alá le quiera pesar!
¡De las sobras del castillo   nos bastecen el real!—
24 Manda tocar los clarines   y su cerco luego alçare.

102

Mi padre era de Aragón   e mi madre de Antequera.
Cativáronme los moros   entre la paz y la guerra
e lleváronme a vender   a Xerez de la Frontera.
4 Siete días con sus noches   anduve en el almoneda:
no uvo moro ni mora   que por mí una blanca diera,
si no fuera un moro perro   que por mí cient doblas diera
e llevárame a su casa   y echárame una cadena.
8 Dávame la vida mala,   dávame la vida negra:
de día majar esparto,   de noche moler civera,
y echóme un freno a la boca   porque no comiesse d'ella.
Pero plugo a Dios del cielo   que tenía el ama buena:
12 cuando el moro se iva a caça   quitávame la cadena
y echárame en su regaço   y espulgávame la cabeça.
Por un plazer que le hize   otro muy mayor me hiziera:

---

24 Cfr. el v. final del Texto 75.

1 *Aragón:* es la lección de los *pliegos sueltos* y podría depender de exigencias de rima dentro de la glosa que encierra el *R.:* así Wilson [1976], que defiende *Ronda,* la lección de *CR[47],* como más propia de la geografía del texto. Y esa geografía, y los detalles y tonos del *R.,* componen la vertiente realista, hasta plebeya, de raptos y cautiverios entre moros, con su poco de novelización pícara; en el otro extremo están princesas e infantes capturados en el «vergel de *su* padre», mientras cogían «rosas y flores» (Textos 42, 44 y 145).

9-10 Incumbencias y medidas de seguridad muy comunes: Catalán [1970-1971], 445n. *Majar* es 'machacar' y *civera* es 'porción de trigo'.

14 V. malicioso, con alusividad típica del *romancero novelesco;* apunta a la relación erótica entre cautivo y dueña, elemento constante en este género de relato. Lo desconoce la tradición oral moderna, donde el epílogo feliz sigue a un diálogo entre la mujer (o la hija) del moro, que insta al cautivo a huir, y el cautivo que se resiste por amor. La amplia difusión de este final y el docu-

diérame los cient doblones   y embiárame a mi tierra.
16 Y assí plugo a Dios del cielo   que en salvo me pusiera.

---

mentarse también en una versión hispano-portuguesa copiada a finales del s. XVII, llevan a sospechar su antigüedad y hasta su carácter de conclusión originaria del *R.:* Bénichou [1969], 160-184 y Catalán [1970-1971], 444-451; también *Nahón,* 82-83 y *RJEO,* 93-98. Pero la autenticidad del ms. del s. XVII, hoy perdido, es dudosa para Bénichou, 180n. (la reafirma Catalán, 449n); y es notoria la libertad que se permitía con sus fuentes el que lo señaló y publicó, Theófilo Braga, como bien demuestra Ferré [1982], XXXVIII-XLIX.

Materia de España

Rodrigo, el último rey godo

103

Don Rodrigo rey de España por la su corona honrar
un torneo en Toledo ha man[da]do pregonar.
Sesenta mil cavalleros en él se han ido a juntar.
4 Bastecido el gran torneo, queriéndose començar,
vino gente de Toledo para avelle de suplicar
que a la antigua casa de Hércules quisiesse un candado [echar,

1 Gobernador de Bética y residente en Córdoba, Rodrigo fue coronado rey en el año 710 ó 711 cuando, al morir el rey Witiza y estallar una breve guerra civil, consiguió triunfar contra los herederos legítimos, demasiado jóvenes. Las discordias entre la nobleza goda y la pujanza expansionista de los musulmanes de África determinaron la caída del reino visigodo. Historia y leyendas relativas, con selección de documentos cronísticos y novelescos, en Menéndez Pidal [1925-28], [1951a], 7-19 y [1992], 297-319; también George Martin, «La chute du royaume visigothique d'Espagne dans l'historiographie chrétienne des VIIIe. et IXe. siècles (Sémiologie socio-historique)», en *CLHM*, 9 (1984), págs. 207-233. Textos de los *RR*. y estudios en *RT*, I, 3-139. Punto de partida de varios de ellos fue la novelesca *Crónica sarracina*, compuesta por Pedro del Corral hacia 1430; cfr. por último Juan Manuel Cacho Blecua, «Los historiadores de la Crónica Sarracina», en *Historias y ficciones*, Coloquio sobre la literatura del siglo XV, Valencia, Universidad, 1992, páginas 37-55. Sobre este *R*. Débax [1990b].

5 *avelle:* por *haberle*.

6 El primero en atestiguar esta leyenda, análoga a otras de países igualmente sometidos por el islam, es el historiador egipcio Ben Abdelhakém

como sus antepassados lo solían acostumbrar.
8 El rey no puso el candado mas todos los fue a quitar,
pensando que gran tesoro Hércules devía dexar.
Entrando dentro en la casa no fuera otro hallar
sino letras que dezían: «¡Rey has sido por tu mal!
12 Que el rey que esta casa abra a España ha de quemar».
Un cofre de gran riqueza hallaron dentro de un pilar;
dentro d'él nueve vanderas con figuras de espantar:
aláraves de cavallo sin poderse remediar,
16 con espadas a los cuellos, ballestas de bien echar.
Don Rodrigo pavoroso no curó de más mirar.
Vino una águila del cielo, la casa fuera a quemar.
Luego embía mucha gente para Africa conquistar.
20 Veinte y cinco mil cavalleros dio al conde don Julián;
y passándolos el conde corría fortuna en la mar:
perdió dozientos navíos, cien galeras de remar,
y toda la gente suya sino cuatro mil no más.

104

Amores trata Rodrigo; descubierto su cuidado,
a la Cava se lo dize, de quien anda enamorado:

(muerto en 871), que refiere de un relato oral difundido en la España recién conquistada: Menéndez Pidal [1951a], 8. Israel Burshatin, «Narratives of Reconquest: Rodrigo, Pelayo, and the Saints», en *Saints and their Authors:* Studies in Medieval Hispanic Hagiography in Honor of John K. Walsh, Madison, Hispanic Seminar, 1990, págs. 13-26 nos da una aguda reseña, y amplia bibliografía, de los problemas críticos relativos a este tema, resaltando sus raíces hagiográficas (la casa-arca como talismán) y su simbolismo dentro de la ideología de la Reconquista. Sobre antigüedad y difusión del motivo del candado o llave, cfr. Anita Seppilli, *Sacralità dell'acqua e sortilegio dei ponti,* Palermo, Sellerio, 1977, pág. 233, con referencia a este *R.*

15 *aláraves:* lo mismo que *árabes.*

20 *conde don Julián:* es Olián, jefe de la tribu berberisca de Gomera, cristiano y súbdito del reino visigodo; partidario de los secuaces del difunto Witiza, incitó a Muza, gobernador árabe de África, que había sido su adversario, a ocupar la España del usurpador Rodrigo. Cfr. Oswaldo A. Machado, «Los nombres del llamado conde Julián», en *Cuadernos de Historia de España,* III (1945), págs. 106-116.

2 *la Cava:* el nombre aparece por vez primera en la *Crónica general de 1344,* en formas varias: Alacaba, Alataba, Taba. Battesti Pelegrín [1983a].

—Mira, Cava, mira, Cava, mira, Cava, qué te hablo:
4 darte he yo mi coraçón y estaría a tu mandado.—
La Cava, como es discreta, en burlas lo havía echado;
respondió muy mesurada y el rostro muy abaxado:
—Como lo dize tu alteza deve estar de mí burlando.
8 No me lo mande tu alteza, que perdería gran ditado.—
Don Rodrigo le responde que conceda en lo rogado,
—que d'este reino de España puedes hazer tu mandado.—
Ella hincada de rodillas, él estála enamorando;
12 sacándole está aradores de las sus jarifes manos.
Fuese el rey dormir la siesta; por la Cava avía embiado.
Cumplió el rey su voluntad mas por fuerça que por grado,
por la cual se perdió España por aquel tan gran peccado.
16 La malvada de la Cava a su padre lo ha contado.

---

8 *ditado:* 'mérito', 'honor'.

10 El pasar automático del discurso indirecto al directo es recurso extremadamente raro en el *romancero;* no lo es en otros géneros narrativos, en particular en las novelas caballerescas. Cfr. el Texto 114, v. 94.

12 Higiene y entretenimiento, aquí matizado de erotismo, se suman en esta antigua costumbre, enemiga del «piojuelo o gusanillo [...] que se cría [...] en las palmas de la mano»: *Aut.,* s.v. Cfr. la nota 2 del texto 142.

12 *jarifes:* 'nobles y hermosas'.

14-15 «Viriti quantu pó m'pilu ri fimmina» («¡Fíjense lo que puede un pelo de mujer!»): así un *cantastorie* de Sicilia solía invitar a sus oyentes a sacar la moraleja de las furibundas locuras de Orlando abandonado por la bella Angélica. La ruina de un individuo o de una nación entera a raíz de una ciega pasión de amor, es lugar común en las leyendas y es evento no raro en la historia. Pero en el caso de Rodrigo, parece que sus desastrosos deseos fueron inventados, recayendo sobre el usurpador calumnias que los rodriguistas habían lanzado ya contra Witiza: Menéndez Pidal [1992]. De la progresiva edificación de los perfiles míticos de ambos reyes, con su vertiente ideológica en ámbitos ya cristianos, tratan Madeleine Pardo, «Le roi Rodrigue ou Rodrigue Roi», en *Imprévue*. Etudes sociocritiques, I (1983), págs. 61-105 y Georges Tyras, «Vitiza el contra-modelo: un relato trifuncional en la 'Primera Crónica General'», en *Mitos, folklore y literatura,* Zaragoza, Caja de Ahorros, 1987, págs. 39-56.

16 Aparte el antifeminismo, de *malvada* se tacha a la Cava y de *traidor* al padre por la desproporción entre el daño padecido y su venganza, que recae sobre la colectividad entera. Reencarnación de Eva, la Cava pierde al Adán-Rodrigo y entrega a los infieles el Paraíso-España: Burt [1978]. Un apropiado comentario a los dos adjetivos lo sacamos de la *Historia de los hechos de don Rodrigo Ponce de León, marqués de Cádiz,* más o menos coetánea del *R.:* «¡Oh mujer mal aventurada! ¡Oh conde Julián! [...] Vuestras ánimas deben ser perdidas en los infiernos» por haber tomado venganza tan

Don Julián, que es traidor, con los moros se ha concertado
que destruyessen a España por lo aver assí injuriado.

105

Los vientos eran contrarios, la luna estava crescida,
los peces davan gemidos por el mal tiempo que hazía,
cuando el buen rey don Rodrigo junto a la Cava dormía,
4 dentro de una rica tienda, de oro bien guarnescida,
trezientas cuerdas de plata que la tienda sostenían;
dentro avía cien donzellas vestidas a maravilla:

---

atroz de «un pecado tan humano, el cual non alabo, que pudiera ser sofrido y callado, o rescebida enmienda, que fuera bien satisfecho en otras maneras honestas» (ms. del siglo XV en «Colecc. de Docum. Inéditos de Historia de España», vol. CVI, Madrid, 1893, pág. 153). A comienzos del s. XVII recriminaba un poeta: «¡Oh traidor don Julián!, / ¿en qué te ofendió tu patria?, / di, ¿por qué el pecado ageno / lo hazes su propia causa?» (*RT*, I, 123); mientras hacia finales del mismo siglo se antologizaba un texto que sobre otra cuestión candente daba con *humour* una sentencia salomónica: «Si de los dos se pregunta / quién mayor culpa ha tenido, / digan los hombres: la Cava, / y las mujeres: Rodrigo» (*RT*, I, 131). Ya la *Crónica sarracina* había encontrado la manera, quizá involuntaria, para crear ambigüedad sobre el punto jugando con el cuerpo de la Cava, ahora descrito en una parcial e inocente desnudez espiada por Rodrigo ardorosamente, ahora desvelado por entero y seductor cuando el diablo lo ofrece a los sueños del rey ya penitente: textos en Menéndez Pidal [1925-1928], Parte I, cap. 164 y Parte II, cap. 252.

2 El gemir innatural de los peces es uno de los signos que anuncian el Juicio Final; con los demás de este exordio, prepara marco y atmósfera de la inminente catástrofe de un reino y de una civilización: Devoto [1974]. Todo el comienzo del *R.* en parte contiene y en parte prepara un brillante tejido de iteraciones y opuestos, recursos típicos del género, que dan realce a algunos motivos e imágenes ya presentes en la prosa de Corral: la serenidad armoniosa de la alcoba del rey frente a la amenazadora anomalía de la naturaleza, el sueño —real y simbólico al mismo tiempo— del monarca abandonado al descanso de los sentidos satisfechos y el repentino despertar angustioso por la visión de horrores soñada y poco después real (cfr. «verás…verás» de los vv. 11-12 y «mira…mira» de los vv. 42-43), el poder gozado en sus privilegios y emblemas más atractivos y en pocas horas perdido, y sus cimientos —armas y ejército— aniquilados, y en fin el célebre «Ayer…hoy» de los vv. 46 y sigs., que encierra toda la lección del texto. Sobre el didascalismo de este *R.* (el «más viejo» del ciclo sobre Rodrigo: *RT*, I, 44), y de otros textos del *romancero,* Wilson [1958].

6 Las *cien donzellas* recuerdan el ambiente evocado en el Texto 140. Otras coincidencias: Textos 81 y 90 (señales premonitorios), 134 y *Primav.*

las cincuenta están tañendo con muy estraña armonía,
8 las cincuenta están cantando con muy dulce melodía.
Allí habló una donzella que Fortuna se dezía:
—Si duermes, rey don Rodrigo, despierta, por cortesía,
y verás tus malos hados, tu peor postrimería;
12 y verás tus gentes muertas y tu batalla rompida,
y tus villas y ciudades destruidas en un día;
tus castillos fortalezas otro señor los regía.
Si me pides quién lo ha hecho yo muy bien te lo diría:
16 esse conde don Julián por amores de su hija,
porque se la desonraste y más d'ella no tenía;
juramento viene echando que te ha de costar la vida.—
Despertó muy congoxado con aquella boz que oía;
20 con cara triste y penosa d'esta suerte respondía:
—Mercedes a ti, Fortuna, d'esta tu mensagería.—
Estando en esto ha llegado uno que nueva traía
cómo el conde don Julián las tierras le destruía.
24 Apriessa pide el cavallo y al encuentro le salía.
Los contrarios eran tantos que esfuerço no le valía,
que capitanes y gentes huye el que más podía.
Rodrigo dexa sus tierras y del real se salía.
28 Solo va el desventurado, que no lleva compañía.
El cavallo de cansado menear no se podía;
camina por donde quiera, que no le estorva la vía.
El rey va tan desmayado que sentido no tenía;
32 muerto va de sed y hambre que de velle era manzilla;
iva tan tinto de sangre que una brasa parescía;
las armas lleva abolladas, que eran de gran pedrería;
la espada va hecha sierra de los golpes que tenía;
36 el almete de abollado en la cabeça se hundía;
la cara lleva hinchada del trabajo que sufría.
Subióse encima de un cerro, el más alto que veía;
dende allí mira su gente cómo iva de vencida;
40 de allí mira sus vanderas y estandartes que tenía,
cómo están todos pisados que la tierra los cubría;

126 (la «rica tienda»), 109, 111, 120 y 140 (indumentos y función del séquito), 81 (aparición de Fortuna y diálogo), 75, 77, 89 y 100 (el monarca que contempla afligido).

mira por los capitanes, que ninguno parescía;
mira el campo tinto en sangre, el cual arroyos corría.
44 El, triste de ver aquesto, gran manzilla en sí tenía;
llorando de los sus ojos d'esta manera dezía:
—Ayer era rey de España, oy no soy de una villa;
ayer villas y castillos, oy ninguno posseía;
48 ayer tenía criados y gente que me servía,
oy no tengo una almena que pueda dezir que es mía.
Desdichada fue la hora, desdichado fue aquel día
en que nascí y heredé la tan grande señoría,
52 pues lo havía de perder todo junto y en un día.
Oh muerte, ¿por qué no vienes y llevas esta alma mía
d'este cuerpo tan mezquino, pues se te agradescería?—

106

Después qu'el rey don Rodrigo a España perdido avía,
ívase desesperado por donde más le plazía.
Métese por las montañas, las más espessas que vía,
4 porque no le hallen los moros que en su seguimiento ivan.
Topado ha con un pastor que su ganado traía;
díxole: —Dime, buen hombre, lo que preguntarte quería:
si hay por aquí poblado o alguna casería
8 donde pueda descansar, que gran fatiga traía.—
El pastor respondió luego que en balde la buscaría,
porque en todo aquel desierto sola una hermita avía,

46 *Ayer:* la oposición *Ayer...hoy,* que marca la media vuelta dada por la rueda de Fortuna llevando abajo a Rodrigo, es fórmula que encontramos en la *Disciplina clericalis* de Pedro Alfonso (del s. XII): en su «Exemplum» XXXIII («De aurea Alexandri sepultura») la repiten siete veces siete filósofos ante la tumba del macedonio; las coincidencias de más relieve con el *R.* son: «Heri populo imperauit: hodie populus imperat illi» y «Heri gentes eum timebant: hodie uilem eum deputant». A su vez Pedro Alfonso tuvo delante probablemente *Las Praderas de Oro* de Al-Mas'audi, donde pudo hallar la fórmula en embrión: Rameline Marsan, *Itinéraire espagnol du cont médiéval (VIIIe.-XVe. siècles),* Paris, Klinksieck, 1974, págs. 336-344 y también 251-257 y 611-613. Este final del *R.* da el sello conclusivo a la feliz convivencia, en el texto, de lenguaje y cultura 'clericales' y de fórmulas juglarescas, y cuyo emblema podría ser la combinación de opuestos estilísticos de los vv. 44 y 45.

3 *montañas:* 'selvas'.

donde estava un hermitaño que hazía muy santa vida.
12 El rey fue alegre d'esto por allí acabar su vida.
Pidió al hombre que le diesse de comer si algo tenía.
El pastor sacó un çurrón, que siempre en él pan traía;
diole d'él y de un tasajo que acaso allí echado avía.
16 El pan era muy moreno, al rey muy mal le sabía;
las lágrimas se le salen, detener no las podía,
acordándose en su tiempo los manjares que comía.
Después que ovo descansado, por la hermita le pedía.
20 El pastor le enseñó luego por donde no erraría;
el rey le dio una cadena y un anillo que traía:
joyas son de gran valer qu'el rey en mucho tenía.
Començando a caminar, ya cerca el sol se ponía,
24 llegado es a la hermita que el pastor dicho le avía.
El, dando gracias a Dios, luego a rezar se metía.
Después que ovo rezado para el hermitaño se iva;
hombre es de autoridad que bien se le parecía.
28 Preguntóle el hermitaño cómo allí fue su venida.
El rey, los ojos llorosos, aquesto le respondía:
—El desdichado Rodrigo yo soy, que rey ser solía.
Vengo a hazer penitencia contigo en tu compañía.
32 No recibas pesadumbre, por Dios y santa María.—
El hermitaño se espanta; por consolallo dezía:
—Vos, cierto, avéis elegido camino cual convenía
para vuestra salvación, que Dios os perdonaría.—
36 El hermitaño ruega a Dios por si le revelaría
la penitencia que diesse al rey que le convenía.

13-18 El encuentro con el pastor traduce el concepto de la suerte invertida de Rodrigo en la imagen del 'señor alimentado por el criado', que es uno de los motivos tópicos de la tradición popular del 'mundo al revés'. Invenciones del siglo XIV tardío, enraizadas en leyendas que florecieron en el occidente de la Península alrededor de una pretendida tumba de Rodrigo hallada en Viseo, la penitencia del rey y las circunstancias de su muerte sellan el *R.* y el ciclo entero del último godo como perfecto *exemplum* de 'caída de príncipes', tema privilegiado del didascalismo medieval y muy del gusto de la colectividad. Un comentario detallado en Battesti Pelegrín [1983b]. Es de los pocos textos 'épicos' que sobreviven en la tradición oral moderna; la motivación originaria del castigo fue perdiendo fuerza y para justificar la crueldad de la pena se inventó una serie impresionante de asesinatos: Di Stefano [1968].

33 *espanta:* 'maravilla'.

Fuele luego revelado de parte de Dios un día
que le meta en una tumba con una culebra biva,
40 y esto tome en penitencia por el mal que hecho avía.
El hermitaño al rey muy alegre se bolvía;
contóselo todo al rey cómo passado lo avía.
El rey, desto muy gozoso, luego en obra lo ponía;
44 métese como Dios mandó para allí acabar su vida.
El hermitaño muy santo mírale el tercero día;
dize: —¿Cómo os va, buen rey? ¿Vaos bien con la com-
[panía?—
—Hasta ora no me ha tocado porque Dios no lo quería.
48 Ruega por mí, el hermitaño, porque acabe bien mi vida.—
El hermitaño llorava, gran compassión le tenía;
començóle a consolar y esforçar cuanto podía.
Después buelve el hermitaño a ver ya si muerto avía;
52 halló que estava rezando y que gemía y plañía;
preguntóle cómo estava. —Dios es en la ayuda mía:—
respondió el buen rey Rodrigo, —la culebra me comía,
cómeme ya por la parte que todo lo merecía,
56 por donde fue el principio de la mi muy gran desdicha.—
El hermitaño lo esfuerça, el buen rey allí moría.
Aquí acabó el rey Rodrigo, al cielo derecho se iva.

Bernardo del Carpio

107

En los reinos de León el casto Alfonso reinava.
Hermosa hermana tenía, doña Ximena se llama;

39 Con el añadido de alguna bestia más (mono, perro, gato), era suplicio conocido ya en el derecho romano, que pasa al visigodo (con sólo serpientes) y llega a las *Partidas* de Alfonso el Sabio; se aplicaba en caso de crímenes particularmente atroces: *RT*, I, 79.

58 Rodrigo murió en la batalla de Wadilakka (Guadalete), entre el 19 y el 26 de julio de 711, probablemente «a la hora sexta del jueves 23»: Claudio Sánchez Albornoz, «Dónde y cuándo murió don Rodrigo, último rey de los godos», en *Cuadernos de Historia de España,* III (1945), págs. 5-105 [105 y también 87 y 101].

1 Alfonso II reinó de 791 a 842. Jimena y el conde de Saldaña, sus

enamorárase de ella esse conde de Saldaña,
4 mas no bivía engañado, porque la infanta lo amava.
Muchas vezes fueron juntos, que nadie lo sospechava;
de las vezes que se vieron la infanta quedó preñada.
La infanta parió a Bernaldo y luego monja se entrava.
8 Mandó el rey prender al conde y ponerle muy gran guarda.

108

Por las riberas de Arlança Bernardo el Carpio cavalga
en un cavallo morcillo enjaeçado de grana,
la lança terciada lleva y en el arçón una adarga.
4 Mirávanle los de Burgos, toda la gente admirada,
porque no se suele armar sino a cossa señalada;
también le mirava el rey, que está bolando una garça.
Dezía el rey a los suyos: —Esta es una buena lança:
8 o era Bernardo del Carpio o era Muça el de Granada.—
Estando en estas razones, Bernardo el Carpio llegava;
sosegando va el caballo mas no dejara la lança.
Habló como hombre esforçado, d'esta suerte al rey hablava:

---

amores y las empresas de su hijo son invenciones, probablemente cantadas en poemas épicos perdidos que asoman en las Crónicas del siglo XIII. Sus versiones fueron muchas, permaneciendo constantes —aunque con acentuaciones variables— la connotación anti-francesa del fabuloso héroe y de la patraña entera, y el motivo tópico del conflicto rey-vasallo, con matizaciones novelescas como el amor filial y las angustias personales de Bernardo. Los *RR*. se apoyan en las Crónicas, menos tal vez el Texto 109, que se supone relacionado con los posibles *cantares* perdidos. Comentarios detallados sobre el ciclo entero en *RT*, I, 143-269.

3 *conde de Saldaña:* no sería casual la conexión del 'rebelde' Bernardo por un lado con una familia que tuvo entre sus miembros «algunos de los nobles más levantiscos de la historia de León», y por otro lado con el Carpio, emplazado en territorios ('Extremadura' y Norte del Duero) que se vieron afectados por fuertes tensiones feudales, a finales del s. XII y comienzos del XIII: lo sugiere Vaquero [1991], que en esa época colocaría el concretarse de una tradición épica sobre el tema.

1 *Arlança:* el río de Burgos (v. 4) es el Arlanzón.

3 *terciada:* espada corta y de hoja ancha.

4 *Burgos:* esperaríamos León, la capital del reino de Alfonso.

6 *bolando:* provocando el vuelo de las garzas para cazarlas.

8 *Muça:* personaje típico de las fantasías del *romancero fronterizo* tardío, al que este texto parece remitir.

12 —Bastardo me llaman, rey, siendo hijo de tu hermana;
tú y los tuyos lo dizen, que ninguno otro no osava.
Cualquiera que tal ha dicho ha mentido por la barba:
que ni mi padre es traidor ni mala muger tu hermana,
16 que cuando yo fui nacido ya mi madre era casada.
Metiste a mi padre en hierros y a mi madre en orden sacra
por dejar esos tus reinos a aquessos reyes de Francia.
Con gascones y leoneses y con la gente asturiana
20 yo iré por su capitán o moriré en la batalla.—

109

Con cartas y mensajeros el rey al Carpio embió.
Bernaldo, como es discreto, de traición se receló;
las cartas echó en el suelo y al mensajero habló:
4 —Mensajero eres, amigo, no mereces culpa, no;
mas a el [*sic*] rey que acá te embía dígasle tú esta razón:
que no lo estimo yo a él ni aun cuantos con él son,
mas por ver lo que me quiere todavía allá iré yo.—
8 Y mandó juntar los suyos, d'esta suerte les habló:
—Cuatrocientos sois, los míos, los que comedes mi pan:
los ciento irán al Carpio para el Carpio guardar,
los ciento por los caminos que a nadie dexen passar,
12 dozientos iréis comigo para con el rey hablar:
si mala me la dixere, peor se la he de tornar.—
Por sus jornadas contadas a la corte fue a llegar.

---

18 El verso alude en forma muy simplificada al que era —según se suele suponer— el nudo dramático e ideológico originario de la leyenda, a su vez eco deformado del vasallaje impuesto a Alfonso por Carlomagno. Este *R*. gozó de una fortuna particular: se conocen por lo menos cinco mss. del s. XVI que lo conservan, además de haberse impreso en la *Rosa española* de Timoneda (1573) y en la *Silva* de Mendaño (1588).

5 *dígasle:* en la fuente *digale*.

9 Con este v. cambia la asonancia y también la escena. Siendo un rasgo común en los *cantares de gesta,* podría atestiguar una derivación del *R*. del hipotético *Cantar* sobre Bernardo.

14 Empieza la escena usual del enfrentamiento del vasallo con el rey, construida mediante un conjunto de recursos tópicos: cfr. los Textos 111, 112 y 120 y sus notas.

—Manténgavos Dios, buen rey, y a cuantos con vos [están.—
16 —Mal vengades vos, Bernaldo, traidor, hijo de mal padre.
Dite yo el Carpio en tenencia, tú tómaslo de heredad.—
—Mentides, el rey, mentides, que no dezís la verdad;
que si yo fuesse traidor a vos os cabría en parte.
20 Acordársevos devía de aquella del enzinal,
cuando gentes estrangeras allí os trataron tan mal,
que os mataron el cavallo y aun a vos querían matar.
Bernaldo como traidor d'entre ellos os fue a sacar.
24 Allí me distes el Carpio de juro y de heredad;
prometístesme a mi padre, no me guardastes verdad.—
—Prendeldo, mis cavalleros, que igualado se me ha.—
—Aquí, aquí, los mis dozientos, los que comedes mi pan,
28 que oy era venido el día que honra avemos de ganar.—
El rey, de que aquesto viera, d'esta suerte fue a hablar:
—¿Qué ha sido aquesto, Bernaldo, que assí enojado te has?
Lo que hombre dize de burla ¿de veras vas a tomar?
32 Yo te do el Carpio, Bernaldo, de juro y de heredad.—
—Aquestas burlas, el rey, no son burlas de burlar.
Llamástesme de traidor, traidor, hijo de mal padre.
El Carpio yo no lo quiero, bien lo podéis vos guardar,
36 que cuando yo lo quisiere muy bien lo sabré ganar.—

El conde Fernán González

110

En Castilla no avié rey ni menos enperador,
sino un infante niño y de poco balor.

---

18 *dezís:* en la fuente *dizes.*

24 *de juro y de heredad:* con derecho perpetuo de propiedad y de transmisión de padre a hijo.

26 *igualado:* aquí 'enfrentado'.

2 Esta infancia de Fernán González, que nació en 915 y quedó pronto huérfano de padre, es invención centrada en un motivo folklórico. Aluden a ella el *Poema* de clerecía dedicado al conde y la *Crónica de 1344;* al *Poema* el modelo pudo llegar de una *Vida* de san Eustaquio, que había aprovechado ya en otros puntos: J. P. Keller, «El misterioso origen de Fernán González», en *NRFH,* X (1956), págs. 41-44. Sobre éste y los demás textos del ci-

Andávanlo por hurtar   cavalleros de Aragón;
4 hurtádole ha un carbonero   de los que hacen carbón.
No le muestra a cortar leña   ni menos a hacer carbón;
muéstrale a jugar las cañas   y muéstrale justador,
también a jugar los dados   y las tablas muy mejor.
8 —Vámonos —dize—, mi ayo,   a mis tierras de Aragón:
a mí me alçarán por rey   y a vos por governador.—

111

Castellanos y leoneses   tienen grandes divisiones.
El conde Fernán González   y el buen rey don Sancho Ordóñez
sobre el partir de las tierras   aí passan malas razones:
4 llámanse de hideputas,   hijos de padres traidores,

---

clo *RT*, II, 3-81 y 283-291; panorama de la historia y de la leyenda del conde en Menéndez Pidal [1992], cap. VIII. Ver ADICIONES.

4 Oficio de los más humildes, al de carbonero se dedicaba algún aristócrata retirado del mundo por reveses de fortuna o crisis espirituales: Baudouin Gaiffier d'Hestroy, «A propos de Girart charbonnier dans la Forêt d'Ardenne: note sur les saintes charbonniers», en *La chanson de geste (*cit. en Bibliografía *sub* Chalon), vol. II, págs. 837-843. El carbonero es figura típica en relatos novelescos del tipo del nuestro, donde sus enseñanzas caballerescas y cortesanas confirman su origen. Aclaran también su función de intermediario entre naturaleza y civilización, y de ayudante del héroe en su destino de fundador de un nuevo orden, después de haberle sustraído del ambiente salvaje donde lo han marginado: cfr. la segunda parte del Texto 112. Sobre el tema en general Maurizio Bettini y Alberto Borghini, «Il bambino e l'eletto. Logica di una peripezia culturale», en *MD*. Materiali e discussioni per l'analisi dei testi classici, 3 (1979), págs. 121-153 [135-137].

8 La decisión del adolescente de irse «a *sus* tierras de Aragón» es un disparate sin precedentes en la biografía histórico-mítica de Fernán González, como lo son los caballeros de Aragón del v. 3: *RT*, II, 289. La única explicación nos la da el carácter de fórmula de esa expresión y de la referencia misma a «Aragón»: cfr. los textos 28 y 102. El exordio del v. nos recuerda el del Texto 143, relativo a circunstancia análoga.

2 La gran hazaña de Fernán González fue apoderarse del condado de Castilla como bien patrimonial propio, sustrayéndolo a los monarcas leoneses. En el episodio que el *R*. escenifica con brillantez, el conde se enfrenta con el rey Sancho Ramírez el Gordo (Sancho Ordóñez, muerto en 929, aparece por un error de la tradición), que gobernó de 955 a 966. El conde murió en 970. Castilla fue reino en 1037.

4 *hideputas:* insulto frecuente en la épica francesa (pero lo ignora el *Roland*): Ménard [1969], 137-139; cfr. también la nota 33-34 del Texto 114.

echan mano a las espadas, derriban ricos mantones.
No les pueden poner treguas cuantos en la corte sone.
Pónenselas dos frailes, aquessos benditos monjes:
8 el uno es tío del rey, el otro hermano del conde.
Pónenlas por quinze días, que no pueden por más, non,
que se vayan a los prados que dizen de Carrión.
Si mucho madruga el rey, el conde no dormía, no.
12 El conde partió de Burgos y el rey partió de León,
venídose han a juntar al vado de Carrión.
Y a la passada del río movieron una quistión:
los del rey que passarían y los del conde que non.
16 El rey como era risueño la su mula rebolvió;
el conde con loçanía su cavallo arremetió,
con el agua y el arena al buen rey él salpicó.
Allí hablara el buen rey, su gesto muy demudado:
20 —Buen conde Fernán González, mucho sois desmesu- [rado;
si no fuera por las treguas que los monjes nos han dado,
la cabeça de los ombros yo vos la oviera quitado,
con la sangre que os sacara yo tiñera aqueste vado.—
24 El conde le respondiera como aquel que era osado:
—Esso que dezís, buen rey, véolo mal aliñado.
Vos venís en gruessa mula, yo en ligero cavallo;
vos traéis sayo de seda, yo traigo un arnés trançado;
28 vos traéis alfanje de oro, yo traigo lança en mi mano;
vos traéis cetro de rey, yo un venablo acerado;
vos con guantes olorosos, yo con los de azero claro;
vos con la gorra de fiesta, yo con un casco afinado;

---

16 *risueño:* 'de humor jovial'.

19 Cambia la asonancia y además se pasa del relato indirecto al diálogo. Al igual que para el Texto 109, se conjetura detrás del *R.* un *cantar* como el prosificado en la *Crónica de 1344*. De esta primera parte (vv. 1-18) se posee una versión más corta y con *-e* paragógica frecuente, en un ms. de finales del s. xv: *RT*, II, 7.

26 Empieza una eficaz descripción contrastiva que simboliza temperamentos y actitudes opuestos y exalta la agresividad del vasallo; cfr. la nota 14 del Texto 109. En forma más sucinta la delata ya la *Crónica de 1344*.

27 *arnés trançado:* armadura compuesta de muchas piezas cortas, que permitía mayor soltura en los movimientos.

31 *afinado:* de metal puro.

32 vos traéis ciento de mula, yo trezientos de cavallo.—
Ellos en aquesto estando, los frailes que han allegado:
—¡Tate, tate, cavalleros! ¡Tate, tate, hijos dalgo!
¡Cuan mal cumplistes las treguas que nos avíades man-[dado!—
36 Allí hablara el buen rey: —Yo las compliré de grado.—
Pero respondiera el conde: —Yo de pies puesto en el [campo.—
Cuando vido aquesto el rey no quiso passar el vado;
buélvese para sus tierras, malamente va enojado,
40 grandes vascas va haziendo, reziamente va jurando
que avía de matar al conde y destruir su condado.
Y mandó llamar a cortes, por los grandes ha embiado;
todos ellos son venidos, sólo el conde ha faltado.
44 Mensajero se le haze a que cumpla su mandado.
El mensajero que fue d'esta suerte le [ha] hablado:

112

—Buen conde Fernán González, el rey embía por vos,
que vayades a las cortes que se hazían en León;
que si vos allá vais, conde, daros han buen galardón:
4 daros os ha a Palençuela y a Palencia la mayor,
daros ha las nueve villas, con ellas a Carrión,
daros ha a Torquemada, la torre de Mormojón,
daros ha a Tordesillas y a torre de Lobatón;
8 y si más quisiéredes, conde, daros han a Carrión.
Buen conde, si allá no ides daros ían por traidor.—
Allí respondiera el conde y dixera esta razón:
—Mensajero eres, amigo, no mereces culpa, no.

---

34 *¡tate!:* '¡Alto!'.
35 *mandado:* 'prometido'.
40 *vascas:* 'gestos coléricos'.
44-45 Son dos vv. que pudieron nacer, incluso en el taller del impresor, para enlazar este *R.* con el 112; cfr. la nota 20 del Texto 123.
4 Los lugares nombrados en este v. y en los sigs. están todos en Tierra de Campos. La promesa tiene fundamento histórico incierto.

12 Que yo no he miedo al rey   ni a cuantos con él son:
villas y castillos tengo,   todos a mi mandar son;
d'ellos me dexó mi padre,   d'ellos me ganara yo:
los que me dexó mi padre   poblélos de ricos hombres,
16 las que yo me uve ganado   poblélas de labradores;
quien no tenía más de un buey   dávale otro que eran dos,
al que casava su hija   dole yo muy rico don,
al que le faltan dineros   también se los presto yo.
20 Cada día que amanece   por mí hazen oración;

---

12 Cfr. los vv. 35-36 del Texto 109 y los vv. 14 y sigs. del Texto 134. En los tres *RR*. los protagonistas alardean de una capacidad de autorrealización que prescinde, polémicamente, de cualquier investidura por parte de la autoridad.

13-19 El conde distingue entre lugares fortificados, que se repueblan con vasallos obligados a la ayuda militar, y *villas* repobladas con campesinos sujetos directamente a la autoridad del conde, dentro de territorios que se perfilan como patrimonio personal suyo. La distinción por un lado indica un modelo de organización político-administrativa en nada distinto respecto al vigente en las tierras que dependen del rey, aunque superior en el generoso fomento de la economía; por otro lado, al especificarse que los castillos fueron herencia paterna y las villas conquista personal, la distinción podría apuntar al paso (¿generacional?) de una política esencialmente militar a una nueva que privilegia la paz y sus frutos, como son el crecimiento de los bienes materiales y de la población. Son aspectos reales de la historia social medieval, incluso de la época de Fernán González: cfr., por ejemplo, Salvador de Moxó, *Repoblación y sociedad en la España cristiana medieval,* Madrid, Rialp, 1979, págs. 63 y sigs. En estos vv. del *R*. parecen latir las aspiraciones, auténticas y esenciales en su concreta delimitación, de una colectividad —¿de un auditorio?— que directa o indirectamente quiere vivir de una productividad de las tierras eficiente y protegida.

20 *por mí hazen oración:* se completa el perfil del conde como autoridad benefactora. Este rasgo tiene más trascendencia de la que aparenta. Desde la perspectiva de la estructura trifuncional indoeuropea, vemos que Fernán González supera al rey —según declara— porque reúne en sumo grado las tres funciones básicas: «soberanía jurídica», «fuerza física, principalmente guerrera» y «abundancia tranquila y fecunda», como las define George Dumezil, *Mythe et épopée. I: L'idéologie des trois fonctions dans les épopées des peuples indo-européens,* Paris, Gallimard, 1968, pág. 16. En este v. 20 hay una huella del carácter «mágico» del soberano que funda una nación y un orden. El comentario que a la historia del rey Yayati en el *Mahabharata* dedica George Dumezil, *Mythe et épopée. II: Types épiques indo-européens: un héros, un sorcier, un roi,* Paris, Gallimard, 1971, pág. 281, puede trasladarse a la segunda parte del *R.:* «Habiendo reunido en sí un amplio caudal de méritos, expuestos según las tres funciones —riquezas distribuidas, conquistas, sacrificios y lealtad—, el rey Yayati, gracias a ellos, ha alcanzado el cielo después de su muerte.»

no la hazían por el rey, que no la merece, non:
él le puso muchos pechos y quitáraselos yo.—

113

Preso está Fernán Gonçales, el gran conde de Castilla;
tiénelo el rey de Navarra maltratado a maravilla.
Vino allí un conde normando que passava en romería,
4 supo qu'este hombre famoso en cárceles padecía,
fuese para Castroviejo, donde el conde residía;
dádivas dava al alcaide si dexar velle quería,
el alcaide fue contento y las prisiones le abría.
8 Mucho los condes hablaron. El normando se salía,
fuese donde estava el rey con lo que pensado avía.
Procuró ver a la infanta, que era fermosa y cumplida,
animosa y muy discreta, de persona muy crecida.
12 Tanto procura de vella qu'esto le hablara un día:
—Dios vos lo perdone, infanta, Dios, también santa [María,
que por vos se pierde un hombre, el mejor que se sabía;
por vos se causa gran daño, por vos se pierde Castilla:
16 los moros entran en ella por no ver quién la regía;
que por veros muere preso, por amor de vos moría.
Mal pagáis amor, infanta, a quien tanto en vos confía.
Si no remediáis al conde, seréis muy aborrecida;
20 y si por vos saliesse, seréis reina de Castilla.—
Tan bien le habla el normanno que a la infanta enternecía.
Determina de librallo si por muger la quería.
El conde se lo promete; a vello la infanta iva.

---

2 Rey de Navarra era García y tuvo prisionero al conde de 960 a 961. Con alguna variante en el final, el *R.* sigue la prosa medio novelesca de la *Estoria del noble cauallero el conde Fernan Gonçalez con la muerte de los siete infantes de Lara,* publicada en 1509: *RT,* II, 31-37. La liberación por obra de una mujer enamorada es motivo folklórico: George Cirot, «Sur le *Fernán González*», en *BHi,* XXX (1928), págs. 113-146. El conde se había casado con Sancha, hija del primer rey de Pamplona Sancho Garcés, poco después de 931 y en 960 estaba ya viudo. Había padecido un primer encarcelamiento por mandado de Ramiro II de León en 944, recobrando la libertad un año después.

19 *remediáis:* en la fuente *remedieys.*

24 —No temáis —dixo—, señor, que y'os daré la salida.—
Y engañando aquel al alcaide, salen los dos de la villa.
Toda la noche anduvieron hasta qu'el alva reía.
Escondidos en un bosque un arcipreste los vía,
28 que venía andando a caça con un açor que traía.
Amenázalos con muerte si la infanta no ofrecía
de folgar allí con ella; si no, que al rey los traería.
El conde más cruda muerte quisiera que lo que oía;
32 pero la discreta infanta dando esfuerço le dezía:
—Por vuestra vida, señor, más qu'esto hazer devría;
que no se sabrá esta afrenta ni se dirá en esta vida.—
Priessa dava el arcipreste y amenaza todavía.
36 Con grillos estava el conde y sin armas se veía;
mas, viendo qu'era forçado, como puede se desvía.
Apártala el arcipreste, de la mano la traía,
y cuando abraçalla quiso ella d'él muy fuerte hía,
40 los braços le ha embaraçado, socorro al conde pedía;
el cual vino apressurado, aunque correr no podía.
Quitádole ha al arcipreste un cuchillo que traía
y con él le diera el pago que su aleve merecía.
44 Ayudándole la infanta, camina todo aquel día.
A la baxada de un puente ven muy gran cavallería.

---

27 *un arcipreste:* personaje que corrientemente gozaba —entre realidad y folklore— de tal connotación erótica: Fernando de Toro-Garland, «El arcipreste, protagonista literario del medievo español. El caso del 'mal arcipreste' del *Fernán González*», en *El Arcipreste de Hita. El Libro, el autor, la tierra, la época,* Actas del I Congreso Intern. sobre el Arcipreste de Hita, Barcelona, SERESA, 1973, págs. 327-336.

33-34 Compañera bien digna de tantas intrépidas doncellas de la épica y del *romancero,* la infanta encierra en dos vv. un pequeño caudal de virtudes personales y ética colectiva: audacia y discreción, dedicación al héroe esposo y concepto del honor como imagen de sí en la opinión pública.

39 *hía:* teniendo en cuenta el v. sig., una posible corrección de forma aquí tan extraña podría ser *asía.*

43 *aleve:* 'traición'.

45 Empieza una escena idéntica a la de los vv. 263 y sigs. del Texto 144, *R.* que narra la misma historia del nuestro, con papeles invertidos. La coincidencia más interesante es el encuentro con quien desde lejos se teme como adversario pero de cerca se revela amigo: el mismo terror mujeril de la compañera del héroe que hasta ese momento se había mostrado a la altura de él o superior, la misma recuperación por parte del héroe de su dimensión de dominador, e idéntica vuelta al clan.

Gran miedo tienen en vella porque creen qu'el rey la embía.
La infanta tiembla y se muere, en el monte s'escondía;
48 mas el conde más mirando dava bozes de alegría:
—Salid, salid, doña Sancha; ved el pendón de Castilla:
míos son los cavalleros que a mi socorro venían.—
La infanta con gran plazer a vellos luego salía.
52 Conocidos de los suyos, con alarido venían.
—¡Castilla —vienen diziendo—, cumplida es la jura oy [día!—
A los dos besan las manos, a cavallo los subían.
Assí los traen en salvo al condado de Castilla.

Los siete Infantes de Lara

114

Ya se salen de Castilla castellanos con gran saña,
van a desterrar los moros a la vieja Calatrava.
Derribaron tres pedaços por partes de Guadiana;
4 por el uno salen moros que ningún vagar se davan:
por unas sierras arriba grandes alaridos davan,
renegando de Mahoma y de su secta malvada.
¡Cuán bien pelea Rodrigo de una lança y adarga!
8 Ganó un escaño tornido, con una tienda romana.
Al conde Fernán Gonçález se la embía presentada,

---

2 *Calatrava:* en realidad la ciudad fue conquistada por primera vez en 1147 y definitivamente en 1212. La positiva actuación militar de Ruy Velázquez, figura de historicidad indefinible, según la *Crónica de 1344* fue en el asedio de la Zamora cristiana por Garci Fernández, hijo de Fernán González. A «Ruy Velázquez: itinerario de un traidor» [¿o víctima?] dedica una ponencia María Eugenia Lacarra en el XXVIII Intern. Congress on Medieval Studies, Kalamazoo 1992.

3 *Guadiana:* marcó la frontera con los moros solamente desde finales del siglo XI.

8 *escaño tornido:* 'asiento bien torneado'.

9 *Fernán González:* sería preferible Garci Fernández. La 'historia' de los Infantes de Lara es casi ciertamente una leyenda con trasfondo de sucesos y personajes reales, y con las confusiones obvias introducidas en los textos durante su vida tradicional, que sin embargo en algunos detalles fue conservadora de modo asombroso. Una buena síntesis en Menéndez Pidal [1992], págs. 449-480.

que le trate casamiento con la linda doña Lambra.
Concertadas son las bodas, ¡ay Dios en hora menguada!,
12 a doña Lambra la linda con don Rodrigo de Lara.
En bodas y tornabodas se passan siete semanas;
las bodas fueron muy buenas y las tornabodas malas;
las bodas fueron en Burgos, las tornabodas en Salas.
16 Tanta viene de la gente no caben en las posadas,
y faltavan por venir los siete infantes de Lara.
¡Helos, helos por do assoman con su compañía honrada!
Sálelos a recebir la su madre doña Sancha:
20 —Bien vengades, los mis hijos, buena sea vuestra llegada.
Allá iréis a posar, hijos, a barrios de Cantarranas:
hallaréis las mesas puestas, viandas aparejadas;
y después que ayáis comido ninguno salga a la plaza,
24 porque son las gentes muchas, siempre travaréis palabras.—
Doña Lambra con fantasía grandes tablados armara.
Allí salió un cavallero de los de Córdova la llana,
cavallero en un cavallo y en la su mano una vara;
28 arremete su cavallo, al tablado la tirara
diziendo: —Amad, señoras, cada cual como es amada,
que más vale un cavallero de los de Córdova la llana,
más vale que cuatro ni cinco de los de la flor de Lara.—
32 Doña Lambra que lo oyera d'ello mucho se holgara:
—¡Oh maldita sea la dama que su cuerpo te negava!

---

21 *Cantarranas:* varias ciudades medievales tenían una calle con tal nombre; la de Burgos iba de la plaza Mayor a la calle de san Juan.

25 *fantasía:* 'entusiasmo'.

25 *tablados:* armazones de madera que eran blanco de las lanzas de los jinetes.

31 *de la flor:* «corrupción indudable» de un original *del alfoz* ('distrito'): *RT,* II, 120.

33-34 Invención algo turbia la de la leyenda de los Infantes de Lara. En ella juega un papel primario el erotismo, centrado en la figura de doña Lambra, con su sexualidad exhibida, negada u ofendida, siempre en relación con los sobrinos, en particular con el menor; es inevitable leer, en la aversión que les manifiesta, la consabida censura profunda del impulso contrario. A tal propósito es revelador un episodio del *Cantar* prosificado en las *Crónicas:* Lambra, al ver al menor de los Infantes que se está bañando semidesnudo en una huerta, manda a un criado que lo afrente lanzándole un cohombro repleto de sangre; los Infantes matan al criado, a pesar de haberse amparado bajo las faldas de su señora: Menéndez Pidal [1951a], 197. En el *R.* encontramos las

que si yo casada no fuera el mío yo te entregara.—
Allí habló doña Sancha, esta respuesta le dava:
36 —Calléis, Alambra, calléis, no digáis tales palabras,
que si lo saben mis hijos avrá grandes barragadas.—
—Callad vós, que a vos os cumple, que tenéis porque [callar,
que paristes siete hijos como puerca en cenegal.—
40 Oídolo ha un cavallero que es ayo de los infantes;
llorando de los sus ojos con gran angustia y pesar
se fue para los palacios do los infantes estavan.
Unos juegan a los dados, otros las tablas jugavan,
44 sino fuera Gonçalillo que arrimado se estava.
Cuando le vido llorar una pregunta le dava,
començóle a preguntar:
—¿Qué es aquesto, el ayo mío? ¿Quién vos quisiera enojar?
48 Quien a vos os hizo enojo cúmplele de se guardar.—

faldas de Lambra en el v. 64, cuando los Infantes amenazan cortárselas, como se hacía con las prostitutas; la *rueca en cinta* del v. sig., que implica un rebajamiento social, sigue teniendo como blanco la feminidad de Lambra. En otra versión del *R.* (*RT,* II, 103) las *lindas damas* de nuestro v. 55 se han vuelto —¿o lo eran primitivamente?— *putas*. Este breve panorama se completa con el simbolismo elemental del palomar y del halcón en el Texto 115. Tema y textos admiten, requieren, un tal itinerario de lectura, aunque sea pródigo en resbalones; cfr., en el bien y en el mal, Pelegrín [1978], que concluye diagnosticando en Lambra una relación conflictiva con su propio erotismo y con la maternidad y, más en general, con su condición de mujer. Podemos concordar, una vez superado el impacto con la inevitable modernidad de conceptos y lenguaje, sabiendo que lo que ellos definen no es, por cierto, privativo de la modernidad. Cfr. también Burt [1982a] y Bluestine [1982] sobre motivos específicos; más en general Deyermond [1988]. Capdeboscq [1984] evidencia y comenta el entramado jurídico de las 'agresiones' recíprocas entre los Infantes y Doña Lambra, cuya culpa se va reforzando en las versiones tardías de la leyenda.

37 *barragadas:* si está por *barraganadas,* indica en este contexto 'enfrentamientos jactanciosos'; pero *RT,* II, 120 propone como originario *barajadas,* 'pendencias, riñas', muy plausible.

39 *cenegal:* por *cenagal.* En forma de violenta injuria, impropia porque los siete Infantes no habían nacido de un parto único, el v. contiene un motivo que remonta a creencias arcaicas, divulgadas en la cuentística medieval y en el folklore, sobre maternidades ilícitas y nefastas: Delpech [1986]. Pero cfr. más abajo la nota 98.

46 La sucesión correcta de las asonancias denuncia aquí la pérdida de un verso.

48 *cúmplele:* 'le conviene'.

Metiéranse en una sala, todo se lo fue a contar.
Manda ensillar su cavallo, empiéçase de armar;
después que estuvo armado apriessa fue a cavalgar.
52 Sálese de los palacios y vasse para la plaça.
En llegando a los tablados pedido avía una vara;
arremetió su cavallo, al tablado la tirava
diziendo: —Amad, lindas damas, cada cual como es amada,
56 que más vale un cavallero de los de la flor [de] Lara
que veinte ni treinta hombres de los de Córdova la llana.—
Doña Lambra que esto oyera de sus cabellos tirava;
llorando de los sus ojos se saliera de la plaça,
60 fuérase a los palacios donde don Rodrigo estava.
En entrando por las puertas estas querellas le dava:
—Quéxome a vos, don Rodrigo, que me puedo bien [quexar.
Los hijos de vuestra hermana mal abaldonado me han:
64 que me cortarían las haldas por vergonçoso lugar,
me pornían rueca en cinta y me la harían hilar;
y dizen si algo les digo que luego me harían matar.
Si d'esto no me dáis vengança, mora me quiero tornar,
68 a esse moro Almançor me iré a querellar.—
—Callédesvos, mi señora, no queráis hablar lo tal,
que una tela tengo urdida, otra entiendo de ordenar,
que nascidos y por nascer tuviessen bien que contar.—
72 Fuese para los palacios donde el buen conde está.
En entrando por las puertas estas palabras fue a hablar:
—Si matássemos, buen conde, los hijos de nuestra her- [mana,
mandaréis a Castilla Vieja y aun los barrios de Salas,
76 donde hablaremos nosotros y valdrán nuestras personas.—

---

63 *abaldonado:* 'ofendido'.

68 *Almançor:* personaje que fue tomando vuelo hacia la mitificación desde 977, cuando empezó sus campañas militares en la frontera de Medinaceli, no concediendo ya respiro a los cristianos durante un cuarto de siglo.

76 *hablaremos:* 'daremos órdenes'. *RT*, II, 99 corrige el sucesivo *personas* con *palabras*, que restablece la asonancia. Prefiero mantener la letra del texto, que parece apuntar y materializar la relación entre la toma del poder de mando y el aumento del prestigio personal. Podríamos también leer *í* 'allí', formando así los dos octosílabos una frase consecutiva.

Cuando aquesto oyó el buen conde començóse a santi-
[guar:
—Esso que dizes, Rodrigo, dízeslo por me tentar;
que quiero más los infantes que los ojos de mi faz,
80 que muy buenos fueron ellos en aquella de Cascajar,
que si por ellos no fuera no bolviéramos acá.—
Cuando aquello oyó Rodrigo luego fuera a cavalgar.
Encontrado ha con Gregorio, el su honrado capellán;
84 que por fuerça que por grado en una iglesia lo hizo entrar,
tomárale una jura sobre un libro missal,
que lo que allí le dixesse que nadie no lo sabrá.
Después que huvo jurado papel y tinta le da;
88 escrivieron una carta de poco bien y mucho mal
a esse rey Almançor con traición y falsedad:
que le embíe siete reyes a campos de Palomar,
y aquesse moro Aliarde venga por su capitán,
92 —que los siete infantes de Lara te los quiero empresentar—.
En escriviendo la carta la hizo luego llevar.
Fuérase luego al conde do los infantes están;
sentados son a la mesa, començavan a yantar.
96 —Norabuena estéis, sobrinos.— —Vos, tío, muy bien
[vengáis.—

---

80 *Cascajar:* en este lugar hubo realmente una batalla entre el conde Garci Fernández y los moros; en ella participó Ruy Velázquez, según los *cantares* prosificados en las Crónicas.

85 Parece un v. típico más bien de *rr.* 'carolingios'; igual ocurre con el sintagma *ánimo singular* del v. 126. El aspecto compositivo y lingüístico de este largo *R.*, con indudables supervivencias épicas en varias de sus partes, debió de aventajarse de una consistente labor de reorganización y revisión en ámbitos profesionales juglarescos. Cfr. González Cuenca [1982].

90 *Palomar:* en el estadio más arcaico de la leyenda es Almenar, a 25 km. de Deza; Garci Fernández atacó su castillo el 2 de septiembre de 974. Probablemente la muerte real de los Infantes ocurrió en esa ocasión, al servicio del conde.

91 *Aliarde:* este nombre evoca el *romancero fronterizo* y sus textos más amanerados. Nos habríamos esperado *Alicante:* cfr. abajo. A héroes y sugestiones de la poesía de la frontera remite González Cuenca [1982], 13-20 a propósito del anacrónico *Calatrava* del v. 2; recuerda también que cofundador de la Orden militar de ese nombre fue un Diego Velázquez, burgalés de la Bureba e insigne soldado.

94 Sobre esta irrupción del discurso directo cfr. la nota 10 del Texto 104.

—Oídme ahora, sobrinos, lo que os quiero contar.
Concertado he con los moros: vuestro padre nos han de dar.
Salgamos a recebirlo a campos de Palomar,
100 solos y sin armadura, armas no hemos de llevar.—
Respondiera Gonçalillo el menor y fue a hablar:
—Tengo ya hecha la jura sobre un libro missal
que en bodas ni tornabodas mis armas no he de dexar,
104 y para hablar con moros bien menester nos serán,
que con cristiano ninguno nunca tienen lealtad.—
—Pues yo voy, los mis sobrinos, y allá os quiero espe-
[rar.—
En las sierras de Altamira que dizen de Arabiana
108 aguardava don Rodrigo a los hijos de su hermana.
No se tardan los infantes. El traidor mal se quexava:
está haziendo la jura, sobre la cruz de la espada,
que al que detiene los infantes él le sacaría el alma.
112 Detenìalos Nuño Salido, que buen consejo les dava.
Ya todos aconsejados, con ellos él caminava.
Con ellos va la su madre, la su madre doña Sancha;
llegó con ellos la madre una muy larga jornada.

---

98 Gonzalo Gustioz, padre de los Infantes, acaso formara parte de la embajada que Garci Fernández en 974 había enviado a Alhaken II de Córdoba; al asaltar el conde el castillo de Deza, los embajadores fueron detenidos. Si Gonzalo Gustioz fue uno de ellos, su prisión debió de durar hasta 992, fecha de los dos últimos documentos por él firmados que se conservan; el primero remonta a 963 y contiene también la firma del hijo Diego González, el 'mayor' en la leyenda, mientras el 'menor' Gonzalo González con la suya confirma en 971 una donación de Garci Fernández. Gonzalo Gustioz fue *potestad* en la alfoz de Juarros [¿su casi homofonía con «guarros» pudo tener alguna responsabilidad en lo del v. 39?], «territorio lindante con el norte de la alfoz de Lara», y pobló la villa de Salas: Menéndez Pidal [(1896) 1971], 507. Según la tradición épica, el cautiverio del padre de los Infantes fue una maniobra de Ruy Velázquez para preparar la venganza contra los hijos.

107 *Altamira:* si la identificamos con el Pico de Altamira, cerca de Palomares del Campo, notamos un desplazamiento progresivo, a lo largo del siglo XV, del «centro geográfico de la leyenda [...] desde la región de Almenar y Arabiana hacia la frontera toledana»: *RT,* II, 133.

109 *No se tardan:* la lógica del contexto requiere *Ya se tardan,* que pudo ser objeto de rechazo inconsciente por parte de quien tenía una percepción épica de los personajes y de la circunstancia.

114 A propósito de la presencia de la madre en el preludio de la prueba cfr. el Texto 144, vv. 83 y sigs. y su nota.

116 Partiéronse los infantes donde su tío esperava.
Partióse Nuño Salido a los agüeros buscar;
después que vió los agüeros començó luego a hablar:
—Yo salí con los infantes, salimos por nuestro mal:
120 siete celadas de moros aguardándonos están.—
Assí allegó a la peña do los infantes están;
tomáralos a su lado, empeçóles de hablar:
—Por Dios os ruego, señores, que me queráis escuchar:
124 que ninguno passe el río ni allá quiera passar,
que aquel que allá passare a Salas no bolverá.—
Allí hablara Gonçalo con ánimo singular;
era menor en los días y muy fuerte en pelear:
128 —No digáis esso, mi ayo, que allá hemos de llegar.—
Dio de espuelas al cavallo, el río fuera a passar;
los hermanos que lo vieron hizieron otro que tal.
Los moros estavan cerca, sálenlos a saltear;
132 los infantes que lo vieron empieçan a guerrear,
mas la morisma era tanta que no les davan lugar:
uno a uno, dos a dos degolládoselos han.
Con la empresa que tenían para Córdova se van;
136 las alegrías que hazen gran cosa era de mirar.
Alicante con plazer a su tío fue a hablar:
—Norabuena estéis, mi tío.— —Mi sobrino, bien ven-[gáis.
¿Cómo os ha ido, sobrino, con las guerrillas de allá?—
140 —Guerras os parescerían que no guerrillas de allá:
por siete cabeças que traigo mil me quedaron allá.—
Tomara el rey las cabeças, al padre las fue a embiar;
está haziendo la jura por su corona real
144 si el viejo no las conosce de hazerlo luego matar,

124 Del paso fatal del río trata la nota 8 del Texto 70.

137 *Alicante:* este nombre aparece en el *Cantar,* prosificado en las Crónicas del siglo XIV, en lugar del *Galve* de la fase más antigua de la leyenda, o sea el Gálib ben Abderráhman que era el responsable de la frontera de Medinaceli hasta 981; cfr. el v. 1 del Texto 116. Sobre los intrincados problemas, históricos y filológicos, de los *rr.* más antiguos del ciclo de los Infantes cfr. *RT,* II, 85-160; también Menéndez Pidal [(1896) 1971], 528-535 y [1951a], 181-239. Entre los *rr.* de tema épico, son los que muestran las relaciones textuales más amplias y evidentes con los restos indirectos de *cantares*.

y si él las conoscía le haría luego soltar.
Toma el viejo las cabeças, empeçara de llorar;
estas palabras diziendo, empeçara de hablar:
148 —No os culpo yo a vosotros, que érades de poca edad,
mas culpo a Nuño Salido que no os supo guardar.—

115

—Yo me estava en Barvadillo, en essa mi heredad;
mal me quieren en Castilla los que me avían de aguardar:
los hijos de doña Sancha mal amenazado me an
4 que me cortarían las faldas por vengonçoso lugar
y cevarían sus halcones dentro de mi palomar
y me forçarían mis damas casadas y por casar;
matáronme un cozinero so faldas del mi brial.

---

2 *aguardar;* 'proteger', 'respetar'. Probablemente era éste el v. primitivo de exordio de la queja de Lambra: *RT*, II, 123.

5 La posesión de un palomar era privilegio aristocrático protegido por la legislación, que conminaba fuertes penas en caso de violaciones. Lo mismo ocurría con la intangibilidad asegurada a quien se acogía a las faldas de su señora: v. 7. En las amenazas de atropellar ambos derechos se intercala una intención de violencia sexual contra damas y doncellas de la casa de doña Lambra; y a ella misma se promete un buen corte a las faldas a fuer de prostituta, como preludio del infamante frenesí, cuya aparente variedad se deja reducir fácilmente a una obsesión única. Que esa obsesión atormentara efectivamente a los Infantes, o que en ellos pudiera intuirla la víctima predestinada, o que doña Lambra se la inventara por odio a los sobrinos, cambia poco en cuanto a los humores que podemos suponer en quien creó tal conjunto, en quien lo iba amplificando y en quien lo iba escuchando y se lo repetía en la memoria. Porque el *romancero*, como cualquier género de arte de evasión, era y es lugar de transgresiones vividas por sus héroes y a través de ellos fantaseadas sin riesgo por su público. Con la contundencia de las simplificaciones que apuntan derechas al blanco, afirma María Eugenia Lacarra [1991] que en el *Cantar* de los Infantes «los parámetros de la feminidad se ligan a la conducta sexual de la mujer que, aunque no tiene como correlato antitético la masculinidad, son definidos por los intereses del varón», o sea, los de la procreación como garantía de la perduración del poder: en contraste con la sexualidad estéril y mortífera de Lambra, están la fructífera de Sancha y la restauradora de la hermana de Almanzor. Un cotejo con Pelegrín [1978] (cfr. Texto 114, nota 33-34) da un buen ejemplo de las convergencias posibles entre historia y antropología.

7 *so:* 'debajo de '.

8 Si d'esto no me vengáis, yo mora me iré a tornar.—
Allí habló don Rodrigo, bien oiréis lo que dirá:
—Calledes, la mi señora, vos no digades atal.
De los infantes de Salas yo vos pienso de vengar:
12 telilla les tengo ordida, bien gela cuido tramar,
que nascidos y por nascer d'ello tengan que contar.—

116

Pártese el moro Alicante víspera de sant Cebrián;
ocho cabeças llevava, todas de hombres de alta sangre.
Sábelo el rey Almançor, a recibírselo sale;
4 aunque perdió muchos moros, piensa en esto bien ganare.
Manda hazer un tablado para mejor las mirare.

---

8 A una Lambra humillada, en el cuerpo y en el estado, la falta de una venganza reparadora abriría el camino de la morería, que sabemos adónde llevaba; al evocarlo, aunque como sola intención, se completa la parábola adelantada en los vv. que preceden. Hermana de nuestra heroína, en los versos y fantasías de los juglares, es la Urraca de los derechos usurpados y de la sombría sexualidad, que se agita en los aledaños de la épica cidiana y asoma en los Textos 123 y 124. Un esbozo de la estructura de la 'queja' en el *romancero* traza Battesti Pelegrín [1986].

1 Sobre Alicante cfr. la nota 137 del Texto 114. La *víspera de sant Cebrián* (Cipriano) es el 13 de septiembre y la noticia de la batalla de Deza (nota 90 del Texto 114) había llegado a Córdoba el 12, según informa un historiador árabe. Tal concordancia de fechas y sobre todo el conservarse el detalle de la primera, con idéntica definición, en la prosa cronística que refleja el *Cantar* y en el *R.*, fueron punto de partida decisivo, entre otros, para una cuidadosa investigación arqueológica de tema y textos de la leyenda de los Infantes; pero también para las primeras motivadas reflexiones de Menéndez Pidal sobre la continuidad de la tradición textual de los *cantares* a los *rr.*, con las *Crónicas* como archivo de temas, de expresiones y hasta de vv. de los poemas perdidos; cfr. un emocionante apunte autobiográfico en Menéndez Pidal [(1951a) 1980], pág. XXXIX. Para un papel eventual de las prosificaciones cronísticas en la 'creación' del *R.* cfr. el detallado cotejo de Cummins [1970]; y también Catalán en Menéndez Pidal [(1951a) 1980], pág. XL y las cautelas que sugiere Devoto [1982], 55-56 en la utilización de este *R.* para 'confirmar' el *cantar* delatado por la prosa cronística. *Cantar* y prosa en Menéndez Pidal [1951a], 203-211: un fácil cotejo permite apreciar la compresión que el *R.* realiza.

5 *tablado:* aquí es 'suelo de tablas formado en alto sobre una armazón': *DRAE,* s. v.

Mandó traer un cristiano qu'estava en captividade;
como ante sí lo truxeron empeçóle de hablare,
8 díxole: —Gonçalo Gustos, mira quien conoscerás;
que lidiaron mis poderes en el campo de Almenare,
sacaron ocho cabeças, todas son de gran linage.—
Respondió Gonçalo Gustos: —Presto os diré la verdade.—
12 E limpiándoles la sangre assaz se fuera a turbar;
dixo llorando agramente: —Conózcolas, por mi mal:
la una es de mi carillo, las otras me duelen más:
de los infantes de Lara son, mis hijos naturales.—
16 Assí razona con ellos como si vivos hablassen:
—Dios os salve, el mi compadre, el mi amigo leal.
¿Adónde son los mis hijos que y'os quise encomendar?
Muerto sois como buen hombre, como hombre de fiar.—
20 Tomara otra cabeça del hijo mayor de edad:
—Sálveos Dios, Diego Gonçález, hombre de muy gran [bondad,
del conde Fernán Gonçález alferez el principal;
a vos amava yo mucho, que me havíades de heredar.—
24 Alimpiándola con lágrimas, bolviérala a su lugar
y toma la del segundo, Martín Gómez que llamavan:
—Dios os perdone, el mi hijo, hijo que mucho preciava.
Jugador era de tablas, el mejor de toda España,
28 mesurado cavallero, muy buen hablador en plaça.—
Y dexándola llorando, la del tercero tomava:
—Hijo Suero Gustos, todo el mundo os estimava;
el rey os tuviera en mucho, solo para la su caça;

---

9 *poderes:* 'ejército'.

14 *carillo:* 'amigo querido', 'compañero'.

21 Del carácter y virtudes de los Infantes escribe Otis H. Greeen, *España y la tradición occidental.* El espíritu castellano en la literatura desde «El Cid» hasta Calderón, Madrid, Gredos, 1969, vol. I, pág. 26: «los siete juntos condensan las cualidades del perfecto caballero; lealtad, justicia, verdad, valor, fidelidad, generosidad y compañerismo». El lamento de Gonzalo Gustios procede según el modelo retórico y con fórmulas del *planctus:* Rossi-Ross [1988], que analiza el del *Roncesvalles,* muy vinculado con el nuestro.

22 *Fernán González:* más exacto sería *Garci Fernández.*

25 *Gómez:* debería ser *González,* también en los vv. 30 y 39; en el v. 33 convendría *Velázquez.* Según *RT,* II, 149, son descuidos de la transmisión escrita.

32 gran cavallero esforçado, muy buen bracero a ventaja.
Ruy Gómez, vuestro tío, estas bodas ordenara.—
Y tomando la del cuarto, lassamente la mirava:
—¡Oh hijo Fernán Gonçález, nombre del mejor d'España!,
36 del buen conde de Castilla, aquel que vos baptizara.
Matador de puerco espín, amigo de gran compaña;
nunca con gente de poco os vieran en aliança.—
Tomó la de Ruy Gómez, de coraçón la abraçava:
40 —Hijo mío, hijo mío, ¿quién como vos se hallará?
Nunca le oyeron mentira, nunca, por oro ni plata.
Animoso buen guerrero, muy gran feridor d'espada,
que a quien dávades de lleno tullido o muerto quedava.—
44 Tomando la del menor, el dolor se le doblara:
—Hijo Gonçalo Gonçález, los ojos de doña Sancha,
¿qué nuevas irán a ella que a vos más que a todos ama?
Tan apuesto de persona, dezidor bueno entre damas,
48 repartidor en su aver, aventajado en la lança.
¡Mejor fuera la mi muerte que ver tan triste jornada!—
Al duelo qu'el viejo haze toda Córdova llorava.
El rey Almançor cuidoso consigo se lo llevava
52 y mandó a una morica lo sirviesse muy de gana.
Esta le torna en prisiones y con amor le curava.

---

32 *bracero:* con brazo robusto para el manejo de las armas, en particular de la lanza.

34 *lassamente:* 'abatido'.

39 Nos esperaríamos ahora el elogio de Gustios González; sus méritos confluyen en los retratos contiguos.

43 *tullido:* 'inmovilizado'.

47-48 El hijo menor reúne, en síntesis y afinadas, las virtudes de los demás: hermoso de cuerpo, de habla elegante con las damas (en el v. 28 «hablador en plaça» define el discurso público, 'político', respecto al doméstico y cortesano), liberal, diestro en las armas. Montgomery [1991], considerando el 'furor' de Gonzalo, su relación con Lambra y la escena del baño (nota 33 del Texto 114), indica en este personaje el protagonista, de raigambre céltica, de un rito de iniciación.

48 *aventajado:* en la fuente *avantajado;* es corriente la nasalización en *-en-*, que atribuiría al tipógrafo.

51 *cuidoso:* 'solícito' o 'angustiado'.

53 *amor:* en la fuente *hambre,* francamente inexplicable tanto con la tradición oral que con conjeturas paleográficas, que implicarían un tipógrafo del todo distraído respecto al texto que iba componiendo… o aficionado a los donaires.

Hermana era del rey, donzella moça y loçana.
Con ésta Gonçalo Gustos vino a perder su saña,
56 que d'ella le nació un hijo que a los hermanos vengara.

117

A caçar va don Rodrigo y aun don Rodrigo de Lara.
Con la gran siesta que haze arrimádose ha a una haya,
maldiziendo a Mudarrillo, hijo de la renegada,
4 que si a las manos le uviesse que le sacaría el alma.
El señor estando en esto Mudarrillo que assomava.
—Dios te salve, cavallero, debaxo la verde haya.—
—Assí haga a ti, escudero, buena sea tu llegada.—
8 —Dígasme tú, el cavallero, cómo era la tu gracia.—
—A mí dizen don Rodrigo y aun don Rodrigo de Lara,

---

1 Ruy Velázquez residía en Lara, villa cabeza del distrito que incluía Salas, la residencia de los Infantes.

2 *siesta:* 'calor'.

3 *Mudarrillo:* diminutivo de Mudarra, que literalmente vale 'hijo de yegua y asno' o sea 'mulo'; era «aquel cuya madre es más noble que su padre» y, desde el punto de vista musulmán, «hijo de mora y cristiano»: Emilio García Gómez-Ramón Menéndez Pidal, «Sobre la etimología del nombre del bastardo 'Mudarra'», en *Al-Andalus,* XVI (1951), págs. 87-98 y Menéndez Pidal [(1896) 1971], 497-502. Parece que Mudarra no estaba en el hipotético *Cantar* primitivo del siglo X, de contenido escuetamente noticiero y más o menos contemporáneo del trasfondo histórico de la leyenda; fue invención de un poema sucesivo, hipotético éste también, que en el siglo XI refundió el primero: *RT,* II, 91. La *Primera Crónica General* utilizó el segundo *Cantar,* mientras una tercera refundición, del siglo XIV, entró de lleno en la *Crónica de 1344*. Reelaboraciones ulteriores se detectan en sucesivas reescrituras e interpolaciones de las Crónicas y sobreviven fragmentariamente, de forma más o menos directa, en los *rr*.

3 *renegada:* vale, extensiva e impropiamente, por 'infiel', dado que no consta una conversión de la morilla que fue compañera del cautivo y apenado Gonzalo Gustioz. El término definía más bien a quien dejaba la fe cristiana por la musulmana.

8 *gracia:* 'nombre'.

9-13 Esta autopresentación y la simétrica de Mudarra (vv. 14-19) responde a un modelo épico y caballeresco, que se compone de la identificación y de la inmediata bravata amenazadora. A través de ellas pasa también una información esencial sobre antecedentes y razones del duelo, dando al *R*. una perfecta autonomía narrativa. Una lectura más bien psicologista del segmento

cuñado de Gonçalo Gustos, hermano de doña Sancha;
por sobrinos me los uve los siete infantes de Salas.
12 Espero aquí a Mudarrillo, hijo de la renegada;
si delante lo tuviesse yo le sacaría ell alma.—
—Si a ti dizen don Rodrigo, y aun don Rodrigo de Lara,
a mí Mudarra Gonçales, hijo de la renegada,
16 de Gonçalo Gustos hijo y añado de doña Sancha;
por hermanos me los uve los siete infantes de Salas.
Tú los vendiste, traidor, en el val de Araviana;
mas si Dios a mí me ayuda aquí dexarás ell alma.
20 —Espéresme, don Gonçalo, iré a tomar las mis armas.
—¡El espera que tú diste a los infantes de Lara!
Aquí morirás, traidor, enemigo de doña Sancha.

Mocedades de Rodrigo
El rey Sancho sobre Zamora
El Cid y el rey Alfonso

118

—Rey que non fase justiçia no deve el reino mandare,
pues que veo cada día aquel que mató a mi padre.

---

en Bénichou [1969], 48 y sigs., que además desarrolla una aguda demostración de la originalidad del texto respecto a los posibles antecedentes poéticos reflejados en las Crónicas, como había apuntado ya muy de pasada *RT*, II, 157.

16 *añado:* 'alnado, hijastro'. Cuenta la leyenda que doña Sancha adoptó a Mudarra con un rito finalizado a simular el parto: lo hizo pasar a través de una camisa suya, entrando por una manga y saliendo por la otra. Así le transmitía también los derechos de heredero, en cuanto poseedora de un poder familiar y social enraizado en tradiciones matrilineales —reflejadas en la legislación—, y que la leyenda y los relatos poéticos le reconocen ampliamente con el espacio que le reservan.

20 *don Gonçalo:* según una tradición tardía, recogida en el llamado «Arreglo toledano» de la *Crónica general,* de hacia 1460, Mudarra al bautizarse quiso adoptar el nombre del menor de los Infantes. Éste y otros rasgos de nuestro personaje perfilan la figura del 'doble', y revelan en la leyenda un interesante inserto del antiguo y persistente mito de los héroes gemelos: Bluestine [1985], 465-468.

2 *pues que:* gramaticalmente, este v. ha sido enlazado con el texto de la glosa, alterando la conexión con el v. antecedente del mismo *R*. Es práctica común de los glosadores, como lo es también el aprovechamiento de léxico o

Por me hazer despesare por mi puerta iva a pasare,
4 con un halcón en la mano disiendo que iva a caçare:
quebrantárame las puertas, las puertas de mi corrale,
matárame una palomilla dentro de mi palomare.—
Puso el rey barva en onbro, començara de pensare:
8 —Si a este onbre mato o prendo mis cortes se bolveráne.—
No avía ningún privado que osase consejare,
si non es Ximena Gomes, la que las querellas dave:
—Diésesmelo por marido aquel que mató al mi padre:
12 el que tanto mal me hizo quiçá algún bien me faráve.—

119

Día era de los Reyes, día era señalado,
cuando dueñas y donzellas al rey piden aguinaldo,
sino es Ximena Gómez, hija del conde Loçano,
4 que puesta delante el rey, d'esta manera ha hablado:

---

motivos del *r.* para el cuerpo de la glosa, evitando glosar los vv. que los contienen y por lo tanto sin transcribirlos. De esto deriva que, a veces, el texto de un *r.* extraído de una glosa resulte más corto que el impreso en otras fuentes, o incluso en el mismo *pliego* antes de la glosa. La de nuestro *R.* adopta la forma métrica, poco usual, de la cuarteta, con dos versos de glosa y dos de texto.

3 *despesare:* igual que *pesar,* aparte la *-e* paragógica que es constante en el texto (en los vv. 10 y 12 con *-v-* antihiática) y entra también en las rimas del glosador; a esto se debe su excepcional presencia en este v. impar, sin responsabilidad de asonancia.

5 Este v., y también los 7, 9 y 10, no aparecen en los textos impresos del *R.* No tienen correspondencia en prosas cronísticas ni en el *Cantar* de las *Mocedades de Rodrigo;* pero suenan a tradicionales.

7 El modismo del primer octosílabo significa «estar alerta» (*DRAE,* s. v. *barba*); aquí indica más bien una actitud de preocupada reflexión.

8 *este:* aparece en el texto del *R.* publicado por Timoneda, como *quiçá* del v. 12. Indicios de posibles deudas, incluso mínimas.

11 Esta formulación coincide casi por entero sólo con el v. 376 de las *Mocedades de Rodrigo* (ed. en Menéndez Pidal [1951a], 269): «datme a Rodrigo por marido, / aquel que mató a mi padre».

12 *mal:* es oportuna corrección de la misma mano, escrita sobre *bien* que ha sido tachado. Información crítica y bibliografía sobre este *R.* en las notas del Texto 119.

4 El rey es Fernando I el Magno. Respecto a la épica incluso tardía, en el *romancero* se van confundiendo los distintos reyes, y sobre su relación con

—Con manzilla bivo, rey, con ella bive mi madre:
cada día que amanece veo quien mató a mi padre,
cavallero en un cavallo y en su mano un gavilán,
8 otra vez con un halcón que trae para caçar:
por me hazer más enojo cévalo en mi palomar,
con sangre de mis palomas ensangrentó mi brial.
Embiéselo a dezir, embióme a amenazar
12 que me cortará mis haldas por vergonçoso lugar,
me forçará mis donzellas casadas y por casar.
Matárame un pagezico so haldas de mi brial.
Rey que no haze justicia no devía de reinar
16 ni cavalgar en cavallo ni espuela de oro calçar
ni comer pan a manteles ni con la reina holgar
ni oir missa en sagrado, porque no merece más.—
El rey de que aquesto oyera, començara de hablar:
20 —¡Oh válame Dios del cielo, quiérame Dios consejar!
Si yo prendo o mato al Cid, mis cortes se bolverán;
y si no hago justicia, mi alma lo pagará.—

Rodrigo-el Cid se extienden los reflejos del conflicto histórico y épico del héroe con Alfonso VI.

6 En sus mocedades fabulosas Rodrigo Díaz mata a un conde Gómez de Gormaz, rival del padre. La hija del conde, Jimena Gómez, pide y obtiene del rey que Rodrigo subsane la pérdida de protección que le ha causado, casándose con ella. Esta solución no respondía a una norma jurídica codificada; pero se conoce también en otras tradiciones culturales y literarias. En la castellana fue afinándose como núcleo dramático, desde las refundiciones de la *Crónica* alfonsina en el siglo XIV hasta el teatro del siglo XVII y en Guillén de Castro en particular, pasando por el aporte decisivo del *romancero:* Paludan [1926]; Bénichou [1953], que incluye a Corneille. Montaner Frutos [1992] comenta la vertiente para-jurídica y antropológica del tema en la épica y en los *rr.,* que ofrece en sus distintas versiones. Para la supervivencia en la tradición oral moderna de éste y de otros *rr.* relacionados con los *cantares* épicos cfr. las monografías de *JSB,* I: sobre nuestro *R.* págs. 72-101. En *CR[47],* f. 155r leemos una versión mucho más corta, que empieza con este v., sigue con una acusación sintética sin el diálogo entre Jimena y el rey, y concluye con nuestros vv. 31 y sigs.

9 *palomar:* cfr. la nota 5 del Texto 115. Entre la denuncia de «provocación erótica» y de «agresión sexual» y la petición de matrimonio (vv. 24 y 29) se crea un vínculo que da nueva complejidad al motivo de la reparación: intervienen impulsos profundos de una Jimena que «pide, en cierto modo, participar del ardor del héroe en razón del mutuo apagamiento de sus ansias»: Montaner Frutos [1992], 484. Con variantes y alguna integración, la denuncia de Jimena se compone de fórmulas: cfr. Texto 115.

—Tente las tus cortes, rey, no te las rebuelva nadie.
24 Al Cid que mató a mi padre dámelo tú por igual,
que quien tanto mal me hizo sé que algún bien me hará.—
Entonces dixera el rey, bien oiréis lo que dirá:
—Siempre lo oí dezir, y agora veo que es verdad,
28 que el seso de las mugeres que no era natural:
hasta aquí pidió justicia, ya quiere con él casar.
Yo lo haré de buen grado, de muy buena voluntad:
mandarle quiero una carta, mandarle quiero llamare.—
32 Las palabras no son dichas, la carta camino vae.
Mensajero que la lleva dado la avía a su padre.
—Malas mañas avéis, conde, no vos las puedo quitar,
que cartas que el rey vos manda no me las queréis mos-[trare.—
36 —No era nada, mi hijo, sino que vades alláe.
Quedávos aquí, hijo, yo iré en vuestro lugare.—
—Nunca Dios atal quisiesse, ni santa María lo mande,
sino que adonde vos fuéredes que vaya yo adelante.—

120

Cavalga Diego Laínez al buen rey besar la mano;
consigo se los llevava los trezientos hijos dalgo.

---

24 *dámelo:* en la fuente *dañe lo,* que podría tener su sentido si hiciéramos caso omiso del v. sucesivo.

29 *casar:* la sorpresa del rey resuelve en tonos humorísticos el enigma ético que el caso había planteado más o menos desde el siglo XIV, aunque fuera una variante del tema universal de la mujer que casa con el enemigo de su familia: denso análisis en Bénichou [1953]. Pero en esa sorpresa del rey se percibe también aquella vertiente de la misoginia del cuatrocientos, que denunciaba la incapacidad de la mujer en el control de su propio eros y su consecuente protagonismo agresivo, llevado hasta la contradicción: Montaner Frutos [1992], 486-489.

33 *Mensajero:* en la fuente *mansajero*.

39 El arrojo generoso de Rodrigo nace de un impulso de autorrealización, peculiar de la juventud legendaria de este héroe (y de tantos otros), frente al principio de autoridad que representan el padre y el rey. Es impulso que suele quedar sustancialmente frustrado: Di Stefano [1986]. Este *R*. y el siguiente derivarían de una versión de las *Mocedades de Rodrigo* distinta de la conservada: *RH,* I, 219 y sigs.; Armistead [1978d] y Montgomery [1984].

1 El nombre del padre de Rodrigo, que murió hacia 1058, es auténtico; el episodio es inventado.

Entr'ellos iva Rodrigo, el sobervio castellano:
4 todos cavalgan a mula, sólo Rodrigo a cavallo;
todos visten oro y seda, Rodrigo va bien armado;
todos espadas ceñidas, Rodrigo estoque dorado;
todos con sendas varicas, Rodrigo lança en la mano;
8 todos guantes olorosos, Rodrigo guante mallado;
todos sombreros muy ricos, Rodrigo casco afilado
y encima del casco lleva un bonete colorado.
Andando por su camino unos con otros hablando,
12 allegados son a Burgos, con el rey se han encontrado.
Los que vienen con el rey entre sí van razonando,
unos lo dizen de quedo, otros lo van preguntando:
—Aquí viene entre esta gente quien mató al conde [Loçano.—
16 Como lo oyera Rodrigo en hito los ha mirado;
con alta y sobervia voz d'esta manera ha hablado:

4-10 Sobre tales tiradas cfr. la nota 14 del Texto 109.

8 *mallado:* 'de malla de cuero o metal'.

10 Un bonete colorado encima del casco resulta por lo menos curioso. Probablemente no sólo a nuestros ojos de modernos. *Aut.*, s.v., define el bonete un sombrero típico de clérigos y hombres de letras, y ejemplifica con un dicho en que se contrapone al almete, símbolo guerrero. La tradición de tal emparejamiento opositivo pudo ser responsable de la presencia del bonete en el *R.*, favorecida también por la tendencia a la acumulación; a ella la musa popular se deja llevar gustosamente, sobre todo en los momentos de creación menos controlada, a veces con resultados de inevitable comicidad. Pero salta a la memoria también una comicidad muy voluntaria, la de estos vv., por ejemplo: «Cavalgó Diego Laínez / para el rey besar la mano; / ropas lleva de verano / el buen guerrero», de una burlesca *Ensalada de romances: Pliegos Praga,* I, *pl.* I, pág. 6. Wright [1987], 194 ve en el bonete el sombrero de ceremonia que cubre adrede un almete. Pero todo el segmento juega sobre la evidencia provocativa del contraste entre atuendos ceremoniales, vestidos por sus compañeros, y los marciales que exhibe el solo Rodrigo. Sólo en el último v., fuera ya de la congruencia y del ritmo opositivos, se le coloca al héroe el tal bonete: se aprecia un vago sabor de glosa burlesca espuria.

15 *Loçano:* aplicado al fabuloso conde, fue primero adjetivo con el sentido de 'orgulloso', como aparece también en el v. 431 de las *Mocedades* referido a Rodrigo.

16 *en hito:* 'fijamente'.

17 La ponderación del primer octosílabo, como la del v. 37, es más bien típica del lenguaje juglaresco de la escuela 'carolingia'; junto con otros términos selectos y con la rebuscada arquitectura textual, sugiere en la elaboración del *R.* una mano bien experta. Sobre su formación Menéndez Pidal

—Si hay alguno entre vosotros, su pariente o adeudado,
que le pese de su muerte, salga luego a demandallo:
20 yo se lo defenderé quier a pie quier a cavallo.—
Todos responden a una: —Demándelo su pecado.—
Todos se apearon juntos para al rey besar la mano;
Rodrigo se quedó solo encima de su cavallo.
24 Entonces habló su padre, bien oiréis lo que ha hablado:
—Apeáosvos, mi hijo; besaréis al rey la mano,
porque él es vuestro señor, vos, hijo, sois su vassallo.—
Desque Rodrigo esto oyó sintióse más agraviado;
28 las palabras que responde son de hombre muy enojado:
—Si otro me lo dixera ya me lo oviera pagado;
mas por mandarlo vos, padre, yo lo haré de buen grado.—
Ya se apeava Rodrigo para al rey besar la mano;
32 al hincar de la rodilla el estoque se ha arrancado;
espantóse d'esto el rey y dixo como turbado:
—¡Quítate, Rodrigo, allá! ¡Quítateme allá, diablo!,
que tienes el gesto de hombre y los hechos de león bravo.—
36 Como Rodrigo esto oyó apriessa pide el cavallo;
con una boz alterada contra el rey assí ha hablado:
—Por besar mano de rey no me tengo por honrado;
porque la besó mi padre me tengo por afrentado.—
40 En diziendo estas palabras salídose ha del palacio;

[1939], 88 y sigs. y los trabajos citados en la nota 6 del Texto 119; también Chasca [1972].

21 *pecado:* es probable el sentido de 'diablo', en frase que equivaldría a 'llévesele el diablo'; pero téngase en cuenta que *demandar* literalmente es 'acusar'. Cfr. *diablo* en el v. 34 y sobre todo el v. 39 del Texto 121; cfr. también el v. 33 del Texto 14.

26 En el v. se concentra la expresión de la doble sumisión, familiar y social, que pesa sobre Rodrigo; éste se inclina a soportar la segunda solamente por respeto hacia la primera. Es el nudo del conflicto íntimo del protagonista y una de las señales del irse diferenciando el Rodrigo novelesco del Cid épico.

32 Casual e involuntaria, la ostentación del estoque impresiona igualmente a la corte. En efecto, el sacar parcialmente la espada de su funda era gesto de provocación y desafío, frecuente en la épica francesa.

40-43 El epílogo tiene sus incongruencias: los trescientos acompañaban a Diego Laínez y no a Rodrigo; nada ha ocurrido durante la escena que explique un cambio y una mejora tan radicales en el equipamiento, ganancia típica más bien de una victoria militar. En realidad, esto es lo que el *R.* representa

consigo se los tornava   los trezientos hijos dalgo:
si bien vinieron vestidos   bolvieron mejor armados,
y si vinieron en mulas   todos buelven en cavallos.

121

Rey don Sancho, rey don Sancho   cuando en Castilla reinó
corrió a Castilla la vieja   de Burgos hasta León;
corrió todas las Asturias   dentro hasta sant Salvador;
4 también corrió a Santillana   y dentro en Navarra entró
y a pesar del rey de Francia   los puertos de Aspa passó.
Siete días con sus noches   en el campo le esperó;
desque vio que no venía   a Castilla se bolvió.
8 Luego le vinieron cartas   d'esse padre de Aviñón,
que se vaya para Roma   y le alçarán emperador;
que lleve treinta de mula   y de cavallo que non,

---

de una forma muy alusiva y elíptica, a través del brillante juego de figuras, gestos y objetos simbólicos, casi un choque recitado en una fiesta de corte, con su teatral mudar de traje —y de identidad— inclusive. El resultado último y sustancial de la empresa es una marginación del héroe, aunque voluntaria y orgullosa. Sugerente la lectura de Martin [1978].

1 Exordio con función ponderativa y efectista al mismo tiempo: Di Stefano [1979]. El rey, en la fórmula, es Sancho II: cfr. la nota 4 del Texto 122 y la nota 3 del Texto 123.

5 La empresa en Francia y la sucesiva en Roma son invención juglaresca y se atribuían al joven Rodrigo al servicio del rey Fernando I. Una huella de este dato primitivo se conservaría en un fragmento del *R.* cantado en Marruecos: cfr. *JSB*, I, 102-160. Algunas de las fórmulas contenidas en estos cinco vv. primeros se localizan ya en el *Poema de Mío Cid;* con variantes, pasan a las *Mocedades de Rodrigo:* Menéndez Pidal [1992], 129-130.

8 *padre de Aviñón:* la referencia a Aviñón como sede del Papa llevaría a colocar el v., y por lo menos el segmento que lo contiene, en los años del Cisma, entre los ss. XIV y XV: *RH,* I, 215-218. Por otro lado, la animosidad contra Francia y Roma juntamente, había llevado a suponer la entrada en el texto de humores difusos cuando el conflicto de España con Francisco I de Francia y el saqueo de Roma (1527): *Tratado,* VI, 303. Mc Pheeters [1986] se orienta, no muy claramente, hacia la mitad del siglo XV; cfr. la nota 28.

10 Empieza a desarrollarse el que llamaríamos el motivo del 'orgullo y agresividad del vasallo', con su ajuar de fórmulas lingüísticas y conceptuales; cfr. los *RR.* sobre Bernardo del Carpio y Fernán González, y en particular *demandar* y *diablo* de los vv. 20 y 39 con los vv. 19, 21 y 34 del Texto 120.

y que no lleve consigo esse Cid Campeador:
12 que las cortes están en paz, no las rebolviesse non.
El Cid cuando lo supo a las cortes se partió,
con trezientos de a cavallo, todos hijos dalgo son.
—Mercedes, buen rey, mercedes, otorgádmelas, señor:
16 que cuando fuéreis a Roma que me llevedes con vos,
que por las tierras do fuérades yo sería el gastador:
hasta salir de Castilla de mis averes gastando,
cuando fuéremos por Francia el campo iremos robando,
20 por ver si algún francés saldría a demandallo.—
A sus jornadas contadas a Roma se han llegado.
Apeádose ha el buen rey, al Papa besó la mano;
también sus cavalleros, que se lo avían enseñado.
24 No lo hizo el buen Cid, que no lo avía acostumbrado.
En la capilla de sant Pedro don Rodrigo se ha entrado;
viera estar siete sillas de siete reyes cristianos,
viera la del rey de Francia par de la del Padre Sancto
28 y vio estar la de su rey un estado más abaxo.
Vasse a la del rey de Francia, con el pie la ha derrocado,
y la silla era de oro, héchose ha cuatro pedaços;
tomara la de su rey y subióla en lo más alto.
32 Ende hablara un duque que dizen el saboyano:
—¡Maldito seas, Rodrigo, del Papa descomulgado!,
que deshonraste a un rey, el mejor y más sonado.—
Cuando lo oyó el buen Cid tal respuesta le ha dado:

---

28 *estado:* medida que equivale a siete pies, según *DRAE*,, s.v., que da para Castilla la correspondencia a 28 cm.: la sorpresa y la ira de Rodrigo eran más que legítimas. Como lo era la pretensión de Juan II de ver a sus embajadores en el Concilio de Basilea sentados en un asiento que en dignidad fuera inferior solamente al de los representantes del rey de Francia, y superior desde luego al de los del rey de Inglaterra. La cuestión quedó pendiente durante un par de años (1434-1436), hasta resolverse en favor de España gracias a una magnífica oración de Pablo de Cartagena: en *Prosistas castellanos del siglo XV*, ed. de Mario Penna, Madrid, Atlas, 1959, págs. 205-233 («Bibl. Aut. Esp.», núm. 116). El editor informa (pág. XLV) de un retoque en un ms. de la oración: en él veo una estrecha analogía con la acción violenta del Rodrigo del *R*. Informa también (pág. XLVIIn.) de un conflicto parecido estallado en Mantua en 1458, durante la presentación de obediencia al Papa Pío II; protagonistas fueron el hijo del marqués de Santillana y el embajador de Francia. Vemos que no faltaban ocasiones para que las tradiciones épico-romancísticas y la realidad histórica intercambiaran sugestiones.

36 —Dexemos los reyes, duque: ellos son buenos y honra- [dos;
y ayámoslo los dos como muy buenos vasallos.—
Y allegóse cabe el duque, un gran bofetón le ha dado.
Allí hablara el duque: —¡Demándetelo el diablo!—
40 El Papa desque lo supo quiso allí descomulgallo;
don Rodrigo que lo supo tal respuesta le huvo dado:
—Si no me absolvéis, el Papa, seríaos mal contado,
que de vuestras ricas ropas cubriré yo mi cavallo.—
44 El Papa desque lo oyera tal respuesta le huvo dado:
—Yo te absuelvo, don Rodrigo, yo te absuelvo de buen [grado,
que cuanto hizieres en cortes seas d'ello libertado.—

122

Doliente se siente el rey, esse buen rey don Fernando.
Los pies tiene hacia oriente y la candela en la mano;
a su cabecera tiene arçobispos y perlados,
4 a su man derecha tiene a su fijos todos cuatro:
los tres eran de la reina y el uno era bastardo.
Esse que bastardo era quedava mejor librado:
arçobispo es de Toledo, maestre de Santiago,

---

1 Fernando I el Magno reinó de 1035 a 1065 y consiguió unificar Castilla, León y Galicia; enfermó durante el sitio de Valencia y murió en León el 27 de diciembre.

3 *perlados:* igual que *prelados.*

4 Los hijos de Fernando fueron cinco y todos legítimos: Urraca, nacida en 1033; Sancho, nacido en 1038 [?] y rey de 1065 a 1072; Elvira, nacida en 1039 [?]; Alfonso, nacido en 1040 y rey de León de 1065 y de Castilla y demás de 1072 a 1109; y García, nacido en 1042 [?] y rey de Galicia y Portugal de 1065 a 1071. Cfr. Menéndez Pidal [(1929) 1947], II, 707 y [1992], cap. XII, sobre un posible *Cantar de Sancho el Fuerte* e historia y literatura de la división del reino.

7-8 La acumulación es rasgo típico de la 'creación' popular. En este caso los contenidos específicos podrían delatar humores antirromanos (cfr. la nota 8 del Texto 121), que mucho corrieron en los primeros decenios del siglo XVI. Sin embargo, en un ms. de comienzos del siglo XV de la *Crónica de veinte reyes* (finales del XIII) se lee: «Algunos dizen en sus cantares que avia el rey don Ferrando un fijo de ganancia que era cardenal de Roma, e legado

8 abad era en Çaragoça, de las Españas primado.
—Hijo, si yo no muriera vos fuérades Padre Santo;
mas con la renta que os queda vos bien podréis alcançarlo.—
Ellos estando en aquesto, entrara Urraca Fernando
12 y buelta hazia su padre d'esta manera ha hablado:

123

—Morir vos queredes, padre, san Miguel vos aya el alma.
Mandastes las vuestras tierras a quien se vos antojara:
a don Sancho a Castilla, Castilla la bien nombrada,
4 a don Alonso a León y a don García a Bizcaya.
A mí porque soy muger dexáisme deseredada.

---

de toda España, e abad de sant Fagunde, e arçobispo de Santiago, e prior de Monte Aragon; este fue el que poblo Arvas e avia nombre don Ferrando; mas esto non lo fallamos en las estorias de los maestros que las escripturas conpusieron, e por ende tenemos que non fue verdat»: en Menéndez Pidal [1951a], 242. El texto poético claramente aludido pudo ser parte de un largo *cantar* o un breve texto autónomo, precedente lejano de nuestro *R*. Alan Nathan, «The Clergy as Characters in the Medieval Spanish Epic», en *I*, 20 (1984), páginas 21-41 relaciona la invención poética de este personaje con la presencia tradicional de una figura de clérigo en los relatos épicos.

12 Sobre el final abierto hacia el *R*. sucesivo cfr. la nota 59 del Texto 142; para este caso en particular cfr. la nota 20 del Texto 123. Cfr. también la nota 44 del Texto 65.

2 La repartición tuvo lugar en León dos años antes de la muerte de Fernando, con el designio —tan bueno como malogrado— de asegurar una sucesión pacífica. La división del reino como si fuera patrimonio personal del monarca fue costumbre de origen franco (siglo VI), que en la Península había introducido Sancho el Mayor de Navarra (reinó de 1000 a 1035), cuando tenía bajo su dominio o control casi toda la España cristiana, incluyendo el reino de León, heredero de la tradición unitaria. Un pequeño precedente se había dado en Asturias con Alfonso III en 909-910. Tal sistema no se prolongó más allá del siglo XI. Cfr. Menéndez Pidal [(1929) 1947], I, 102 y sigs. y II, 672-674.

3 A Sancho le tocaron Castilla, el vasallaje de Navarra y el tributo del reino musulmán de Zaragoza; Alonso tuvo León, varios lugares y el tributo del reino musulmán de Toledo; García no recibió Vizcaya sino Galicia y Portugal, y el tributo de los reinos moros de Sevilla y Badajoz.

5 *deseredada:* en la Edad Media era condición más áspera que en otras épocas; con su doble exclusión del patrimonio y del núcleo familiar, podía abrir perspectivas de vida no muy distintas de las prefiguradas por Urraca. Tonos y detalles de su queja reflejan bien el temperamento real y el perfil poético tradicional de esta enérgica princesa, que tuvo un papel esencial en el

Irm'he yo por essas tierras como una muger errada
y este mi cuerpo daría a quien se me antojara:
8 a los moros por dineros y a los cristianos de gracia;
de lo que ganar pudiere haré bien por la vuestra alma.—
Allí preguntara el rey: —¿Quién es essa que assí habla?—
Respondiera el arçobispo: —Vuestra hija doña Urraca.—
12 —Calledes, hija, calledes, no digades tal palabra,
que muger que tal dezía merescía ser quemada.
Allá en Castilla la Vieja un rincón se me olvidava,
Çamora avía por nombre, Çamora la bien cercada:
16 de una parte la cerca el Duero, de otra peña tajada,
del otro la morería; una cosa muy preciada.
Quien vos la tomare, hija, la mi maldición le caiga.—
Todos dizen: —Amén, amén— sino don Sancho que calla.

---

choque entre Sancho y Alfonso, en favor del segundo; junto a éste gozó después de título y prerrogativas de reina, y de ahí la sospecha de relación incestuosa: E. Lévi Provençal y R. Menéndez Pidal, «Alfonso VI y su hermana la infanta Urraca», en *Al-Andalus,* XIII (1948), págs. 157-166. *RR*. como el presente son los testimonios últimos de relatos y cantos formados alrededor de violencias auténticas salpicadas de morbosas fantasías, mezclas atractivas de razones de estado y sinrazones de la sensualidad.

6 La del primer octosílabo es frase tradicional, a juzgar por *CALP,* 478: «yr-m'ey a tierras agenas» y *CALP,* 632: «yr-m'ey, triste, polo mundo», ambos en Gil Vicente.

7 El segundo octosílabo repite, adaptándole, el del v. 2. Recibe así un énfasis rebuscado la arbitrariedad emotiva que regirá la conducta futura de la infanta, en paralelo polémico con la que ha regido la actuación presente del rey: el puro antojo que, desde el punto de vista de la desheredada, ha inspirado la división de la propiedad del padre, gobernará la repartición de la única propiedad de la hija, su cuerpo. «Faser de si e de su cuerpo todo lo que quisiere» era fórmula jurídica liberatoria referida a mujeres, típica de las llamadas «Cartas de perdón e fuerça de cuernos», especie de contrato que daba autonomía a la mujer y excluía infamia para el marido en caso de verificarse el que no se podía ya considerar adulterio; un modelo de estas cartas, en un ms. del siglo XV, publica Bonilla, (cit. en Abreviaturas y siglas de las fuentes textuales *sub* ms. Madrid BN1), pág. 153.

8 *de gracia:* 'gratis'.

14 En la realidad histórica el rey destinó a Urraca y a Elvira el señorío y las rentas de todos los monasterios del reino, pero con la obligación de quedarse solteras para evitar conflictos entre cuñados. El celibato fue sólo formal: las dos hermanas se tomaron algunas revanchas, y otras —y escabrosas— se las vieron atribuidas.

19 El segundo octosílabo se volvió proverbial para indicar disentimiento tácito, revelándose muy afortunado tal parto de la inventiva juglaresca. Por-

20 El buen rey era muerto, Çamora ya está cercada:
de un cabo la cerca el rey, del otro el Cid la cercava;
del cabo que el rey la cerca Çamora no se da nada,
del cabo que el Cid la cerca Çamora ya se tomava.
24 Assomóse doña Urraca, assomóse a una ventana;
de allá de una torre mocha estas palabras hablava:

124

—¡Afuera, afuera, Rodrigo, el sobervio castellano!
Acordársete devría de aquel tiempo ya passado
cuando fuiste cavallero en el altar de Santiago,
4 cuando el rey fue tu padrino, tú, Rodrigo, el ahijado:
mi padre te dio las armas, mi madre te dio el cavallo,
yo te calcé las espuelas porque fuesses más honrado,

---

que en la realidad Sancho juró con los demás, aunque con una reserva mental muy probable: en cuanto primogénito entre los hijos varones, se consideraba con derecho de heredar el reino entero, según la tradición visigoda influida por la romana, que la Iglesia había custodiado.

20 En 1072 Sancho asedió Zamora, donde se había organizado la resistencia leonesa contra la invasora Castilla. La ciudad había sido entregada por Alfonso a Urraca, que se hacía llamar 'reina' de ella. Este segmento final del texto tiene el sabor de un añadido editorial que enlaza el *R.*, ya empalmado con el anterior, también con el siguiente. Se ha formado así un pequeño poema donde el tema de la partición del reino se ha reducido a marco de la dramatización poética de las angustias personales de Urraca. Mientras la unión de este *R.* con el siguiente podría ser iniciativa de *CR50A*, que es el solo en atestiguarla, el enlace con el *R.* anterior tendría más solera, remontando al que pudo ser fragmento desgajado de alguna refundición del siglo XIV de un perdido *Cantar del rey Fernando:* sobre éste cfr. Menéndez Pidal [(1916) 1973], 107-123 y Rosa M. Garrido, «El 'Cantar del rey Fernando el Magno'», en *BRABLB,* XXXII (1967-1968), págs. 67-95; cfr. también Brian Powell, «The *Partición de los reinos* in the *Crónica de veinte reyes*», *BHS,* LXI (1984), págs. 459-471, menos dispuesto a suponer siempre amplios *cantares* a espaldas de rastros de textos poéticos en la prosa de las Crónicas. Purcell [1976a] y [1976b] detecta huellas del aludido fragmento del *Cantar* en textos de la tradición oral moderna de las Azores.

3 Rodrigo fue armado caballero alrededor de 1060 por el infante Sancho, en cuyo séquito se había criado y servía; una vez rey, Sancho le nombró caudillo de su ejército. La investidura del *R.* es invención de Urraca o de la poesía, que es lo mismo; adoptando, esta última, un motivo típico de los relatos caballerescos.

que pensé casar contigo, mas no lo quiso mi pecado.
8 Casaste con Ximena Gómez, hija del conde Loçano;
con ella uviste dineros, comigo uvieras estado;
bien casaste tú, Rodrigo, muy mejor fueras casado:
dexaste hija de rey por tomar de su vassallo.—
12 —Si os parece, mi señora, bien podemos desligallo.—
—Mi ánima penaría si yo fuesse en discrepallo.—
—¡Afuera, afuera, los míos! los de a pie y de a cavallo,
pues de aquella torre mocha una vira me han tirado:
16 no traía el asta hierro, el coraçón me ha passado.
Ya ningún remedio siento sino bivir más penado.—

125

Enojado está don Sancho con Rodrigo de Vivar,
malas palabras le dize, comiénçalo amenazar:
—A mí me an dicho, Rodrigo, que me as sido desleal:
4 pudiendo entrar en Çamora, dexástela de ganar,
pue[s] quisiste alçar el cerco sin mi consejo tomar;
mas al fin cosas son éstas que se suelen bien pagar.—
Respondiérale Rodrigo, tal respuesta le fuera dar:
8 —Sienpre usastes, rey don Sancho, malos consejos tomar:
holgáis con lo[s] lisonjeros, queréislos sienpre escuchar.
Maldiga Dios los oídos que se preçian de oír mal,
y tanbién al consejero que a vos vino aconsejar

---

7 El proyecto de Urraca, al parecer, no fue percibido en su momento por un Rodrigo que ahora se muestra dispuesto a compartirlo y en el epílogo lamenta una pena de sabor cancioneril. Esta fábula podría ser un desarrollo de lejanos chismes de juglares, que se captan indirectamente en algunas negaciones, genéricas, de los historiadores: Samuel G. Armistead, «The 'Enamored doña Urraca' in Chronicles and Balladry», en *RPh,* XI (1957-58), págs. 26-29.

13 *discrepallo:* vocablo culto y raro, que se documenta a partir de la mitad del siglo XV. Con *desligallo* del v. 12, es una presencia anómala en la lengua del *romancero viejo* y confirma para este *R.* alguna intervención no tan popularizante. La misma que podría haberle atribuido a Urraca la decisión más que honrada contenida en estos vv. y que contrasta con el perfil juglaresco de la infanta; así como contrasta con la cruel solución que a idéntico caso aplicó otra infanta, la que recrimina contra el conde Alarcos en el Texto 49.

7 En el ms. *rrespondierales.*

12 cercásedes a Çamora para la señorear,
tiniéndola vuestra hermana en título de eredad;
que quien a vos dio un reino bien pudo una villa dar;
cuanto más que es gran desonra contra una muger lidiar.
16 Yo mandé arredrar mi gueste por usar de mi bondad
y vos acuçiáis la vuestra sólo por tiranizar.
Y si os pesa de lo echo, sálganmelo a demandar.—

126

Rey don Sancho, rey don Sancho cuando en Castilla reinó
le salían las sus barbas y ¡cuán poco las logró!

---

17 *acuçiáis:* este término resulta de la conjetura más económica, incluso paleográficamente, para interpretar un conjunto de signos tan cristalino en su apariencia gráfica como indescifrable en su sentido: *a en çi ais,* este último con *i* abreviada encima de la *a*. La propuesta *aenojais* de Soons (cit. en Abreviaturas y siglas de las fuentes textuales *sub* ms. Wolfenbüttel *CP*) nace de una lectura equivocada del tercer grupo. Yo supongo *en* transcripción mecánica de un *cu* mal escrito dentro de una palabra con sus sílabas sin trazos de unión, como a veces acostumbra también nuestro copista, que no es de los más escrupulosos. Pudo influir en tal lectura apresurada el haberse fijado el amanuense en los grupos de letras tercero y cuarto, que componen *ciais,* forma del verbo y término militar *ciar*. Su sentido es 'retirarse, sin volver la espalda' y *Aut*. lo documenta en Mariana, donde forma pareja con *arredrar*. Y éste es el verbo que en nuestro v. 16 se coloca claramente en paralelo con el verbo que pretenden trazar los signos en cuestión. Sólo que ese paralelismo quiere con igual claridad plantear una polémica antítesis entre el gesto de Rodrigo y la actitud del rey; y *ciar* es inservible en tal sentido, además de ser contrario a la historia. *Acuciar* salva la antítesis retórica y la historia, y sólo con un retoque gráfico mínimo y plausible al garabato del copista.

18 Este retrato del Sancho que asedia Zamora es severo y sombrío, y parecería eco de las censuras de la rama leonesa de la tradición épico-cronística, sobre la cual cfr. Mercedes Vaquero, *Tradiciones orales en la historiografía de fines de la Edad Media,* Madison, Hisp. Seminary of Med. Studies, 1990, págs. 65-80. Las Crónicas cuentan de un contraste entre el rey y Rodrigo: al volver de una mensajería a Zamora sin haber logrado la rendición de la ciudad, el héroe padeció una violenta reacción de Sancho y un exilio, que fue revocado muy pronto. El *R.*, atestiguado sólo por el ms. de Peraza, parece tomar pie más bien a partir de una conducta de Rodrigo como la relatada en el Texto 124.

2 Que a Sancho empezaran a salirle las barbas cuando recibió la corona de Castilla no coincide con la historia (debía de tener unos veintisiete años),

A pesar de los franceses los puertos d'Aspa passó,
4 siete días con sus noches en campo los aguardó
y viendo que no venían a Castilla se bolvió.
Matara el conde de Niebla y el condado le quitó,
y su hermano don Alonso en las cárceles lo echó
8 y después que lo echara mandó hazer un pregón:
qu'el que rogasse por él que lo diessen por traidor.
No hay cavallero ni dama que por él rogasse no,
si no fuera una su hermana que al rey se lo pidió:
12 —Rey don Sancho, rey don Sancho, mi hermano y mi [señor,
cuando yo era pequeña prometístesme un don;
agora que soy crescida otorgámelo, señor.—
—Pedildo vos, mi hermana, mas con una condición:
16 que no me pidáis a Burgos, a Burgos ni a León
ni a Valladolid la rica ni a Valencia de Aragón;
de todo lo otro, mi hermana, no se os negará no.—
—Que n'os pido yo a Burgos, a Burgos ni a León,
20 ni a Valladolid la rica ni a Valencia de Aragón,
mas pidos a mi hermano que lo tenéis en prisión.—

---

pero responde muy bien a la intención poética. Con la figura de este rey se representa la tragedia del adolescente lanzado en una autoafirmación que, inevitablemente, pasa por la anulación de la voluntad paterna y se concluye con la derrota. Los contenidos históricos sugieren y apoyan esta problemática atemporal, y donde conviene se adaptan a ella. Cfr. Reig [1947], 130 a propósito del motivo de la barba, presente en redacciones tardías de la *Crónica general* alfonsina.

6 Es despropósito tardío. El solo condado de relieve caído en manos de Sancho, una vez destronado Alfonso, fue el de Carrión de los Beni Gómez, que siguieron a Alfonso en el exilio toledano, organizando la revancha.

7 El choque militar con el hermano tuvo lugar en los campos de Llantada el 19 de julio de 1068. Alfonso, derrotado, se encerró en León; su fuerza militar se salvó en parte y meses después pudo correr las tierras de los moros de Badajoz. En 1071 entre los dos hermanos se estipuló un pacto a expensas del tercero: se repartieron la Galicia de García, que fue detenido y después mandado a residir en Sevilla. Suerte igual le tocó a Alfonso cuando perdió la batalla de Golpejera en enero de 1072: por Sancho, que pudo coronarse rey también de León, fue primero detenido y después —gracias a la intercesión de Urraca— obligado a residir en el reino moro de Toledo.

8 El pregón es detalle inventado. La intervención de Urraca le permitió a Alfonso el traslado de la cárcel a un convento, de donde se escapó al poco tiempo: esto narran las Crónicas, recogiendo probables tradiciones poéticas.

—Plázeme —dixo—, hermana; mañana os lo daré yo.—
—Vivo lo havéis de dar, vivo, vivo que no muerto no.—
24 —¡Mal hayas tú, mi hermana, y quien tal te aconsejó!,
que mañana de mañana muerto te lo diera yo.—

127

—¡Guarte, guarte, rey don Sancho! ¡No digas que no te [aviso!,
que de dentro de Çamora un alevoso ha salido:
llámase Vellido Dolfos, hijo de Dolfos Vellido,
4 cuatro traiciones ha hecho y con ésta serán cinco;
si gran traidor fue el padre, mayor traidor es el hijo.—
Gritos dan en el real, a don Sancho han malherido;
muerto le ha Vellido Dolfos, gran traición ha cometido.
8 Desque le tuviera muerto metióse por un postigo;
por las calles de Çamora va dando bozes y gritos:
—Tiempo era, doña Urraca, de complir lo prometido.—

---

2 Los leoneses desterrados se habían encerrado en Zamora, organizando su oposición armada.

3 El personaje es de historicidad muy dudosa. *Dolfos* viene del gótico Ataulphus; *Vellido,* 'bello, agraciado, hermoso', pasó a ser nombre propio, como le ocurrió a *Lozano,* ya encontrado en otros *rr*. En consecuencia del regicidio *Vellido* significó también, por antonomasia, 'traidor'.

6 Parece que Sancho fue asesinado realmente en su campamento. Era el domingo 7 de octubre de 1072. Alfonso dejó prontamente Toledo, recobró su corona leonesa y semanas después recibió la de Castilla.

10 Los historiadores no dicen cuál fue el contenido de la promesa de Urraca, si la hubo; la suposición de los juglares no es difícil de imaginar. La responsabilidad de Urraca en el regicidio era cierta, según algunos documentos oficiales en verso («Femina mente dira, soror hunc vita expoliavit») y en prosa («iste fuit occisus per consilium domna Urraca, germana sua»): Menéndez Pidal [(1929) 1947], I, 183 y sigs. Los primeros vv. del *R.* se encuentran, con variantes, en una refundición de hacia 1465-1470 de un *Sumario de los reyes de España* de finales del siglo XIV: *RH,* I, 200 y sigs., que considera la primera parte del *Romance* fragmento de un perdido *Cantar de Zamora,* sobre el cual cfr. Reig [1947] y Fraker [1974] y [1990]. Un esbozo del tema literario en José Caso González, «*La muerte del rey don Sancho* de Juan de la Cueva y sus fuentes tradicionales», en *Archivum,* XV (1965), págs. 126-141. Vaquero [1989] comenta distintas tradiciones poético-cronísticas en la presentación del suceso y de sus protagonistas, con influjos de la *Chanson de Roland* (el reto con el duelo, el castigo de Vellido); de la misma autora

128

En el cerco de Çamora grandes alaridos ay,
no enbate ni pelea mas en dolor y pesar
por muer[t]e del rey don Sancho que acabava d'espirar.
4 Llóranle duques y conde[s], llóralo todo el real.
Haze grande sentimiento don Rodrigo de Vivar;
palabras está diziendo para el coraçón quiebrar:
—¡Rey don Sancho, rey don Sancho, Dios te quiera per- [donar!
8 No mueres de calentura ni de otro ningún mal,
no te mataron los moros que Aragón fuiste a buscar;
ma[s] matóte un alevoso sin tu averle echo mal.
Buen rey, si tú me creyeras lo que te fui avisar
12 ni tú perdieras la vida ni yo mi rey natural.—
Estas palabras diziendo, buelve a los que allí están:
—Aprended, onbres mancebos, ancianos, ascarmentad [*sic*]
cuán poco dura la vida quien contra sus padres va,
16 quien quiebranta el juramento cómo sienpre acaba en mal.—
Tales palabras dezía que a todos hazía llorar.
No llora don Diego Ordóñez porque amorteçido está;

---

cfr. también «Literatura popular en un episodio del *Libro de las bienandanzas e fortunas* de Lope García de Salazar», en *Congreso de Literatura (Hacia la literatura vasca),* II Congreso Mundial Vasco, Madrid, Castalia, 1989, páginas 575-586 y en *Letras de Deusto*, 46 (1990), págs. 191-201 [197-199].

2 *enbate:* la medida del v. y un paralelismo de construcción con el octosílabo sucesivo aconsejarían *[en] enbate* o *en batalla.* En la versión del *R.*, mucho más amplia, que guarda el ms. Madrid BN1, f. 442r (Bonilla, pág. 35) el v. es «no en batalla ni combate» y sustituye «mas no en conbate ni rrefriega», que ha sido borrado.

8-10 La fórmula retórico-gramatical según se construyen estos vv. se vuelve a encontrar en otros *rr.*, por ejemplo, en los Textos 124 (v. 16) y 134 (vv. 16-17); pero también en Macías: «Aquesta lança syn falla, / ay coytado, / non me la dieron del muro, / nin la pryse yo en vatalla, / mal pecado, / mas veniendo a ty seguro [...]»: *Cancionero de Baena,* ed. Azáceta, núm. 307.

9 *Aragón:* la incursión de Sancho contra moros en Aragón es creación de probables *cantares* juglarescos: Vaquero [1989], 149 opina que pudo inspirarla la *Chanson de Roland.*

15 «mas nunca se logran hijos / que al padre quiebran palabra» es la sentencia que adopta el *R.* «Rey don Sancho, rey don Sancho, / ya que te apuntan las barbas» (*Primav.* 40). Cfr. la nota 2 del Texto 126.

mas después de sí tornado, començó luego a hablar:
20 —Rey don Sancho, rey don Sancho, mi buen señor, ¿dón- [de estás?
que ayer te tenía el mundo y oy te quieren enterrar.
Mas no logre yo mis canas, las que me van asomar,
si esta muerte que te an dado no la entiendo de vengar.—

129

Ya cavalga Diego Ordóñez, del real se avía salido,
de dobles pieças armado y un cavallo morzillo.
Va a reptar los çamoranos por la muerte de su primo,
4 que mató Vellido Dolfos, hijo de Dolfos Vellido.
—Yo os riepto, los çamoranos, por traidores fementidos.
Riepto a todos los muertos y con ellos a los bivos;
riepto hombres y mugeres, los por nascer y nascidos;
8 riepto a todos los grandes, a los grandes y los chicos,
a las carnes y pescados, y las aguas de los ríos.—
Allí habló Arias Gonçalo, bien oiréis lo que uvo dicho:
—¿Qué culpa tienen los viejos? ¿Qué culpa tienen los [niños?
12 ¿Qué merecen las mugeres y los que no son nascidos?

---

21 En apariencia, es la fórmula del Texto 105 (cfr. su nota 46). Sin embargo, si *tenía* no es una mala grafía por *temía* (así se respetaría la fórmula; en efecto, el ms. Madrid BN1 presenta «de ti ayer tenblava el mundo»), se ha querido modificar el concepto tópico de la muerte que anula al poderoso: ahora se aplica más en general a la fragilidad de toda criatura, ayer entre vivos y hoy bajo tierra.

22 Las canas de Diego Ordóñez van parejas —y en contraste— con la barba 'poco lograda' de Sancho (Texto 126 y su nota 2). Hacen de don Diego una figura paterna a quien incumbe la venganza del 'hijo' imprudente y desafortunado: cfr. las notas del Texto 87, pero también la nota 35-40 del Texto 131.

1 La poderosa familia castellana de los Ordóñez tuvo papeles importantes en los sucesos tocados por los *rr*. Sin embargo, este desafío es una invención, aunque sus fórmulas reflejen usos jurídicos antiguos. Para todo el episodio conviene leer los capítulos D-DII y DV-DVII de la *Crónica Geral de 1344*, ed. de Luis Filipe Lindley Cintra, Lisboa, Imprensa Nacional, vol. III, 1961, págs. 389-392 y 398-404.

2 *morzillo:* 'de color negro con viso rojizo': *DRAE,* s.v.

¿Por qué rieptas a los muertos, los ganados y los ríos?
Bien sabéis vos, Diego Ordóñez, muy bien lo tenéis sabido,
que aquel que riepta consejo deve de lidiar con cinco.—
16 Ordóñez le respondió: —Traidores éis todos sido.—

130

Riberas del Duero arriba cavalgan dos çamoranos,
que según dizen las gentes padre e [hi]jo son entrambos.
Palavras de gran sobervia ellos venían abrando:
4 que se matarían con tres e esperarían a cuatro
y si sinco le viniesen no le dexarían el campo,
con tal que no fuesen primos ni menos fuesen ermanos,
ni viniese el Cid entr'ellos ni Bermudes su criado
8 ni alguno de su casa ni menos su paniaguado.—
Oído lo an los tres condes que los están escuchando:
—Ni vos mataréis con tres ni esperaréis a cuatro,
e si sinco os vinieren fuirés todos del campo.
12 Mas tomás las vuestras armas y esperános en el campo.—
Arma el viejo a su hijo, d'esta manera le a habrado.

---

16 *Ordóñez:* en *CR50A* se lee *Vellido.*

1 Aunque fragmentaria, presento esta versión del Texto 131 porque falta en los impresos antiguos y es casi desconocida; además nos da el exordio narrativo del *R.* en una forma escueta y bastante clara. Con exclusión del v. 7, que encontramos en *2S50,* los ocho primeros vv. son casi idénticos a los glosados en disparate en *Pliegos Madrid,* III, pl. 116, pág. 206 y muy parecidos a los de *Pliegos Londres,* III, pl. 59, pág. 1020; más privativos de nuestra versión parecen los vv. sucesivos, en particular los 10-12.

13 Este corte depende de la organización material del *Cancionero* parisiense. Según informa Dutton, III, pág. 488, «el manuscrito suele ofrecer en la vuelta de cada folio la música con el texto. En el recto que sigue el copista puso el texto otra vez, y más completo.» Por lo tanto se transcribía solamente la parte de texto que cabía en una cara del folio, más o menos unos veinte octosílabos. Los seis *RR.* acogidos en el *Cancionero* presentan casi todos un exordio narrativo, incluso en forma de monólogo, y el comienzo de un discurso o diálogo: «Yo m'estando en Coimbra» (Texto 67), «Por aquel postigo viejo» (Texto 132 y nota 11), *Pérdida de don Beltrán* (Texto 139, nota 12-21) y el nuestro, que se interrumpe con el anuncio de una interlocución, al igual que la versión de «Buen conde Fernán González» (Texto 112); única excepción es «Mis arreos son las armas» (Texto 43), con sólo cuatro octosílabos.

131

Riberas de Duero arriba   cavalgan dos çamoranos
en cavallos alazanes   ricamente enjaezados;
fuertes armas traen secretas   y encima sus ricos mantos,
4 con sendas lanças y adargas   como hombres enemistados.
—A grandes vozes oímos,   estándonos desarmando,
si avría dos para dos   cavalleros çamoranos
que quisiesse tomar lid   con otros dos castellanos;
8 y los que las vozes davan   padre y hijo son entrambos:
padre y hijo son los hombres,   padre y hijo los cavallos.
Dizen que es don Diego Ordóñez   y su hijo don Fernando,
aquel que reptó a Çamora   por muerte del rey don Sancho
12 cuando el traidor de Bellido   le mató con un venablo.—
Y al passar de la puente   el padre al hijo ha hablado:
—No sé si oístes, hijo,   a las damas qué han hablado.
—Muy bien las oí, señor,   lo que estavan razonando:
16 que las ancianas dezían: '¡Oh qué viejo tan honrado!'
y las donzellas dezían: '¡Oh qué moço tan loçano!'—
Palabras de gran sobervia   entre sí van razonando:
que si caso se offreciesse,   aviendo ruido en el campo,
20 que se matarían con tres   y lo mismo harían con cuatro,
y si les saliessen cinco   que no les huirían el campo
con tan que no fuessen primos   ni menos fuessen hermanos,

---

7 *quisiesse:* la *-n* del plural pudo haberse quedado en las manos del impresor; pero en la lengua del XVI no son raras las concordancias *ad sensum,* en este caso con un impersonal 'quien'.

13 Entran en escena (o han entrado, con el v. 8, retrocediendo el discurso indirecto) los dos caballeros castellanos, padre e hijo, evocados antes por los dos zamoranos, que ahora desaparecen. Así interpreto un exordio bastante enrevesado, que nos da una perspectiva en cierto modo original, resultado probable de un cruce casual de textos. Sobre el paso del puente, o del río, cfr. la nota 8 del Texto 70.

16-17 Virtud del *viejo* es la *honra,* que admira a las *ancianas;* del *moço* es la *hermosura,* que encanta a las *donzellas.* Estos términos componen, en equilibrado paralelismo de opuestos, dos universos de valores que aparentan una armónica convivencia. El punto de diferenciación es la edad de los protagonistas, o sea, es generacional. Estamos ante el eterno escollo que aguarda, inexorable, el naufragio. Como pone en evidencia el cortante epílogo, es éste el tema de fondo del *R.,* la tensión joven-anciano con el trasfondo de una virilidad que no se resigna a cifrar ya sólo en el decoro de la honra su atractivo.

ni de las tiendas del Cid ni de sus paniaguados;
24 de la casa de los Arias salgan seis más esforçados.
No faltó quien los ha oído, de los que andan por el campo.
Oídolo ha Gonçalo Arias, hijo de Arias Gonçalo.
Siete cavalleros vienen, todos siete bien armados,
28 cubiertos de sus escudos, las lanças van blandeando
y traen por apellido a sant George y Sanctiago.
—¡Mueran mueran los traidores! ¡Mueran o dexen el [campo!—
Al encuentro les salieron don Ordoño y don Fernando.
32 A los primeros encuentros don Ordoño mató cuatro,
don Fernando mató dos y el otro les huyó el campo.
Por aquel que se les iva las barvas se van messando.
Preguntara el padre al hijo: —Dezí, hijo, ¿estáis llagado?—
36 —Esso os pregunto, señor, que no estoy yo sino sano.—

---

23 Difícilmente de las tiendas o de la mesnada del castellanísimo Cid habrían podido salir adversarios para dos caballeros castellanos. Es fórmula que proviene de versiones distintas del *R.* y que se inserta en nuestro texto, contribuyendo a la confusión en su reparto de identidad y papeles entre 'castellanos' y 'zamoranos'. Pero creo que ese descuido confirma como el interés del texto tiraba hacia otra parte, hacia el tema aludido en la nota anterior; al desafío guerrero originario se iba sobreponiendo un duelo generacional de más intensa resonancia. Cfr. G. Di Stefano, «'... nunca se logran hijos que al padre quiebran palabra': Del romancero de Sancho II y cerco de Zamora», en *Balada y Lírica.* Actas del Tercer Coloquio Internacional Romancero (en prensa).

35-40 En el diálogo precedente la armonía de la superficie lingüística no conocía rupturas; ahora sí, e inmediatas. En el intercambio inicial se disuelve pronto el afectuoso interés recíproco de padre e hijo, que se interrogan sobre sus respectivas condiciones físicas. Mal se disimula ya el orgullo del anciano por haber matado a sus cuatro adversarios, mientras que el hijo ha matado sólo a dos de los tres con quien se enfrentaba, y uno se le ha escapado. Pero quiere ser ya manifiesto también el sarcasmo del joven que se ha sentido picado. La reacción del padre, que concluye el diálogo, se vuelve hiriente y va al meollo: es superior al hijo en la fuerza física, pero lo es, sobre todo, en la técnica, y gracias —no a pesar de— sus sesenta años de edad. En particular, le ha asegurado el triunfo su manera de cavalgar, evidentemente opuesta a la del hijo: cfr. la nota sig. Captamos el veneno de esta censura tan precisa al recordar la recomendación, e implícita crítica, de don Quijote a Sancho: «Cuando subieras a caballo, no vayas echando el cuerpo sobre el arzón postrero, ni lleves las piernas tiesas y tiradas y desviadas de la barriga del caballo, ni tampoco vayas tan flojo, que parezca que vas sobre el rucio» (Parte 2.ª, cap. 43); es la mejor glosa a *floxo, trasero* y *largo* del *R.*

—Siempre lo tuvistes, hijo, ser muy floxo en el cavallo:
cuando avéis de cavalgar cavalgáis trasero y largo.
Yo viejo de sesenta años a mis pies estavan cuatro
40 y vos de los veinte y cinco matáis dos, váseos un gato.—

132

Por aquel postigo viejo que nunca fuera cerrado
vi venir pendón bermejo con trezientos de cavallo;
en medio de los trezientos vi un monumento armado
4 y dentro del monumento viene un ataúd de palo
y dentro del ataúd venía un cuerpo finado:
Fernandarias ha por nombre, fijo de Arias Gonçalo.
Lloránvanle cien donzellas, todas ciento hijas dalgo,
8 todas eran sus parientas en tercero y cuarto grado:
las unas le dizen primo, otras le llaman hermano,

37-38 Contra los 'vicios' aludidos en estos vv. avisaba el más antiguo tratado europeo conservado de equitación, el *Livro de ansinança de bem cavalgar toda sela,* del rey dom Duarte, de la primera mitad del siglo XV, ed. de J. M. Piel, Lisboa, 1986, págs. 18 y sigs. y 77, que dedicaba unas páginas vivaces (118 y sigs.) a lamentar en las nuevas generaciones el supeditarse a los gustos de las damas y el preferir entretenimientos cortesanos. Los defectos eran los mismos un siglo después: al jinete «converna caualgar algun tanto mas corto» y «no ha de andar sentado ni muy leuantado, ni delantero ni trasero», recomienda el *Tractado de la cavalleria de la gineta* (Sevilla, 1572) de Pedro de Aguilar, ed. facsímil, Málaga, El Guadalhorce, 1960, folios 25v y 26v.

1 *postigo:* puerta secundaria en la muralla de la ciudad.

3 *vi un:* en la fuente *vi en vn.*

3 El primer octosílabo de este v. repite el término-clave del segundo octosílabo del v. anterior; idéntico recurso se da entre los vv. 3-4 y 4-5, mientras entre el 5 y el 6 la iteración no es literal sino a través del nombre que identifica el cuerpo. Es una forma de encadenamiento que el romancista exhibe complacido, al construir un texto muy compacto, donde cada unidad métrica y de sentido surge como prolongación de la anterior y da al avance del relato una continuidad muy pausada. El dolor austero del padre y el elogio orgulloso de Fernandarias se enmarcan, así, en la ritualidad solemne de una ceremonia con la cual la comunidad celebra y despide a su héroe, en una atmósfera de sobria aflicción. Fórmulas lingüísticas y motivos tópicos (cfr. sólo los Textos 116 y 134) rescatan su trivialidad gracias a un arte combinatorio de la palabra que se propone y alcanza efectos de realidad, y donde la maestría de la mimesis resalta frente a la sencillez de los artificios.

las otras dezían tío,   otras lo llaman cuñado.
Sobre todas lo llorava   aquessa Urraca Hernando,
12 ¡y cuán bien que la consuela   esse viejo Arias Gonçalo!:
—¿Por qué lloráis, mis donzellas?   ¿Por qué hazéis tan gran- [de llanto?
No lloréis assí, señoras,   que no es para llorallo,
que si un hijo me han muerto   aí me quedavan cuatro.
16 No murió por las tavernas   ni a las tablas jugando,
mas murió sobre Çamora,   vuestra honra resguardando.
Murió como cavallero,   con sus armas peleando.—

133

En santa Agueda de Burgos,   do juran los hijos de algo,
allí toma juramento   el Cid al rey castellano:
si se halló en la muerte   del rey don Sancho su hermano.

---

11 En el ms. Paris BE, f. 70r se encuentra una versión fragmentaria que se aproxima más —hasta este punto— al texto de *CR[47]*, menos amplio que el nuestro. Allí siguen unas palabras de Urraca, que concluyen el texto: «¡Quien vos mató, Hernán d'Arias, / de Dios aya muy mal grado! / ¡Oxalá fuera yo muerta / e vos, Hernán d'Arias, sano, / que fuera menor el planto / y no fuera tan grande daño» (Dutton, III, 506; he eliminado los lusitanismos gráficos). Aunque sobriamente, el dolor de Urraca se abre al grito del apóstrofe ritual al muerto; y el *planctus* se enriquece así de uno más de sus tópicos. Encontraría aquí justificación plena el exordio de Arias Gonzalo en *CR[47]*, con las palabras: «Callades, hija, callades», seguidas por nuestros vv. 15-17. Son palabras que repiten las del v. 12 del Texto 123, una fórmula que reitera la inoportunidad de la voz de Urraca y le impone el silencio: es difícil que la tradición desvincule a un personaje de sus fórmulas y de su destino. La escena relatada en el *R.* es creación original de un juglar y no tiene puntos de referencia en las Crónicas: Reig [1947], 138. La adhesión a un molde se comprueba leyendo las estrofas antepenúltima y penúltima de la composición de Carvajal por la muerte de Jaumot Torres en 1460, de donde selecciono: «Leváronlo a Capua sangriento, *finado,* / bien acompañado segund merecía / de nobles varones e *cavallería* / [...] *vi yo damas* de grand preminencia, / *llorando* muy tristes [...] / *E sobre todas más duelo fazía* / una fermosa dueña o donzella, / [...] "¡Inicua, raviosa e temprana muerte, / *fartaras tu fambre con mi negra suerte* [...]!"» (Carvajal, *Poesie,* cit., pág. 203; van en cursiva los lugares de mayor afinidad con el *R.,* incluyendo la versión ms.). En general, cfr. González [1985-87], útil para textos como los núms. 31, 45 y 157.

1 Santa Agueda, o Gadea en otras versiones, fue una parroquia menor de Burgos, que muy probablemente no vio nunca la jura contada por el *R.,* inven-

4 Las juras eran muy rezias, el rey no las ha otorgado.
—Villanos te maten, Alonso, villanos que no hidalgos,
de las Asturias de Oviedo que no sean castellanos;
si ellos son de León yo te los do por marcados;
8 cavalleros vayan en yeguas, en yeguas que no en cavallos;
las riendas traigan de cuerda y no con frenos dorados;
avarcas traigan calçadas y no çapatos con lazo;
las piernas traigan desnudas, no calças de fino paño;
12 trayan capas aguaderas, no capuces ni tavardos;
con camisones de estopa, no de olanda ni labrados;
mátente con aguijadas, no con lanças ni con dardos,
con cuchillos cachicuernos, no con puñales dorados;
16 mátente por las aradas, no por caminos hollados;
sáquente el coraçón por el derecho costado,
si no dizes la verdad de lo que te es preguntado:
si tú fuiste o consentiste en la muerte de tu hermano.—
20 Allí respondió el buen rey, bien oiréis lo que ha hablado:
—Mucho me aprietas, R[o]drigo; Rodrigo, mal me has [tratado;

ción juglaresca con un fondo real muy remoto y en un marco jurídico histórico: Menéndez Pidal [(1929) 1947], I, 195 y sigs. y II, 709 y sigs. Horrent [1961] coloca en el siglo XIII esa invención, que debió de ser absorbida en refundiciones del *Cantar de Mío Cid* y de aquí pervino al *romancero*. Sobre la difusión del tema cfr. Chalon [1982]. Para los sucesos históricos relacionados con toda la temática cidiana del *romancero*, como de la épica, Colin C. Smith, «Two Historian reasses the Cid», en *Anuario Medieval*, 2 (1990), págs. 155-171 señala, por su método de mantener rigurosamente separados datos ciertos e información tradicional o poética, las monografías de Bernard F. Reilly, *The Kingdom of León-Castilla under King Alfonso VI, 1065-1109*, Princeton, University Press, 1988 y de Richard Fletcher, *The Quest for el Cid*, Londres, Hutchinson, 1989.

4 *Las juras:* según la tradición juglaresca recogida por las Crónicas, Alfonso juró su propia inocencia en la muerte de Sancho y reaccionó muy airadamente sólo contra la segunda parte del acto; se trataba de la *confusión*, donde se contemplaban las penas en caso de perjuro: en el *Romance* va del v. 5 al 19, con las que *Tratado*, VI, 309 define «donosas invenciones» plebeyas. Por lo tanto se sospecha que el v. 4 en nuestro texto resulte mal colocado por un defecto de transmisión: Menéndez Pidal [(1915) 1973], 89-106 [100].

14 *aguijadas:* indica tanto la «vara larga que en un extremo tiene una punta de hierro con la que los boyeros pican a la yunta» (*DRAE*, s.v.), como la paleta usada para desencostrar de la tierra el arado. Creo preferible la segunda acepción, en vista del v. 16 y del conjunto de las referencias, que remiten a labradores, categoría estimada inferior a la de los pastores.

mas oy me tomas la jura, cras me besarás la mano.—
Allí respondió el buen Cid, como hombre muy enojado:
24 —¡Aqueso será, buen rey, cómo fuere galardonado!
Que allá en las otras tierras dan sueldo a los hijos dalgo.
Por besar mano de rey no me tengo por honrado;
porque la besó mi padre me tengo por afrentado.—
28 —Vete de mis tierras, Cid, mal cavallero provado;
vete, no m'entres en ellas hasta un año pasado.—
—Que me plaze —dixo el Cid—, que me plaze de buen [grado
por ser la primera cosa que mandas en tu reinado.
32 Tú me destierras por uno, yo me destierro por cuatro.—
Ya se partía el buen Cid de Bivar, esos palacios.

---

22 *cras:* 'mañana'.

26-27 Vv. idénticos en el Texto 120. Entra en función el sistema lingüístico-conceptual del motivo 'orgullo y agresividad del vasallo'.

33-40 Sólo nuestra fuente ms. presenta este epílogo, que en parte recuerda muy de cerca el exordio del *Cantar de Mío Cid:* Menéndez Pidal [(1915) 1973], 95-96 y Samuel G. Armistead, «The initial Verses of the *Cantar de Mío Cid*», en *LCo,* 12 (1984), págs. 178-186; éste ve en tal epílogo los restos de un perdido *R.* sobre la 'partida del Cid': sería la señal de la existencia, a comienzos del siglo XVI, de alguna refundición del *Cantar* de la cual se habría desgajado. Consecuencia legítima de tal opinión, ya apuntada en *RH,* I, 225-226, es la propuesta de reconstruir algunos de los vv. iniciales del *Cantar*, que estaban contenidos en la primera hoja perdida del único ms. conservado del *Cantar*, utilizando vv. del epílogo de nuestro texto del *R.* Sin embargo, las coincidencias entre el final del *R.* y el comienzo actual del *Cantar* son aparentes. Motivos y humores del primero suenan a inversión deliberada de los del segundo, dirigidos como van a exaltar la jactanciosa altanería del vasallo y a negar la desolación de las cosas y la sumisión angustiada del ánimo del desterrado; y además está ese broche final de un paseo venatorio que tiene todo el aspecto de un gesto de mofa contra la autoridad. Las «puertas abiertas», los «uços sin cañados», las «alcándaras vazías» «sin falcones e sin adtores mudados» del *Cantar*, son en el *R.* «puertas cerradas», «alamudes echados», podencos y galgos que quedan de guardia en sus cadenas, y aves de caza que van con Rodrigo; y éste aparenta salir de Burgos sólo provisionalmente, más que abandonarla como un forajido. Cfr. Di Stefano [1988a]. Una tal estrategia de inversiones quiere caracterizar al Rodrigo del *R.* mediante el que parece un rebuscado contraste con el Cid del *Cantar*, captado en uno de los momentos más delicados de tensión íntima entre orgullo de noble ofendido y lealtad de vasallo obediente que prevalece. El *R.* se inscribe así en un contexto de remodelación del héroe que, en su conjunto, creemos que se va delatando —y suponemos que también definiendo y reforzando— a lo largo del siglo XIV, al lado del que solemos considerar el modelo anterior y

Las puertas dexa cerradas, los alamudes echados,
las cadenas dexa llenas de podencos y de galgos;
36 con él lleva sus halcones, los pollos y los mudados.
Con él van cien cavalleros, todos eran hijos de algo:
los unos ivan a mula y los otros a cavallo;
por una ribera arriba al Cid van acompañando,
40 acompañándolo ivan mientras él iva caçando.

134

En las almenas de Toro estava una donzella;
vestida de paños negros, reluze como una estrella.

---

ejemplificar, más o menos, con el protagonista del *Cantar de Mío Cid.* Sin embargo, Vaquero [1990b] nos propone una perspectiva opuesta: el modelo originario del héroe es el que nos dan el *R.* y la tradición del vasallo rebelde, importada de la épica francesa; hubo un *Cantar* sobre el Cid coherente con esa tipología dominante, perdido pero después de haber dejado alguna que otra huella en el acervo cronístico alfonsí y una parte mínima de su cuerpo en nuestro texto del *R.;* frente a esa tradición auténtica, habría sido el *Cantar de Mío Cid* conservado el responsable extravagante de una innovación y de la negación de modelos anteriores y corrientes. La propuesta es sobre todo muy ingeniosa y parece brotar, esencialmente, de dos impulsos: proteger la imagen de los *rr.* épicos como restos de un naufragio, que el oleaje de los siglos ha depositado a orillas del XVI, y que pueden susurrar a nuestros oídos sólo memorias de las galeras que fueron; capturar sombras de modelos franceses.

1 Esta doncella, hermana del rey (v. 7), tendría que ser Elvira, señora de Toro, como Urraca lo era de Zamora, en la tradición épica. El episodio, de fantasía, radica en el acervo semi-legendario que los juglares fueron formando alrededor de los herederos de Fernando I, como se ha visto en *rr.* anteriores. Al ser Alfonso el rey de este *R.,* intuimos que el episodio nace a la sombra de su pretendido incesto con Urraca y se completa con el tema recurrente del contraste rey-vasallo y del orgullo de Rodrigo, aquí con la gustosa variante de una atractiva motivación caballeresca del exilio. Sobre la posible historia antigua del *R.* y su fortuna moderna cfr. *Tratado,* VI, 310; *RH,* I, 237-238; *Yoná,* 37-55; *JSB,* I, 161-186. Swislocki [1988] traza una interesante lectura del texto como representación de un conflicto de poder que arrincona el motivo erótico inicial, y reduce a la mujer-objeto a estímulo y testigo pasivo de una tensión que le es ajena.

2 Pogal [1977], 80 comenta bien ei soberbio efecto que surte la antinomía *paños negros-reluciente,* en un v. por lo demás construido con fórmulas: «Ambas, la doncella y el astro, son vistas desde abajo y de lejos, en marcado contraste con su entorno —la estrella contra las tinieblas de la noche y la mujer contra su oscuro indumento— y, más importante, doncella y estrella, con su luminosidad seductora pero inalcanzables» [tr. mía].

Por aí passa el rey don Alonso, enamorado se ha d'ella.
4 Dize que si es hija de rey que se casará con ella,
e si es hija de duque la tomará por manceba.
Allí hablara el buen Cid, estas palabras dixera:
—Vuestra hermana es, señor, vuestra hermana es aquélla.—
8 —Si es mi hermana —dixo el rey—, fuego malo encienda [en ella.
Llámenme mis vallesteros que le tiren sus saetas,
y a aquel que la errare que le corten la cabeça.—
Allí hablara el buen Cid, d'esta suerte respondiera:
12 —Mas aquel que le tirare passe por la misma pena.—
—Idos de mis tiendas, Cid, no quiero que estéis en ellas.—
—Plázeme —respondió el Cid—, que son viejas y no [nuevas;
irm'he yo para las mías que son de brocado y seda,
16 que no las gané holgando ni beviendo en la taberna:
ganélas en las batallas con mi lança y mi vandera.—

135

Por el Val de las Estacas passa el Cid al mediodía
en su cavallo Babieca; ¡qué gruessa lança traía!

---

3 *Por aí passa:* locución idéntica en el Texto 8. La coincidencia es mínima en apariencia y no es casual; los dos textos se han construido sobre el modelo del encuentro imprevisto de una doncella con un caballero que la requiere de amor, o sea, el modelo de la 'pastorela', que es esencial en el gracioso artificio de este *R.*

14 Éste y los vv. sigs. componen uno de esos motivos formulares que endosaríamos a la que Menéndez Pelayo llamó, en otra ocasión, la musa de «truhanes y remendones» (cfr. la nota 4 del Texto 133). Musa que parece contrastar con la que ha inspirado hasta aquí el *R.*, según hemos comentado en las notas anteriores. A no ser que veamos en este epílogo la sugerencia para una lectura irónica de todo el texto y de su materia.

1 *Val de las Estacas:* imaginaria la geografía cidiana de este *R.*, que *RH*, I, 238 alista entre los «viejos, de nueva invención» y «de libre fantasía», pero sin descartar la eventualidad de su derivación «de una gesta no prosificada en las crónicas». En efecto, el *R.*, al referirse a aquella recaudación de las parias de Sevilla que dio pretexto a los adversarios del héroe para conseguir su exilio de la Corte, es verosímil que provenga «en última instancia del mismo ci-

Dávale el sol en las armas, ¡oh cuán bien que parecía!
4 A mano derecha dexa castillo de Costantina.
Por en medio de la plaça su seña lleva tendida.
Desqu'esto supiera el moro a recebirlo salía,
con trezientos cavalleros, la flor de la morería.
8 —Bien seas venido, o el Cid [*sic*], buena sea tu venida.
Si vienes buscar muger, darte he una hermana mía;
si vienes tornarte moro, grandes mercedes te haría;
si vienes a ganar sueldo, doblado te lo daría.—
12 —No vengo buscar muger, que doña Ximena es biva;
ni vengo tornarme moro, que tu fe exalçaría;
ni tanpoco a ganar sueldo, que no lo gané en mi vida.
Mas vengo a buscar las pareas que deves al rey de Castilla.
16 —Yo no devo nada al rey, antes él a mí devía.—
—Páguesme las pareas, moro, sea luego en este día;

---

clo épico que el cantar de gesta conservado en el códice de Per Abat»: así Cid [1982], 90, quien rastrea y comenta brillantemente huellas, desde finales del siglo XV, de este exordio que encabeza otra versión ms., tardía, del *R.*: «De las ganançias del Cid, / señores, no ayais cudicia, / que quanto gana en un año / todo lo pierde en un dia.» Exordio sibilino, en el que se perciben tufillos burlescos: si perteneció realmente al *R.*, favorecía a los detractores del héroe, porque era inevitable relacionar esas ganancias con la recaudación de las parias, obtenidas no empleando todo un año pero perdidas sí en breve tiempo a causa del exilio. En un contexto cómico, *La verdad en el potro y el Cid resucitado* de Francisco Santos (1671), el mismo Campeador reacciona en contra del contenido del tal exordio: cfr. una vez más Cid [1982], 60, en cuya amplia documentación esos versos se asocian al nombre del héroe, o encabezan algún texto dę su *R.*, solamente a partir del último tercio del siglo XVI. No excluiría una responsabilidad del v. 14 en haberlos atraído, conociendo las combinaciones curiosas que la tradición oral a veces percibe y realiza. Comentando dos interesantes versiones de La Gomera, recapitula la cuestión Trapero [1989]. ¿Circularon acaso vv. o algún *r.* burlescos que hacían del Cid un aficionado a la taberna y al juego, lugar y ocasión típicos donde 'se pierde en un día lo ganado en un año'? ¿Algún goliardo del XV o del XVI le reservó al Campeador el mismo destino que unos siglos antes los clérigos centroeuropeos le habían deparado al 'severo Catón' (cfr. la nota 1 del Texto 16)? Cobrarían entonces un matiz nuevo vv. como los finales del Texto 134, y algún otro.

8-15 Cfr. los vv. 11-16 del Texto 98. La coincidencia tiene su razón de ser en el carácter 'fronterizo' del asunto del *R.;* igual ocurre con el Texto 136: cfr. sus notas.

11 *a:* agregado en el ms. por la misma mano.

16 *nada:* en el ms. se lee *nadie*.

que si no me las pagares, muy caro te costaría:
que te correré las tierras, desde Córdoba a Sevilla,
20 y te tallaré los panes, las bestias los pascerían
y te prenderé por la barva, llevart'he preso a Castilla.—
—No te enojes tú, buen Cid, que burlando lo dezía;
que si pareas devo al rey, dobladas te las daría.—

136

Helo helo por do viene el moro por la calçada,
cavallero a la gineta, encima una yegua baya,

---

20 *tallaré:* 'cortaré'; pero sería más apropiado, y era quizás originario, *talaré,* que indica la destrucción de las mieses (*panes*) en territorio enemigo.

22 *enojes:* en el ms. *enojos.* Éste y algún otro descuido sorprenden en un ms. que tiene aspecto muy cuidado, por la elegancia de la escritura y la disposición y numeración de sus quince *rr.*, más la glosa de Badajoz sobre «Por mayo era, por mayo».

1 El moro protagonista de este *R.* es la reinterpretación tardía del rey Búcar que en el *Cantar de Mío Cid* (vv. 2311 y sigs.) intenta recobrar Valencia, pierde la batalla del Cuarte y huye hacia la playa; pero el Cid le persigue y escarnece y al fin lo parte en dos con una épica espadada, otorgándose en premio el arma del enemigo, la prestigiosa espada Tizona. Dado el tema, la versión romancística del personaje está contagiada por la poética 'fronteriza', con sus motivos y recursos formales, desde el atuendo del moro hasta su inclinación por la galantería, rasgos típicos de los guerreros musulmanes en el *romancero fronterizo* tardío y semi-culto (Di Stefano [1967], 21-26). Este modelo impulsa el antiguo episodio épico hacia giros originales, como el papel que le toca a la hija del Cid y la consiguiente debilitación de la estatura épica del héroe, que culmina en su frustración final al escapársele el moro. El éxito de la huida de Búcar corresponde a la realidad histórica y consta en las Crónicas; pero el Cid consigue herirlo y ganar su espada. El detalle es muy importante y no podemos pasar por alto su ausencia en el *R.*, porque es solidaria con los otros elementos que construyen la semántica del texto: éste perfila un Cid que, intencionadamente o no, es padre y guerrero de un calibre opuesto al que nos lega, por ejemplo, el *Cantar*. ¿Lo vio así el público de la época? Por lo menos de un lector intuimos que sospechó algo que no fue de su agrado, y precisamente en relación con el detalle antes señalado: una mano anónima y antigua agregó al final del texto, en un ejemplar (Bibl. Nac. Madrid, R-8415) de la edición del *Cancionero de Romances* de 1568, los vv.: «Pero la lanza en el pecto / el corazon le traspaso.» Tampoco el glosador Francisco de Lora estuvo conforme con la muy dudosa epicidad del *R.*, y en particular de su conclusión; o tal vez supuso que no lo estuviera del todo su hermano, a quien destinaba la glosa. Sus versos grandilocuentes y el epílogo

borzeguíes marroquíes y espuela de oro calçada,
4 una adarga ante los pechos y en su mano una zagaya.
Mirando estava a Valencia como está tan bien cercada.
—¡Oh Valencia, oh Valencia, de mal fuego seas quemada!
Primero fuiste de moros que de cristianos ganada;
8 si la lança no me miente a moros serás tornada.
Aquel perro de aquel Cid prenderélo por la barva,
su muger doña Ximena será de mí captivada,
su hija Urraca Hernando será mi enamorada:
12 después de yo harto d'ella la entregaré a mi compaña.—
El buen Cid no está tan lexos que todo bien lo escuchava:
—Venidvos acá, mi hija, mi hija doña Urraca.
Dexad las ropas continas e vestid ropas de pascua.
16 Aquel moro hi de perro detenémelo en palabras,
mientra yo ensillo a Bavieca y me ciño la mi espada.—
La donzella muy hermosa se paró a una ventana.
El moro desque la vido d'esta suerte le hablara:
20 —Alá te guarde, señora, mi señora doña Urraca.—
—Assí haga a vos, señor, buena sea vuestra llegada.
Siete años ha, rey, siete que soy vuestra enamorada.—

---

con la muerte del rey moro quieren dar realce evidente al héroe y al tono del episodio y del texto. La glosa circuló en *pliegos sueltos;* el más antiguo conservado es de c. 1535. Sobre ella y sus conexiones con la historia del texto del *R*. cfr. Di Stefano [1967], 101-116; Catalán [1969], 145-148 y *passim* supone que Lora abrevió el texto del *R*. que conocía.

4 *zagaya:* azagaya, lanza.

6-8 En el *Auto da Lusitânia* de Gil Vicente (¿1531?) se encuentran estos vv. con iteraciones paralelísticas y amplificaciones; pudo intervenir el comediógrafo, sobre un tejido ya retocado por la tradición oral: Di Stefano [1967], 91-100, que pone en evidencia sobre todo la muy probable actividad de Gil Vicente, y Catalán [1969], 149-150 y *passim*, que subraya la de la tradición.

11 *Urraca Hernando:* esta aparición del nombre de la hija de Fernando el Magno, que hemos encontrado ya protagonista de anteriores *rr*., parece desplazarnos al género de los *disparates* y a su gusto por los emparejamientos maliciosos o absurdos. También la musa popular, que dormite o no, a veces practica un género disparatado involuntario, con la transmisión distraída o inculta de los textos.

15 *continas:* 'de uso diario', en oposición a las de los días de fiesta (*pascua*).

22 *Siete años ha:* fórmula y número tópicos vienen a propósito en un diálogo que debe ser falso, por lo menos de parte de Urraca. Así no lo ha entendido, o ha preferido no entenderlo, una amplia zona de la tradición oral

—Otros tantos ha, señora, que os tengo dentro en mi [alma.—
24 Ellos estando en aquesto, el buen Cid que assomava.
—Adiós, adiós, mi señora, la mi linda enamorada,
que del cavallo Bavieca yo bien oigo la patada.—
Do la yegua pone el pie Bavieca pone la pata.
28 Allí hablara el cavallo, bien oiréis lo que hablava:
—¡Rebentar devía la madre que a su hijo no esperava!—
Siete bueltas la rodea alderredor de una xara;
la yegua, que era ligera, muy adelante passava
32 fasta llegar cabe un río adonde una barca estava.
El moro desque la vido con ella bien se holgava;
grandes gritos da al barquero que le allegasse la barca.
El barquero es diligente, túvosela aparejada;
36 embarcó muy presto en ella, que no se detuvo nada.
Estando el moro embarcado el buen Cid que llegó al agua
y por ver al moro en salvo de tristeza rebentava;
mas con la furia que tiene una lança le arrojava

---

moderna, que ha amplificado este segmento hasta fantasear amoríos entre la doncella y el moro, a escondidas del padre desde luego: Di Stefano [1967], 69-78.

28 El animal con el don de la palabra es motivo folklórico. En el *romancero viejo* no concozco otro caso. En alguna versión portuguesa moderna del Texto 139 habla el caballo del difunto don Beltrán: *Primav.*, pág. 417. La imprecación de Babieca adelanta frustración y rabia del Cid y va en paralelo con la imprecación, matizada de ironía, que éste lanzará al moro. Es una manifestación, sin duda curiosa, del papel del caballo como ayudante del héroe, propio de la poesía épica.

32 Dudo que del *mar* del *Cantar* se haya llegado al *río* del *R*. dentro del mismo proceso de 'reducción' que he ilustrado en algunas de las notas anteriores. En este río, con su barca y su barquero y con la llamada al trasbordo, advierto más bien resonancias de cantarcillos líricos: «Allega, morico, allega / con el varco a la rribera» (*CALP*, 946); «En llegando a la barca / dixe al barquero / que me pase el rrío, / que tengo miedo» (*CALP*, 947) y «Pásame, por Dios, varquero, / d'aquesa parte del rrío; / ¡duélete del dolor mío!» (*CALP*, 951). Así y todo, es oportuno tener en cuenta que sucesivas redacciones de las Crónicas registran el paso de *naues* a *batel*, permaneciendo invariado el *mar*. Para un cotejo de los textos del *R.*, del *Cantar de Mío Cid* y de las Crónicas cfr. Di Stefano [1967], 28-36; Catalán [1969], 137-145; Di Stefano [1969-70], 107-111.

35 *diligente:* 'solícito'.

38 *tristeza:* 'rabia'.

40 y dixo: —Recoged, mi yerno, arrecogedme essa lança,
que quizá tiempo verná que os será bien demandada.—

137

Tres cortes armara el rey, todas tres a una sazón:
las unas armara en Burgos, las otras armó en León,
las otras armó en Toledo, donde los hidalgos son,
4 para complir de justicia al chico con el mayor.
Treinta días da de plazo, treinta días que más no,
y el que a la postre viniesse que lo diessen por traidor.
Veinte nueve son passados, los condes llegados son.
8 Treinta días son passados y el buen Cid no viene non.
Allá hablaran los condes: —Señor, daldo por traidor.—
Respondiérales el rey: —Esso non faría non,
qu'el buen Cid es cavallero de batallas vencedor,
12 pues que en todas las mis cortes no lo avía otro mejor.—
Ellos en aquesto estando, el buen Cid que assomó,
con trezientos cavalleros, todos hijos dalgo son,
todos vestidos de un paño, de un paño y de una color,

40-41 Como apuntaba en la nota 1, en el *Cantar* el Cid escarnece al rey moro mientras le va persiguiendo, invitándole a interrumpir su carrera para darse un beso de paz. Lo que era sarcasmo eufórico del héroe seguro de su éxito final, ha ido a parar ahora en la rabiosa ironía de las palabras conclusivas del *R*. Es seguro que, al llegar a este punto, quien oía recitar el *Cantar* y quien, tiempo después, prestaba oídos al canto del *R*., se abandonaban a la risa. No estoy seguro que entre las risas de estos dos públicos mediara una distancia tan sólo temporal. Me parece que este *R*. contribuye al perfil de aquel «symbol of unrealized wishes» [símbolo de frustraciones] que es el protagonista de las *Mocedades de Rodrigo* según Montgomery [1983], 128. Sobre el *R*. y su fertilidad tradicional, además de los estudios citados ya, cfr. Bénichou [1968], 125-159; Catalán [1970-71]; *JSB*, I, 230-278.

1 Convocadas por Alfonso, estas cortes tuvieron lugar en momentos sucesivos, según relata el *Cantar de Mío Cid,* único 'documento' que las atestigua. Debían ser el solemne acto oficial de reparación de la honra del héroe, ofendida por sus yernos, los infantes de Carrión, cuando habían maltratado y abandonado en el robledo de Corpes a sus recientes esposas. El *R*. pudo formarse inspirándose a puntos varios del *Cantar* según una versión tardía: *RH*, I, 222-225.

13 Aparece el Cid, en compañía de sus trescientos y con el acostumbrado cortejo de fórmulas del motivo 'orgullo y agresividad del vasallo'; ahora con una variante: el adversario no es ya el rey.

16 sino fuera el buen Cid que traía un albornoz.
—Manténgavos Dios, el rey, y a vosotros sálveos Dios,
que no hablo yo a los condes, que mis enemigos son.—

---

16 *albornoz:* 'especie de capa con capucha' (*DRAE,* s.v.), propia de moros; en *Aut.* se especificaba: «para defensa del agua, nieve, y mal tiempo». En la historia de la indumentaria son pocas las piezas que se sustraen a la sonrisa o a la carcajada de la posteridad. Para que una de éstas sea el albornoz, no hay motivo; puede haberlo en el contexto del *R.,* teniendo en cuenta descripción y uso registrados por los diccionarios académicos. La memoria corre al *bonete colorado* del Texto 120 y a su nota 10. Podríamos pensar que el uso del albornoz no era tan limitado como informan los académicos; e incluso que el Cid, cubriéndose con él, quisiera lanzar una provocación en las Cortes, según costumbres de juventud. En un *R.* que empieza «Por Guadalquivir arriba» (*Primav.* 58) y que narra la ida a las cortes en cuestión, el Cid y sus hombres visten *albornoces* y *capas aguaderas* (nótese la asociación y cfr. *Aut.* cit.) encima de *ricas aljubas.* La conclusión sería entonces que el Cid se presenta ante la asamblea, adonde llega al último momento, sin cambiarse de traje; y conociendo el simbolismo dominante en la cultura y en la vida medievales, la exhibición de indumentos pobres pretendía subrayar su condición de 'inferioridad' en tanto que no se reparara la ofensa padecida; una vez reparada, con un final como el del Texto 120, habrían quedado al descubierto las *ricas aljubas* en señal de triunfo y júbilo. Con esta lectura nos quedaríamos del todo satisfechos si en el citado *R.* de la ida a cortes los vv. sucesivos al de *albornoces* y *capas aguaderas* no nos informaran que nuestros *caminadores* «Daban cebada de día / y caminaban de noche, / no por miedo de los moros / mas por las grandes calores». Evidentemente, algo parece no funcionar en lo relativo a indumentaria. Podríamos ensayar una hipótesis de disimulación de identidad, visto que otro v. dice que vestían «a guisa de labradores». Pero tal superposición de trajes y su fuerte contraste con la estación del año y la temperatura, no eran los medios más eficaces para pasar desapercibidos. En este *R.* de la ida a Cortes todo funcionaría, en cambio, si lo leyéramos como una re-elaboración matizada de ironía. Pensemos en las palabras del rey al Cid que llega: «Viejo que venís, el Cid, / viejo venís y florido», y en el inicio de la contestación del Cid: «no de holgar con las mujeres, / mas de andar en tu servicio». Los años en que estos *rr.* se divulgaban, y en parte se componían o retocaban, eran los mismos en que sus vv. sueltos se utilizaban y manipulaban en mil funciones, y sus emblemáticos personajes eran traídos y llevados con todo el respeto, y también todo el escarnio, con que se suele tratar a las figuras más familiares y amadas. En la misma época se creaban, y en sus mismos *pliegos* se imprimían, coplas *en disparate* como la ya citada para el Texto 120 sobre el buen Diego Laínez que va a cortes vistiendo *ropas de verano.* ¿Sería una de las tantas ingenuas distorsiones antihistóricas, efectuar lecturas menos 'heroicas' de ciertos *rr.*? ¿Caeríamos víctimas de una seductora percepción 'culta' de textos que nos llegan de una opuesta ladera? Una sugerencia conclusiva, para medir distancias una vez más: se vuelvan a leer los vv. 3073-3100 del *Cantar de Mío Cid,* que relatan la vestición del héroe para presentarse a las Cortes contadas en nuestro *R.*

138

Ya comiençan los franceses con los moros pelear
e los moros eran tantos, no los dexan resollar.
Allí fabló Baldovinos, bien oiréis lo que dirá:
4 —¡Ay compadre don Beltrán, mal nos va en esta batalla!
Más de sed que no hambre a Dios quiero dar el alma;
cansado traigo el cavallo, más el braço del espada.
Roguemos a don Roldán que una vez el cuerno tanga:
8 oírlo ha el emperador qu'está en los puertos d'Aspa,
que más vale su socorro que toda nuestr'asonada.—
Oídolo ha don Roldán en las batallas do estava:
—No me lo roguéis, mis primos, que ya rogado me es- [tava;
12 más rogadlo a don Renaldos, que a mí no me lo retraiga,
ni me lo retraiga en villa, ni me lo retraiga en Francia,
ni en cortes del emperador estando comiendo a la tabla,
que más querría ser muerto que suffrir tal sobarvada.—

---

4 *don Beltrán:* la tradición de la *ChR* (=*Chanson de Roland*) ignora este personaje: Menéndez Pidal [1917], 177.

5 *hambre:* se podría corregir *de hambre*.

8 *puertos d'Aspa:* con leve variante, es topónimo documentado en la región pirenaica y en *chansons de geste*. Aquí podría ser vulgarización de un originario «puertos de España», frecuente en la *ChR:* Norton y Wilson [1969], 37 y en 35-40 un cotejo detallado de las distintas versiones del texto.

9 *asonada:* conjunto de gente armada.

10 *batalla:* vale tanto 'combates' como 'partes de ejército'; es preferible la primera acepción, en vista del v. 16.

12 *retraiga:* 'reproche'.

15 *sobarvada:* 'reprensión áspera'. La tradición francesa de la *ChR* desconoce la presencia de Reinaldos en Roncesvalles como sus tensas relaciones con Roldán, glosadas ampliamente por estos vv. y en otros *rr.* carolingios. Ambos motivos se hallan, en cambio, en una versión española del siglo XIII de la *ChR,* el llamado *Cantar de Roncesvalles* por conservarse de él sólo un largo fragmento con una fase de la batalla: Menéndez Pidal [1917], 170-182, que enmarca el *R.* dentro de la tradición rolandiana española como fragmento de una refundición del *Cantar,* útil para reconstruir su escena de la batalla. Sobre este punto es escéptico Horrent [1951b], 94, 135-136 y 219-222 y [1951a], 504-508, que además resalta como en *Tratado,* VII, 263 se había intuido —antes que se descubriera el fragmento del *Roncesvalles*— la existen-

16 Oídolo ha don Renaldo qu'en las batallas andava;
començara a dezir, estas palabras hablava:
—¡Oh mal oviessen franceses de Francia la natural!:
por tan pocos moros como éstos el cuerno mandan tocar.
20 Que si me toman los corajes que me solían tomar,
por éstos e otros tantos no me daré solo un pan.—
Ya le toman los corajes que le solían tomar:
assí se entra por los moros como segador por pan,
24 assí derriba cabeças como peras d'un peral;
por Roncesvalles arriba los moros huyendo van.
Allí salió un moro perro qu'en mal ora lo parió su madre.
—¡Alcaria, moros, alcaria, si mala ravia vos mate!,
28 que sois ciento para uno, isles huyendo delante.
¡Oh mal aya el rey Malsín que sueldo os manda dar!
¡Mal aya la reina mora que vos lo manda pagar!
¡Mal ayáis vosotros, moros, que las venís a ganar!—
32 De qu'esto oyeron los moros aún ellos bolvido han,
y a bueltas e rebueltas los franceses huyendo van.
Atán bien se los esfuerça esse arçobispo Turpín:
—¡Buelta, buelta, los franceses, con coraçón a la lid!
36 Mas vale morir con honra que con deshonra vivir.—
Ya bolvían los franceses con coraçón a la lid;
tantos matan de los moros que no se puede dezir.
Por Roncesvalles arriba huyendo va el rey Malsín,
40 cavallero en una zebra no por mengua de rocín;
la sangre que d'él salía las yervas haze teñir,
las vozes que iva dando al cielo quieren subir:
—Reniego de ti, Mahoma, y aún de cuanto hize en ti:

---

cia de una versión española de la *ChR*. En el *R*. aparece bastante moderada la francofilia tradicional de tales relatos: Horrent [1955], 163-167. Un interesante fragmento sobrevive entre sefarditas de Estados Unidos: Armistead-Silverman [1979], 122-123.

27 *Alcaria:* 'al ataque': Menéndez Pidal [1917], 171n.

31 *las:* probable la concordancia con un «soldadas» mental.

41 Este v. está presente en versiones rimadas de la *ChR*, de las cuales derivaría el *Roncesvalles*: Menéndez Pidal [1917], 174.

43 El motivo del reniego o de la 'frustración de los paganos', como le define Ménard [1969], 63-64, entraba en las *chansons de geste* con funciones cómicas; lo conoce la *ChR* y aparece en la estrofa 268 del *Poema de Fernán González*. En el *R*. adquiere un «desarrollo lírico» propio del distinto género: Menéndez Pidal [1917], 175 y 179.

44 hízete el cuerpo de plata, pies y manos de marfil
y por más te honrar, Mahoma, la cabeça de oro te hize;
sesenta mil cavalleros ofrecílos yo a ti,
mi muger Abraima mora ofrecióte treinta mil,
48 mi hija Mataleona ofrecióte quinze mil:
de todos estos, Mahoma, tan solo me veo aquí.
Y aún mi braço derecho, Mahoma, no lo traigo aquí:
cortómelo el encantado, esse Roldán paladín,
52 que si encantado no fuera no se me fuera él assí.
Mas yo me vo para Roma, que cristiano quiero morir;
esse será mi padrino esse Roldán paladín,
esse me bautizará esse arçobispo Turpín.
56 Mas perdóname, Mahoma, que con cuita te lo dixe
que irme quiero a Roma; curar quiero yo de mí.—

139

En los campos de Alventosa mataron a don Beltrán;
nunca lo echaron menos hasta los puertos passar.

---

47 *Abraima mora:* resultado muy probable de un originario «Braimimonde», en la *ChR:* Menéndez Pidal [1917], 173 y 174n.

48 *Mataleona:* en versiones de la *ChR* se da noticia solamente de un hijo de Marsilio, «Corsaleón».

53 Motivo presente en versiones de la *ChR*.

57 *irme:* sería más acertada la lección *ir no,* ofrecida por un *pliego suelto: Pliegos Madrid,* I, pl. XVII, pág. 132. Una versión más corta del *R.* en *CR[47],* f. 229v, con el *incipit* «Domingo era de Ramos».

1 «Estan los campos de Alventoso [*sic*] donde ovo una grande batalla entre moros y cristianos. En este campo esta un castyllo media legua de Linays [Linares] donde fue muerto don Beltrán»: así escribía Fernando Colón a comienzos del siglo XVI, pensando en una de las tantas escaramuzas en la frontera andaluza, ambiente muy favorable a «una *renovatio* de la materia de Roncesvalles», como observa Avalle-Arce [1974], que ha localizado la nota de Colón. Menéndez Pidal [1917] considera el *R.* ajeno a la materia rolandiana, en particular por su exordio. Es contrario el parecer de Horrent [1951a], 508-517 [513], que en el topónimo ve un reflejo de la «hispanisation» del relato del *Roncesvalles* y juzga más primitiva la versión corta del texto que empieza con nuestro v. 8. Había sido ya la opinión de Monteverdi [1912], en un hermoso ensayo sobre fortuna antigua y moderna del tema y de los textos. Horrent sugiere, además, que en el lugar del advenedizo *Beltrán* tendría que estar «Reinalte» (en una cita del músico Milán), siendo Aymon el buen padre en busca del cadáver del hijo, escena que el *Roncesvalles* apuntaba fugazmente.

Siete vezes echan suertes quién lo bolverá a buscar;
4 todas siete le cupieron al buen viejo de su padre:
las tres fueron por malicia y las cuatro con maldad.
Buelve riendas al cavallo y buélveselo a buscar,
de noche por el camino, de día por el xaral.
8 Por la matança va el viejo, por la matança adelante;
los braços lleva cansados de los muertos rodear.
No hallava al que busca ni menos la su señal;
vido todos los franceses y no vido a don Beltrán.
12 Maldiziendo iva el vino, maldiziendo iva el pan,
el que comían los moros que no el de la cristiandad;
maldiziendo iva el árbol que sola en el campo nasce,
que todas las aves del cielo allí se vienen a assentar,
16 que de rama ni de hoja no la dexavan gozar;
maldiziendo iva el cavallero que cavalgava sin page:
si se le cae la lança no tiene quien se la alçe
y si se le cae la espuela no tiene quien se la calçe;
20 maldiziendo iva la muger que tan sólo un hijo pare:
si enemigos se lo matan no tiene quien lo vengar.

Con Horrent concuerda Dámaso Alonso, «La primitiva épica francesa a la luz de una nota emilianense», en *Primavera temprana de la literatura europea,* Madrid, Guadarrama, 1961, págs. 83-161 [153-157]: el *R*. pertenece a la materia de Roncesvalles, al igual que don Beltrán, cuyos derechos atestigua una *Nota* del siglo XI, en el monasterio de san Millán, prueba indirecta de una muy primitiva versión peninsular de la *ChR;* no acepta la hipótesis de «Reinalte».

5 El v. nos da el núcleo semántico del *R.*, que plantea «le problème moral du père injustement désigné pour ramener le cadavre du fils»: d'Heur [1974], 707, que analiza versiones antiguas y modernas del *R*.

7 El v., formular, es la primera de las muchas coincidencias del *R*. con el Texto 144, reseñadas por d'Heur [1974].

9 Este v. y el 11 aparecen en el ms. Madrid BP1: vol. 3b, núm. 446 [1515], págs. 487-488, en varios libros de música del siglo XVI y en el ms. Paris BE, f. 66v (Dutton, III, 505): aquí forman una cuarteta atribuida a la voz del padre: «Los braços trayo cansados / de los muertos rodear: / fallo todos los franceses / no fallo a don Reynalte»; en casi todos los demás, el correcto *Beltrán:* cfr. el final de la nota 1.

12-21 Vv. casi idénticos a los 99-107 del Texto 144, donde tendrían su sede primitiva: Horrent [1951a], 510; inverso el parecer de Lapesa [1967], 33-35. En ambos casos este motivo expresa bien la condición de angustiosa soledad que oprime a los dos protagonistas, en un momento decisivo de su existencia. Sobre este punto, además que sobre el *R*. entero, cfr. Trejo [1991].

14 *sola:* en vista de *la* en el v. 16, prefiero no corregir.

A la entrada de un puerto, saliendo de un arenal,
vido en esto estar un moro que velava en un adarve;
24 hablóle en algaravía como aquel que bien la sabe:
—Por Dios te ruego, el moro, me digas una verdad:
cavallero de armas blancas si lo viste acá passar;
y si tú lo tienes preso a oro te lo pesarán,
28 y si tú lo tienes muerto désmelo para enterrar,
pues que el cuerpo sin el alma solo un dinero no vale.—
—Esse cavallero, amigo, dime tú qué señas trae.—
—Blancas armas son las suyas y el cavallo es alazán;
32 en el carrillo derecho él tenía una señal,
que siendo niño pequeño se la hizo un gavilán.—
—Este cavallero, amigo, muerto está en aquel pradal:
las piernas tiene en el agua y el cuerpo en el arenal;
36 siete lançadas tenía desde el ombro al carcañal
y otras tantas su cavallo desde la cincha al pretal.
No le des culpa al cavallo, que no se la puedes dar,
que siete vezes lo sacó sin herida y sin señal
40 y otras tantas lo bolvió con gana de pelear.—

140

En París está doña Alda, la esposa de don Roldán;
trezientas damas con ella para la acompañar.
Todas visten un vestido, todas calçan un calçar,
4 todas comen a una mesa, todas comían de un pan,
sino era doña Alda que era la mayoral;
las ciento hilavan oro, las ciento texen cendal,

---

23 *adarve:* camino de guardia detrás de las almenas, en las murallas.
26 *armas blancas:* su sentido originario era el de armadura todavía sin emblema, propia de caballero novel; se volvió pronto un tópico inflacionado. Este dato, y algunas sutiles intuiciones estimuladas por el texto según *Flor Nueva*, sugieren a Marcilly [1972], 87, con algún fundamento, que una cifra del *R.* podría ser «l'heroisme inutile de la jeunesse vaincue». Cfr. la nota 7 del Texto 87.
31 *alazán:* con pelo de color rojizo, tendiente al canela. De la contribución del *romancero* sefardí para documentar la etimología de este término discuten Armistead y Silverman [1982], 118-123.
5 *mayoral:* 'de rango más elevado'.

las ciento tañen instrumentos para doña Alda holgar.
8 Al son de los instrumentos doñ'Alda adormídose ha.
Ensoñado avía un sueño, un sueño de gran pesar;
recordó despavorida y con un pavor muy grande,
los gritos dava tan grandes que se oían en la ciudad.
12 Allí hablaron sus donzellas, bien oiréis lo que dirán:
—¿Qué es aquesto, mi señora? ¿Quién es el que os hizo [mal?—
—Un sueño soñé, donzellas, que me ha dado gran pesar:
que me veía en un monte, en un desierto lugar;
16 de so los montes muy altos un açor vide volar,
tras d'él viene una aguililla que lo ahinca muy mal;
el açor con grande cuita metióse so mi brial,
el aguililla con grande ira de allí lo iva a sacar,
20 con las uñas lo despluma, con el pico lo deshaze.—
Allí habló su camarera, bien oiréis lo que dirá:
—Aquesse sueño, señora, bien os lo entiendo soltar:
el açor es vuestro esposo que viene de allén la mar,
24 el águila sodes vos, con la cual ha de casar,
y aquel monte es la iglesia, donde os han de velar.—

---

10 *recordó:* 'despertó'.

14 *sueño:* más adelante la camarera de Alda dará su explicación del sueño. Pero antes veamos otra que se define psicoanalítica: en el sueño Alda vive simbólicamente su propia desfloración por obra del azor-Roldán, al cual se ha opuesto como águila para defenderse de un acto que le repugna; una vez despierta, Alda se arrepiente de la agresividad contra el esposo y se autocastiga cayendo muerta al saber la noticia del fallecimiento de Roldán en la batalla: Langer y Fernández [1945-46]. Sobre el refugiarse «debajo del brial» en su auténtico sentido histórico de petición de amparo cfr. la nota 33-34 del Texto 114 y la nota 5 del Texto 115.

16 *so:* 'bajo'.

22 *soltar:* 'desvelar'.

25 No tenemos motivos para dudar de la buena fe de la camarera, aunque el tema del sueño de doña Alda y de su explicación se estrenó, en las versiones rimadas de la *ChR*, con la amistosa mentira de un nigromante. La lectura en positivo es sincera ya en el *Ronsasvals* provenzal, que es el punto de partida de una tradición llegada al *R.* a través de una probable amplia escena, dedicada al tema, en alguna refundición tardía del *Roncesvalles* hispano. Cfr. Menéndez Pidal [1917], 182-189 y Monteverdi [1928] sobre la *ChR* rimada; Horrent [1951a], 517-521 añade el anillo determinante que es el poema provenzal. Segre [1983] detecta en el *R.* un coherente incremento del marco y de motivos de la *chanson de femme,* que habían empezado a caracterizar la es-

—Si assí es, mi camarera, bien te lo entiendo pagar.—
Otro día de mañana cartas de fuera le traen;
28 tintas venían de dentro, de fuera escrita[s] con sangre:
que su Roldán era muerto en la caça de Roncesvalles.

141

Mal ovistes, los franceses, la caça de Roncesvalles,
do Carlos perdió la honra, murieron los Doze Pares,
cativaron a Guarinos, almirante de la mar.
4 Los siete reyes de moros fueron en su cativar;
siete vezes echan suertes cuál d'ellos lo avía de llevar,
todas siete le cupieron a Morlotos el infante.
Más lo preciava Morlotos que Arabia con su ciudad;
8 dízele d'esta manera y empeçóle de hablar:

---

cena ya en el *Ronzasvals;* localiza en una versión de los hebreos de Marruecos un elemento arcaico que se remonta, aunque en forma distinta, al poema provenzal: se trata del paje que anuncia la muerte de Roldán; y, observando que en nuestro texto del *R.* esa muerte se comunica por unas cartas que prescinden del paje, subraya la completa «femminizzazione» de la escena, que el *Ronzasvals* ya había acentuado al sustituir el séquito masculino de Alda por uno femenino. Para el texto hebreo cfr. *RJEM,* 58-59; *Yoná*, 68-73, y *Nahón,* 38-40. Muy de paso señalo la coincidencia, en marco y tema, del *R.* con la escena central de la *Comedieta de Ponça* de Santillana: el recreo de la reina madre de Aragón en compañía de sus damas, el sueño présago, las cartas que anuncian la derrota de Ponza y el cautiverio de los príncipes.

28 *escritas:* he corregido el singular de la fuente, que podría aceptarse como posible concordancia con un mental *carta.*

1 *caça:* 'batalla'. En la palabra sentimos hoy una fuerza despectiva que en lo antiguo no tenía: cfr., por ejemplo, el v. 29 del Texto 140. Sin embargo, junto con *mal ovistes* y la *honra* perdida de Carlos, es seguramente uno de aquellos flechazos anti-franceses de que se complacía la tradición épica española, sobre todo en tiempos de hostilidades con los vecinos, frecuentes: Horrent [1955], 167 y 170.

3 Con el cautiverio de Guarinos empieza la narración de una aventura aludida en más de una *chanson de geste,* en particular en *Enfances Vivien* (siglo XIII): Armistead y Silverman [1987], con la bibliografía anterior.

4 *Los siete reyes:* es el primer caso del abundante formulismo, temático y lingüístico, que caracteriza este texto, buen ejemplo de artesanía juglaresca que ensambla hábilmente lugares comunes del archivo épico-romancístico, para desarrollar sugerencias narrativas de variado origen. El motivo del 'echar suertes' en el Texto 139.

—Por Alá te ruego, Guarinos, moro te quieras tornar.
De los bienes d'este mundo yo te quiero asaz dar;
de dos hijas que yo tengo yo te las querría dar:
12 la una para el vestir, para el vestir y calçar,
la otra para tu muger, tu muger la natural;
darte he en arras y en dote a Arabia con su ciudad.
Si más quisieres, Guarinos, mucho más te quiero dar.—
16 Allí fablara Guarinos, bien oiréis lo que dirá:
—No lo mande Dios del cielo ni sancta María su madre
que dexasse la fe de Cristo por la de Mahoma tomar,
que esposica tengo en Francia, con ella entiendo de casar.—
20 Morlotos con grande enojo en cárceles lo mandó echar:
con esposas en las manos porque pierda el pelear,
el agua fasta la cinta porque pierda el cavalgar,
siete quintales de hierro desde el hombro al calcañar;
24 tres fiestas que ay en el año le mandava justiciar:
la una es Pascua de Flores, la otra de Navidad,
la otra es de Cincuesma porque es fiesta general.
Vanse días vienen días, vino el de señor san Juan,
28 do los moros e cristianos grandes alegrías hazen:
los cristianos echan juncia e los moros arrayán,
los judíos echan enea por la fiesta más honrar.
Morlotos con alegría un tablado mandó armar,
32 ni más chico ni más grande que al cielo quiere llegar.
Los moros con alegría empiéçanle de tirar:
tira el uno tira el otro, no llegan a la meitad.
Morlotos con gran enojo un pregón mandara dar:
36 que los chicos no mamassen ni los grandes toman pan
fasta que aquel tablado en tierra aya de estar.

---

9 El motivo de la conversión, pretendida por el rey moro y rechazada por el cautivo, parece rasgo propio del *R.* respecto a sus posibles fuentes, y recuerda muy de cerca el Texto 95.

14-15 Cfr. v. 21 del Texto 90 y el v. 20 del Texto 12.

24 *justiciar:* 'aplicar el suplicio'.

26 *Cincuesma:* Pascua de Espíritu Santo, que llega cincuenta días después de la de Resurrección o de Flores.

27 La escena que sigue parece más propia de España, y no sólo de la España musulmana. Tonos y ambientes del texto evocan el *romancero fronterizo* mejor que la tradición épica francesa, en una de cuyas ramas se sitúa el cautiverio en la Península, sin asomos de 'color local'.

Oyó el estruendo Guarinos en la cárcel do está:
—¡Oh válasme Dios del cielo e santa María su madre!
40 O casan fija de rey o la quieren desposar
o era venido el día que me suelen justiciar.—
Oídolo ha el carcelero en la cama donde está:
—No casan hija de rey ni la quieren desposar
44 ni es venida la Pascua que te suelen açotar,
mas era venido un día el cual llaman de sant Juan,
cuando los que están contentos con plazer comen su pan.
Morlotos con gran plazer un tablado mandó armar;
48 el altura que tenía al cielo quiere llegar;
hanle tirado los moros, no le pueden derribar.
Morlotos muy enojado un pregón mandara dar:
que ninguno no comiesse hasta avello de derribar.—
52 Allí respondió Guarinos, bien oiréis lo que dirá:
—Si vos me dais mi cavallo en que solía cavalgar
e me diéssedes mis armas, las que me solía armar,
y me diéssedes mi lança, la que solía llevar,
56 aquellos tablados altos yo los entiendo derribar
y si no los derribasse que me mandasse matar.—
El carcelero qu'esto oyera començóle de hablar:
—Siete años avía, siete, que estás en este lugar
60 que no siento hombre del mundo que un año pudiesse estar,
y aún dizes que tienes fuerça para tablado derribar.
Mas espérate, Guarinos, que yo lo iré a contar
a Morlotos el infante, por ver lo que me dirá.—
64 Ya se parte el carcelero, ya se parte ya se va.
Como fue cerca el tablado a Morlotos hablado ha:
—Una nueva os traigo, señor, queráismela escuchar.
Sabed que aquel prisionero aquesto dicho me ha:
68 que le diessen su cavallo en que solía cavalgar
y le diessen las sus armas que él se solía armar,
que aquestos tablados altos él los entiende derribar.—
Morlotos desque esto oyera de allí lo mandó sacar
72 por mirar si en cavallo él podría cavalgar.

---

53 El motivo de la reclamación de armas y caballo propios por parte del cautivo conecta el *R.* a la *chanson* de *Ogier le Danois:* Armistead y Silverman [1987], 397-398 y la nota de pág. 391 para la bibliografía anterior.

Mandó buscar su cavallo   e mandáragelo dar,
que siete años son passados   que andava trayendo cal.
Armáronlo de sus armas   que bien mohosas están.
76 Morlotos desque lo vido,   con reír e con burlar
dízele que vaya al tablado   e lo quiera derribar.
Guarinos con grande furia   un encuentro le fue a dar
que más de la meitad   en el suelo fue a echar.
80 Los moros desque esto vieron   todos le quieren matar.
Guarinos como esforçado   començó de pelear
con los moros que eran tantos   que el sol querían quitar.
Peleara de tal suerte   que él se ovo de soltar
84 e se fuera a su tierra,   a Francia la natural.
Grandes honras le fizieron   cuando le vieron llegar.

142

Estávase la condessa   en su estrado assentada,
tisericas d'oro en mano   su fijo afeitando estava.
Palabras le está diziendo,   palabras de antigüedad;
4 las palabras eran tales   que al niño fazen llorar:
—Dios te dé barvas en rostro   y en el cuerpo fuerça [grande;
dete Dios ventura en armas   como al paladín Roldán,
porque vengasses, mi fijo,   la muerte de vuestro padre.
8 Matáronlo a traición   por casar con vuestra madre;
ricas bodas me fizieron,   las cuales Dios no ha parte;
ricos paños me cortaron,   la reina no los ha tales.—

---

1 *estrado:* «Lugar o sala de ceremonia donde se sentaban las mujeres y recibían las visitas»: *DRAE,* s. v.

2 *tisericas:* lo mismo que *tijeritas.* La escena doméstica, que recuerda exordios y marcos de *chanson de femme,* curiosa con ese cortarle el pelo (*afeitando*) al niño, es funcional al desarrollo del relato porque introduce el motivo de la barba y el auspicio de una pronta madurez del hijo, que le permita vengar al padre. Otro caso de ocupación 'higiénica' es el del rey Rodrigo cuando saca aradores de las *jarifes manos* de la Cava (Texto 104); allí el detalle es funcional a la sensualidad de la escena, con los escarceos iniciales de un eros que culminará en la violencia y el desastre.

3 *antigüedad:* disparate probablemente logrado a partir de un *grauedad* manuscrito, pasando a través de una mala lectura *gran edad.*

9 *las cuales:* sería oportuna la corrección *en las cuales.*

Maguera pequeño el niño   bien entendido lo ha.
12 Allí respondió Gaiferos,   bien oiréis lo que dirá:
—Assí lo ruego a Dios del cielo   y a santa María su ma-
[dre.—
Oído lo avía el conde   en los palacios do está.
—Calléis, calléis, la condessa,   boca mala sin verdad,
16 que yo [no] matara al conde   ni lo hiziera matar.
Mas tus palabras, condessa,   el niño las pagará.—
Mandó llamar escuderos,   criados son de su padre,
para que lleven al niño,   que lo lleven a matar.
20 La muerte qu'el dixera   manzilla es de escuchar:
—Córtenle el pie del estribo,   la mano del gavilán,
sáquenle ambos los ojos   por más seguro andar,
y el dedo y el coraçón   traédmelo por señal.—
24 Ya lo llevavan a Gaiferos,   ya lo llevavan a matar.
Fablavan los escuderos   con manzilla que d'él han:
—Oh válasme Dios del cielo   e santa María su madre,
si este niño matamos   ¿qué galardón nos darán?—

---

11 *Maguera:* 'aunque'.

12 Para el nombre de este personaje cfr. la nota 1 del Texto 144. Del argumento de este *R.* y del sucesivo no se conocen antecedentes fuera del área del folklore; a ella pertenecen motivos como el del niño destinado a morir, su salvación por mano de los mismos verdugos, el dedo y el corazón como señales de la ejecución, la vuelta del adolescente y la venganza. Cfr. *Tratado,* VII, 273-278 y *RH,* I, 273-274, con reseña de versiones orales modernas. En las sefarditas, reelaboraciones e introducción de nuevos motivos han transformado al protagonista, que de restablecedor del orden quebrantado ha pasado a ser instaurador violento de un nuevo orden: es la aguda lectura de Mariscal [1990].

20 *manzilla:* 'pena'.

21 Eran mutilaciones que aniquilaban al caballero, impidiéndole para siempre el cabalgar y la caza con aves, actividades y símbolos exclusivos del prestigioso estado social: cfr. el Texto 60. En este caso tal castigo sería superfluo, ya que Gaiferos va a ser matado; pero en la creación juglaresca los tópicos proceden a veces por cuenta propia, especialmente en el *romancero* carolingio. Este proyectado despedazamiento del cuerpo del niño, y el corte del dedo en particular, parece que acabaron atrayendo a Gaiferos al mundo de las brujas, de sus operaciones y conjuros: Redondo [1988]; aunque convenga recordar que al Gaiferos del Texto 144 iba asociada, ya desde antiguo, una fama vaga de figura sobrenatural: Armistead y Silverman [1989], 36.

22 *por más seguro andar:* de referirse al niño, la frase sería de una suprema ironía sádica, involuntaria deberíamos suponer. Sin embargo, creo que quiera decir simplemente: 'para estar más seguros', con un uso adverbial del adjetivo.

28 Ellos en aquesto estando no sabiendo qué harán,
vieron venir una perrica que era de la su madre.
Allí fabló el uno d'ellos, bien oiréis lo que dirá:
—Matemos esta perrica por nuestra seguridad,
32 saquémosle el coraçón e llevémoslo a Galván.
Cortémosle el dedo al chico por llevar mejor señal.—
Ya toman a Gaiferos para el dedo le cortar.
—Vení acá vos, Gaiferos, e querednos escuchar.
36 Vos íos de aquesta tierra, que no parezcáis más.—
Ya le davan entreseñas el camino que hará.
—Irvos éis de tierra en tierra a do vuestro tío está.—
Gaiferos desconsolado para un monte se va.
40 Los escuderos se bolvieron para do estava Galván.
Danle el dedo y coraçón e dizen que muerto lo han.
La condessa que esto oyera empeçara a gritos dar;
llorava de los sus ojos que quería rebentar.
44 Dexemos a la condessa, que muy grande llanto haze,
y digamos de Gaiferos e del camino que haze,
que de día ni de noche no haze sino caminar,
hasta que llegó a la tierra adonde su tío estava.
48 Dízele d'esta manera y empeçóle de hablar:
—Manténgaos Dios, el mi tío.— —Mi sobrino, bien ven-
[gáis.
¿Qué buena venida es ésta? Vos me la queráis contar.—
—La venida que yo vengo triste es y con pesar,
52 que Galván con grande enojo mandóme a mí matar.

---

29 *de la su madre:* como es muy improbable que se aluda a la madre de los escuderos, se trata de la de Gaiferos. Resulta entonces un poco sorprendente que la perrica de la condesa anduviera por lugares que se suponen lejanos, además de ásperos. Es otra fórmula invadente, como la del v. 21 o la del v. 18, que hace pareja con la comentada aquí: el terrible Galván comete la imperdonable ligereza de encargar el asesinato del niño a escuderos que *criados son de su padre,* o sea, del padre de Gaiferos, siendo también ahora muy improbable que se quiera remitir al padre de Galván. En ambos casos la fórmula ocupa el segundo octosílabo del v., en general débilmente semantizado aunque no receptáculo habitual de incongruencias.

32 *Galván:* es Gawain, héroe artúrico que «sufre un notable proceso de degradación, en ciertos textos, sobre todo en los textos en prosa»; y propiamente «en el *Tristán en prose* es tildado de envidioso, traidor y cobarde»: Alicia Yllera, «Gauvain / Gawain: Las múltiples transposiciones de un héroe», en *Revista de Literatura Medieval,* III (1991), págs. 199-221 [213-214].

Mas lo que vos ruego, mi tío, e lo que os vengo a rogar,
que vamos a vengar la muerte del buen conde mi padre:
matáronlo a traición por casar con la mi madre.—
56 —Sosseguéis, el mi sobrino, vos queráis assosegar,
que la muerte de mi hermano bien la iremos a vengar.—
Y ellos assí estuvieron dos años y aun más,
hasta que dixo Gaiferos y empeçara de hablar:

143

—Vámonos —dixo—, mi tío, en París essa ciudad
en figura de romeros, no nos conozca Galván;
que si Galván nos conosce mandarnos ía matar.
4 Encima ropas de seda vestimos las de sayal,
llevemos nuestras espadas por más seguros andar,
llevemos sendos bordones por la gente assegurar.—
Ya se parten los romeros, ya se parten, ya se van,
8 de noche por los caminos, de día por los xarales.
Andando por sus jornadas a París llegado han.
Las puertas hallan cerradas, no hallan por donde entrar.
Siete bueltas la rodean por ver si podrán entrar
12 y al cabo de las ocho un postigo van hallar.

---

59 La distribución del relato en dos o más *rr.* fue práctica frecuente en las amplias narraciones 'de ciegos' en el siglo XVII y sobre todo en los sucesivos; es muy rara en el *romancero viejo,* siendo el único caso seguro el de los tres largos textos del *Marqués de Mantua.* Los tres de *Isabel de Liar,* los tres de *Moriana y Galván* y los tres de *Galiarda y Florencios* acaso no nacieron de un proyecto originario. Uniones o separaciones a veces eran artificio de impresores, impulsados o por razones de espacio (en los *pliegos sueltos*) o por preferencias del público: el gusto por el relato llevaba a apreciar un texto 'cíclico' (cfr. la nota 20 del Texto 123), así como el gusto por la declamación hacía separar del conjunto las tiradas de los personajes. Con esto nos acercamos a un uso 'teatral' del texto del *r.* que, en general, merecería atención: en más de un caso, por ejemplo, el segundo *r.* empieza o es enteramente en discurso directo. En este *R.* la separación, por artificiosa que parezca, aísla el momento de la vuelta y de la venganza, que empieza propiamente con las enérgicas palabras del héroe. Cfr. los Textos 111 y 112.

6 *bordones:* bastones largos, típicos de caminantes y romeros.

8 Éste y muchos de los vv., y motivos, siguientes son típicos de la 'escuela carolingia' del *romancero,* materiales de construcción que dan a los textos una pátina común, a su manera sugestiva. Interesantes, en este caso, las coincidencias con el Texto 144.

Ellos que se vieron dentro   empieçan a demandar:
no preguntan por mesón   ni menos por hospital,
preguntan por los palacios   donde la condessa está.
16 A las puertas del palacio   allí lo van a demandar;
y allí estavan los escuderos,   empeçáronles a hablar.
Vieron estar la condessa   y empeçaron de hablar:
—Dios te salve, la condessa.—   —Los romeros, bien ven-
[gáis.—
20 —Mándesnos dar limosna   por honor de caridad.—
—Con Dios vades, los romeros,   que n'os puedo nada dar,
que el conde me avía mandado   a romeros no alvergar.—
—Desnos limosna, señora,   qu'el conde no lo sabrá;
24 assí la den a Gaiferos   en la tierra donde está.—
Assí como oyó «Gaiferos»   la condessa sospiró.
Mandávales dar del vino,   mandávales dar del pan.
Ellos en aquesto estando   el conde llegado ha.
28 —¿Qu'es aquesto, la condessa?   ¿Aquesto qué puede estar?
¿N'os tenía yo mandado   a romeros no alvergar?—
Y alçara la su mano,   puñada le fuera a dar
que sus dientes menudicos   en tierra los fuera a echar.
32 Allí fablaran los romeros   y empieçan de hablar:
—Por hazer bien la condessa   cierto no merece mal.—
—Calledes vos, los romeros,   no ayades vuestra parte.—
Alçó Gaiferos su espada,   un golpe le fue a dar
36 que la cabeça de sus ombros   en tierra la fuera a echar.
Allí habló la condessa,   llorando con gran pesar:
—¿Quién érades, los romeros,   que tal cosa osáis hazer?—
Allí respondió el romero,   tal respuesta le fue a dar:
40 —Yo soy Gaiferos, señora,   vuestro fijo natural.—
—Aquesto no puede ser   ni era cosa verdad,
qu'el dedo y el coraçón   yo lo tengo por señal.—
—El coraçón que vos tenéis   en persona no fue a estare;

26 Normal en la lengua francesa, el uso del partitivo no era raro en español antiguo.

30 La odiosidad de Galván toca su ápice con este gesto, familiar en la épica, pero rarísimamente destinado a una mujer. Cfr. el Texto 42, vv. 26-27, donde gesto idéntico, en situación análoga y con vv. similares se atribuye al rey moro; siendo su nombre Galván, se deduce que acción y fórmula debieron de asociarse a este personaje como un epíteto. Pero cfr. Texto 23.

42 *lo:* la concordancia con un solo término era uso corriente.

44 el dedo bien es aqueste que en esta mano me faltave.—
La condessa qu'esto oyera empeçóle de abraçare;
la tristeza que ella tiene en plazer se fue a tornare.

144

Assentado está Gaiferos en el palacio real,
assentado al tablero para las tablas jugar.

---

44 *faltave:* alteración de la vocal final por razones de asonancia.

1 Este Gaiferos español y el *R.* que canta su empresa son el fruto último, tal vez del siglo XV, de una tradición larga y compleja que comienza en la España visigoda y de allí se irradia a toda Europa, en particular a la germánica. Sobreviven testimonios remotos, como un par de fragmentos del poema anglo-sajón *Waldere* (s. VIII) y el poema latino, de área centroeuropea, *Waltharius* (s. IX); son numerosas las citas indirectas. En tiempos más cercanos debió de formarse en Provenza un relato en verso, que dio origen por un lado al catalán *Escriveta* y por otro lado al *R.* español. Éste tuvo un éxito excepcional y siguió publicándose en hojas volantes hasta principios del siglo XX; muy abreviado (un exordio frecuente es con nuestro v. 9), ha permanecido en la tradición oral hasta hoy: un buen ejemplar reciente en *Voces nuevas,* I, 30, comentado por Catalán [1979a] para resaltar la conservación de los dos temas esenciales del relato romancístico, o sea, la aventura como prueba de iniciación y la conquista por parte del héroe de una paridad en valor con el modelo Roldán. Cfr. también *CGR,* I, 71-72; Severin [1976] para una visión de conjunto de los textos de la tradición actual; *Yoná,* 87-99. Sobre los problemas del *R.* antiguo cfr. *RH,* I, 286-300; Dronke [1977], con amplio *excursus* sobre el nombre del protagonista; Armistead y Silverman [1989]; Millet [1992], que de momento conozco sólo a través de una hoja comercial del editor. A propósito de los dos temas centrales del *R.,* es oportuna una matización, esencial. Gaiferos se estrena como señor de París y esposo de la hija del emperador, o sea, con título y condición de quien ha superado ya brillantemente una prueba y ha alcanzado el premio: esto según el esquema universal de tales fábulas. Por lo tanto, el héroe que va a rescatar a la esposa es un personaje que repite una prueba y reemprende el proceso de iniciación. Pero no lo hace sólo para subir de categoría emparejándose con Roldán, sino sobre todo para restaurar la legitimidad moral de su posesión de título y condición ya alcanzados. Gaiferos es un héroe que ha padecido una delegitimación a consecuencia de su abúlico sumirse en rutinarias diversiones de palacio, en la culpable indiferencia por el destino de la esposa cautiva; vuelve a emerger frente a los impulsos del clan, que oscilan entre el reproche ofensivo (el emperador), la incierta estimación (Roldán) y la desconfianza materna y protectiva (don Beltrán). Una imagen del héroe tan matizada y problemática fue un acierto, también por la coherencia con que se construía reinventando aún dentro de una firme tradición; sin duda debió de contribuir a la fortuna del *R.*

2 *tablas:* juego de la dama, acoplado al de los dados. Volvemos a

Los dados tiene en la mano que los quería arrojar
4 cuando entró por la sala don Carlos el emperante.
Desque assí jugar lo vido empeçóle de mirar,
hablándol'está hablando palabras de gran pesar:
—¡Si tan bien fuesses, Gaiferos, para las armas tomar
8 como sois para los dados y para las tablas jugar!:
vuestra esposa tienen moros, iríadesla a buscar.
Pésame a mí por ello porque es mi hija carnal.
De muchos fue demandada y a nadie quiso tomar;
12 pues con vos casó por amores, amores la ayan de sacar;
si con otro fuera casada, no estuviera en captividad.—
Gaiferos de que esto vido, movido de gran pesar
levantóse del tablero no queriendo más jugar;
16 a manos toma el tablero para averlo de arrojar,
sino por el que con él juega que era hombre de linaje:
jugava con él Guarinos, almirante de la mar.
Bozes da por el palacio que al cielo quieren llegar:
20 preguntando va preguntando por su primo don Roldán.
Halláralo en el patín que quería cavalgar;
con él era Oliveros y Durandarte el galán;
con él muchos cavalleros d'aquellos de los doze Pares.
24 Gaiferos de que lo vido empeçóle de hablar:
—Por Dios vos ruego, mi tío, por Dios vos quiero rogar:

---

encontrarlo en otro relato de esposa cautiva, el Texto 42. Cfr. Armistead [1991].

13 El v. es explícito en cuanto a la idea que Carlos tiene del temperamento del sobrino; otros personajes parecen compartirla, empezando por la misma Melisendra. Gaiferos percibe la desconfianza del clan, que alimenta la inquietud de un héroe agobiado por figuras paternas y emblemas de superioridad. Lo captó con agudeza un anónimo que retocó hábilmente el *R.*, consiguiendo dar vigor a su protagonista a expensas del entorno: su versión en *Pliegos Madrid*, III, *pl.* XCVIII, pág. 57 (*Dicc.* 998); en las notas la indicaré con A; cfr. Di Stefano [1985]. Observemos, al margen, que la culpa de Gaiferos era vicio del que padecían otros personajes en la corte de Carlos, nada menos que Oliveros y Roldán: cfr. los vv. 24-25 del Texto 145. A falta de competidores, daremos de momento a nuestro *R.* el mérito de haber sabido re-construir la aventura de Gaiferos a partir del que parece lugar común, exprimiendo de él originales humores psicológicos y poéticos.

21 *patín:* lo mismo que *patio*.

25 *tío:* de este v. en adelante éste será el grado de parentesco de Gaiferos con Roldán, para que resalte su función de figura paterna, una de las va-

vuestras armas y cavallo vos me las queráis prestar,
que mi tío el emperante tan mal me quiso tratar,
28 diziendo que soy para juego e no para armas tomar.
Bien lo sabéis vos, mi tío, bien sabéis vos la verdad
si busqué a mi esposa; culpa no me deven dar.
Tres años anduve, triste, por los montes e los valles,
32 comiendo la carne cruda, beviendo la roja sangre;
nunca yo fallarla pude en cuanto pude buscar.
Agora sé que está en Sansueña, en Sansueña essa cibdad.
Sabéis que estó sin cavallo e armas otro que tal,
36 que las tiene Montesinos que es ido a festejar
allá los reinos de Ungría para torneos armar.
Pues sin armas e sin cavallo mal la podré yo sacar;
por esto vos ruego, mi tío, las vuestras me queráis prestar.—
40 Don Roldán qu'esto oyó tal respuesta le fue a dar:
—Calledes, sobrino Gaiferos, no queráis hablar atal.
Siete años ha que vuestra esposa ella está en captividad;
siempre os he visto armas e cavallo otro que tal,
44 agora que no las tenéis la queréis ir a buscar.
Sacramento tengo hecho allá a sant Juan de Latrán
a ninguno prestar mis armas, que no me las hagan cobardes;
mi cavallo tengo bien vezado, mal bezo no le quieran dar.—
48 Gaiferos que esto oyó la espada fue a sacar;
con una boz muy sañosa empeçara de hablar:
—Bien parece, don Roldán, que siempre me quesiste mal;
si otro me lo dixera mostrárale si soy cobarde,

---

rias que rodean al héroe. El grado de *primo* en los vv. anteriores podría nacer de una distracción del autor de nuestro *Gaiferos* y delatar un *Gaiferos* preexistente, donde el protagonista era *primo* de Roldán; de acuerdo, en esto, con una remota condición suya —mejor dicho, de un homónimo— de miembro de los Doce Pares, que usaban llamarse entre sí 'primos'. La conservación de *primo* en el texto de A puede responder a una fidelidad al dato tradicional; aunque A, como 'corrector' muy avisado del *R.*, percibía bien que era éste uno de los puntos más necesitados de sus reparos. Roldán, con el emperador y don Beltrán, es una de las facetas de la figura de la autoridad en aquella relación tío-sobrino que es lugar común de las épicas germánica y francesa: *Yoná*, 91-92n.; cfr. los Textos 142 y 143.

30 Mi puntuación crea una pausa anómala en la andadura rítmica propia de los vv. de *r.*, pero me parece la sola que da sentido.

42 *ella:* probable falta por *allá*.

47 *vezado:* 'adiestrado'.

52 mas quien a mí ha injuriado no lo vais por mí a vengar;
si vos tío no me fuéssedes con vos querría pelear.—
Los grandes que allí se hallan entre los dos puestos se han.
Fablado le ha Roldán, empeçado le ha a fablar:
56 —Bien parecéis, don Gaiferos, que sois de poca edad.
Bien oístes un enxemplo que conocéis ser verdad:
que aquel que bien vos quiere aquel vos quiere castigar.
Si fuérades mal cavallero no dixera esto tal,
60 mas porque sé que sois bueno por esto vos quise castigar.
Que mis armas e cavallo a vos no se ha de negar;
y si queréis compañía yo vos quiero acompañar.—
—Mercedes —dixo Gaiferos— de la buena voluntad.
64 Solo me quiero ir, solo, para averla de sacar:
nunca me dirá ninguno que me vido ser covarde.—
Luego mandó don Roldán sus armas aparejar.
El encubierta el cavallo por mejor le encobertar;
68 él mismo le pone las armas y le ayudó para armar.
Luego cavalgó Gaiferos con enojo y con pesar.
Pésale a don Roldán, también a los doze Pares
e más al emperador de que solo le veen andar.
72 De que ya él se salía del palacio real,
con una boz amorosa le llamara don Roldán:
—Esperedes acá, sobrino. Solo queréis vos andar;
dexédesme vuestra espada, la mía queráis tomar,
76 que aunque vengan dos mil moros nunca les bolváis la haz;
al cavallo dalde rienda y haga a su voluntad,

---

54 *puestos:* la concordancia del participio no era fenómeno raro.

58 *castigar:* 'enseñar'.

65 *covarde:* es término sintomático (cfr. arriba la nota 13), y frecuente; A lo elimina con gran escrúpulo.

67 El caballo iba al combate protegido por una armadura de cuero y hierro.

69 *con enojo y con pesar:* humores impropios de un típico caballero en el exordio de la aventura, si tal fuera Gaiferos.

75 La espada y el caballo de Roldán tienen los poderes extraordinarios de las armas de un héroe modélico. Su entrega provisional a un caballero novel (tal vuelve a ser la condición de Gaiferos) es un acto codificado de confianza y distinción, como Roldán subraya; sin embargo, en el contexto del *R.* parece apuntar a una desconfianza del tío en las capacidades reales del sobrino: cfr. la sugerencia de don Beltrán en el v. 86 y los recelos de Melisendra en los vv. 147 (y cfr. la nota), 152-154 y 183-184.

que si él vee la suya d'ella vos sabrá sacar.—
80 Ya le dava su espada, toma la de don Roldán.
Da d'espuelas al cavallo, sálese de la cibdad.
Don Beltrán que ir lo vido empeçóle de hablar:
—Tornad acá, hijo Gaiferos, que siempre me tovistes por [padre,
84 tan solamente vos vea la condessa vuestra madre:
tomará con vos consuelo, que tan tristes llantos haze;
darvos ha cavalleros, los que ayáis necessidad.—
—Consolad[l]a vos, tío, vos la queráis consolar.
88 Acuérdese que me perdió chiquito y de poca edad;
haga cuenta que de entonces no me ha visto jamás,
que ya sabéis que en los Doze corren malas voluntades:
no dirán que buelvo por ruego mas que buelvo por covarde;
92 que yo no bolveré en Francia sin Melisendra tornar.—
Don Beltrán, de que le oyera tan enojoso hablar,
buelve riendas al cavallo e entróse en la cibdad.
Gaiferos en tierra de moros empieça de caminar;
96 jornada de quinze días en ocho la fuera andar.
Por las sierras de Sansueña Gaiferos mal airado va;
las bozes que iva dando al cielo quieren llegar.
Maldiziendo iva el vino, maldiziendo iva el pan,

83-86 Son vv. esenciales para entender un aspecto de la angustia de Gaiferos y percibir las inquietudes que el *R.* propone, que son las del alcance trabajoso de la madurez, con la separación del estanque maternal y la aventura en el piélago de la realización autónoma, simbolizada en la figura de la esposa. Problemática igual en el Texto 7; y cfr. también el Texto 114, v. 114 y su nota. Función idéntica y perfil parecido tiene la escena del *Conte del Graal,* de Chrétien de Troyes, cuando el joven Perceval descubre su vocación caballeresca y abandona la madre, con una mirada última y en marcha ya, sin dejarse enternecer.

88 ¿Alusión a la materia de los Textos 142 y 143?

90 Los humores de los Pares y sus rencillas son un lugar común, aquí evocado muy oportunamente.

92 *tornar:* 'recobrar', 'devolver' a su estado primitivo.

99 El segmento que va de este v. al v. 107 se encuentra también en el Texto 139 y es una macro-fórmula. Sin embargo, casa bien con la condición de Gaiferos: hijo único, cabalga sin paje y es el blanco de la atención crítica de la comunidad. Más en general, la soledad penosa es inherente al camino hacia la prueba, y da énfasis a la separación del grupo social y al proceder en un terreno (sierras, selva) y en un ambiente (el reino moro) incógnitos y hostiles.

100 el pan que comían los moros mas no de la cristiandad;
maldiziendo iva la dueña que tan sólo un hijo pare:
si enemigos gelo matan no tiene quien lo vengar;
maldiziendo iva el cavallero que quiere cavalgar sin paje:
104 si se le cae el espuela no tiene quien gela calce;
maldiziendo iva el árbol que solo en el campo nace,
que todas las aves del mundo en él van a quebrantar,
que de rama ni de hoja al triste no dexan gozar.
108 Dando estas bozes e otras a Sansueña fue allegar.
Viernes era aquel día, los moros hazen solennidad;
el rey Almançor a la mezquita para la çalá rezar,
con todos sus cavalleros, con todos sus capitanes.
112 Cuando allegó Gaiferos en Sansueña essa cibdad,
mirava si vería alguno a quien pudiesse demandar.
Vido un captivo cristiano que andava por los adarves.
Desque lo vido Gaiferos empeçóle de hablar:
116 —Dios te salve, el cristiano, e te torne en libertad.
Nuevas que pedir te quiero no me las quieras negar.
Tú que andas con los moros si les oíste hablar
si hay alguna cristiana que sea de alto linage.—
120 El captivo que lo oyera empeçara de llorar.
—Tantos tengo de mis duelos que de otros no puedo [curar,
que todo el día los cavallos del rey me hazen pensar
e de noche en honda cinia me hazen aprisionar.
124 Bien sé que hay muchas captivas cristianas de gran linage,
en especialmente una que es de Francia natural
y el rey Almançor la trata como a su hija carnal;
sé que muchos reyes moros con ella quieren casar.
128 Por esso idvos, cavallero, por essa calle adelante:
verla héis a las ventanas del palacio real.—
Derecho se iva a la plaça, a la plaça la más grande;

---

106 *quebrantar:* 'hacer daño'.
110 *çalá:* oración en la liturgia musulmana.
114 *adarves:* cfr. la nota 23 del Texto 139, en relación estrecha con éste.
123 *cinia:* por un escrúpulo quizá excesivo, conservo una forma que creo equivocada por *sima,* 'cavidad en el terreno donde se custodiaban a los esclavos' o por *cija*, aragonesismo con igual sentido: cfr. *DCECH,* s. v. *sima.*

allí estavan los palacios donde el rey solía estar.
132 Alçó los ojos en alto por ver los palacios reales;
vido estar a Melisendra en una ventana grande
con otras damas cristianas que estavan en captividad.
Melisendra que lo vido empeçara de llorar
136 no porque lo conociesse en el gesto ni en el traje
mas en verlo con armas blancas recordóse de los doze [Pares,
recordóse de los palacios del emperador su padre,
de justas galas torneos que por ella solían armar.
140 Con una boz triste llorosa le empeçara de llamar:
—Por Dios os ruego, el cavallero, a mí vos queráis lle- [gar;
si sois cristiano o moro no me lo queráis negar;
daros he unas encomiendas, bien pagadas os serán.
144 Cavallero, si a Francia ides por Gaiferos preguntad;
dezilde que la su esposa se le embía a encomendar,
que ya me parece tiempo que la devía sacar;
que no lo dexe por miedo con los moros pelear.
148 Deve tener otros amores, de mí no lo dexan recordar:
los ausentes por los presentes ligeros son de perdonar.
Aún le diréis, cavallero, por darle mayor señal,
que sus justas y torneos bien las supimos acá.
152 E si estas encomiendas no recibe con solaz,
darlas héis a Oliveros, darlas héis a don Roldán,
darlas héis a mi señor el emperador mi padre.
Diréis como estó en Sansueña, en Sansueña essa cibdad,
156 que si presto no me sacan mora me quiero tornar:
casarme han con rey moro que está allende la mar,
de siete reyes de moros reina me fazen coronar;
segund los reyes que me traen mora me harán tornar.

---

137 *armas blancas:* entendidas literalmente, como armas propias de caballero novel, serían un rasgo más de los que componen el singular perfil de nuestro héroe. Pero hay que rebajarlas a lugar común: cfr. la nota 26 del Texto 139; Gaiferos viste las armas de Roldán: vv. 35-39 y 66-68; y cfr. v. 264.

143 *encomiendas:* 'recados'.

144-149 Son vv. que gozaron de gran difusión, fueron contrahechos y también vueltos a lo divino. Están atestiguados desde comienzos del siglo XVI: ms. Madrid BP1: vol. 3b, núm. 113 [1505], págs. 301-302, con variantes notables.

160 Mas amores de Gaiferos   no los puedo olvidar.—
Gaiferos qu'esto oyó   tal respuesta le fue a dar:
—No lloréis vos, mi señora,   no queráis assí llorar,
porque essas encomiendas   vos misma las podéis dar,
164 que a mí allá dentro en Francia   Gaiferos me suelen nombrar.
Yo soy el infante Gaiferos,   señor de París la grande,
primo hermano de Oliveros,   sobrino de don Roldán.
Amores de Melisendra   son los que acá me traen.—
168 Melisendra que lo vido   conocióle en el hablar;
dexóse de la ventana,   la escalera fue a tomar,
salióse para la plaça   donde lo vido estar.
Gaiferos que venir la vido   presto la fue a tomar;
172 abraçóla con sus braços   para averla de besar.
Allí estava un perro moro   para los cristianos guardar;
las bozes dava tan altas   que al cielo querían llegar.
Al gran alarido del moro   la cibdad mandan cerrar.
176 Siete vezes la rodea Gaiferos,   no falla por donde andar.
Presto sale el rey Almançor   de la mezquita y el rezar.
Veréis tocar las trompetas   apriessa y no de vagar,
verés armar cavalleros   e en cavallos cavalgar;
180 tantos se arman de los moros   que grand cosa es de mirar.
Melisendra que lo vido   en una priessa tan grande,
con una boz delicada   le empeçara de hablar:
—Esforçaos, don Gaiferos,   no querades desmayar,
184 que los buenos cavalleros   son para necessidad.
Si d'esto escapáis, Gaiferos,   harto tenéis de contar.
¡Si quisiese Dios del cielo   y santa María su madre
fuesse tal vuestro cavallo   como el de don Roldán!
188 Muchas vezes le oí dezir   en palacio del emperante
que se hallava cercado   de moros muchas vegadas:
al cavallo aprieta la rienda   y afloxóle el petral,
hincávale las espuelas   sin ninguna piedad;
192 el cavallo esforçado   saltó de la otra parte.—

---

160 Estos amores (y cfr. los vv. 12 y 167) entre un olvidadizo Gaiferos y una Melisendra hecha de otra pasta respecto a Moriana (cfr. el v. 159 de este *R.* y el Texto 42), no resplandecen de una dedicación heroica; pero sí rebrotan exultantes como llama juvenil al soplo favorable.
181 *priessa:* 'aprieto'.
189 *vegadas:* 'veces'.

Gaiferos que esto oyó presto se fue apear;
al cavallo aprieta la cincha y aflóxale el petral;
sin poner pie en el estribo encima fue a cavalgar.
196 Melisendra a las ancas presto fue a cavalgar;
el cuerpo le da por la cintura porque le pueda bien abraçar;
al cavallo finca las espuelas sin ninguna piedad.
Corriendo venían los moros, apriessa y no de vagar;
200 las grandes bozes que davan al cavallo fazen saltar.
Cuando fue cerca los moros la rienda le fue a soltar:
el cavallo era ligero, púsolo de la otra parte.
El rey Almançor que esto vido mandó abrir la cibdad;
204 siete batallas de moros todos de çaga le van.
Bolviéndose iva Gaiferos mirando a todas partes;
de que vido que los moros le empeçavan a cercar,
bolvióse a Melisendra, empeçóle de hablar:
208 —N'os enojéis, mi señora, fuerça vos será apear
y en esta grande espessura podréis, señora, aguardar,
que los moros son tan cerca, de fuerça nos han de alcançar.
Vos, señora, no traís armas para aver de pelear;
212 yo pues que las traigo buenas quiérolas esecutar.—
Apeóse Melisendra no cessando de llorar;
las rodillas puestas en tierra como la parió su madre,
los ojos puestos al cielo no cessando de llorar.
216 Sin que Gaiferos bolviesse el cavallo fue aguijar:
cuando fuía de los moros parece que no puede andar
e cuando iva hazia ellos iva con furor tan grande
que del rigor que llevava la tierra hazía temblar.
220 Donde vido la morisma entre ellos fuera entrar;
si bien pelea Gaiferos, el cavallo mucho más:

193-195 Al parecer, Gaiferos ignoraba el modo de estimular las virtudes del caballo de Roldán, que Melisendra muestra conocer bien. Su papel de ayudante del héroe adquiere resonancias particulares en nuestro contexto; sin embargo, le venía de lejos: está ya en el primero de los dos fragmentos del *Waldere,* aunque referido a la espada: *RH,* I, 296.

204 *batallas:* genéricamente 'ejércitos', más propiamente 'centro' o 'parte' del ejército.

212 *quiérolas esecutar:* ha llegado el momento del guerrero. De ahora en adelante a cargo de Melisendra estarán sobre todo llantos fluviales. El muy perspicaz A redujo drásticamente el papel de la esposa y su espacio en el texto.

tantos mata de los moros que no hay cuento ni par;
de la sangre que d'ellos salía todo va buelto en sangre.
224 El rey Almançor que esto vido empeçara de hablar:
—Oh válasme tú, Alá, ¿esto qué podía estar?
Que tal fuerça de cavallero en pocos se puede hallar.
Este deve ser el encantado, esse palacín Roldán;
228 éste deve ser el esforçado Reinaldos de Montalván;
éste es Ogel de las Marchas, el esforçado singular.
No ha ninguno de los Doze que bastasse fazer tal.—
Gaiferos que esto oyó tal respuesta le fue a dar:
232 —Calles, calles, el rey moro, calles, no digas atal.
Muchos otros hay en Francia que tanto como essos valen.
Yo no soy ninguno d'ellos, mas yo me te quiero nombrar:
yo soy el infante Gaiferos, señor de París essa cibdad,
236 primo hermano de Oliveros, sobrino de don Roldán.—
El rey Almançor que lo oyera con esfuerço assí hablar,
con los más moros que pudo encerróse en la cibdad.
Solo quedava Gaiferos, no halló con quien pelear;
240 bolvió riendas al cavallo para Melisendra buscar.
Melisendra que venir lo vido a recebírselo sale;
de que le vido las armas blancas tintas en color de sangre,
con una boz triste y llorosa empeçóle de preguntar:
244 —Por Dios vos ruego, Gaiferos, por Dios vos quiero [rogar,
si traéis alguna herida queráismela vos mostrar,
que los moros eran tantos quiçá vos han fecho mal;
con las mangas de mi camisa apretar vos he la sangre,
248 con la toca, que es más grande, yo la entiendo de sanar.—
—Calledes —dixo Gaiferos—, infanta, no digáis atal;
por más que fueran los moros no me podían hazer mal,
que estas armas y cavallo son de mi tío don Roldán:
252 cavallero que las trae ninguno le puede hazer mal.
Cavalgad presto, señora, que no es tiempo de aquí estar;

227 *palacín:* forma antigua y etimológica ('cortesano') de *paladín,* aplicada en España especialmente a Roldán: Deyermond [1968], 183-184.

230 Los modelos siguen marginando a Gaiferos, que ahora reacciona de modo polémico.

245 La asistencia que Melisendra da a Gaiferos estaba ya en el *Waltharius.*

antes que los moros nos tomen, los puertos hemos de [passar.—

Ya cavalga Melisendra en un cavallo alazán.

256 Razonando van de amores, de amores que no en ál;
ni de los moros han miedo ni d'ellos sentían parte;
con el plazer de los juntos el descanso es muy grande.
De noche por los caminos, de día por los xarales,
260 comiendo de las yervas verdes y agua si pueden hallar,
fasta entrar por Francia en tierra de cristiandad.
Si fasta allí alegres vinieron, mucho más de allí adelante.
A la entrada de un monte e a la salida de un valle
264 cavallero de armas blancas de lexos vieran assomar.
Gaiferos desque lo vido buéltosele ha la sangre,
diziendo a su señora: —Esta es mayor pesar,
que aquel cavallero que assoma grande esfuerço es el que [trae;
268 si era cristiano o moro, forçado me será pelear.
Apeáosvos, mi señora, y venidme a la par.—

De la mano la traía no cessando de llorar.
Y desque se vieron juntos comiénçanse aparejar,
272 las lanças y los escudos en son de bien pelear.
Los cavallos ya de cerca comiençan de relinchar;
conosció su cavallo Gaiferos y empeçara de hablar:

—Perded cuidado, señora, e tornad a cavalgar,
276 que el cavallo que allí viene mío es en la verdad:
yo le di mucha cevada e más le entiendo de dar;
las armas, según que veo, mías son otro que tal.
Aquél es Montesinos que me viene a buscar,
280 que cuando yo me partí no estava en la cibdad.—

---

258 *de los juntos:* corrección atinada sería *dellos juntos:* la realizó uno de los impresores antiguos.

264 El asomar de este caballero, que inicialmente preocupa a Gaiferos, es huella muy alterada pero indudable de la rama de la tradición a la que pertenece el *Waltharius,* donde el héroe se enfrenta con los perseguidores en dos momentos distintos: Dronke [1977], 52-55 y 65. La supervivencia, en textos de la tradición oral moderna, de detalles del poema latino ausentes en el *R.*, induce a sospechar que de éste circuló una versión distinta, al menos en parte, respecto a la divulgada por la imprenta: Armistead y Silverman [1987] y Armistead [1990]; cfr. la nota 25.

278 *otro que tal:* 'también'.

Plugo mucho a Melisendra aquello si fuesse verdad.
Ya que se van acercando cuasi junto a la par,
con boz alta y crescida empiéçanse de interrogar;
284 conócense los dos primos entonces en el hablar;
apeáronse a gran priessa, muy grandes fiestas se hazen.
Desque ovieron hablado tornaron a cavalgar;
razonando van de amores, de otro no quieren hablar.
288 Andando por sus jornadas a París van allegar.
A siete leguas de la cibdad el emperador a rescebirlos sale;
con él sale Oliveros, con él sale don Roldán,
con él el infante Guarinos, almirante de la mar;
292 con él sale don Belmúdez e el buen viejo don Beltrán;
con él muchos de los doze que a su mesa comen pan;
e con él iva doñ'Alda, la esposica de Roldán;
con él iva Juliana, la hija del rey Julián,
296 dueñas damas e donzellas, las más altas de linaje.
El emperador abraça a su hija, no cessando de llorar;
palabras que le dezía dolor eran de escuchar.
Los doze a don Gaiferos gran acatamiento le hazen:
300 tiénenle por esforçado mucho más de allí adelante
pues sacó a su esposa de gran captividad.
Las fiestas que le fazían no tienen cuento ni par.

145

De Mérida sale el palmero, de Mérida essa ciudade.
Los pies llevava descalços, las uñas corriendo sangre;

289-296 Este segmento es un comodín formular que casi nunca falta en los *rr.* carolingios, con variantes. Sintetiza a la comunidad, que en este caso vuelve a acoger en su seno al héroe, dignamente reintegrado después de superada la prueba.

297 *abraça a su hija:* los humores del exordio no han abandonado del todo al emperador, que ahora dirige su efusión exclusivamente a la hija. Era impensable que el detalle se le escapara a la perspicacia puntillosa de A; en éste y en el v. sig. su texto reza: «El emperador *los* abraça» y «palabras que *les* dezía» [cursivas mías].

1 *palmero:* el peregrino de Tierra Santa solía llevar palma. El disfraz de peregrino permitía circular con mayor libertad y seguridad; era común en la novelística. Mérida es identificada como tierra de infieles.

una esclavina trae rota que no valía un reale
4 y debaxo traía otra bien valía una ciudad,
que ni rey ni emperador no alcançava otra tale.
Camino lleva derecho de París essa ciudade.
Ni pregunta por mesón ni menos por ospital,
8 pregunta por los palacios del rey Carlos do estáe.
Un portero está a la puerta, empeçóle de hablare:
—Dixéssesme tú, el portero, el rey Carlos ¿dónde estáe?—
El portero que lo vido mucho maravillado se hae
12 cómo un romero tan pobre por el rey va a preguntare.
—Digádesmelo, señor, d'esto no tengáis pesare.—
—En missa estava, palmero, allá en san Juan de Letrane,
que dize missa un arçobispo y la oficia un cardenale.—
16 El palmero que lo oyera ívase para sant Juane.
En entrando por la puerta bien veréis lo que haráe:
humillóse a Dios del cielo y a sancta María su madre,
humillóse al arçobispo, humillóse al cardenale
20 porque dezía la missa no porque merescía máse,
humillóse al emperador y a su corona reale,
humillóse a los Doze que a una mesa comen pane;
no se humilla a Oliveros ni menos a don Roldane
24 porque un sobrino que tienen en poder de moros estáe
y pudiéndolo hazer no le van a rescatare.
Desque aquesto vio Oliveros, desque aquesto vio Roldane,
sacan ambos las espadas, para el palmero se vane.
28 El palmero con su bordón su cuerpo va a mamparare.
Allí hablara el buen rey, bien oiréis lo que diráe:
—Tate, tate, Oliveros, tate, tate, don Roldane;
o este palmero es loco o viene de sangre reale.—
32 Tomárale por la mano y empiéçale de hablare:
—Dígasme tú, el palmero, no me niegues la verdade:
¿en qué año y en qué mes passaste aguas de la mare?—
—En el mes de mayo, señor, yo las fuera a passare.
36 Porque yo m'estava un día a orillas de la mare,

---

3 *esclavina:* indumento típico de romeros; era un tosco camisón de tela o cuero, que entraba por el cuello.

36 Con el lugar común del rapto (Textos 42 y 44), comienza la aventura del paso brusco del ambiente doméstico protector a una apenada enajenación, a la que se da fin superando la prueba. Es el relato, inmudable y con caras

en el huerto de mi padre por averme de holgare;
captiváronme los moros, passáronme allén del mare,
a la infanta de Sansueña me fueron a presentare.
40 La infanta desque me vido de mí se fue a enamorare.
La vida que yo tenía, rey, quiérovos la contare:
en la su mesa comía y en su cama me iva a echare.—
Allí hablara el buen rey, bien oiréis lo que diráe:
44 —¡Tal catividad como essa quienquiera la tomara!
Dígasme tú, el palmerico, si la iría yo a ganare.—
—No vades allá, el buen rey, buen rey no vades alláe,
porque Mérida es muy fuerte, bien se vos defenderáe:
48 trezientos castillos tiene que es cosa de los mirare,
que el menor de todos ellos bien se os defenderáe.—
Allí hablara Oliveros, allí habló don Roldane:
—Miente, señor, el palmero, miente y no dize verdade,
52 que en Mérida no ay cien castillos ni noventa a mi pensare;
y estos que Mérida tiene no tiene quien los defensare,
que ni tenían señor ni menos quien los guardare.—
Desque aquesto oyó el palmero, movido con gran pesare
56 alçó su mano derecha, dio un bofetón a Roldán.
Allí hablara el rey con furia y con gran pesare:
—Tomalde, la mi justicia, y llevédeslo ahorcare.—
Tomádolo ha la justicia para avello de justiciar.
60 Y aun allá al pie de la horca el palmero fuera hablare:
—¡Oh mal uviesses, rey Carlos, Dios te quiera hazer male!,
que un hijo solo que tienes tú le mandas ahorcare.—
Oídolo avía la reina que se le paró a mirare:
64 —Dexédeslo, la justicia, no le queráis hazer male,
que si él era mi hijo encubrir no se podráe,
que en un lado ha de tener un estremado lunare.—
Ya le llevan a la reina, ya se lo van a llevare.
68 Desnúdanle una esclavina que no valía un reale,
ya le desnudavan otra que valía una ciudade:
halládole an al infante halládole han la señale.
Alegrías se hizieron, no ay quien las pueda contare.

---

siempre nuevas, de la experiencia de transición de la adolescencia a la madurez, propuesto en formas múltiples por más de un *r*. La prueba final, ya dentro de la comunidad de origen, reafirma la identidad del protagonista y consagra su dignidad reforzada en el ámbito del clan.

TEXTOS EN FUENTES POSTERIORES A 1605

146

	Meliselda, Meliselda,	la hija del emperante,
	que venía de los baños,	de los baños de lavarse,
	ansí traía su puerpo	como rosa en rosale:
4	la su frente reluciente,	espada dulce cortare;
	la su cara alba clara	como la leche y la sangre;

---

1 *Meliselda:* Meliselda o del eros. En la imaginación romancística, dinámica heredera de tantos brillantes vástagos de *chansons* francesas, ese nombre flauteado que se abre evocando néctar y en seguida despega altanero, diseña un cuerpo femenino que vibra de deseos nocturnos por Ayuelos (Texto 14), o de añoranzas del esposo y de placeres de Francia (Texto 144), o de las seducciones de sus formas sinuosas, en este *R.* de la contemplación y del ardor. No sabemos si un eventual texto primitivo concedía más campo a la contemplación o algún logro al ardor; es cierto que la luminosidad de estos vv. es guía segura hacia *rr.* como el de la *Bella en misa* y el de las *Hermosuras de la dama* (10 y 11), latiendo en todos, cumplidamente, lo esencial: el triunfo de la eterna tentadora y el suspiro del que se pierde. En alas de las armonías de canto e imágenes del *R.,* eran estimulados al rapto místico los oyentes del falso profeta Sabbatai Zevi, hacia la mitad del siglo XVII: se lo oyó declamar en Esmirna un clérigo holandés, que en su propia lengua nos lo transmitió, según informe de Menéndez Pidal [1948b] y *RH,* II, 222-225, que da esta traducción: «Subiendo a un monte, / bajando por un valle, / me encontré a Meliselda, / la hija del emperador, / que venía del baño / de lavar sus cabellos. / Su rostro era resplandeciente / como una espada, / sus pestañas como un arco de acero, / sus labios como corales, / su carne como leche.» Un siglo antes, una *Ensalada* de romances, con breves glosas burlescas, citaba los versos: «Ya se sale Melisendra / de los baños de bañar» (*Pliegos Praga,* vol. I. *pl.* I, pág. 7); en el siglo XVIII encontramos los incipit: «Meliselda, Meliselda, / la hija del rey [em]perante» (1702) y «Meliselda, Meliselda» (1753): Armistead y Silverman [1981], 481. En el v. 3 *puerpo* es *cuerpo.*

la su cejica narcada como el arcol de tirante;
los sus ojos son perticos, parecen fino zabache;
8 la su nariz perfilada, pendolicas de notares;
los sus besos corelados, parecen fino corale;
la su boca agudica, con un piñón a taparse;
la su barba redondica, manzanica de jugare;
12 la tabla de los sus pechos a dos y a tres jugare.

147

A cazar vay cavalhero, a cazar como solía.
Los perros lheva cansados, o falcão pirdido avía.
Debaxo de un arvoredo muy alto en maravilha,
4 que el pie tenía de oro y la rama de plata fina,

---

7 *perticos:* vale *preticos,* diminutivo de *prietos.*

8 *pendolicas de notares:* 'plumas (bien afiladas) para escribir' (*notar*); posible, aunque improbable, una lectura *notar es.*

9 *besos corelados:* 'labios acoralados', cuyo color se parece al del coral.

10 *con un piñón a taparse:* 'que un solo piñón la taparía'.

12 Si la *tabla* es la de ajedrez o de dama, el símil parece aludir a un jugueteo de manos en movimiento sobre los pechos; sería remate de sabrosa picardía, no usual en este tipo de tiradas. *A dos y a tres* es un sintagma que en otros contextos vale 'en sucesión rápida', 'con abundancia' (*Yoná,* 106, v. 18 y 241, v. 13). Menos éste, los demás símiles se encuentran todos, con variantes, en la descripción tradicional de la doncella, o mejor dicho de la novia, tanto en la Península como entre los sefardíes, sobre todo en cantos de boda: Manuel Alvar, *Cantos de boda judeo-españoles,* Madrid, CSIC, 1971, páginas 151-164. En nuestra fuente (pág. 82) se copia otra versión, que empieza con el exordio del *Galiarda y Florencios* (Texto 18): «Esta noche, mis caballeros», prosiguiendo con variantes pero sin nuestros vv. 7 y 10-12, e introduciendo: «los sus cabellicos rubios / parecen sirma [oro fino] de labrare» y «los sus dientes chiquiticos, / perla d'enfilares».

1 *cazar:* en el ms. *casar,* en ambos casos; he preferido evitar grafías ambiguas.

4 Sobre el motivo encerrado en este v. cfr. *Yoná,* 156 n. Los vv. 4 y 7 se encuentran, con variantes, también en versiones modernas peninsulares (de Cataluña a Portugal) y de Marruecos; esto lleva a suponerlos originarios del *R.* primitivo y a considerar defectuoso el texto antiguo impreso: *RH,* II, 415. Cfr. *RJEM,* 119-122; *Nahón,* 175-177; Débax [1982], 410-411; Díaz Roig [1986], 123-130. Se documenta un *incipit* sefardí de 1702: Armistead y Sil-

y no más alto rincón vi [*sic*] estar una donzilha:
o cabelho de su cabesa todo su cuerpo cobría,
os olhos da sua cara todo arboledo resplandisía.
8 Apontoulhe con a lança para ver o que dezía.
—Tate, tate, cavalhero, no fagáis tal vilanía,
que sou hija del rey de Fransia, de la reina Costantina.
Sete fadas me fadaram nos brasos da madre minha,
12 que andase aquí sete annos, sete annos e mais um día.
Oje se acabam os sete, amanhã se acaba o día.
Se te plugier, cavalhero, lhévame en tu companhía:
o me lheva por mujer o me lheva por amiga
16 o me lheva por esclava, que muy bien te serviría.—
—Déixame haver conselho, conselho da madre mía,
que elha era muger viega, bon conselho me daría.—
Fuese el cavalhero, a su madre lo dezía.
20 —Muy cobarde fueste, hijo, de muy grande cobardía.
Se troxeras la infanta, yo por hija la quería.—
Bolve el cavalhero; a infanta ya es seida,
que su padre la buscara y en su companhía es ida.

---

verman [1981], 464. Análisis ejemplar de contaminaciones en Pere Ferré, «Os romances da 'Infantina', 'Cavaleiro enganado' e 'A irmã cativa' à luz da tradiçao madeirense» en *Boletim de Filologia,* XXVIII (1983), págs. 143-178.

5 *donzilha:* en el ms. *donz.a,* que he desarrollado de acuerdo con la asonancia, siempre respetada en el texto. Otro ms. de esta recopilación, guardado en la British Library de Londres, del mismo siglo XVII, abrevia *donze.a,* pero también tiene en el v. 7 *resplandesia.* El texto del ms. londinense lo publica José Leite de Vasconcellos, «Dois romances peninsulares», en *RFE,* IX (1922), págs. 395-398 [396], que ve en él «muita sob capa portuguesa, e tanto, que melhor seria dizer que é apenas aportuguesamento de um romance hespanhol» (397).

8 Respecto al Texto 7, aquí el caballero es curioso y hasta atrevido.

10 Este v. y el anterior provienen del Texto 5, vv. 13 y 25.

21 En los textos antiguos la censura de la cobardía del caballero estaba en boca de la niña; ahora la pronuncia la madre, que parece aconsejar el matrimonio, poniendo el provecho por encima de cualquier recelo hacia lo anómalo y desconocido. El antiguo temor irracional lo han ido suavizando los siglos, que pasan —más lentamente— también para las mentalidades tradicionales.

22 *es seida:* otras posibles lecturas serían *es-se* [=se es] *ida* o *seida=salida* o *se-ida=ídase,* improbable. El ms. de Londres tiene *Es se seida,* que Leite, cit. arriba, transcribe «es esseida», sugiriendo *esseida=exida* 'salida' (pág. 398). En el v. siguiente *es hida.*

24 —Y se yo fuera alcalde, yo por mí me julgaría:
matarme con mis manos pues la infanta perdía.—

148

Paseaba el conde Olinos mañanita de san Juan
a dar agua a su caballo a las orillas del mar.
Mientras el caballo bebe Olinos dice un cantar:
4 —Bebe, mi caballo, bebe, Dios te me libre del mal,
de los vientos de la tierra y de las furias del mar.—
De altas torres de palacio la reina le oyó cantar:
—Mira, hija, cómo canta la sirena de la mar.—
8 —No es la sirenita, madre, que esa tiene otro cantar;
es la voz del conde Olinos, que por mis amores va.—
—Si es la voz del conde Olinos, yo le mandaré matar,
que para casar contigo le falta sangre real.—
12 —No le mate usted, mi madre, no le mande usted matar,
que si el conde Olinos muere, a mí la muerte me da.—
Guardias mandaba la reina al conde Olinos matar.
El murió a la medianoche y ella a los gallos cantar.

---

25 *matarme:* cabría leer *matárame* (Leite) o *matarm' he*.

3 *cantar:* algunas versiones contienen la canción; cito la de *Voces nuevas*, I, 72: «Bebe, mi caballo, bebe, / Dios te me libre de mal, / de los vientos de la tierra / y de las furias del mar» (versión de la provincia de Santander, 1977). Con este cantar y con los versos que le siguen cfr. la segunda parte del Texto 1, que es la sola huella antigua conservada de este *R*.

7 La afirmación excluye cualquier rasgo sobrenatural en Olinos y al mismo tiempo resalta la fuerza seductora de su canto (no como poder mágico, sino como un elemento de la belleza atractiva del protagonista: Rogers [1973], 273-284). Se trata de un motivo folklórico, al par de la hostilidad de la madre a los amores de la hija, de la muerte de los amantes y sus transformaciones que les aseguran la inmortalidad. Motivos difundidísimos por separado en multitud de textos, el haberlos reunido formando un relato fue el acierto creativo original de un *R*. que tiene peculiaridades suyas propias de construcción y expresión: *RJEM*, 123-128 y 334-338, Díaz-Roig [1990]; se distingue bien en el contexto amplio de cantos franceses, griegos y anatólicos afines: Entwistle [1951] y [1953]. Cfr. también *Yoná*, 152-173; *RJEO*, 174-181.

15 Una gran parte de la tradición oral continúa el texto con el motivo de las 'transformaciones' (Albert Hauf, «Les transformacions», en *Studies* [cit. en Bibliografía], págs. 25-51), a su vez variamente amplificado; cito una de

149

Criaba la reina hija regalada,
de seda y de grana vestía y calzaba.
¿Adó Mainés y adó Mainés?
Mis dueñas, ¿adó Mainés?
Criaba la reina hija tan querida,
4 que de grana y seda calzaba y vestía.
¿Adó Mainés y adó Mainés?
Mis dueñas, ¿adó Mainés?
De condes y duques era demandada.
La ganó Mainés a malas lanzadas.
¿Adó Mainés y adó Mainés?
Mis dueñas, ¿adó Mainés?
De condes y duques era ella pedida.
8 Ganóla Mainés a malas heridas.
¿Adó Mainés y adó Mainés?
Mis dueñas, ¿adó Mainés?
—Abrádeisme, madre, puertas del palacio,
que nuera vos traigo y yo mal quebrado.

---

sus formas más sobrias, extraída de una versión del *R*. recogida en Gran Canaria en 1981: «A ella, como hija de reyes, / la entierran en el altar; / a él, como hijo de Conde, / unos pasos más atrás. / De ella nació un rosal blanco / y de él un encinar; / crece uno, crece el otro, / los dos se van a juntar. / La reina llena de envidia / a los dos mandó cortar; / de ella nació una garza / y de él un gavilán, / y juntos van por el cielo / juntos y enamorados van.» (*Romancero de Gran Canaria,* ed. Maximiano Trapero, Las Palmas de Gran Canaria, Cabildos-Inst. Canario de Etnografía, 1982, vol. I. Zona del Sureste, pág. 183).

6 *Mainés:* nombre enigmático. En el Texto 30 lo es de un castillo. Es inevitable pensar en Mainet, como se llamaba el adolescente Carlo Magno en un poema francés del mismo título, del siglo XII, difundido por Europa y nacido tal vez en Toledo. Se coloca en esta ciudad una estancia fabulosa del futuro emperador, reñido con el padre; de ella salió llevándose como esposa a la bella Galiana: Ramón Menéndez Pidal, «'Galienne la belle' y los palacios de Galiana en Toledo» [1932], en su libro *Poesía árabe y poesía europea,* Madrid, Espasa-Calpe, 1955, págs. 79-106, donde se señalan documentos del siglo XIII con el nombre Galiana dado a alguna mujer, sin duda en alas del éxito de la leyenda y del poema. ¿Pudo ocurrir lo mismo con Mainet, retocado con una *-s* más castiza y atribuido al protagonista de algún canto de conquista de la esposa? En el tema del *R*. converge otro motivo tradicional, el del soldado o marinero que vuelve herido y se encuentra con la madre; cfr. el Texto 150 y su nota 6.

¿Adó Mainés y adó Mainés?
Mis dueñas, ¿adó Mainés?
Abrádeisme, madre, puertas del castillo,
12 que nuera vos traigo y yo mal herido.—
¿Adó Mainés y adó Mainés?
Mis dueñas, ¿adó Mainés?
—Si nuera me traes y tú mal quebrado,
ella sea muerta y tú vivo y sano.
¿Adó Mainés y adó Mainés?
Mis dueñas, ¿adó Mainés?
Si nuera me traes y tú mal herido
16 ella sea muerta y tú sano y vivo.—
¿Adó Mainés y adó Mainés?
Mis dueñas, ¿adó Mainés?

16a A la media noche nuera me llamara:

—Acudí, mi suegra, con una luz clara,
que Mainés se muere y yo quedo sana.
¿Adó Mainés y adó Mainés?
Mis dueñas, ¿adó Mainés?
Acudí, mi suegra, con una luz fría,
20 que Mainés ha muerto y yo quedí viva.—
¿Adó Mainés y adó Mainés?
Mis dueñas, ¿adó Mainés?
—¡Mal hayas tú, nuera, y quién te ha parido!,
que por una noche suegra me has dezido.
¿Adó Mainés y adó Mainés?

16a *nuera:* es *suegra* en *RJEM,* que supone el v. interpolado. La teatralidad intrínseca en este tipo de *planctus,* acentuada por la perfecta distribución de los pareados paralelísticos entre las dos 'plañideras', da al v. en cuestión —como al v. 7 del Texto 150—, el carácter y la función de 'acotaciones de escena' que enlazan con la exposición narrativa del exordio. Tal perspectiva, lindante con otro género, la sugieren con frecuencia los textos antiguos y se impone con los modernos, donde a veces prosas muy breves dan cuenta de sucesos que conectan los diálogos (cfr. el Texto 156); son éstos los dominadores, ya predestinados, de la forma narrativa en el *romancero* tradicional moderno. En alguna ocasión las prosas sirven para subsanar olvidos, pero es significativo que esa censura involuntaria de la memoria haya caído sobre segmentos presumiblemente no dialogados.

19 *luz fría:* una yuxtaposición que es un acierto poético, tal vez casual, regalado por la «extraña sugestión del asonante», como observa *RJEM;* más adelante la misma causa produce el rarísimo *dezido.*

Mis dueñas, ¿adó Mainés?
¡Mal hayas tú, nuera, y quién te ha criado!,
24 que por una noche suegra me has llamado.—
¿Adó Mainés y adó Mainés?
Mis dueñas, ¿adó Mainés?

150

Levantóse Bueso lunes de mañana,
tomara sus armas y a la caça iría.
¡Criador del cielo!
En un prado verde se sentó a almorzare;
4 vido estar al Huerco las armas tomare.
¡Criador del cielo!
Hirió Bueso al Huerco en el carcañale,
hirió el Huerco a Bueso en su voluntade.

---

1 *Bueso:* es nombre de origen germánico, entrado en España a través de Francia y documentado ya en el siglo XII; desde la mitad del siglo XV se alude a él como a personaje de *rr.*, que no se recogieron en las fuentes antiguas conocidas: Menéndez Pidal [1948a]. Cfr. la nota 6 del Texto 19.

4 *Huerco:* es «el Orcus latino, el dios de los infiernos o de la muerte»; el término se usó hasta el siglo XVI y sobrevive entre los sefarditas, de cuya memoria procede la versión quizá más arcaica de este sombrío *R.*, con sus versos pareados de doce sílabas, forma típica de las *endechas* o cantos luctuosos: Menéndez Pidal [(1906-07) 1958], 157-158; en la Península es más frecuente en octosílabos. Sobre el Orco cfr. también Asensio [(1954) 1970], 241. Basándome en el informe de *RJEM*, 191, he restaurado en su transcripción las condiciones reales de recitación del texto, insertando el estribillo y manteniéndolo a lo largo de todo el *R.;* su funcionalidad semántica es evidente, como observa oportunamente *CGR*, I, 126 y también 137-139. En la numeración de los vv. no he tenido en cuenta el estribillo, y tampoco el v. que precede al 7, que altera el sucederse regular de dísticos y estribillo; lo creo resto de una pareja, del tipo «Ya llevan a Ueso / muerto e desmayado; // ya llevan al Huerco / con el pie atado» (*RT*, XII, 67), y fruto de una adaptación: «en ca de su madre», en efecto, parece exclusivo de esta versión.

6 La voluntad herida apunta a algo como una lucha impar —y simbólica— de Bueso con un destino de muerte, que le acosa. Con mayor realismo, otras ramas de la tradición atribuyen la muerte del protagonista a heridas de guerra. Es una variante conocida ya en la rama mayoritaria de los antecedentes franceses del *R.* (*Roi Renaud*), la que rechaza el agente sobrenatural característico de los textos del Norte de Europa (por ejemplo, los elfos de Escandinavia); lo conservó, sin embargo, la balada bretona (un hada), que fue

¡Alda y no lo sepa!
Si Alda lo sabe
Alda queda muerta.

Ya llevan a Bueso en ca de su madre.

En ca de Alda tañen tañedores,
8 en ca de Bueso hazían guijdore.
¡Alda y no lo sepa!
Si Alda lo sabe
Alda queda muerta.
—Suegra, la mi suegra, mi suegra garrida,
las que paren niño ¿cuándo van a misa?—
¡Alda y no lo sepa!
Si Alda lo sabe
Alda queda muerta.
—Unas van al mes, otras a cuarenta días
12 y tú, la mi nuera, cuando te convenía.—
¡Alda y no lo sepa!
Si Alda lo sabe
Alda queda muerta.
—Suegra, la mi suegra, mi suegra garrida,
las que paren niño ¿de qué iban vestidas?—
¡Alda y no lo sepa!
Si Alda lo sabe
Alda queda muerta.
—Unas van de verde y otras en grana fina
16 y tú, la mi nuera, como te convenía.—
¡Alda y no lo sepa!
Si Alda lo sabe
Alda queda muerta.
Vistióse de verde y de grana fina.
Todos la dezían la viuda garrida.

---

responsable —no única— de la difusión en el Sur de Europa hasta España, pasando por Provenza y Cataluña. La Muerte personificada se encuentra en algunos de los textos franceses. Cfr. *RJEM,* 187-191 y *RH,* I, 320-323, que revisan un estudio fundamental de Doncieux. Una completa monografía, con los textos, en Mariscal [1984-85=*RT,* XII], en particular págs. 19-56 y 281-333.

8 *guijdore:* «arañarse la cara en señal de duelo» (Benoliel, *apud RT,* XII, 67).

¡Alda y no lo sepa!
Si Alda lo sabe
Alda queda muerta.
—Suegra, la mi suegra, mi suegra garrida,
20 ¿qué son essas vozes que van por la villa?—
¡Alda y no lo sepa!
Si Alda lo sabe
Alda queda muerta.
—¡Muerto se le ha, muerto, el bien de su vida!—
Como esso oyó Alda muerta quedaría.

151

Voces corren, voces corren, voces corren por España
que don Juan el caballero está malito en la cama.
Le asisten cinco doctores, de los mejores de España:
4 uno le mira los pies, otro le mira la cara
y otro le coge la sangre que de su cuerpo derrama;
otro le dice a don Juan: —El mal que tenéis no es nada.—
Toavía tié que venir aquel doctor de la Parra.

---

2 *don Juan:* hijo de los Reyes Católicos, nació en junio de 1478 y murió el 6 de octubre de 1497. «Es su muerte lo más importante de la vida del príncipe Don Juan»: así empieza el denso ensayo de José Camón Aznar, *Sobre la muerte del príncipe don Juan,* Madrid 1963 (Discurso en la R. Acad. de la Historia, seguido por la interesante contestación de Pérez Bustamante sobre el mismo tema). Lo confirma la poesía: Camón, págs. 85-92, y Miguel Ángel Pérez Priego, «Historia y literatura en torno al príncipe don Juan. La *Representación sobre el poder del amor* de Juan del Encina», en *Historia y ficciones.* Coloquio sobre la literatura del siglo XV, Valencia, Universidad, 1992, págs. 337-349. Y en la literatura tuvo su mejor monumento este joven, que fue muy instruido en las letras y más que aficionado a música y canto. Nunca había sido firme su salud, desde muy niño, cuando rozó la muerte; en 1491, por orden real, se buscaron en todo el reino tortugas para extraer de sus carnes un bálsamo indispensable a la salud de don Juan. El príncipe ha sido casi olvidado en la magnífica exposición de Toledo e Innsbruck dedicada, en 1992, a «Hispania-Austria: Reyes Católicos, Maximiliano I y los albores de la Casa de Austria en España».

7 *doctor de la Parra:* tenemos varias noticias sobre Juan de la Parra, uno de los médicos de fama llamados a visitar al príncipe en sus últimos días: Goyri [1904], 34-35 y, sobre todo, Pérez Bustamante, cit. arriba, págs. 132-134. Por su intervención, el doctor recibió 10.000 maravedíes. Infructuosa

8 Estando en estas razones, cuando allí se presentaba;
sube la escalera arriba, camina para la sala,
adonde el enfermo estaba.
Ya se ha hincado de rodillas, el pulso ya le tomaba.
12 —Mucho mal tenéis, don Juan, mucho mal os acompaña.
Tres horas tenéis de vida, hora y media va pasada;
otra hora y media tenéis para disponer de tu alma.—
—No siento más que mi esposa que es niña y está ocu-
[pada.—
16 Estando en estas razones, cuando allí se presentaba.
—¿De dónde vienes, esposita?
—Vengo de san Salvador, de rogar a Dios por tu alma.
Si el Señor me lo concede te levantes de la cama.—
20 —Sí que me levantarán el lunes por la mañana,
y en un altarión de pino y entre sábanas y holandas
me llevarán pa la iglesia: mucha gente me acompaña;
y tú ya te quedarás muy triste y desconsolada.—
24 La esposa al oír esto hacia atrás se desmayaba;

---

también, para el enfermo, fue su presencia en la cabecera de Felipe el Hermoso.

15 *esposa:* Margarita, hija de Maximiliano de Austria, casó con don Juan en marzo de 1497, casi al mismo tiempo que su hermano Felipe casaba con Juana, hermana de don Juan. Tanto se encendió por ella el príncipe, que pretendió una consumación anticipada del matrimonio; prendida de igual fuego, la otra pareja optó por una ceremonia rápida, oficiada por un cura cualquiera. Parece que los deberes conyugales ocuparon tanto al príncipe, que los médicos y el rey empezaron a temer por su salud siempre incierta e invitaron a la reina a disponer que la pareja durmiera separada; Isabel se negó, alegando que no iba a dividir lo que Dios había unido: Pedro Mártir de Anglería, *Epistolario.* Estudio y traducción por José López de Toro, Madrid, 1953, vol. I, pág. 334, carta núm. 176, del 13 de junio de 1497 (Doc. inéd. para la Historia de España, vol. IX). Acaso unas viruelas complicaron la situación. Sobre todo esto cfr. el ya citado Camón Aznar, págs. 71-74; y también Duque de Maura, *El príncipe que murió de amor,* Madrid, Espasa Calpe, 1944, y Tarsicio de Azcona, «El príncipe don Juan, heredero de los Reyes Católicos, en el V Centenario de su nacimiento (1478-1497)». Conferencia (1978), en *Cuadernos de Investigación Histórica,* n. 7 (1983), págs. 219-239 [233-236], donde se intenta escudar al cuerpo infeliz del muchacho de la que se tacha de ofensiva leyenda de sus excesos.

23 En otras versiones el moribundo recomienda al padre la protección de la esposa y el respeto de las promesas de regalos matrimoniales. Fue preocupación realmente manifestada por don Juan, unas horas antes de morir, en su testamento: Goyri [1904], 33.

ni con agua ni con vino   no pueden resucitarla.
Sacan un niño del vientre   como un rollito de plata;
se le llevan a su padre   que la bendición le echara.
28 —La bendición de Dios Padre,   la de Dios Hijo te caiga.—
Todos mueren en un hora,   todos mueren en un día;
todos se van a gozar   con Dios y santa María.

152

—¿Gian Lorenzo, Gian Lorenzo,   quién te hiso tanto [mal?—
—Por tener mujer hermosa   el rey me quere matar.

---

29 El final es una fórmula que permite imaginar en el otro mundo el *happy end* gratificador que ya era imposible en éste; motivos folklóricos son el lunes del entierro y el nacimiento del hijo varón con muerte de la madre, una de las señales de destino excepcional. La princesa Margarita malparió una niña a comienzos de 1498, mientras fue la reina Isabel de Portugal, hija de los Reyes Católicos y viuda del malogrado heredero portugués Alfonso (Texto 79), quien en el agosto del mismo año murió al dar a luz un varón. Goyri [1904], 34, sospecha una influencia de tal suceso en la conclusión de nuestro *R*. Me inclino a pensar en un inserto folklórico tardío, porque creo muy improbable una inmisión primitiva de dos relevantes datos falsos como la muerte de Margarita y el hijo varón. Igualmente improbable me parece la contaminación, mucho tiempo después, con una noticia como la de la muerte de Isabel de parto, que no era —y más en aquellas épocas— de las destinadas a duradero arraigo en la memoria colectiva. Sobre la labor artística de la tradición oral moderna en el *R.*, ausente en las fuentes antiguas conocidas, cfr. Bénichou [1963-64] y [1969], 95-124, quien apunta algunos motivos de un «espectro de poema cual pudo ser en los primeros tiempos de su popularización» (117-118). Un buen resumen de este artículo, con alguna integración, en *RJEO,* 25-30. Cfr. también *RJEM*, 47-49, y *RH,* II, 291-292.

1 Víctima del inconveniente que el *R*. relata fue Juan Lorenzo de Acuña. La belleza de su esposa, doña Leonor Téllez, era tan cautivadora que la cantaron los poetas, y fascinó a Fernando I de Portugal hasta el punto que el rey no supo resistir a separar a tal mujer de su marido y hacerla su esposa, en 1383. No hubo tragedias, y el propósito de doña Leonor en los vv. 27-29 es pura justicia poética a uso de un público solidario de Juan Lorenzo. Éste, en la realidad, se refugió en la corte de Castilla, y con un sentido del *humour* del todo excepcional, se concedió un desquite y consuelo de auténtico inconformista: ató «en la lazada de la toquilla de la gorra» (Menéndez Pidal [(1906-07) 1958], 135) un par de cuernos de oro y los exhibía en público, conquistándose fama con el apodo 'el de los cuernos de oro', para su época y la posteridad.

Yo estando en la mi puerta con la mi mujer real,
4 taniendo la mi vigüela, mis hijos al son bailar,
alsí mis ojos en lexos cuanto más los pude alsar:
en los campos de Arzuma grande gente vide baxar.
El corasón me lo diera que era el rey de Portugal,
8 que viene por los mis hijos y la mi mujer real.
Echí mi manto en mis hombros y lo fuera a encontrar.
—Estéis en buen ora, buen rey.— —Gian Lorenzo, en [mal vengades.—
Me oigáis, el Dío del sielo, que es padre de piadad:
12 yo le hablaba con buenas, él me respondía mal.
—¿Si vos plase, oh buen rey, de me vinir a vijitar?—
—Y para toda esta gente ¿qué le daréis a ermorsar?—
—Para toda esta gente vacas y carneros hay;
16 para mí y vos, buen rey, pichonicos con agrás.
En mientras que ordenan mesas vamos a la güerta a espa- [siar.—
En la güerta de Gian Lorenzo hay cresido un buen rosal.
Arrancó de ahí una rosa y una rosa del rosal,
20 a la mujer de Gian Lorenzo a ella la fuera dar.
—Tomárais esta rosa, esta rosa de el rosal,
y de aquí en quince días seréis reina de Portugal.—
—No matéis a Gian Lorenzo, ni lo quijérais matar;
24 desterraldo de sus tierras, que de ellas non coma pan,
que es padre de los mis hijos, marido de mi mosedad.—
Yoraba Gian Lorenzo lágrimas de voluntad.
—Non yoréis, Gian Lorenzo, ni quijérais yorar.
28 En forma de carbonero me vernéis a vijitar;
mataré yo al buen rey y vos asento en su lugar.—

---

3 El v. se documenta en himnarios hebreos desde 1641c.: Armistead y Silverman [1981], 490. El *R.* se conserva solamente en la tradición oral moderna; sobre la judeo-española en particular, y arte y sentido de sus contaminaciones, cfr. Silverman [1979] y *Nahón,* 110-115. Este v. y los sigs. recuerdan el exordio del Texto 68, otro *R.* de tema portugués y afín al nuestro, construido sobre un mismo modelo, sin que se pueda indicar quién imita a quién. Cfr. también el Texto 73.

14 *ermorsar:* 'almorzar'.

19 El simbolismo de esta flor, y del gesto que la alcanza, no requiere exégesis.

28 *carbonero:* cfr. la nota 4 del Texto 110.

153

El traidor era Marquitos, todos le llaman traidor:
por dormir con su señora ha matado a su señor.
—Abre puertas, Catalina, ábrelas, mi lindo amor.—
4 —No te las abriré, Marcos; no está en casa mi señor.—
—Tu señor quedaba preso n'esa ciudad de Aragón;
vengo en busca de dinero pa deshacer la prisión.—
Catalina, como diestra, sus puertas trancó mejor.
8 Marquitos, como valiente, al suelo se las tiró.
Siete vueltas dio al palacio, con Catalina no halló;
de las siete pa las ocho ya a Catalina encontró:
la viera de estar llorando debajo de un escalón.
12 —¿Por qué lloras, Catalina, por qué lloras, lindo amor?—
—Lloro por el mi marido, que me lo hais matado vos.—
—Y si lloras, Catalina, también vos mataré a vos.—
La mandara hacer la cena; ya se la hizo y cenó.
16 La mandara hacer la cama y él con ella se acostó.
S'otro día por la mañana Catalina madrugó.
—Subiraste en aquel alto, en aquel alto corredor
y allí verás tus criados si trabajaban o no;
20 allí verás la truchita como llamaba al salmón
y allí verás la paloma como llama al perdigón.—
Catalina, como diestra, a la mar honda lo tiró;
Marquitos, como valiente, de los remos se agarró;
24 Catalina, como diestra, ya los remos le cortó.

---

7 *trancó:* 'cerró con tranca o cerrojo'. En el Texto 38 Blancaflor abre, engañada por el chapirón. En los vv. precedentes localizamos por lo menos cuatro puntos concretos de contacto entre éste y el Texto 28: Catalina, Aragón, dineros y cárcel.

9 *palacio:* aquí en la acepción corriente de 'edificio'; en el Texto 38 era 'sala'.

16 Es la primera variante notable respecto al Texto 38. El giro distinto que el relato recibe y la conclusión a que llega son, de momento, rasgos típicos de esta versión —única castellana conocida— frente a las demás recogidas, catalanas y hebreas orientales; cfr. Cid [1979], 352.

20-21 En este contexto *como* tiene valor de *que* y por lo tanto va sin acento.

23-24 Estos dos vv. trasladan la escena mar adentro, en una barca de remos, con rapidez e incongruencia no raras en la superficie de textos modernos; porque en su fondo esos textos suelen tener coherencia, y sólida.

Al cabo de nueve meses ya Catalina parió:
pensó de traer hija hembra y trajo un hijo varón.
Llamara curas y fraires, rico bautizo le hizo.
28 S'otro día a la mañana subió al alto corredor;
allí cogiera su niño y a la mar honda lo tiró.
—Ahí vaigas tú, mi hijo, vaigas con mi bendición;
no quiero que quede casta de aquel gran falso traidor.—

154

—Rosa blanca y rosa blanca, rosa blanca y nuevo amor,
¡quién te me diera esta noche, ay esta noche y otras [dos!—
—Tomísme, señor, esta noche, esta noche y otras dos.
4 Mi marido está en las guerras, ay en las guerras del [León:
ahí le maten los moros y le saquen el corazón.—
Eyos en estas palabras ay y el marido que yegó.
A la entrada de la puerta con un cabayo se encontró.
8 —¿De quién es este cabayo ay que en mi cuadro [*sic*] [veo yo?—
—Vuestro es, mi señor: mi padre os l'endonó
pa que vayáis a la boda ay de mi hermana la mayor.—
—Anda y dile tú a tu padre que cabayos tengo yo;
12 que cuando no los tenía ay tu padre no me lo endonó.—
A la entrada más adentro con un sombrero se encontró.
—¿De quién es este sombrero ay que en mi percha [veo yo?—
—Vuestro es, mi señor, vuestro: mi hermano os le en- [donó

---

26 Parto e infanticidio son exclusivos de este texto. Responden a la orientación folletinesca que el relato ha ido adquiriendo desde el v. 16, y que lleva consigo el dictamen 'ético' de impedir, eliminando a su hijo varón, la prosecución de la estirpe del traidor: cfr. Cid [1979], 356-357.

1 *Rosa blanca:* los editores escriben *Rosablanca*. Para mi lectura cfr. la nota 1 del Texto 32. Más en general cfr. todas las notas a ese texto, y en particular la 20. En este incipit se capta un eco de «Rosa fresca, rosa fresca» (Texto 26).

16 para que vayáis a la boda ay de mi hermana la mayor.—
—Anda y dile tú a tu hermano que sombreros tengo yo;
que cuando no los tenía ay tu hermano no me lo en-
[donó.—
A la entrada más adentro con una chaqueta se encontró.
20 —¿De quién es esa chaqueta ay que en mi siya veo
[yo?—
—Vuestra es, mi señor, vuestra: mi padre os la endonó
pa que vayáis a la boda ay de mi hermana la mayor.—
—Anda y dile tú a tu padre que chaquetas tengo yo;
24 que cuando no las tenía ay tu padre no me lo [*sic*] en-
[donó.—
Ellos en estas palabras, el de la cama estornudó.
—¿Quién es ése y cuál es ése ay que en mi cama veo
[yo?—
—El niño de la vesina, que jugando se durmió.—
28 —¡Qué niño ni qué niño!: barbas y bigote veo yo.—
Con la espada que él traía la cabesa a los dos cortó.

155

Mientras el conde va a misa, la condesa mala está.
—¿Tú qué tienes, la condesa, de hora y media para acá?—
—Que me encuentro ocupadita de hora y media para
[acá.—
4 —Si te encuentras ocupadita, algo te se antojará.
¿Si te se antojan perdices o pescados de la mar?—
—Ni se me antojan perdices ni pescados de la mar;
que se me antoja un ciervito que en el monte oí bramar.—

3 *ocupadita:* la excusa del embarazo sustituía ya en una tardía versión italiana la de enfermedad, originaria del poema francés *Beuvon de Hanstone* (s. XII), que gozó de reelaboraciones en prosa y verso y difusión en toda Europa; de su comienzo deriva el *R.: RH,* I, 261 y Samuel G. Armistead y Joseph H. Silverman, «'El romance de Celinos y la adúltera' entre los sefardíes de Oriente», en *ALM,* 2 (1962), págs. 5-14 [10].

7 *bramar:* este bramido podría transmitirnos el eco de un canto antiguo del *R.:* en una *Glosa* del siglo XVI aparecen los versos «Cata las sierras de Ardeña, / donde brama un animal», que Armistead y Silverman [1982], 35-42

8 —Si te se antoja un ciervito, yo te lo iré a buscar.—
—Si lo vas a buscar, conde, armas no has de llevar;
llevas el bastón na mano, como aquel que va a pasear.—
—¡Vos es el diablo, condesa, no me vayan a matar!—
12 Dejara las armas viejas, nuevas las fue a estrenar.
Siete vueltas dio al monte, el ciervito allí no está.
De las siete pa las ocho con Celinos fue a dar.
—¿Qué buscas por aquí, el conde, por mis montes a ca-
[zar?—
16 —Que antojos de la condesa por aquí me hacen andar.—
—Tú tienes la mujer guapa, yo te la he de gozar;
los tus hijos, el buen conde, a mí padre me han llamar.—
—Lo que Dios quiera, Celinos, lo que Dios quiera será,
20 que Dios ayuda a los hombres na mayor necesidad.—
Desenvainan las espadas, se pusieron a pelear.
Del primer espadillazo Celinos en tierra cae;
le cortara la cabeza, a la condesa la fue a dar.
24 —Toma el ciervo, la condesa, que me mandaste a bus-
[car.—
—¡Malajo para ti, el conde! No era digno de matar.—
Hízole a ella lo mismo, púsolos de par en par.
—Besáivos y abrazáivos ahora que tenéis lugar.—

156

—Bateram-m'á minha porta, ala, ala, quem 'stá lá?
Se é Bernardo Francês, a porta lhe vou abrir;

---

suponen relacionados con el *R.*, al par que el bosque de «Ardenne» de la *chanson* francesa. De los mismos cfr. [1979], 64-77, con dos versiones sefardíes de la isla de Rodas según un ms. de finales del siglo pasado, y con un comentario completo y referencias a la tradición temática antigua.

14 *Celinos:* en el poema francés el nombre del amante es Doon de Mayence. En *Yoná,* 234 se observa agudamente que el nombre hispánico —con el exótico sufijo 'carolingio' *-os,* agreguemos— «conecta al personaje con las muy pertinentes ideas de 'celos', 'celo' como 'ardor sexual' y 'celada'»; y que en *rr.* carolingios antiguos como *Conde Dirlos* (*Primav.* 164) o *Guiomar* (*Primav.* 178) aparece un Celinos implicado en transgresiones, que en el primer texto tienen matiz erótico seguro.

23 Solución opuesta en el poema francés, como subraya *RH,* I, 331.

1 *porta:* el motivo del llamar a la puerta de la mujer, con su doble sím-

se é outro cavalheiro,   bem se pode despedir.—
4 —Sou o sr. Bernardo Francês,   bem ma pode vir abrir.—
Ia no meio da casa   descalçou-se-l'o chenil;
ao fazer da cortesía   apagou-se-l'o candil.
Pegou-le na mão,   levou-o para o jardim;
8 lavou-l'os pés e as mãos   com água de alecrim,
e fez-l'a cama de rosas,   deitou-o a par de si.
Era meia-noit'em ponto,   sem se virar para si.
—Que tens, Bernardo Francês,   que te não viras p'ra mim?
12 Ou tu tens outros amores   ou tu tens causas de mim.—
—Nem tenho outros amores,   nem tenho causas de ti.—
—Pois tens medo a éla ronda?   Ela não vem por aqui.
Tens medo a meus irmãos?   Longes terras 'stao daqui.
16 Tens medo a meu marido?   Embarcou para o Brasil:
una bala lá o passe,   novas me venham aqui!—
—Não tenho medo a éla ronda,   que a encontrei para ali;
nem medo a teus irmãos,   que são cunhados de mim;
20 nem medo a teu marido,   que o tens a par de ti!—
—Perdoa-me tu, marido,   bem me podes perdoar,

---

bolo, recurre en la lírica tradicional: *CALP,* 292 y, asociado al tema de la casada, 341 y 1710.

2 *Bernardo Francês:* leemos en *Flor Nueva,* 114: «hallo en Alonso de Palencia y en los Cronistas de los Reyes Católicos que Bernal Francés es un personaje histórico, capitán de la guerra de Granada, tan valiente en armas como odioso a sus soldados a causa de la avaricia que para con ellos mostraba». Ese odio pudo ser estímulo a crear, o adaptar a su nombre, un *R.* que lo deja indirectamente malparado: Avalle-Arce [(1966) 1974], que supone la formación del poemita en la región de Vélez-Málaga entre 1487 y 1488, zona y años de más intenso empeño militar del Bernal Francés histórico. Sobre la base de la documentación rastreada por Avalle-Arce (en particular, págs. 165-168) nace, sin embargo, la sospecha que otras víctimas del animoso capitán pudieron concebir impulsos para tomarse un tal desquite, y propiamente con ese tema de trágica frustración erótica transversal: alguno de entre los cientos de portugueses que en la batalla de Toro (1476; cantada en un *R.* perdido), desbaratados y fugitivos, fueron capturados y castrados por los sayagueses (sí, los pastores bobalicones en las églogas de finales de aquel siglo), enfurecidos por las violencias que habían padecido sus propias mujeres; era su capitán Bernal Francés. Sería éste un punto de apoyo para volver a los posibles orígenes portugueses del *R.*, en los términos planteados por Michaëlis —autor lusitano, lengua castellana— y rechazados por Menéndez Pidal: resume la cuestión Avalle-Arce, págs. 145-147 y 225.

que isto era um grande sonho em que eu estava a sonhar.—
—Deixa lá vir a manhã, que bom perdão t'hei-de dar:
24 darei-te saia de crepe e bàijum de cramesim,
gargantinha aquelarada, que tu a causast'a ti.—

De manhã cortou-lhe as goelas e foi-s'andar. Indo là adiante, encontrou o Bernardo Francês, mas este não o conhecia.

—Adondo vai o Bernardo Francês? Atais horas por [aquí!—
—Vou ver a Francisquinha, qu'há dias que a não vi.—
28 —Francisquinha ja é morta, que eu enterrar bem na vi.—
—Dá-m'um sinal para m'eu fiar em ti.—
—Levava saia de crepe e bàijum de cramesim,
gargantinha aquelarada, que ela a causou a si.—
32 —Dá-me outro sinal para m'eu fiar em ti.—
—O grande acompanhamento não tinha conto nem fim;
o caixão que ela levava era de pau de marfim.—
—D'á-me outro sinal para m'eu fiar em ti.—
36 —Um anel d'ouro no dedo, que le deste no jardim.—
—Ala, ala, meus criados, meus cavalos a ferrar,
com ferraduras de bronze que se não possam gastar!
A cova da Francisquinha iremos a descansar.
40 Dá-m'uma fala, Francisca, se ma podes vir a dar.—
—A fala que te vou dar, escuta, ouve-la aí:
educa bem tuas filhas, põe-nas bem a par de ti,
que não morram por amores como eu por ti morri.—

---

22 *um grande sonho:* bajo tan trillada excusa asoma la fantasía reprimida de toda malcasada, el gran sueño de amor que el alba disuelve, a veces en tragedia. Obsérvese el acierto del cruce tradicional con una versión del Texto 45.

43 He renunciado a dar en notas fragmentos de traducción del texto portugués. Transcribo aquí una versión castellana del *R.*, la que Menéndez Pidal 'preparó' para la *Flor Nueva,* 112 sobre la base de versiones tradicionales; modifico en parte la puntuación y cambio por *Sentóle* el *sentóse* del texto:

— Sola me estoy en mi cama, / namorando mi cojín. // ¿Quién será ese caballero / que a mi puerta dice: 'Abrid'? — // — Soy Bernal Francés, señora, / el que te suele servir // de noche para la cama, / de día para el jardín. — // Alzó sábanas de Holanda, / cubrióse de un mantellín; // tomó candil de oro en mano / y la puerta bajó abrir. // Al entreabrir de la puerta / él dio un soplo en el candil. // — ¡Válgame Nuestra Señora! / ¡Válgame el señor san Gil! // Quien apagó mi candela / puede apagar mi vivir. — // — No te espantes, Catalina, / ni me quieras descubrir,

157

—Vengo brindado, Mariana, para una boda el domingo.—
—Esa boda, don Alonso, debiera de ser conmigo.—
—Non es conmigo, Mariana; es con un hermano mío.—
4 —Siéntate aquí, don Alonso, en este escaño florido,
que me lo dejó mi padre para el que case conmigo.—
Se sentara don Alonso; presto se quedó dormido.
Mariana, como discreta, se fue a su jardín florido.
8 Tres onzas de solimán, cuatro de acero molido,

// que a un hombre he muerto en la calle, / la justicia va tras mí. — // Le ha cogido de la mano / y le ha entrado al camarín. // Sentóle en silla de plata / con respaldo de marfil; // bañóle todo su cuerpo / con agua de toronjil; // hízole cama de rosa, / cabecera de alhelí. // — ¿Qué tienes, Bernal Francés, / que estás triste a par de mí? // ¿Tienes miedo a la justicia? / No entrará aquí el alguacil. // ¿Tienes miedo a mis criados? / Están al mejor dormir. — // — No temo yo a la justicia, / que la busco para mí; // ni menos temo criados / que duermen su buen dormir. — // — ¿Qué tienes, Bernal Francés? / No solías ser así. // Otro amor dejaste en Francia / o te han dicho mal de mí. — // — No dejo amores en Francia, / que otro amor nunca serví. — // — Si temes a mi marido, / muy lejos está de aquí. — // —Lo muy lejos se hace cerca / para quien quiere venir: // y tu marido, señora, / lo tienes a par de ti. // Por regalo de mi vuelta / te he de dar rico vestir: // vestido de fina grana, / forrado de carmesí, // y gargantilla encarnada / como en damas nunca vi: // gargantilla de mi espada, / que tu cuello va a ceñir. // Nuevas irán al Francés, / que arrastre luto por ti. —»

Las palabras del fingido Bernal Francés recuerdan el v. 7 del Texto 29, y *Catalina,* unido a la evocación de la *justicia,* el Texto 28. Una versión de Soria y una de Colombia en Débax [1982], 369 y 371. El ensayo más reciente es de Nascimento [1992]. Sobre el origen peninsular del *R.,* ausente en las fuentes antiguas conocidas, y su difusión en Francia y Piamonte cfr. *RH,* I, 362-363 y Bronzini [1959]. Lo conocieron y aprovecharon Góngora, Lope y Calderón, en contextos burlescos: *RH,* II, 407-408. Una utilización dramática y bien lograda, pero sin citas de versos, analiza David A. Kossof, «*El médico de su honra* and *La amiga de Bernal Francés*», en *HR,* XXIV (1956), páginas 66-70; lo completa Albert E. Sloman, «Calderón's *El médico* and *La amiga de Bernal Francés*», en *BHS,* XXXIV (1957), págs. 168-169.

1 *brindado:* 'invitado'.

4 *escaño florido:* 'banco suntuoso'. Podría ser objeto relacionado con las artes mágicas de Mariana, a juzgar por el sueño que se apodera del novio al sentarse. Es probable que en algún texto antiguo el joven llegara a caballo, o llevando el caballo de riendas, y no se sentara: cfr. la nota 16, la cita en la comedia, y ecos en la tradición oral moderna: Menéndez Pidal [(1909-10) 1973], 81.

7 *discreta:* 'cuerda', con un matiz de 'lista'; igual en el v. 13. Sentido idéntico, en sintagma y construcción idénticos, y en situación muy afín, en el Texto 5, v. 23, cuando la 'niña' da jaque al caballero.

8 *solimán:* 'sublimado corrosivo'.

la sangre de tres culebras, la piel de un lagarto vivo
y la espinilla del sapo: todo se lo echó en el vino.
—Bebe vino, don Alonso; don Alonso, bebe vino.—
12 —Bebe primero, Mariana, que así está puesto en estilo.—
Mariana, como discreta, por el pecho lo ha vertido;
Alonso, como joven, todo el vino se ha bebido:
con la fuerza del veneno los dientes se le han caído.
16 —¿Qué es esto, Mariana? ¿Qué es esto que tiene el [vino?—
—Tres onzas de solimán, cuatro de acero molido,
la sangre de tres culebras, la piel de un lagarto vivo
y la espinilla del sapo para robarte el sentido.—
20 —Sáname, buena Mariana, que me casaré contigo.—
—No puede ser, don Alonso, que el coraçón te ha par- [tido.—
—Adiós, esposa del alma, presto quedas sin marido;
adiós, padres de mi vida, presto quedaron sin hijo.
24 Cuando salí de mi casa salí en un caballo pío
y ahora voy para la iglesia en una caja de pino.—

---

9 *lagarto:* en la fuente *largato* en letra cursiva; igual, pero sin cursiva, en el v. 18.

16 En una *Ensalada* de vv. de *rr.* parodiados, impresa en un *pliego suelto* de hacia 1560 (*Pliegos Praga,* vol. I, *pl.* I, pág. 4), se encuentra este v. en la forma: «¿qué me distes, Moriana / qué me distes en el vino?»; es la cita más remota del *R.,* cuyo texto no entró en las fuentes antiguas. En *La morica garrida,* comedia de Juan Bautista de Villegas, de 1620-1630, reaparece el verso, en la forma: «Moriana, Moriana, / ¿qué me diste en este vino?», seguido por otros tres: «que por las riendas le tengo / y no veo el mi rocino! // Moriana, en el cercado, / ¿qué me diste en este trago?, // que por las riendas le tengo / y no veo al mi cavallo!». Cito de *RH,* II, 411-412, donde se comenta especialmente la segunda cita como rastro de una probable estructura métrica del *R.,* de tipo lírico: vv. pareados de 16 sílabas, con repetición paralelística de su argumento y con asonante propio de cada pareja; huellas de tal estructura quedan en textos de la tradición oral moderna, en particular de la hebrea. Sobre la difusión moderna *RJEM,* 156-159 y do Nascimento [1964], con un estudio modélico de los procedimientos re-creativos de la tradición.

22 La *esposa* invocada como viuda temprana es la que se iba a casar con don Alonso el domingo, como bien sabía la *discreta* Mariana. En algunas de las versiones judeo-españolas, al aprender por las últimas palabras del novio que —al contrario— protagonista de esa boda iba a ser ella misma, Moriana cae muerta de dolor: *RJEM,* 158 y *Florilegio,* 71. Los 'adioses' y los dos vv. finales, aquí muy apropiados, son fórmulas no siempre empleadas con tino.

24 *pío:* de pelo blanco manchado.

158

¡Quién tuviera tal fortuna sobre aguas de la mar
como el infante Fernando mañanita de san Juan,
que ganó siete castillos a vuelta de una cibdad!
4 Ganara cibdad de Roma, la flor de la quistiandad;
con los contentos del juego saliérase a passear.
Oyó cantar a su halcón, a su halcón oyó cantar.
—Si mi halcón no cenó anoche ni hoy le han dado de [almorzar,
8 si Dios me dexa vivir y a la mañana llegar,
pechuguita de una gansa yo le daré de almorzar.—
Subiérase a su castillo y acostóse en su rosal.
Vido venir un navío sobre aguas de la mar:
12 las velas trae de oro, las cuerdas de oro torçal
y el mastil del navío era de un fino nogal.
Marineros que le guían diziendo van un cantar:
—Galera, la mi galera, Dios te me guarde de mal:
16 de los términos del mundo, de aires malos de la mar,
de la Punta de Carnero, del estrecho de Gibraltar,
de navíos de don Carlos, que son fuertes de passar.—
—Por tu vida, el marinero, tú volvas esse cantar.—
20 —Quien mi cantar quiere oír a mi galera ha de entrar.—
Al son de los dulces cantos el conde dormido se ha.

1-10 Aparte los vv. 1 y 2, que enlazan casi literalmente con los textos del siglo XV y del XVI (Textos 1 y 2), los otros son más bien un cúmulo de fórmulas viajeras.

11-20 Otro segmento que enlaza con los textos antiguos conocidos.

21 Empiezan aquí una continuación y un epílogo del texto antiguo del *R*. que han hecho discutir. Tuvieron el primer comentario en una apasionada conferencia de Menéndez Pidal, quien afirmó su carácter primitivo y exaltó el conservadurismo excepcional de la tradición oral de los hebreos de Marruecos: nos había guardado el perfil originario del más sugestivo de los *rr*. castellanos, que se nos revelaba con su cara auténtica de «sencillo romance de aventuras y reconocimientos»: Menéndez Pidal [(1922) 1973], 333-344 [337]. Tal vez como reacción a la inevitable pérdida de aquel encanto que al *R*. habían asegurado los 'fragmentos' antiguos y que el texto 'completo' llegaba a quitarle, Spitzer [(1955-56) 1962], 87-103, se mostró poco convencido de la sencillez del poemita: en el fondo de ese relato, afirmó, se agita «el conflicto del hombre con las fuerzas sobrenaturales de la naturaleza» (pág. 97), con las potencias telúricas y seres demoníacos que aterrorizaban la imaginación pagana (la figura del marinero sería racionalización de tales fantasmas ancestra-

Cuando le vieron dormir empeçaron a ferrar.
Al son de los fuertes fierros el conde recordado ha:
24 —¿Quién es ésse u cuál es ésse que a mí quiere hazer [mal?
Hijo soy del rey de Francia, nieto del de Portogal.—
—Si hijo sois del rey de Francia y nieto del de Portogal,
siete años hazían, siete, que por ti ando por la mar.—
28 Arçó velas el navío y volviéronse a su cibdad.

159

Preñada estaba la reina de tres meses que no mase.
Hablóla la criatura con la gracia de Dios Padre:
—Si Dios me dexa vivir, salir de angosto lugare,
4 mataría yo al rey y a la reina mi madre,
porque durmiéronse a una la noche de Navidade:

---

les), y que fueron sojuzgados por la conciencia cristiana y reducidos a aquella normalidad reflejada en el final del texto. Tal lectura, rica en citas y paralelos sugestivos, y también reparos al modelo del *R*. 'originario', encontró el merecido favor, entre otros, de Manuel Alvar, «De la *maisnie Harlequin* a algunas designaciones románicas de los escualos», en sus *Estudios léxicos,* 1.ª serie, Madison, Hispanic Seminary of Medieval Studies, 1984, págs. 135-148. Al contrario, en *RJEM,* 208-212 se expresa el desencanto escéptico de quien procura controlar tanto la magia de los textos como el hechizo de las teorías: una vez asentado que no podemos sustraernos al dato que «el romance cuenta un rapto por mar» con lugares comunes propios no sólo de la poesía popular (pág. 210), se observa que igual evidencia se debe conceder a otro dato, o sea, que «la liberación no tuvo forma fija; al menos, si la hubo, fue olvidada, y la tradición, con tal de llegar a un final feliz, inventa lo que puede para rematar la acción» (pág. 212). ¿El final de nuestro texto es, entonces, una de esas posibles invenciones? Caso González [1969] opina que sí, pero agrega que es probablemente la que más se aproxima al final original; al mismo tiempo defiende la autonomía poética y semántica de las dos versiones antiguas y de la 'moderna'. Digamos, de los tres *RR*. Es el punto de vista, salomónico, hoy más compartido (cfr., por ejemplo, Gornall [1983], 147); sigue indefinible la silueta originaria del prototipo.

2 'El niño que habla antes de nacer' es uno de los muchos elementos fabulescos que componen este raro *R.*, presente solamente entre hebreos de Marruecos: cfr. *RJEM,* 201 y *Yoná,* 188-189.

5 Varias culturas conocen, o han conocido, la prohibición de contacto sexual en épocas señaladas, incluso entre esposos; la religión cristiana intensificó tal interdicción: *Nahón,* 75-76 y Jean L. Flandrin, *Un temps pour em-*

quitáronme mis virtudes, cuantas Dios me diera y mase,
que si una me han quitado, muchas más me han vuelto a [dare.—
8 Oídolo había el rey desde su sala ande estare.
—Ay, reina, si pares hija cien damas la han de criare.
Ay, reina, si pares hijo a la leona le mando echare.—
Van días y vienen días, la reina parió un infante;
12 envolvióle en seda y grana y a la leona le mandó echare.
La leona como le vido conoció sangre reale:
quitó leche de sus hijos y al infante dio a mamare.
Hubo de crecer el niño y hubo de ser barragane
16 y hubo de matar al rey y él reinar en su lugare.

160

—O vento, ó cruel vento, ó roubador maioral!
Derrubaste três cidades, todas três em Portugal;

---

brasser. Aux origines de la morale sexuelle occidentale (VIe.-XIe. siècle), Paris, Seuil, 1983.

7 *me han vuelto a dare:* quienes dan no son ya los padres, ahora es Dios, como supone Bénichou [1983], 182, que por lo tanto propone la corrección *ha.*

15 *barragane:* 'esforzado, valiente'.

16 El exordio llevaba implícito este epílogo, remate obvio del destino del hijo y del padre; la reina, superflua ya, ha desaparecido. Frazer, en el capítulo XXIV de la ed. abreviada de su clásico libro *La rama de oro,* reconstruyó y comentó tradiciones arcaicas, vivas en época histórica dentro de comunidades primitivas, de asesinato del rey 'divino': al aumentar su edad y declinar sus fuerzas reproductoras, se mataba al rey para asegurar al joven sucesor una transmisión todavía íntegra de los poderes mágicos del padre, benéficos para su tierra y pueblo. Respecto a la fábula arcaica lejanamente implícita en el tema del *R.*, el motivo expresado por el v. 5 es una racionalización; mejor dicho, sustituye con una 'superstición civilizada' y familiar otra incomprensible y probablemente ya confusa. En las *virtudes* perdidas por el rey como consecuencia de la infracción sexual, pervive un eco de los poderes antes aludidos; y no es casual que los restaure la intervención divina. Sigue representándose así el drama primitivo de la transferencia violenta del poder, justificada con el riesgo que para la comunidad es el rey anciano, debilitado en su autocontrol y a su vez debilitante. La reina y la leona, dos figuras maternas de la naturaleza benéfica, salvan al infante y con él a la comunidad. Misterioso y fascinante es el camino que estos temas han podido recorrer hasta revestir la forma del *R.*

1 *vento:* es el residuo onomástico —y surreal— de Floresvento, versión

desonraste três donzelas, todas de sangue real;
4 mataste três inocentes, todos três por baptizar.
Foge, foge, ó cruel vento, p'ràs bandas de além do mar.
Nas terras donde passares nem água t'hão-de qu'rer dar;
as fontes donde beberem logo se hão-de secar;
8 a mesa donde comeres logo se há-de escachar
e a cama donde dormires em fogo s'há-de abrasar.
Foge, foge, ó cruel vento, p'ràs bandas dalém do mar.—
—Se derrubei três cidades tenho com que as pagar;
12 se desonrei três donzelas dote tenho p'ra le dar;
se matei três inocentes Deus me queira perdonar.—
—O vento, ó cruel vento, ó roubador maioral!—

161

Las Cabrillas ya van altas, la luna va revelada;
las ovejas de un cornudo no paran en la majada.

---

lusitana del francés Floovant, protagonista que da el título a una *chanson de geste* francesa del siglo XII, reelaborada en Provenza (*Floriven*) e Italia (*Fioravante*) y de aquí llegada a la tradición portuguesa, matriz de este *R*. desconocido en fuentes antiguas: Menéndez Pidal [(1943) 1973], 390 y *RH*, I, 262. Un retoño gallego publica Catalán [1979a], y una posible huella en un *Arnaldos* sefardí señala Costa Fontes [1985]. La primera indicación sobre fuente e importancia del *R*. en Michaëlis [1890-92], 219-220.

4 No es motivo raro en el *romancero* oral moderno, ni en el folklore narrativo en general, la lista de crímenes horrendos como amplificación de un dato primitivo. En este caso, el dato era el corte ofensivo de la barba del preceptor por parte del protagonista adolescente, que es condenado a muerte por el rey, su padre, pero gracias a la madre obtiene el exilio. Esta solución es típica del *Fioravante* italiano en prosa, como muestra Costa Fontes [1985] en un detallado estudio de los antecedentes del *R*.

14 Se repite el v. de exordio, y queda así enmarcado un espacio textual tejido de simetrías, que analiza con finura y en más de una versión Carlos Alvar [1982b], 244-246.

1 *Cabrillas:* nombre popular de la constelación de las Pléyades. Este v. y el sucesivo se citan en Correas (1627c.), pág. 211: «Las Kabrillas se ponían, la Kaiada [la vara de la Osa mayor] ya enpinava, / las ovexas de una puta no kieren tomar maxada». Es posible que fueran el exordio de una versión antigua del *R*., que conocemos solamente por la tradición oral moderna. Lo «cantan hoy nuestros pastores en todas las provincias atravesadas por las dos grandes cañadas de la trashumancia, la leonesa y la segoviana, que van desde los Valles de la Alcudia, al Sur del Guadiana, hasta los montes cantá-

Se pone el pastor en vela, vio venir la loba parda.
4 —Llega, llega, loba parda, no tendrás mala llegada
con mis siete cachorrillos y mi perra truquillana
y mi perro el de los hierros, que para ti solo basta.—
—Ni tus siete cachorritos ni tu perra truquillana
8 ni tu perro el de los hierros para mí no valen nada.—
Le ha llevado una borrega que era hija de una blanca,
pariente de una cornuda y nieta de una picalba,
que la tenían los amos para la mañana 'e Pascua.
12 —¡Aquí, siete cachorritos, aquí, perra truquillana,
aquí, perro de los hierros, a correr la loba parda!—
La corrieron siete leguas por unas fuertes montañas,
la arrastraron otras tantas por unas tierras aradas,
16 y al subir un cotarrito y al bajar una cotarra
sale el pastor al encuentro con el cuchillo a matarla.
—No me mates, pastorcito, por la Virgen soberana.
Yo te daré tu borrega sin faltarla una tajada.—
20 —Yo no quiero mi borrega de tu boca embaboseada,
que yo quiero tu pelleja para hacer una zamarra:
siete pellejitas tengo para hacer una zamarra,
con la tuya serán ocho para acabar de aforrarla;
24 las orejas pa pendientes, las patas para polainas,
el rabo para agujetas para atacarme las bragas
para poder correr bien la mañanita de Pascua.—

---

bricos y el Bierzo»: *RH,* II, 410. Cfr. también *RT,* IX, 17-29 y Antonio Sánchez Romeralo, «El Valle de Alcudia, encrucijada del Romancero», en *El Romancero hoy,* cit., 1979, vol. I, págs. 267-279, reportaje atractivo y erudito, donde se lamenta justamente que ferrocarril y televisores portátiles van cambiando las costumbres tradicionales del mundo de la trashumancia. No se ha transcrito todavía el punto de vista de los pastores a tal propósito.

2 *cornudo:* otras versiones tienen *pastor;* a éste se refiere evidentemente el apelativo, homólogo de la *puta* del texto de Correas, con la única función de resaltar la violencia de la imprecación por el desmandamiento del ganado.

5 *truquillana:* ¿de Trujillo?

10 *picalba:* de pelo blanco en proximidad de la boca.

16 *cotarrito:* es la ladera de un barranco, como *cotarra* más adelante. En el v., y en otros lugares del texto, se aprecia el acierto en el uso, escueto, de fórmulas y motivos del relato épico, que es el deliberado modelo subyacente a este *R.,* 'rústico' sólo en cuanto a su argumento.

ADICIONES A LAS NOTAS DE LOS TEXTOS

Texto 16, nota 1-3 (pág. 160):

Publica los textos antiguos y modernos, con un estudio esmerado, Maximiano Trapero, *El romance de Virgilios en la tradición canaria e hispánica,* Las Palmas de Gran Canaria, El Museo Canario, 1992. El penetrante análisis comparado nos revela elaboraciones temáticas que pueden pretender una antigüedad notable, deducida de su difusión en todas las áreas geográficas de la tradición oral actual: ejemplo vistoso es el motivo de 'la mujer enlutada' (Isabel en unos casos, la madre de Virgilios en otros), que al cabo de siete años recuerda al rey la prisión del protagonista. La monografía de Trapero, además, me estimula indirectamente a apuntar un suplemento de comentario al texto antiguo. En el *R.* me parece claro: que el encarcelamiento debía durar diez años; que Virgilios es un cortesano condenado con rigor no tanto por haber forzado a Isabel sino por haberlo hecho «en los palacios del rey» (v. 2), y con doncella que se supone adicta a la corte y por lo tanto 'criatura' del rey: en eso consiste la «traición» (v. 2), que es el crimen de lesa majestad por ultraje a los lugares y a la 'familia' reales, tal cual la empresa de exordio —en las tablas— del don Juan de Tirso de Molina con otra Isabela (¿casualidad?), ésta duquesa, y que habría llegado a conclusión igual a la del *R.*, inevitable, de no ser tan burlador aquel contrincante; y en fin, que la súbita intervención de la reina en favor de Virgilios es un ejemplo más de la caracterización del núcleo familiar real en el *romancero,* particularmente en el novelesco-caballeresco (como en géneros narrativos afines), con el marcado desequilibrio en pro de la autonomía y de la resolución de reinas e infantas. Agrego que los atributos o parentescos de Isabel con el rey, que aparecen en los textos recogidos en la actualidad, tienen el aspecto de querer motivar un rigor contra Virgilios cuya clave originaria se ha perdido; pero cfr. el Texto 20.

Texto 28, nota al v. 7 (pág. 180):

Ducados y florines, de origen veneciano los unos y florentino los otros (que fueron declinando en favor de los primeros a lo largo del siglo XV), eran moneda 'internacional', que varios países adoptaron y acuñaron por cuenta propia; los florines de Aragón eran los de ley más baja: Mercedes Rueda Sabater, «El florín: un 'dólar' bajomedieval», en *En la España Medieval,* IV: Estudios dedicados al Profesor D. Ángel Ferrari Núñez, Madrid, Universidad Complutense, 1984, tomo II, págs. 865-874. Así que la precavida Catalina traía sus 'dólares', aunque de baja ley, como desde luego debían de ser ella misma, su compañero y su aventura, no por esto desmerecedores de humana simpatía.

Texto 32, nota 20 (pág. 188):

Matiza las conclusiones de Martínez Yanes, sobre la base de textos modernos inéditos, Antonio Fernández Insuela, «De nuevo sobre los desenlaces del romance de *Blancaniña*», en *Archivum,* XXXVI (1986), págs. 321-343.

Texto 35, nota 26 (pág. 193):

Cfr. también Steven N. Dworkin, «The Demise of Old Spanish *decir:* A Case Study in Lexical Loss», en *RPh,* XLV (1992), págs. 493-502.

Texto 52, nota 8 (pág. 222):

Una atenta lectura de la tradición antigua del *R.* perfila Miguel Ángel Pérez Priego, «El romance de <El Prisionero> (en la tradición impresa)», en *Voz y Letra.* Revista de Filología [Málaga], II (1991), págs. 3-20.

Texto 91, nota al v. 19 (pág. 297):

En efecto don Diego otorgó testamento (conservado en la Real Acad. de la Historia) el lunes tres de mayo, en el real: Miguel Ángel Ladero Quesada, «De Per Afán de Ribera a Catalina de Ribera. Siglo y medio en la historia de un linaje sevillano (1371-1514)», en *En la España Medieval* (cit. en la nota 7 del Texto 28 en estas Adiciones), tomo I, págs. 447-497 [465n.].

Texto 98, nota 8 (pág. 307):

Y acaso algo más. Pierre du Terrail, señor de Bayard, muerto de una herida en 1524, exaltado como «el caballero sin tacha y sin miedo», fue el más atrevido soldado francés en campañas anti-españolas de Italia y Navarra. Una revancha pudo ser esta que parece arabización grotesca de su nombre y parodia de su valor y destino, humillados por un mítico campeón de la epopeya local.

Texto 110, nota 2 (pág. 325):

Una síntesis crítica, con bibliografía al día, en Miguel Ángel Pérez Priego, «Actualizaciones literarias de la leyenda de Fernán González», en *La leyenda. Antropología, historia, literatura.* Actas del Coloquio celebrado en la Casa de Velázquez (1986), Madrid, Casa de Velázquez-Universidad Complutense, 1989, págs. 237-251.

Texto 151 (pág. 415):

A la generosa amistad de Ana Valenciano y a los colegas del Seminario «Menéndez Pidal», punto de referencia imprescindible, debo la noticia —muy reciente también para ellos— del extraordinario hallazgo de un texto antiguo del *Romance de la muerte del príncipe don Juan*. Lo contiene un ms. de finales del siglo XVI (f. 98r), editado en un volumen que había pasado desapercibido en el ámbito de nuestros estudios: *«Poesías del Maestro León» y de Fr. Melchor de la Serna y otros (s. XVI)*. Codice número 961 de la Biblioteca Real de Madrid. Edición de C. Ángel Zorita, Ralph A. Di Franco, José J. Labrador Herraiz, Cleveland, Cleveland State University, 1991. Copio de sus págs. 188-189:

Nueva triste, nueva triste
que sona por toda España,
que ese prínçipe don Juan
está malo en Salamanca.
5 Malo está de callentura,
que otro mal no se le halla.
Ývalo a ver el duque,
ese Duque de Calabria.
—¿Qué dizen de mí, ¡ay! Duque?
10 ¿Qué dizen por Salamanca?
—Que está malo Vuestra Alteza,
mas que su mal que no es nada.
—Ansí plegue al Dios del çielo
y a la Virgen coronada.
15 Si desta no muero, Duque,
Duque, no perderéis nada.
Estas palabras diziendo
siete dotores entravan.
Los seis le miran el pulso;
20 Dizen que su mal no es nada.
El postrero que lo mira
es el dotor De la Parra.
Yncó rodilla en el suelo,
mirándole está la cara.
25 —¡Cómo me miras, dotor!
¡Cómo me miras de gana!
—Confiésese Vuestra Alteza.
Mande ordenar bien su alma.
Tres oras tiene de vida,
30 la una que se le acava.
Estas palabras estando,

el Rei su padre llegava.
—¿Qué es aqueso, hijo mío,
mi eredero de España?
35 O tenéis sudor de vida
o se os arranca el alma.
Si os vos morís, mi hijo,
¿qué ará aquel que tanto os ama?
Estas palabras diziendo
40 Ya caye que se desmaya.

La distribución impecable de los versos en cuartetas, molde vigente en el *romancero* culto de finales del siglo XVI, es probable imposición de la escritura a un texto de clara procedencia oral.

ÍNDICE DE PRIMEROS VERSOS

El * señala los textos sacados de fuentes posteriores a 1605

ÍNDICE DE LOS ROMANCES

I. Textos en fuentes anteriores a 1605

Romances novelescos

II. TEXTOS EN FUENTES POSTERIORES A 1605